KB085760

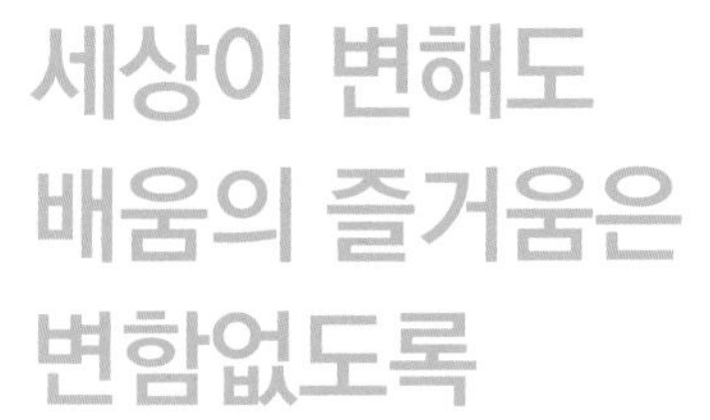


시대는 빠르게 변해도
배움의 즐거움은
변함없어야 하기에

어제의 비상은
남다른 교재부터
결이 다른 콘텐츠
전에 없던 교육 플랫폼까지

변함없는 혁신으로
교육 문화 환경의 새로운 전형을
실현해왔습니다.

비상은 오늘, 다시 한번
새로운 교육 문화 환경을 실현하기 위한
또 하나의 혁신을 시작합니다.

오늘의 내가 어제의 나를 초월하고
오늘의 교육이 어제의 교육을 초월하여
배움의 즐거움을 지속하는 혁신,

바로, 메타인지 기반 완전 학습을.

**상상을 실현하는 교육 문화 기업 비상**

**메타인지 기반 완전 학습**

초월을 뜻하는 meta와 생각을 뜻하는 인지가 결합한 메타인지는
자신이 알고 모르는 것을 스스로 구분하고 학습계획을 세우도록 하는
궁극의 학습 능력입니다. 비상의 메타인지 기반 완전 학습 시스템은
잠들어 있는 메타인지를 깨워 공부를 100% 내 것으로 만들도록 합니다.

핵심만 빠르게~ 단기간에

**내신 공부의 힘**을 키운다

# 내공의 힘

## 통합사회

# 구성과 특징

# STRUCTURE

## 내신 개념 정리

Ⅱ. 자연환경과 인간

### 01 자연환경과 인간 생활

#### A 자연환경[이 인간 생활]에 미치는 영향

1. 자연환경과 인간 [...] 자연환경에 적응하면서 [...]
지역마다 고유[...]은 자연환경에 순응하[...] 제약을 극복하고 자연환[...]

2. 자연환경[...] 기후, 지형, 토양, 식생 등 지역[...]에 따라 인간의 의복·음식·주거 문화가 다르게 나타남

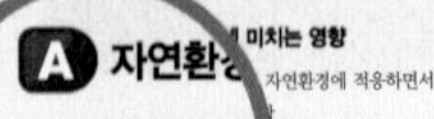

#### B 기후와 인간 생활

1. 세계의 기후 분포

| | |
|---|---|
| 열대 기후 | 일 년 내내 기온이 높고, 강수량이 많음 |
| 건조 기후 | 강수량이 적고, 기온의 일교차가 큼 |
| 온대 기후 | 계절의 변화가 뚜렷하고, 기온이 온화함 |
| 냉대 기후 | 기온의 연교차가 매우 크고, 겨울이 길고 추움 |
| 한대 기후 | 겨울이 매우 길고 추우며, 강수량이 적음 |

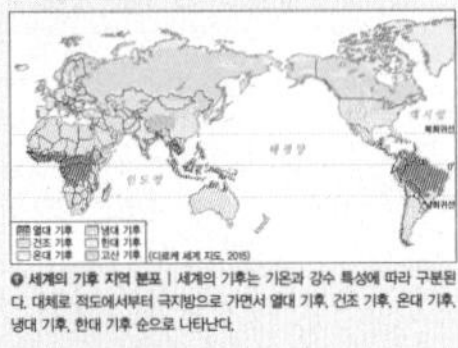


(디르케 세계 지도, 2015)

세계의 기후 지역 분포 | 세계의 기후는 기온과 강수 특성에 따라 구분된다. 대체로 적도에서부터 극지방으로 가면서 열대 기후, 건조 기후, 온대 기후, 냉대 기후, 한대 기후 순으로 나타난다.

★ 2. 기후에 따른 생활 양식의 차이

(1) 열대 기후 지역: 얇고 가벼운 옷차림, 향신료를 사용하고 기름에 볶거나 튀기는 음식 문화 발달, 개방적 가옥 구조, 벼농사 및 이동식 경작 발달

(2) 건조 기후 지역: 온몸을 감싸는 헐렁한 옷차림, 흙벽돌집이나 이동식 가옥에 거주, 오아시스나 외래 하천 주변에서 관개 농업을 통해 밀이나 대추야자 재배, 유목 발달

(3) 온대 기후 지역: 더위와 추위를 모두 극복하고, 계절 변화에 적응하는 생활 양식이 나타남

① 지중해 연안: 여름철 열기를 막기 위한 가옥 구조, 올리브 및 포도 농업 발달

② 온대 계절풍 지역: 벼농사 발달 → 쌀을 이용한 음식 문화 발달

(4) 냉대 기후 지역: 침엽수를 이용한 통나무집, 임업 발달

(5) 한대 기후 지역: 두꺼운 옷차림, 열량이 높은 육류 위주의 음식 문화, 순록 유목

고상 가옥 / 흙벽돌집 / 이동식 가옥

열대 지역에서는 열기와 습기를 피하기 위해 바닥을 지면에서 띄운 고상 가옥이 나타나며, 빗물이 잘 흘러내리도록 지붕의 경사를 급하게 만든다. 일교차가 큰 사막 지역에서는 한낮의 열기를 막기 위해 창문이 작고 벽이 두꺼운 흙벽돌집을 짓는다. 유목이 발달한 건조 초원 지역에서는 나무로 된 뼈대에 동물의 털로 짠 천이나 가죽을 덮어 이동식 가옥을 만든다.

#### C 지형과 인간 생활

1. 지형이 인간 생활에 미치는 영향 산지, 평야, 하천, 해안, 화산, 사막, 빙하 지형 발달 → 각 지형적 특성에 따라 인간의 생활 양식이 달라짐

★ 2. 지형에 따른 생활 양식의 차이

| | |
|---|---|
| 산지 지역 | • 해발 고도가 높고 경사가 급하여 교통이 불편함<br>• 밭농사 발달, 고산 지대에서 가축 사육, 지하자원이 풍부한 지역에서 광업 발달, 산지 경관을 활용한 관광 산업 발달<br>• 적도 부근의 고산 지대는 일 년 내내 서늘한 고산 기후가 나타나 고산 도시 발달 |
| 평야 지역 | • 지형이 평탄하여 경지 개간, 교통로 건설에 유리함<br>• 다양한 형태의 농업 발달, 교통이 편리한 지역에 도시 발달 |
| 해안 지역 | • 육지와 바다가 만나는 지역은 교역에 유리함<br>• 농업 및 어업·양식업 발달, 대규모 항구와 산업 단지 조성<br>• 모래 해안과 갯벌 등 해안 지형을 이용한 관광 산업 발달 |

사막에 조성된 원형 경작지(요르단) / 화산 지대의 온천과 지열 발전(아이슬란드) / 카르스트 지형의 관광지(베트남)

과학 기술의 발달로 인간이 거주할 수 있고, 산업 활동이 가능한 지역이 확대되고 있다. 관개 시설의 확충으로 사막에서도 농업이 가능해졌으며, 화산 지대에서는 지열 발전과 같이 지형의 특성을 이용한 에너지 생산이 이루어지기도 한다. 화산·빙하·카르스트 지형 등 수려한 자연 경관이 나타나는 지역은 세계적인 관광지가 되기도 한다.



시험에 자주 나오는 주제를 선별하여 교과 내용을 정리하였습니다. 한눈에 들어오는 표, 흐름도, 자료 등으로 단원의 핵심 개념을 효율적으로 학습할 수 있습니다.

## 단계적 문제 풀이

★ 표시는 시험 전에 확인해 주세요.

★ 2. 공동체주의적 정의관

(1) 공동체주의적 정의관의 사상적 근거: 개인이 자신이 속한 공[...]체의 영향으로 소속감과 정체성을 형성한다는 공동체주[의] 사상을 바탕으로 함

(2) 공동체주의적 정의관의 입장: 개인이 속한 공동체의 공[...]을 실현하는 것이 정의롭다고 봄

(3) 공동체주의적 정의관에서 본 개인과 공동체의 역할

| | |
|---|---|
| 개인 | 공동체가 추구하는 목표를 달성하기 위해 책임과 의무를 성실히 수행해야 함 |
| 공동체 | 개인이 공동체의 가치와 목적을 내면화하고, 공동체에 관한 소속감을 지니며 자신에게 주어진 책무를 충실하게 이행하여 살아갈 수 있도록 장려해야 함 |

(4) 공동체주의적 정의관의 한계: 집단의 이익만을 중시하는 집단주의로 변질될 경우 개인의 자유와 권리를 훼손하여 개인선의 실현이 어려워질 수 있음

(5) 공동체주의 입장의 대표적 사상가

| | |
|---|---|
| 매킨타이어 | • 공동체의 가치와 전통을 존중하는 삶을 강조함<br>• 개인은 사회적 역할을 통해 자아 정체성을 형성하고, 공동체의 역사적 흐름 속에서 자신의 삶을 구성하는 존재라고 봄 |
| 왈처 | 공동체의 문화적 특수성과 차이를 고려하여 사회적 가치를 분배해야 한다고 봄 |
| 샌델 | 시민들은 연고 의식과 책임 의식을 가지고 공동체의 활동에 참여해야 한다고 봄 |

> 나는 이 도시 혹은 저 도시의 시민이며, 이 조합 혹은 저 집단의 구성원이다. 또한, 나는 이 씨족, 저 부족, 이 민족에 속해 있다. 그러므로 나에게 좋은 것은 공동체에서 역할을 담당하는 누구에게나 좋은 것이어야 한다. 이처럼 나는 내 가족, 도시, 부족, 민족으로부터 다양한 부담과 유산, 정당한 기대와 책무를 물려받았다. 그것들은 나의 삶과 도덕의 출발점을 구성한다. – 매킨타이어, 『덕의 상실』

공동체주의적 정의관에 의하면 공동체는 우리 존재의 출발점이므로 공동체의 구성원들은 자신이 속한 공동체의 이익이나 공동선을 추구하는 것이 바람직하며, 공동체의 발전을 위해 노력해야 할 의무를 가진다. 또한 공동선이 실현되면 자연스럽게 개인의 자유와 권리가 보장될 뿐만 아니라 좋은 삶을 살아갈 수 있다.

3. 다양한 정의관의 적용

(1) 자유주의적 정의관과 공동체주의적 정의관의 관계: 개인의 행복한 삶과 정의로운 사회를 지향한다는 점에서 상호 보완적임

(2) 개인선과 공동선의 조화: 개인은 공동체에 대한 의무를 다하고, 공동체는 개인의 자유와 권리를 최대한 보장해야 함

개인선과 공동선의 조화가 적절히 이루어질 때 모든 구성원이 행복한 정의로운 사회가 실현된다.

### 1단계 개념 짚어 보기

정답과 해설 26쪽

01 다음 설명이 [...]리면 ×표를 하시오.

(1) 일반적으로 정[...]는 사회 제도의 개선에 [...]을 의미한다. ( )

(2) 정의는 개[...] 기본적 권리를 누리며 인간 [...]하다. ( )

02 다음 [...]에 들어갈 [...] 쓰시오.

(1) ( )에 따른 분배는 개인이 지닌 잠재력을 실현할 기회를 제공한다.

(2) ( )에 따른 분배는 객관적 평가와 측정이 용이하다는 장점이 있다.

(3) ( )에 따른 분배는 노동 의욕과 창의성을 저해할 수 있다는 단점이 있다.

03 다음 내용이 자유주의적 정의관의 입장이면 '자', 공동체주의적 정의관의 입장이면 '공'이라고 쓰시오.

(1) 개인은 자유롭고 독립적인 존재이다. ( )

(2) 개인선의 실현이 자연스럽게 공동선의 실현으로 이어진다. ( )

(3) 개인은 자신이 속한 공동체의 발전을 위해 노력해야 할 의무가 있다. ( )

04 다음 괄호 안의 내용 중 알맞은 말에 ○표를 하시오.

(1) (자유주의, 공동체주의)적 정의관에서는 공동체를 좋은 삶의 원천으로 본다.

(2) 자유주의적 정의관에서는 개인의 자유와 권리를 최대한 보장하여 (개인선, 공동선)을 실현하는 것이 정의롭다고 본다.

05 ㉠, ㉡에 들어갈 내용을 각각 쓰시오.

> (㉠ )적 정의관에서는 공동체를 개인의 자유와 권리를 실현하기 위한 수단이라고 보는 반면, (㉡ )적 정의관에서는 공동체를 개인의 정체성을 형성하고 삶의 방향을 설정하는 기반으로 본다.



### 1단계 개념 짚어 보기

단원의 핵심 개념을 잘 이해했는지 단답형 문제를 통해 꼼꼼하게 체크할 수 있습니다.

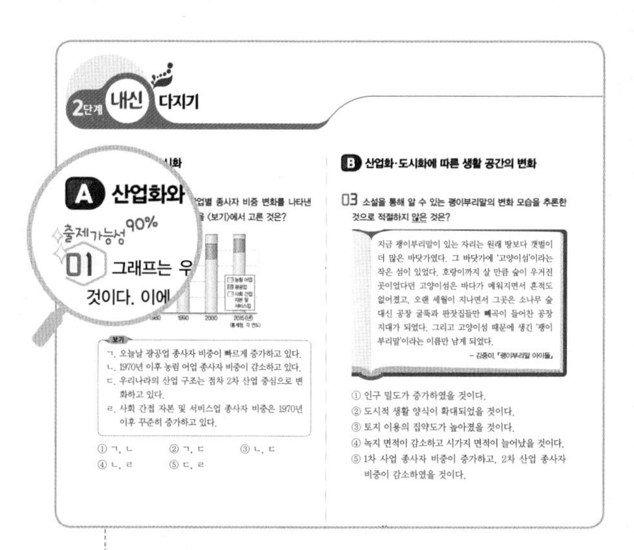

## 2단계 내신 다지기

교과서를 철저히 분석하여 학교 시험에 출제될 가능성이 높은 문제로만 구성하였습니다. 핵심 자료를 활용한 다양한 문제로 실전 감각을 키울 수 있습니다.

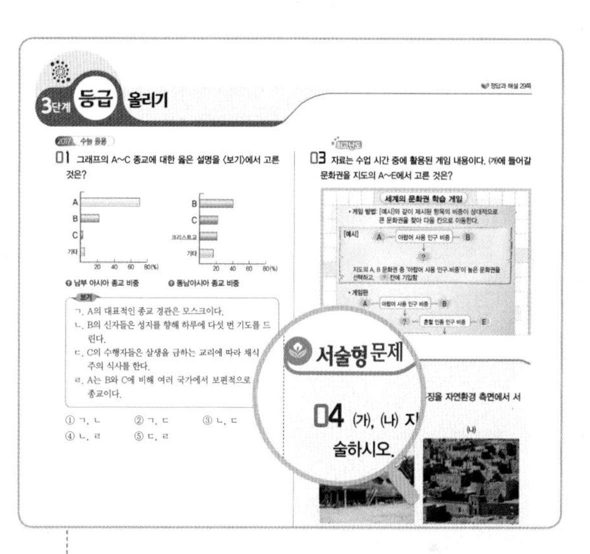

## 3단계 등급 올리기

내신 1등급 달성에 도움을 주는 통합형 문제와 서술형 문제를 구성하였습니다. 고난도 문제를 통해 사고력과 응용력을 향상시킬 수 있습니다.

## 내공 점검

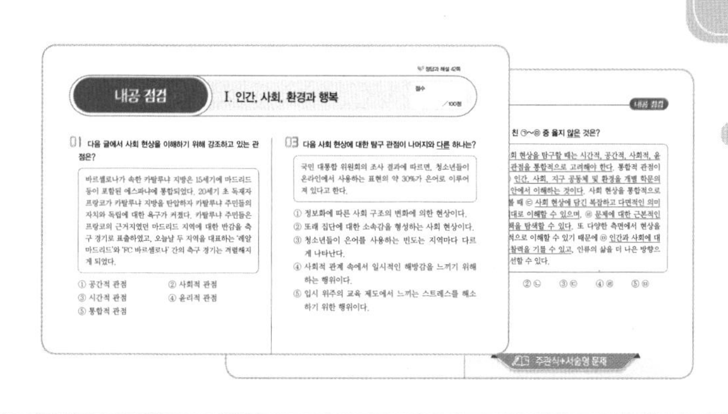

▶ 대단원별로 시험 대비 실전 문제를 구성하였습니다. 중간·기말 고사 직전에 자신의 실력을 최종 점검할 수 있습니다.

내공과 내 교과서
# 단원 비교하기

| 단원명 | | 내공 | 비상교육 | 미래엔 | 천재교육 | 지학사 | 동아출판 |
|---|---|---|---|---|---|---|---|
| Ⅰ 인간, 사회, 환경과 행복 | 01 인간, 사회, 환경을 바라보는 시각 | 8~13 | 10~17 | 12~17 | 14~21 | 12~19 | 14~17 |
| | 02 행복의 의미와 기준 ~ 03 행복한 삶을 실현하기 위한 조건 | 14~19 | 18~33 | 18~31 | 22~37 | 20~37 | 18~37 |
| Ⅱ 자연환경과 인간 | 01 자연환경과 인간 생활 | 20~25 | 38~47 | 36~45 | 42~53 | 42~51 | 42~49 |
| | 02 인간과 자연의 관계 ~ 03 환경 문제의 해결을 위한 노력 | 26~31 | 48~63 | 46~59 | 54~69 | 52~67 | 50~61 |
| Ⅲ 생활 공간과 사회 | 01 산업화와 도시화 | 32~37 | 68~77 | 64~73 | 74~81 | 74~81 | 70~79 |
| | 02 교통·통신의 발달과 정보화 ~ 03 지역의 공간 변화 | 38~43 | 78~93 | 74~89 | 82~99 | 82~97 | 80~91 |
| Ⅳ 인권 보장과 헌법 | 01 인권의 의미와 변화 양상 | 44~49 | 98~105 | 94~103 | 108~115 | 104~111 | 100~107 |
| | 02 헌법의 역할과 시민 참여 ~ 03 인권 문제의 양상과 해결 | 50~57 | 106~123 | 104~121 | 116~135 | 112~129 | 108~127 |

| | 단원명 | 내공 | 비상교육 | 미래엔 | 천재교육 | 지학사 | 동아출판 |
|---|---|---|---|---|---|---|---|
| V 시장 경제와 금융 | 01 자본주의와 합리적 선택 ~ 02 시장 경제와 시장 참여자의 역할 | 58~65 | 128~145 | 126~141 | 140~155 | 134~149 | 132~145 |
| | 03 국제 무역의 확대와 영향 ~ 04 자산 관리와 금융 생활 | 66~71 | 146~161 | 142~159 | 156~173 | 150~167 | 146~157 |
| VI 사회 정의와 불평등 | 01 정의의 의미와 실질적 기준 ~ 02 다양한 정의관의 특징과 적용 | 72~77 | 166~181 | 164~175 | 178~191 | 172~187 | 164~171 |
| | 03 불평등의 해결과 정의의 실현 | 78~83 | 182~191 | 176~187 | 192~199 | 188~197 | 172~183 |
| VII 문화와 다양성 | 01 세계의 다양한 문화권 | 84~89 | 196~203 | 192~199 | 208~215 | 202~209 | 190~193 |
| | 02 문화 변동과 전통문화의 창조적 계승 | 90~95 | 204~211 | 200~209 | 216~223 | 210~217 | 194~201 |
| | 03 문화 상대주의와 보편 윤리 ~ 04 다문화 사회와 문화 다양성 존중 | 96~101 | 212~227 | 210~223 | 224~239 | 218~235 | 202~215 |
| VIII 세계화와 평화 | 01 세계화의 양상과 문제의 해결 | 102~107 | 232~239 | 228~237 | 244~251 | 240~247 | 222~229 |
| | 02 국제 사회의 모습과 평화의 중요성 ~ 03 동아시아의 갈등과 국제 평화 | 108~113 | 240~255 | 238~253 | 252~267 | 248~265 | 230~245 |
| IX 미래와 지속 가능한 삶 | 01 세계의 인구와 인구 문제 | 114~119 | 260~269 | 258~265 | 272~279 | 270~277 | 250~259 |
| | 02 세계의 자원과 지속 가능한 발전 ~ 03 미래 지구촌의 모습과 내 삶의 방향 | 120~124 | 270~287 | 266~281 | 280~295 | 278~293 | 260~271 |

차례

# CONTENTS

## 사회 정의와 불평등

## 문화와 다양성

## 세계화와 평화

## 미래와 지속 가능한 삶



## 내공 점검

# 01 인간, 사회, 환경을 바라보는 시각

## A 인간, 사회, 환경을 보는 여러 가지 관점

### ★ 1. 시간적 관점

| 의미 | 시대적 배경과 맥락에 대한 이해를 바탕으로 사회 현상을 살펴보는 것 |
|---|---|
| 특징 | • 과거의 사실, 사건, 제도, 가치 등을 통해 오늘날 사회 현상이 일어나는 이유와 그 결과를 추론할 수 있음<br>• 현재 나타나고 있는 현상이나 사회 문제를 이해하여 바람직한 해결 방안을 찾는 데 도움을 줌<br>• 앞으로 우리 사회의 변화 방향을 예측할 수 있음 |
| 탐구 방법 | 특정 현상과 관련된 과거의 자료를 수집하여 과거와 현재의 관계를 탐구함 |
| 대표 질문 | • "시간 속에서 인간과 사회는 어떻게 변화해 왔는가?"<br>• "우리가 사는 세계는 앞으로 어떻게 변할 것인가?"<br>• "현재의 문제를 해결하는 데 참고할만한 과거의 사례에는 무엇이 있는가?" |

### ★ 2. 공간적 관점

(네트워크: 사람이나 물자, 정보 등이 긴밀하게 연결되어 조직적이고 효율적으로 움직일 수 있도록 만든 교통·통신망)

| 의미 | 인간 생활과 사회 현상을 위치와 장소, 분포 양상과 형성 과정, 이동과 네트워크 등 공간적 맥락에서 살펴보는 것 |
|---|---|
| 특징 | • 공간은 자연환경 요소와 인문 환경 요소로 구성됨<br>• 공간의 특징을 파악하고, 공간별로 생활 모습과 사회 현상이 다른 이유를 살펴봄 (자연환경 예) 지형, 기후 등 / 인문 환경 예) 언어, 종교, 민족 등)<br>• 지역 간 차이를 이해하고, 자연환경과 인문 환경이 인간의 삶과 사회 현상에 미치는 영향을 분석하는 데 도움을 줌 |
| 탐구 방법 | • 자연환경 및 인문 환경이 인간의 삶에 미치는 영향을 연구하고 분석함<br>• 인간, 사회, 환경이 상호 작용하는 방식을 탐구함 |
| 대표 질문 | • "우리가 살아가는 공간은 어떤 특징이 있는가?"<br>• "자연환경과 인문 환경에 따라서 사람들의 생활 모습은 어떻게 다르게 나타나는가?"<br>• "우리가 살아가는 공간의 변화는 인간에게 어떤 영향을 미치는가?" |

### ★ 3. 사회적 관점

(사회 제도: 사회 구성원의 욕구를 충족하고 공동체의 문제를 해결하기 위해 만들어진 공식화된 절차)
(사회 구조: 개인 간의 상호 작용이 지속되면서 나타난 사회적 관계들의 총체)

| 의미 | 사회 현상이 나타나게 된 배경을 사회 제도 및 사회 구조와의 관련성 속에서 이해하는 것 |
|---|---|
| 특징 | • 개인이 속한 사회를 분석함으로써 개인의 사고방식과 행위를 이해할 수 있음<br>• 한 사회의 성격을 이해하고 민주적인 사회생활을 위하여 해결해야 할 문제들을 파악하는 데 도움을 줌<br>• 사회 문제를 해결하고 정책 대안을 마련하는 데 도움을 줌 |
| 탐구 방법 | 개인과 집단의 행위에 영향을 미치는 정치적·경제적·문화적 제도 및 민주 사회에서 시민의 권리와 의무 등을 이해하는 데 관심을 가져야 함 |
| 대표 질문 | • "법과 제도는 우리에게 어떻게 영향을 미치는가?"<br>• "정책 결정 과정에서 정부와 시민의 역할은 무엇인가?"<br>• "사회 구조는 인간의 사고와 행동에 어떤 영향을 미치는가?" |

### ★ 4. 윤리적 관점

(도덕적 가치 판단: 어떤 사람의 인격이나 행위에 대해 도덕적인 관점에서 판단을 내리는 것)

| 의미 | 도덕적 가치 판단을 통해 인간의 행위를 평가하고, 규범적 방향성을 고려하여 사회 현상을 살펴보는 것 |
|---|---|
| 특징 | • 욕구와 양심을 기초로 한 도덕적 가치 판단을 토대로 도덕적 행위 기준을 설정함<br>• 개인의 삶의 방향성을 정하는 데 중요한 역할을 함<br>• 사회 현상을 도덕적 가치에 따라 평가하고 바람직한 사회로 나아가기 위한 규범적 방향을 설정하는 데 도움을 줌 |
| 탐구 방법 | 도덕적 가치 판단과 규범을 토대로 다양한 사회 현상을 설명하고 평가함 |
| 대표 질문 | • "개인의 이익이 우선인가, 사회의 이익이 우선인가?"<br>• "이해 갈등의 올바른 해결책은 무엇인가?"<br>• "일상생활에서 도덕적 행위를 판단하는 기준은 무엇인가?" |

(양심: 어떤 행위의 옳고 그름을 판단하는 윤리적 기준으로, 모든 인간이 내면에 가지고 있는 의식)

## B 통합적 관점을 통한 사회 문제 탐구

### 1. 개별적 관점을 통한 사회 현상 이해의 한계

(1) 현대 사회의 특징

① 학문 분야가 세분화됨 (통합적 관점의 탐구를 위해 개별 학문의 경계를 넘어 종합적으로 이해해야 한다.)

② 기술의 급속한 발전이 이루어짐

③ 사실과 가치의 문제가 함께 섞여서 표출됨

④ 구성원 간 상호 작용과 이해관계가 복잡해짐

⑤ 시·공간적으로 다양한 요인이 서로 영향을 주고받으며 사회 현상이 발생함

(2) 개별적 관점의 한계: 사회 현상을 제한된 관점으로 이해하게 되므로 사회 현상의 복잡하고 다면적인 의미를 파악하기 어려움

### ★ 2. 통합적 관점의 의미와 필요성

(1) 통합적 관점의 의미

① 사회 현상을 시간적·공간적·사회적·윤리적 관점을 고려하여 통합적으로 살펴보는 것

② 인간, 사회, 지구 공동체 및 환경을 개별 학문의 경계를 넘어 종합적으로 이해하는 것

(2) 통합적 관점의 필요성

① 인간과 사회에 대한 통찰력을 함양할 수 있음

② 인류의 삶을 더 나은 방향으로 개선할 수 있음

③ 문제에 대한 근본적인 해결책을 탐색할 수 있음

④ 사실 관계를 정확히 파악한 후 가치 판단을 내릴 수 있음

⑤ 여러 분야가 긴밀하게 얽혀 있는 복잡하고 다면적인 사회 현상을 깊이 있고 정확하게 이해할 수 있음

★ 표시는 시험 전에 확인해 주세요.

### 3. 통합적 관점으로 본 기후 변화 문제

(1) 시간적 관점에서 본 기후 변화의 원인: 산업 혁명 이후 인구 증가와 산업화에 따른 화석 연료의 사용 증가, 삼림 파괴로 온실가스 배출량이 급격히 늘어 지구 평균 기온이 상승함

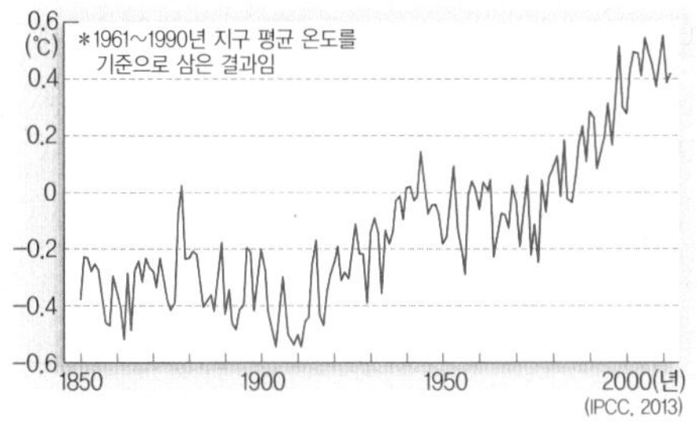


**⊙ 지구의 평균 온도 변화** | 19세기 이후 산업화와 도시화로 인해 이산화 탄소의 배출량이 증가하여 지구 온난화를 일으키고 있다.

(2) 공간적 관점에서 본 기후 변화에 따른 지역별 영향: 기후 변화가 계속되면 이상 기상 현상이 자주 나타나고, 생태계의 다양성이 감소하며, 빙하의 감소에 따른 해수면 상승으로 해안 저지대 침수 등의 재해가 나타날 수 있음

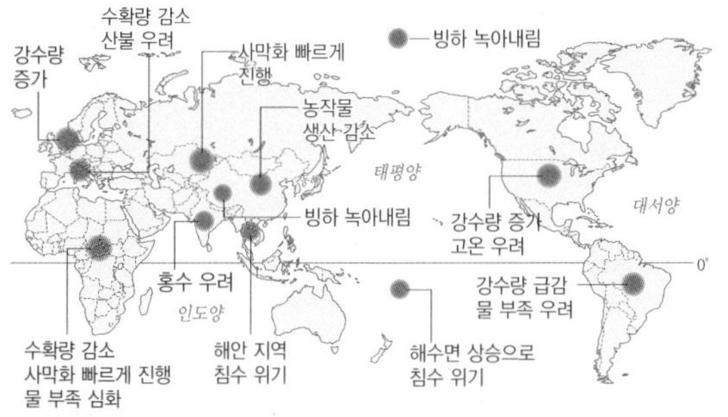


**⊙ 기후 변화에 따른 주요 지역의 변화** | 지구 온난화에 따른 기후 변화 피해는 전 세계 국가가 입고 있다.

(3) 사회적 관점에서 본 기후 변화 문제를 해결하기 위한 국제적 노력: 「기후 변화 협약」(1992), 「교토 의정서」(1997), 「파리 협정」(2015) 등 온실가스 감축을 위한 구속력 있는 합의가 필요함 → 기후 변화 문제의 해결을 위해 국제 사회 및 국가적 차원에서 실효성 있는 정책 대안을 마련해야 함

> **파리 협정(2015)**
> 2020년 이후 적용할 새로운 기후 협약으로, 협약에 참여하는 195개 당사국 모두가 감축 목표를 지켜야 한다. 당사국들은 장기 목표로 "산업화 이전 대비 지구 평균 온도 상승폭을 2℃보다 훨씬 낮게 유지하고 더 나아가 1.5℃까지 제한하기 위해 노력한다."고 합의하였다.

(4) 윤리적 관점에서 본 기후 변화의 책임: 인간의 이기심으로 인한 환경 파괴에 대한 성찰, 선진국과 개발 도상국 간 책임의 형평성 문제에 대한 논의, 미래 세대에 대한 책임 → 인간 중심주의 자연관, 선진국 중심의 세계관에 대한 반성

• 인간만이 세상에서 가치 있는 존재이며 자연은 인간을 위한 도구라고 생각한 자연관으로, 무분별한 자연 착취와 자원 남용을 정당화한 사상적 근거가 되었다.

## 1단계 개념 짚어 보기

정답과 해설 2쪽

**01** 다음 설명에 해당하는 관점을 〈보기〉에서 골라 기호를 쓰시오.

> 보기
> ㄱ. 시간적 관점　　ㄴ. 공간적 관점
> ㄷ. 사회적 관점　　ㄹ. 윤리적 관점

(1) 시대적 배경과 맥락을 통해 사회 현상을 이해한다. (　　)
(2) 도덕적 가치 판단과 규범적 방향성에 초점을 두고 사회 현상을 이해한다. (　　)
(3) 사회 현상이 나타나게 된 배경을 사회 제도 및 사회 구조의 측면에서 분석한다. (　　)
(4) 장소, 영역, 네트워크 등에 대한 정보를 바탕으로 인간 활동이나 사회 현상을 이해한다. (　　)

**02** 다음 설명이 맞으면 ○표, 틀리면 ×표를 하시오.

(1) 시간적 관점을 통해 우리 사회의 변화 방향을 예측할 수 있다. (　　)
(2) 공간은 지형, 기후 등의 자연환경 요소와 언어, 종교 등의 인문 환경 요소로 구성된다. (　　)
(3) 양심은 행위의 옳고 그름을 판단하는 윤리적 기준으로, 시·공간에 따라 상대적으로 적용되는 규범이다. (　　)
(4) 사회 구성원의 욕구를 충족하고 공동체의 문제를 해결하기 위해 만들어진 공식화된 절차 및 규범 체계를 사회 구조라고 한다. (　　)

**03** 사회 현상을 바라보는 관점과 탐구 방법을 옳게 연결하시오.

(1) 시간적 관점 •　　• ㉠ 사회 제도 및 시민의 권리와 의무 이해
(2) 공간적 관점 •　　• ㉡ 특정 현상과 관련된 과거의 자료 수집
(3) 사회적 관점 •　　• ㉢ 도덕적 가치 판단과 규범을 토대로 평가
(4) 윤리적 관점 •　　• ㉣ 인간과 사회, 인간과 자연의 상호 작용 방식 탐구

**04** 사회 문제를 탐구할 때에는 시대적 배경과 맥락, 위치와 장소 및 네트워크 등의 공간적 맥락, 사회 구조와 사회 제도의 영향력, 규범적 방향성과 가치 등을 종합적으로 고려하는 (　　　　) 관점이 필요하다.

## A 인간, 사회, 환경을 보는 여러 가지 관점

**01** 사회 현상을 파악하기 위해 시간적 관점이 필요한 이유로 가장 적절한 것은?

① 과거를 통해 현재 발생한 일을 이해하는 데 도움을 준다.
② 인간과 사회의 상호 작용 방식을 파악하는 데 도움을 준다.
③ 사회가 나아가야 할 규범적 방향성을 설정하는 데 도움을 준다.
④ 민주적인 사회생활을 위해 해결해야 할 사회 문제를 파악하는 데 도움을 준다.
⑤ 복잡한 사회 현상을 정확히 이해하고 다각적인 해결책을 찾는 데 도움을 준다.

**02** 다음 밑줄 친 ㉠에 해당하는 것은?

> ㉠ 우리나라의 지역 축제의 문제점을 이해하기 위해서는 축제를 시간적 관점에서 살펴볼 필요가 있다. 축제는 한 해의 수확을 기뻐하고 신에게 제사를 지내는 종교적 의례에서 유래를 찾아볼 수 있다. 그러나 오늘날 과학 기술이 발달하고 국민 소득이 증가하면서 축제는 종교적 의미보다 놀이나 여가 활동으로서의 의미가 커졌다.

① 지역의 고유한 이미지를 만들어 내지 못하고 있다.
② 지역 주민들이 축제에 참여하지 못하고 소외되고 있다.
③ 지역 축제가 실패하면 지방 정부의 재정이 악화될 수 있다.
④ 축제의 전통적 가치를 잊고 상업적 활동에 초점이 맞춰져 있다.
⑤ 축제로 인해 지역 주민들이 각종 소음과 쓰레기 공해에 시달리고 있다.

**03** 시간적 관점의 주요 탐구 주제를 〈보기〉에서 고른 것은?

> 보기
> ㄱ. 사회는 지금까지 어떻게 변화해 왔는가?
> ㄴ. 이해 갈등의 올바른 해결책은 무엇인가?
> ㄷ. 우리가 사는 세계는 앞으로 어떻게 변할 것인가?
> ㄹ. 일상생활에서 법이 우리에게 어떤 영향을 미치는가?

① ㄱ, ㄴ ② ㄱ, ㄷ ③ ㄴ, ㄷ
④ ㄴ, ㄹ ⑤ ㄷ, ㄹ

**04** 다음과 같이 네덜란드와 스위스의 전통 신발이 다른 이유를 공간적 관점에서 파악한 진술로 옳은 것은?

> 네덜란드의 전통 신발은 나막신처럼 생긴 클로그(clog)이다. 네덜란드는 비가 자주 내려 진창길이 많고 해수면보다 낮은 땅과 갯벌이 많아서 사람들은 질퍽한 땅에 발이 빠지지 않기 위해서 나무로 만든 전통 신발을 신어 왔다. 반면 알프스산맥이 국토 면적의 대부분을 차지하는 스위스에서는 목동들이 오늘날 아이젠과 유사한 신발을 16세기부터 신어 왔다. 목동들은 눈이 쌓여 경사진 곳, 얼음으로 덮인 길에서 미끄러지지 않고 걷기 위해서 이러한 신발을 고안하였다.

① 민주주의가 확립된 시기가 다르기 때문이다.
② 위치에 따른 지형적 특성이 다르기 때문이다.
③ 가치관이나 교육 수준에 차이가 있기 때문이다.
④ 서로 다른 국가의 식민 지배를 받았기 때문이다.
⑤ 산업 발달과 경제 성장 속도가 다르기 때문이다.

출제가능성 90%

**05** 자료는 지구 온난화에 따른 지역별 영향을 나타낸 것이다. 이와 같은 현상을 탐구하기 위한 관점으로 옳은 것은?

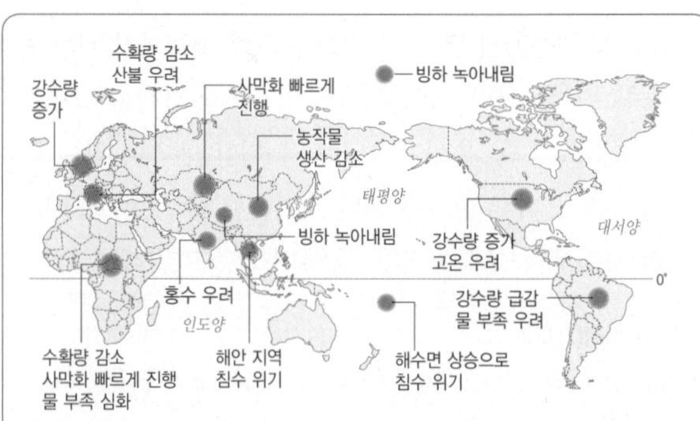


> 기후 변화가 계속되면 이상 기후 현상이 자주 나타나고, 생태계의 다양성이 감소하며, 빙하의 감소에 따른 해수면 상승으로 해안 저지대가 침수되어 기후 난민이 발생할 수도 있다. 이와 같이 지구 온난화에 따른 기후 변화의 피해는 전 세계 국가가 입고 있다.

① 개인적 관점 ② 공간적 관점
③ 사회적 관점 ④ 시간적 관점
⑤ 윤리적 관점

**[06~07] 다음 글을 읽고 물음에 답하시오.**

> 국민 대통합 위원회의 조사 결과에 따르면, 청소년들이 온라인에서 사용하는 표현의 약 30%가 은어로 이루어져 있다고 한다. 실제로 청소년들 사이에서는 은어를 모르면 대화가 되지 않을 정도로 은어 사용이 하나의 '문화'로 자리매김하고 있다. 이와 같이 청소년의 은어 사용이 심화되는 현상에 대해 왜 그러한 현상이 나타났는지, 그것이 어떤 결과를 가져올 수 있는지, 만약 그러한 현상을 문제로 인식하고 바꾸려면 어떻게 해야 하는지에 대해 알아보려면, 그와 관련된 사회 구조와 사회 제도의 측면에서 살펴보는 ( ㉠ ) 관점이 필요하다.

**06** ㉠ 관점에 대한 설명으로 옳은 것은?

① 어떤 가치를 지향해야 하는지를 살펴보는 관점이다.
② 우리가 사는 세계의 변화 모습에 대해 관심을 가지는 관점이다.
③ 인간 생활과 사회 현상에 대한 환경의 영향을 탐구하는 관점이다.
④ 사회 문제를 해결하고 정책 대안을 마련하는 데 도움이 되는 관점이다.
⑤ 현재의 문제를 해결하기 위해 과거의 자료를 수집하여 분석하는 관점이다.

**07** 청소년의 은어 사용 현상에 대해 ㉠ 관점에서 살펴본 것을 〈보기〉에서 고른 것은?

보기
ㄱ. 어느 시대에나 청소년들은 특별한 은어를 사용하였다.
ㄴ. 정보화에 따른 의사소통 환경의 변화가 원인이 될 수 있다.
ㄷ. 국가별로 청소년들이 사용하는 은어는 다양하게 나타난다.
ㄹ. 또래 집단에 대한 소속감을 형성하기 위해서 은어를 사용한다.

① ㄱ, ㄴ ② ㄱ, ㄷ ③ ㄴ, ㄷ
④ ㄴ, ㄹ ⑤ ㄷ, ㄹ

출제가능성 90%

**08** 밑줄 친 ㉠~㉣에 대한 옳은 설명만을 〈보기〉에서 있는 대로 고른 것은?

> ㉠ 이 관점에서는 인간 내면의 ㉡ 욕구와 ㉢ 양심을 기초로 인간의 행위를 평가한다. 인간은 무엇을 가지거나 어떤 일을 하고자 하는 욕구가 있다. ㉣ 인간은 자신의 욕구를 만족시키려고 노력하는 동시에 타인의 욕구도 고려한다. 또한 모든 인간은 내면에 고유한 양심을 지니고 있다. 어떤 사회 현상이 발생하면 욕구와 양심 중 어느 것에 초점을 맞추어 가치 판단을 할지 검토해야 한다.

보기
ㄱ. ㉠은 윤리적 관점이다.
ㄴ. ㉡은 어떤 행위의 옳고 그름, 선악을 판단하는 윤리적 기준이 된다.
ㄷ. ㉢은 시간과 공간을 초월하여 보편적인 규범이 된다.
ㄹ. ㉣과 같이 행동하지 않는 사람은 비도덕적이라는 사회적 비난을 받을 수 있다.

① ㄱ, ㄴ ② ㄱ, ㄷ ③ ㄴ, ㄹ
④ ㄱ, ㄷ, ㄹ ⑤ ㄴ, ㄷ, ㄹ

**09** 다음 신문 기사에 대해 윤리적 관점을 토대로 가장 적절하게 평가한 것은?

> **아프리카 아이들의 검은 눈물, 초콜릿!**
> 우리가 먹는 초콜릿에는 서아프리카 아이들의 피와 땀이 묻어 있다. 이곳의 카카오 농장주들은 조금이라도 저렴하게 카카오를 생산하기 위해 법을 어기고 싼값에 아동을 고용하고 있으며, 이 과정에서 아동을 납치하거나 사고파는 일도 벌어지고 있다.
> – 「뉴시스」, 2014. 2. 13.

① 아동 노동 문제는 아프리카 지역만의 특수한 문제로 볼 수 있다.
② 누구나 인간다운 삶을 누릴 수 있도록 아동 노동 문제를 해결해야 한다.
③ 아동 노동 문제를 해결하기 위해 국제 사회 차원의 기구와 제도를 마련해야 한다.
④ 유럽이 아프리카 식민지 지배를 시작했던 역사로부터 아동 노동 문제가 시작되었다.
⑤ 아동 노동 문제는 아프리카 국가들의 사회 구조 및 사회 제도의 개선으로 해결해야 한다.

## B 통합적 관점을 통한 사회 문제 탐구

출제가능성 90%

**10** 다음은 의사와 환자의 상담 내용이다. 밑줄 친 ㉠~㉣에 대한 설명으로 옳지 않은 것은?

- 환자: 불면증으로 고생하고 있습니다.
- 의사: ㉠ 불면증은 언제부터 시작되었나요?
- 환자: 1년 쯤 되었습니다.
- 의사: ㉡ 집 주변에 소음을 유발하는 시설이 있나요?
- 환자: 아니요, 없습니다.
- 의사: 그럼 취업 준비로 스트레스를 받고 있나요?
- 환자: 네, ㉢ 취업이 너무 힘들어요.
- 의사: ㉣ 대기업 취업을 고집하기보다는 적성에 맞는 직장을 선택하는 것이 더 보람되지 않을까요?
- 환자: 그런가요?

① ㉠은 원인을 찾기 위해 과거의 자료를 수집하려는 질문이다.
② ㉡은 공간적 맥락에서 현상을 평가하기 위한 질문이다.
③ ㉢의 취업 스트레스는 개인적인 문제로 사회 구조적 측면과 관계없다.
④ ㉣은 윤리적 관점에서 삶의 방향을 설정하는 것에 대해 조언하고 있다.
⑤ ㉠~㉣을 함께 고려하면 다양한 측면에서 현상을 종합적으로 이해할 수 있다.

**11** 한옥에 대해 탐구하는 관점과 그 내용을 옳게 연결한 것을 <보기>에서 고른 것은?

보기
ㄱ. 시간적 관점 – 한옥의 역사
ㄴ. 공간적 관점 – 전통 윤리가 반영된 한옥
ㄷ. 사회적 관점 – 우리 사회에서 한옥이 지닌 의미
ㄹ. 윤리적 관점 – 우리나라의 기후가 한옥의 구조에 미친 영향

① ㄱ, ㄴ ② ㄱ, ㄷ ③ ㄴ, ㄷ
④ ㄴ, ㄹ ⑤ ㄷ, ㄹ

**12** 다음은 미술 작품에 대한 설명이다. 밑줄 친 ㉠, ㉡과 관련된 관점을 옳게 연결한 것은?

이 작품은 우리네 소박한 일상을 애정 어린 눈길로 화폭에 담았습니다. 빨래터는 ㉠ 만남의 장소였으나 ㉡ 세탁기의 발명으로 점차 사라지고 말았습니다.

박수근, 「빨래터」

| | ㉠ | ㉡ |
|---|---|---|
| ① | 공간적 관점 | 사회적 관점 |
| ② | 공간적 관점 | 시간적 관점 |
| ③ | 시간적 관점 | 공간적 관점 |
| ④ | 시간적 관점 | 사회적 관점 |
| ⑤ | 윤리적 관점 | 시간적 관점 |

**13** 다음 사회 문제의 해결을 위한 탐구 관점과 그 내용이 옳은 것을 <보기>에서 고른 것은?

우리나라의 화장률은 1955년에는 5.8%에 불과했으나 2000년대 이후 급증하여 2014년에는 거의 80%에 이르렀다. 오늘날 화장장은 주민 복리와 편의를 위해 없어서는 안 될 중요한 공공시설이다. 그러나 주민들이 이를 자기 지역에 설치하는 것을 꺼리기 때문에 화장장을 둘러싼 지역 갈등이 일어나고 있다.

보기
ㄱ. 시간적 관점 – 화장장 건설의 최적의 입지 조건
ㄴ. 공간적 관점 – 우리나라 장례 문화의 역사적 변화 과정
ㄷ. 사회적 관점 – 화장장 건설에 따른 문제를 해결하기 위한 법과 제도
ㄹ. 윤리적 관점 – 화장장 건설을 둘러싼 갈등을 해결하기 위해 시민으로서 지녀야 할 바람직한 자세

① ㄱ, ㄴ ② ㄱ, ㄷ ③ ㄴ, ㄷ
④ ㄴ, ㄹ ⑤ ㄷ, ㄹ

# 3단계 등급 올리기



**01** 다음은 독도가 우리 영토인 근거이다. 이와 관련된 관점의 탐구 방법으로 가장 적절한 것은?

> 독도가 대한민국의 고유 영토라는 사실은 『삼국사기』(1145), 『팔도총도』(1531) 등 다수의 옛 문헌과 지도에서 확인되고 있다. 과거 일본 정부도 독도가 한국의 영토라는 사실을 인정하였다. 1877년 일본의 최고 행정 기관인 태정관은 "독도는 일본과 관계없다는 사실을 명심하라."라고 분명히 지시하였다.
>
> – 동북아 역사 재단, 『우리 땅 독도를 만나다』

① 과거의 역사적 자료를 수집한다.
② 공간 간의 상호 작용을 파악한다.
③ 사회 구조의 내용과 특징을 파악한다.
④ 환경이 인간에게 미치는 영향을 분석한다.
⑤ 인간의 양심에 초점을 맞추어 가치 판단을 한다.

최고난도

**02** (가), (나)는 우리나라의 고령화 현상과 관련된 자료이다. 이에 대한 옳은 설명을 〈보기〉에서 고른 것은?

(가) 농촌과 도시의 고령 인구 비율

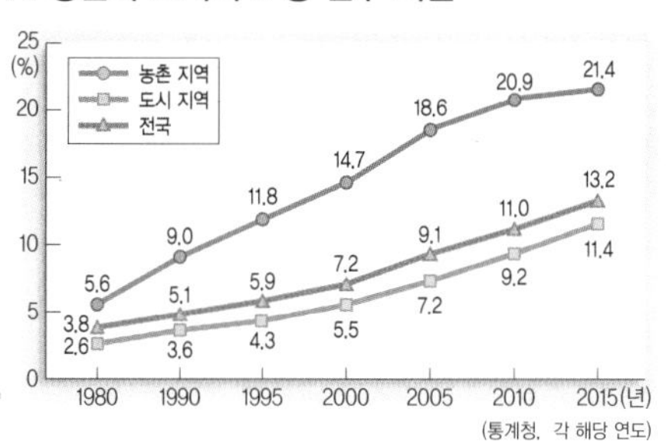

(통계청, 각 해당 연도)

(나) 노부모 부양에 대한 책임 의식의 변화

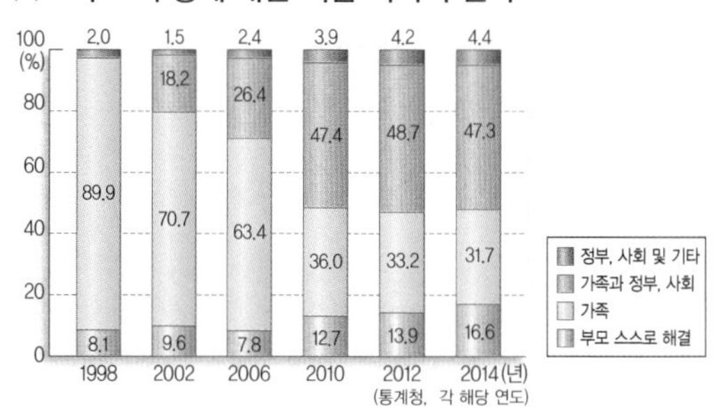

(통계청, 각 해당 연도)

보기
ㄱ. (가)는 공간적 관점의 탐구에 필요한 자료이다.
ㄴ. (나)를 통해 노년 부양비 추이를 분석할 수 있다.
ㄷ. (가) 현상이 나타나는 근본적인 원인은 (나) 때문이다.
ㄹ. (가), (나)를 통합적으로 살펴봐야 고령화 문제를 해결할 수 있다.

① ㄱ, ㄴ ② ㄱ, ㄹ ③ ㄴ, ㄷ
④ ㄴ, ㄹ ⑤ ㄷ, ㄹ

2012 평가원 응용

**03** 그림은 기후 변화 문제에 대한 학생들의 대화이다. 이러한 탐구 방법에 대한 옳은 설명을 〈보기〉에서 고른 것은?

기후 변화가 환경과 인간 생활에 어떤 영향을 미쳤는지 알아봅시다.

국제 사회는 기후 변화를 막기 위해 어떤 노력을 하는지 찾아봅시다.

기후 변화는 언제부터 나타났으며, 원인이 무엇인지 살펴봅시다.

기후 변화에 대한 책임은 누구에게 있는지 논의해 봅시다.

보기
ㄱ. 학문 간 유기적 연구와 협조가 필요하다.
ㄴ. 다양한 탐구 관점에서 하나의 주제를 연구한다.
ㄷ. 사회 현상이 점차 단순화되면서 필요성이 커지고 있다.
ㄹ. 개별적 관점의 경계를 강화하여 학문 간 교류를 차단하고 있다.

① ㄱ, ㄴ ② ㄱ, ㄷ ③ ㄴ, ㄷ
④ ㄴ, ㄹ ⑤ ㄷ, ㄹ

## 서술형 문제

**04** 다음 글을 읽고 물음에 답하시오.

> 네덜란드와 스위스 모두를 대표하는 음식은 치즈이다. 두 지역 모두 여름철이 서늘하여 농업이 불리하므로 전통적으로 목축업이 발달하였다. 네덜란드는 치즈를 굳혀서 요리에 활용하지만 해발 고도가 높아 겨울철이 한랭한 스위스는 네덜란드와 달리 치즈를 녹여 먹는 퐁뒤 요리가 발달하였다. 이처럼 ( ㉠ ) 관점에서 보면 서로 다른 지역의 공통점과 차이점을 이해할 수 있다.

(1) ㉠에 들어갈 내용을 쓰시오.

(2) ㉠ 관점의 대표적 탐구 방법을 두 가지 서술하시오.

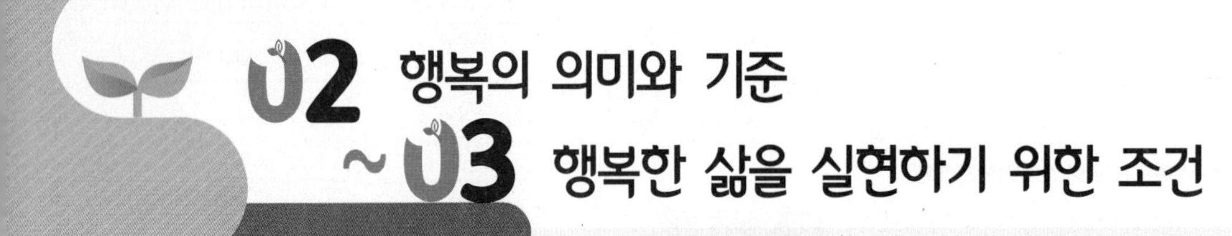

# 02 행복의 의미와 기준
# ~03 행복한 삶을 실현하기 위한 조건

## A 행복의 의미

### 1. 진정한 행복의 실현

(1) 행복: 삶에서 충분한 만족감과 기쁨을 느끼는 상태

(2) 삶의 목적으로서의 행복: 오랜 기간에 걸쳐 삶 전체를 통해 느끼는 정신적인 즐거움

### 2. 행복 추구 시 고려 사항

| | |
|---|---|
| 물질적 조건과 정신적 만족감의 조화 | • 물질적 조건: 의식주, 경제력, 사회적 지위 등<br>• 정신적 만족감: 가족과의 사랑, 친구와의 우정, 자아 실현의 추구 등 |
| 의미 있는 목표 설정과 추구 | 자신이 소중하다고 생각하는 목표를 세우고 이를 달성하고자 노력해야 함 |
| 개인적·사회적 측면 고려 | 개인의 주관적 만족감과 함께 한 사회의 구성원으로서 누리는 사회적 여건도 중시해야 함 |

## B 행복의 기준

### ★ 1. 시대에 따른 행복의 기준

| | |
|---|---|
| 선사 시대 | • 생존을 위한 식량을 확보하는 것<br>• 자연재해나 사나운 짐승 등 외부의 위협으로부터 안전을 유지하는 것<br>• 행복은 '우연한 기회에 운 좋게 주어진 것'이라는 행운과 거의 같은 의미로 사용됨 |
| 고대 시대 | • 그리스 시대: 철학을 통해 지혜와 덕을 얻는 것<br>• 헬레니즘 시대: 철학적 성찰을 통해 마음의 평안을 얻는 것 (정치적으로 혼란했던 시대였기 때문이다.) |
| 중세 시대 | • 신앙을 통해 신의 은총을 받고 구원을 받는 것<br>• 군주에게 복종하고 명령을 따르는 것 |
| 산업화·민주화 시기 | • 물질적인 풍요로움을 확보하는 것<br>• 인간의 기본권을 보장받는 것<br>• 행복을 인간의 노력으로 성취 가능한 것으로 인식함 |
| 오늘날 | • 개인주의가 확산되고, 자아실현의 욕구가 커짐 → 개인의 주관적 만족감이 중시됨<br>• 행복의 기준이 과거보다 복잡하고 다양해짐 |

### 2. 지역에 따른 행복의 기준

(1) 정치적·경제적 여건

| | |
|---|---|
| 정치적 갈등 지역 | 민족, 종교, 정치적 갈등을 겪는 지역은 국민들이 생명의 위협을 느끼고, 정착지를 떠나 난민으로 전락하기도 함 → 평화와 정치적 안정을 중시함 |
| 경제적 빈곤 지역 | 기아와 질병에 시달리는 절대적 빈곤 지역에서는 빈곤 탈출과 의료 혜택이 절실함 → 기본적인 의식주 충족과 질병 없는 삶을 중시함 |
| 정치적·경제적으로 안정된 지역 | 소득 불평등의 해결, 충분한 여가와 문화 생활 등에 관심을 가짐 → 삶의 질 향상이 행복의 중요한 기준임 |

(2) 환경적 여건

물이 부족한 지역은 깨끗한 물을 얻는 것, 일조량이 부족한 지역은 햇볕을 쬘 수 있는 것이 행복의 기준이 된다.

| | |
|---|---|
| 자연환경 | 주어진 환경에 만족하거나 결핍된 요소를 충족하는 것이 행복의 기준이 됨 |
| 인문 환경 | 지배적인 종교, 문화, 산업 등에 따라 행복의 기준이 다름 |

### 3. 동서양의 행복론

(1) 동양의 행복론

| | |
|---|---|
| 유교 | 하늘로부터 부여받은 도덕적 본성을 보존하고 함양하면서 다른 사람과 더불어 살아가며 인(仁)을 실현하는 것 |
| 불교 | 청정한 불성(佛性)을 바탕으로 '나'라는 의식을 벗어 버리기 위한 수행과 고통받는 중생을 구제하는 실천을 통해 해탈의 경지에 이르는 것 (해탈의 경지: 괴로움에서 벗어난 이상적인 경지) |
| 도교 | 타고난 그대로의 본성에 따라 자연 그대로의 모습으로 살아가는 것 → 무위자연(無爲自然)의 삶 |
| 정약용 | 세속의 부귀영화를 의미하는 열복과 마음의 평화를 의미하는 청복을 누리는 것 |

(2) 서양의 행복론

| | |
|---|---|
| 그리스 시대 | 아리스토텔레스: 행복은 최고의 선이며 삶의 궁극적 목적임. 행복을 이루기 위해서는 인간이 가진 이성의 힘을 발휘하여 덕을 실현해야 함 |
| 헬레니즘 시대 | • 에피쿠로스학파: 육체에 고통이 없고 마음에 불안이 없는 평온한 삶<br>• 스토아학파: 정념에 방해받지 않는 초연한 태도로 자연의 질서에 따라 사는 것 |
| 근대 | • 칸트: 자신의 복지와 처지에 관해 만족하는 것을 행복이라고 여기며, 인간으로서 마땅히 지켜야 할 도덕 법칙을 실천하는 사람이 행복을 누릴 자격이 있다고 봄 → 의무론<br>• 벤담, 밀: 쾌락을 행복이라고 여기며, 최대 다수에게 최대 행복을 가져다주는 행위를 할 것을 강조함 → 공리주의 |

부탄이나 코스타리카 등은 다양한 가치의 균형을 중시하며 포괄적, 균형적으로 국민의 행복을 실현하기 위해 노력하고 있다.

### 4. 다양한 행복의 기준

개발과 환경 보전의 조화, 공동체의 정치적 안정과 발전, 구성원의 건강 등 각국의 상황이나 추구하는 방향에 따라 행복의 기준이 달라질 수 있음

### 5. 행복에 대한 다양한 측정 방법

최근의 행복 지수들은 객관적, 주관적 요소들을 통합적으로 고려하여 측정하고 있다.

| 행복 관련 지수 | 주요 항목 |
|---|---|
| 인간 개발 지수(1990) | 1인당 국민 소득, 평균 수명, 교육 수준 등 |
| 세계 행복 지수(2005) | 1인당 국내 총생산, 기대 수명, 사회적 지원, 관용 의식, 자신의 인생을 결정할 자유 등 |
| 더 나은 삶 지수(2011) | 주거, 소득, 고용, 교육, 환경, 기대 수명, 시민 참여, 일과 삶의 균형, 삶의 만족도 등 |
| 국민 삶의 질 지표(2011) | • 물질 부문: 주거, 소득·소비·자산, 임금, 사회 복지 등<br>• 비물질 부문: 건강, 교육, 문화·여가, 가족·공동체, 시민 참여, 안전, 환경 등 |

★ 표시는 시험 전에 확인해 주세요.

## C 행복한 삶을 실현하기 위한 조건

### ★ 1. 질 높은 정주 환경
→ 정주 환경: 인간이 일정한 공간에 자리 잡고 살아갈 수 있는 주거지와 다양한 주변 생활 환경

| 구분 | | 내용 |
|---|---|---|
| 필요성 | | 인간이 생존의 위협을 받지 않고 기본적인 삶을 유지하기 위함 |
| 요건 | 자연환경 | 깨끗한 물·대기·토양, 녹지 공간 등 |
| | 인문 환경 | 안락한 주거 환경, 안전하고 풍요로운 사회적 환경(치안 서비스, 보건·위생 서비스, 교육·문화 서비스), 발달된 교통·통신 시설 등 |

### ★ 2. 경제적 안정
→ 질 높은 교육과 건강 관리가 가능해진다.

| 구분 | | 내용 |
|---|---|---|
| 필요성 | | • 기본적 생계를 유지하고 자신의 필요를 충족하기 위함<br>• 삶의 여유를 바탕으로 자아실현 기회를 갖기 위함 |
| 요건 | 고용 안정 | 일자리 창출, 최저 임금 보장 등을 통한 일정 수준 이상의 소득 보장 |
| | 복지 강화 | 질병, 사고, 실직 등 갑작스러운 상황으로 인한 어려움에 대비할 수 있는 복지 제도 마련 ㉠ 실업 급여, 사회 보험 등 |

**맹자가 말하는 경제적 안정의 중요성**

일반 백성은 고정적인 생업[항산, 恒産]이 없으면 흔들림 없는 도덕적인 마음[항심, 恒心]도 없어집니다. 그러므로 지혜로운 왕은 백성들의 생업을 제정해 주되 반드시 위로는 부모를 섬기기에 충분하게 하고 아래로는 자녀를 먹여 살릴 만하게 하여, 풍년에는 언제나 배부르고 흉년에도 죽음을 면하게 합니다. – 맹자, 『맹자』

항산(恒産)은 인간다운 생활을 유지할 수 있는 경제적 안정을, 항심(恒心)은 늘 지니고 있는 도덕적 마음을 가리킨다. 맹자는 항심을 유지하며 행복하게 살기 위해서는 경제적 안정이 뒷받침되어야 함을 강조하였다.

### ★ 3. 민주주의의 실현
→ 정치적 의사를 자유롭게 표출하고, 자신이 속한 공동체의 문제를 주체적으로 해결해 나가는 경험을 통해 만족감을 얻을 수 있다.

| 구분 | | 내용 |
|---|---|---|
| 필요성 | | 사회 구성원이 자유와 권리를 최대한 보장받으면서 행복한 삶을 꾸려 나가기 위함 |
| 요건 | 민주적 제도 | 의회 제도, 복수 정당 제도, 권력 분립 제도 등 |
| | 시민의 정치 참여 | 선거, 정당이나 이익 집단 활동, 시민 단체 활동 등을 통해 적극적인 정치 참여 문화 형성 |

### ★ 4. 도덕적 실천
→ 남을 돕는 도덕적 실천을 통해 삶의 의미와 행복을 느낄 수 있으므로 자신에게도 진정한 행복감을 가져다 준다.

| 구분 | | 내용 |
|---|---|---|
| 필요성 | | 개인뿐만 아니라 공동체 구성원 모두의 행복을 실현하기 위함 |
| 요건 | 도덕적 성찰 | 자신의 행동과 삶을 도덕적 측면에서 반성하고 살펴서 바로잡는 것 |
| | 역지사지의 태도 | 자신과 이웃에 대해서 이해하고, 타인의 입장에서 상황을 바라볼 줄 아는 마음가짐 |
| | 사회적 약자 배려 | 사회적 약자의 고통 공감, 기부나 사회봉사 활동 참여 |

## 1단계 개념 짚어 보기

정답과 해설 4쪽

**01** 다음에서 공통으로 설명하는 개념을 쓰시오.

• 인생의 궁극적인 목적
• 생활에서 충분한 만족감과 기쁨을 느끼는 상태
• 물질적, 정신적 가치를 조화롭게 추구할 때 얻을 수 있는 만족감과 즐거움

**02** ㉠, ㉡에 들어갈 내용을 각각 쓰시오.

인간이 행복하기 위해서는 의식주나 경제력, 사회적 지위 등의 (㉠ ) 조건과 함께 감정적 충족감, 자아실현 추구 등과 같은 (㉡ ) 만족감이 필요하다.

**03** 다음 설명이 맞으면 ○표, 틀리면 ×표를 하시오.

(1) 선사 시대에 행복은 행운과 거의 같은 의미로 사용되었다. ( )
(2) 중세 시대에 행복의 기준은 철학적 성찰을 통해 마음의 평안을 얻는 것이었다. ( )
(3) 산업화, 민주화 시기 이후에 행복은 인간의 노력으로 성취할 수 있는 것으로 인식되었다. ( )
(4) 오늘날에는 개인이 느끼는 객관적 만족감이 중시되면서 행복의 기준이 과거보다 다양해졌다. ( )

**04** 지역에 따른 행복의 기준을 옳게 연결하시오.

(1) 경제적 빈곤 지역 • • ㉠ 삶의 질 향상
(2) 정치적 갈등 지역 • • ㉡ 평화와 정치적 안정
(3) 정치적·경제적으로 안정된 지역 • • ㉢ 기본적인 의식주 충족과 질병 없는 삶

**05** 다음 설명에 해당하는 행복한 삶의 실현 조건을 〈보기〉에서 골라 기호를 쓰시오.

보기
ㄱ. 경제적 안정
ㄴ. 도덕적 실천
ㄷ. 민주주의의 실현
ㄹ. 질 높은 정주 환경

(1) 기본적 생계 유지와 자신의 필요를 충족한다. ( )
(2) 깨끗한 자연환경과 안전하고 풍요로운 사회적 환경이 조성된다. ( )
(3) 사회 구성원들이 자유와 권리를 누리며 정치 과정에 참여한다. ( )
(4) 타인과 함께 행복을 추구함으로써 공동체의 행복을 실현한다. ( )

## A 행복의 의미

출제가능성 90%

**01** ㉠에 대한 옳은 설명을 〈보기〉에서 고른 것은?

> (  ㉠  )은/는 '삶에서 충분한 만족감이나 기쁨을 느끼는 상태'를 의미한다. 의식주에 대한 기본적인 욕구 충족이나 건강, 친밀한 인간관계 등은 (  ㉠  )의 공통된 기준이다.

**보기**

ㄱ. ㉠의 실현을 위해 생존보다는 삶의 질 향상에만 중점을 둔다.
ㄴ. ㉠은 물질적·정신적 가치를 조화롭게 추구할 때 얻을 수 있다.
ㄷ. 삶의 궁극적 목적을 이루기 위한 수단으로서 ㉠을 추구하고 있다.
ㄹ. ㉠을 추구할 때는 개인의 주관적 만족감과 함께 사회적 여건도 고려해야 한다.

① ㄱ, ㄴ ② ㄱ, ㄷ ③ ㄴ, ㄷ
④ ㄴ, ㄹ ⑤ ㄷ, ㄹ

**02** 다음 예화를 통해 얻을 수 있는 교훈으로 가장 적절한 것은?

> 고대 그리스의 철학자인 디오게네스는 나무통을 집 삼아 평생을 검소하게 생활하였다. 어느 날, 콩깍지를 삶아 먹으려는 그의 앞에 왕궁에 들어가 호의호식하며 지내던 동료 철학자 아리스티포스가 찾아왔다.
> • 아리스티포스: 디오게네스, 자네는 왜 이렇게 사나? 왕한테 가서 고개를 숙이면 콩깍지를 삶아 먹지 않아도 될 텐데.
> • 디오게네스: 쯧쯧, 콩깍지를 삶아 먹는 것만 배우면 그렇게 굽실거리며 살지 않아도 된다네.

① 물질적 풍요는 삶의 궁극적인 목적이다.
② 높은 지위에 오르는 것이 행복의 지름길이다.
③ 행복의 크기는 타인과 비교해야 판단할 수 있다.
④ 자신이 만족할 수 있는 가치와 목표를 추구해야 한다.
⑤ 동시대를 살아가는 사람들의 행복의 기준은 모두 동일하다.

## B 행복의 기준

**03** (가), (나)에 나타난 행복의 기준에 영향을 준 요인을 옳게 연결한 것은?

> (가) 마실 물이 부족해 오염된 물을 식수로 마시는 사막 지역에서는 깨끗한 물을 얻는 것만으로도 행복을 느끼며, 일조량이 부족한 북유럽 지역에서는 햇볕을 쬘 수 있는 것만으로도 행복하다고 느낀다.
> (나) 일제 식민 지배를 받던 시기에는 빼앗긴 주권을 되찾고 독립 국가를 달성하는 것이 행복의 중요한 요소라고 생각하였으며, 6·25 전쟁 상황에서는 먹을 것을 구해 생존을 유지하는 것 자체가 행복이라고 생각하였다.

| | (가) | (나) |
|---|---|---|
| ① | 시대적 상황 | 환경적 여건 |
| ② | 지역의 문화 | 지배적인 종교 |
| ③ | 환경적 여건 | 시대적 상황 |
| ④ | 개인의 가치관 | 지역의 문화 |
| ⑤ | 지배적인 종교 | 개인의 가치관 |

**04** 그림은 부탄에서 개발한 국민 행복 지수 측정 지표를 나타낸 것이다. 이에 대한 옳은 분석을 〈보기〉에서 고른 것은?

(부탄 국민 총행복 위원회(GNHC), 2008)

**보기**

ㄱ. 사회 구성원의 건강도 중요한 행복의 기준이다.
ㄴ. 국민 소득의 증가가 가장 중요한 행복의 기준이다.
ㄷ. 포괄적이며 균형적인 행복을 실현하기 위해 노력한다.
ㄹ. 정신적 만족감보다 물질적 조건을 더 중요하게 여긴다.

① ㄱ, ㄴ ② ㄱ, ㄷ ③ ㄴ, ㄷ
④ ㄴ, ㄹ ⑤ ㄷ, ㄹ

**05** 표는 다양한 행복 지수를 나타낸 것이다. 이에 대한 분석으로 옳은 것은?

| 행복 관련 지수 | 주요 항목 |
|---|---|
| 인간 개발 지수 (1990) | 1인당 국민 소득, 평균 수명, 교육 수준 등 |
| 세계 행복 지수 (2005) | 1인당 GDP, 기대 수명, 사회적 지원, 관용 의식, 자신의 인생을 결정할 자유 등 |
| 더 나은 삶 지수 (2011) | 주거, 소득, 고용, 교육, 환경, 기대 수명, 시민 참여, 일과 삶의 균형, 삶의 만족도 등 |
| 국민 삶의 질 지표(2011) | 주거, 소득·소비·자산, 고용·임금, 사회 복지, 건강, 교육, 문화·여가, 가족·공동체, 시민 참여, 안전, 환경, 주관적 웰빙 등 |

① 삶의 만족도는 행복의 객관적 기준에 해당한다.
② 주거, 소득 등은 행복의 주관적 기준으로 볼 수 있다.
③ 객관적 기준은 행복 실현의 중요한 기준이 될 수 없다.
④ 주관적 만족감이 낮으면 진정한 행복을 실현할 수 없다.
⑤ 최근의 행복 관련 지수에 주관적 기준은 고려하지 않는다.

**07** 그래프는 한국인의 연령별 행복도를 나타낸 것이다. 이에 대한 분석으로 옳은 것은?

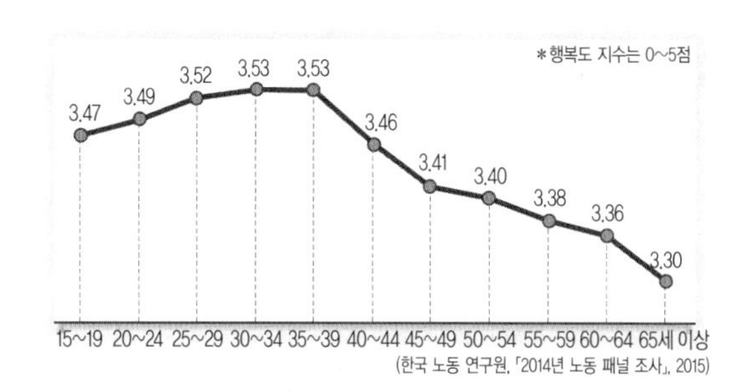

(한국 노동 연구원, 「2014년 노동 패널 조사」, 2015)

① 연령이 많아질수록 행복도는 지속적으로 낮아진다.
② 중년층보다 청년층과 노년층의 행복도 지수가 높은 편이다.
③ 청년층은 미래에 대한 희망이 있기 때문에 행복도가 가장 높은 편이다.
④ 노년층은 그동안 열심히 일한 대가로 주어지는 여유로 인해 행복도가 매우 높은 편이다.
⑤ 노년층의 행복도 지수가 가장 낮은 이유는 은퇴 후 안정된 경제생활을 보장받지 못하기 때문이다.

## C 행복한 삶을 실현하기 위한 조건

**06** 밑줄 친 ㉠, ㉡에 대한 설명으로 옳은 것은?

> 사람이 살 터로는 첫째로 지리(地理, 풍수 지리적 명당)가 좋아야 하고, 둘째는 ㉠ 생리(生利, 그 땅에서 생산되는 이익, 풍부한 산물)가 좋아야 하며, 셋째는 ㉡ 인심(人心, 넉넉하고 좋은 이웃 간의 정)이 좋아야 하며, 넷째로 산수(山水)가 좋아야 한다. 이 중 하나라도 모자라면 좋은 땅이라 할 수 없다. – 이중환, 「택리지」

① ㉠은 행복한 삶을 위한 정치적 조건에 해당한다.
② ㉠을 위해 시민들의 적극적인 정치 참여가 필요하다.
③ ㉡은 안락한 보금자리를 제공해 주는 역할을 한다.
④ ㉡은 공동체 구성원 모두의 행복 실현을 가능하게 한다.
⑤ ㉠이 좋으면 ㉡이 좋지 않아도 행복을 실현할 수 있다.

**08** 다음 글에서 강조하는 행복의 실현 조건으로 가장 적절한 것은?

> 맹자가 말년에 고향에 돌아왔을 때의 일이다. 근처에 작은 나라의 왕이 맹자를 모셔 치국(治國)의 방책을 물었다. 그는 왕에게 "유항산(有恒産)이면 유항심(有恒心)입니다."라고 말하였다. 이것은 '변치 않는 재산이 있으면 변치 않는 마음도 있는 법'이라는 뜻이다. 맹자는 현명한 군주라면 백성이 부모님을 섬기고 처자식을 거두는 데 충분할 정도로 생업을 이루게 해 주어야 하고, 그런 후에 그가 백성들을 선으로 인도할 때 사람들이 그에 따를 수 있다고 하였다.

① 깨끗한 자연환경
② 적극적인 정치 참여 문화
③ 도덕적 실천과 성찰하는 삶
④ 시민의 기본적 자유와 권리 보장
⑤ 삶의 질 유지를 위한 경제적 안정

**09** 그래프는 가구 소득 수준별 삶에 대한 만족도를 나타낸 것이다. 이에 대한 설명으로 가장 적절한 것은?

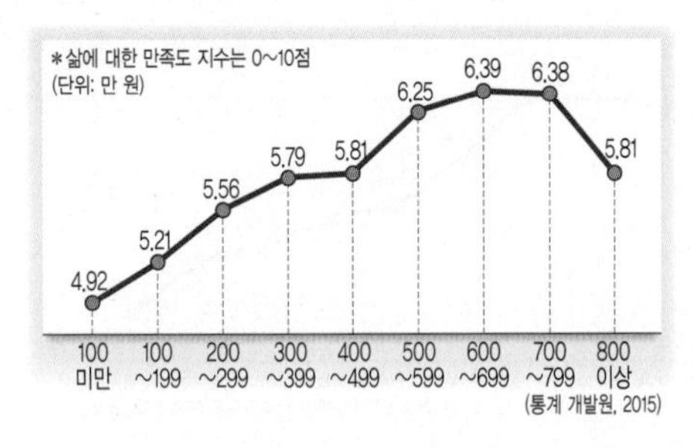

(통계 개발원, 2015)

① 소득이 행복에 미치는 영향에는 한계가 없다.
② 빈부 격차는 국가가 해결할 수 없는 사회 문제이다.
③ 모든 국가는 경제 성장 위주의 정책을 마련해야 한다.
④ 국가의 부는 국민의 행복을 결정하는 유일한 기준이다.
⑤ 국가는 경제 성장뿐만 아니라 경제적 안정을 위한 정책 마련에도 힘써야 한다.

출제가능성 90%

**10** 표는 세계 민주주의 지수 순위와 세계 행복 지수 순위를 나타낸 것이다. 이에 대한 분석 및 추론으로 적절하지 않은 것은?

| 구분 | 세계 민주주의 지수 순위 | 세계 행복 지수 순위 |
|---|---|---|
| 노르웨이 | 1위 | 4위 |
| 아이슬란드 | 2위 | 3위 |
| 스웨덴 | 3위 | 10위 |
| 뉴질랜드 | 4위 | 8위 |
| 덴마크 | 5위 | 1위 |
| 스위스 | 6위 | 2위 |
| 캐나다 | 7위 | 6위 |
| 핀란드 | 8위 | 5위 |

* 세계 민주주의 지수는 167개국 간, 세계 행복 지수는 157개국 간 비교임
(이코노미스트/국제 연합, 2016)

① 민주주의의 발전은 시민의 행복과 관련이 높다.
② 시민의 참여가 활성화된 민주 국가들의 행복 지수가 높은 편이다.
③ 시민의 정치적 의사가 잘 반영될수록 자신의 삶에 만족하고 행복감을 느낄 것이다.
④ 민주주의 순위가 높은 나라들이 대체로 행복 지수에서도 높은 순위를 차지하고 있다.
⑤ 민주적 제도가 잘 갖추어져 있으면 시민 참여가 활발하지 않아도 민주주의 지수와 행복 지수가 높을 것이다.

**11** 다음 사례에 대한 옳은 설명을 <보기>에서 고른 것은?

> 스위스에서는 정치 제도부터 자신들의 생활과 미래에 관련된 문제, 국제 사회와 연관된 문제에 이르기까지 주민들이 직접 참여하여 자신의 의사를 정치에 반영하면서 행복을 스스로 실현하기 위해 노력하고 있다.

보기
ㄱ. 적극적인 정치 참여로 민주주의를 실현하고 있다.
ㄴ. 행복을 실현하기 위한 조건으로 민주주의가 필요하다.
ㄷ. 민주주의를 실현하기 위해 도덕적 실천이 이루어져야 한다.
ㄹ. 시민 참여를 통해 권위주의적 정부를 민주 정부로 변화시키고 있다.

① ㄱ, ㄴ ② ㄱ, ㄷ ③ ㄴ, ㄷ
④ ㄴ, ㄹ ⑤ ㄷ, ㄹ

**12** 다음은 어느 모둠의 프로젝트 학습의 일부이다. (가)에 들어갈 내용으로 가장 적절한 것은?

주제: 행복한 내 고장을 만들기 위한 정책 제안

| 행복의 조건 | 제안 내용 |
|---|---|
| 질 높은 정주 환경 | 주민들이 산책할 수 있는 공원을 만들어 주세요. |
| 경제적 안정 | 가정 형편이 어려운 학생에게 장학금 혜택을 확대해 주세요. |
| 민주주의 실현 | 청소년이 참여하는 지역 단체에 예산을 지원해 주세요. |
| 도덕적 실천 | (가) |

① 마을 공용 주차장을 확대해 주세요.
② 승강기 인사 나누기 운동을 펼쳐요.
③ 마을 대표를 뽑는 선거에 꼭 참여해요.
④ 실업자에게 직업 교육의 기회를 제공해 주세요.
⑤ 환경 보호를 위한 시민 단체의 활동에 참여해요.

# 3단계 등급 올리기

**01** 다음 노래 가사에서 강조하는 내용에 대한 옳은 설명을 〈보기〉에서 고른 것은?

> 언제부턴가 세상은 점점 빨리 변해만 가네.
> 우리가 찾는 소중함들은 항상 변하지 않아.
> 가까운 곳에서 우릴 기다릴 뿐.
> 전망 좋은 직장과 가족 안에서의 안정과
> 은행 계좌의 잔고 액수가 모든 가치의 척도인가.
> 돈, 큰 집, 빠른 차, 명성, 사회적 지위,
> 그런 것들에 과연 우리의 행복이 있을까?
>
> – 신해철, 「나에게 쓰는 편지」 중 일부

보기
ㄱ. 행복은 다른 목적을 달성하기 위한 수단으로서 의미를 가진다.
ㄴ. 행복에 이르기 위해서는 물질적·정신적 가치를 함께 추구해야 한다.
ㄷ. 진정한 행복을 실현하기 위해서는 개인이 느끼는 주관적인 만족감이 중요하다.
ㄹ. 행복한 삶을 실현하기 위해 가장 중요한 조건은 일정 수준 이상의 소득 보장이다.

① ㄱ, ㄴ ② ㄱ, ㄷ ③ ㄴ, ㄷ
④ ㄴ, ㄹ ⑤ ㄷ, ㄹ

최고난도

**02** 다음 글에 대한 분석으로 옳은 것은?

> 고대 그리스인은 개인의 자율성에 대한 신념을 지니고 있었다. 그리스인이 정의하는 행복이란 '아무런 제약이 없는 상태에서 자신의 능력을 최대한 발휘하여 탁월성을 추구하는 것'이었다. 고대 중국에서는 조화로운 인간관계가 중요했다. 중국인에게 행복이란 '화목한 인간관계를 맺고 평범하게 사는 것'이었다.

① 고대 중국의 예술 작품에는 개인들이 경쟁하는 모습이 많이 그려져 있을 것이다.
② 고대 그리스에서는 한 가족의 구성원이라는 점을 가장 중요한 사실로 교육받았을 것이다.
③ 고대 그리스인은 중국인보다 정신적 만족감을 충족하기 위한 활동에서 더 큰 행복을 느꼈을 것이다.
④ 고대 그리스에서는 많은 노동력을 필요로 하는 농경 생활로 인해 집단을 중요시하게 되었을 것이다.
⑤ 고대 중국에서는 주변 환경을 자신에 맞추어 바꾸기보다는 자신을 주변 환경에 맞추도록 수양했을 것이다.

2017 교육청 응용

**03** 밑줄 친 ㉠에 해당하는 내용으로 적절한 것만을 〈보기〉에서 있는 대로 고른 것은?

> 인간다운 삶이란 기본적인 의식주의 해결뿐만 아니라 사회·문화적 측면, 환경적 측면, 정치적 측면 등을 통해 인간의 존엄성을 보호받는 것이다. 이를 위해 국가는 다양한 ㉠ <u>제도적 차원의 방안</u>을 마련해야 하고, 개인은 의식적 차원의 변화를 위해 노력해야 한다.

보기
ㄱ. 저소득층을 위한 의료 급여 제도를 시행한다.
ㄴ. 지속 가능한 발전을 위해 환경 영향 평가를 실시한다.
ㄷ. 노약자, 장애인 등 교통 약자를 위한 이동 지원 센터를 운영한다.
ㄹ. 나눔을 실천하는 기부 문화 확산을 위한 캠페인에 지속적으로 참여한다.

① ㄱ, ㄴ ② ㄱ, ㄹ ③ ㄷ, ㄹ
④ ㄱ, ㄴ, ㄷ ⑤ ㄴ, ㄷ, ㄹ

## 서술형 문제

**04** 다음 글을 읽고 물음에 답하시오.

> 2003년 미시간 대학 연구팀은 423쌍의 장수 부부들의 공통점을 발견했다. 이들은 몸이 불편하거나 가족이 없는 사람들을 정기적으로 방문하여 돕고 있었다. ㉠ <u>사람은 남을 돕고 난 후에는 심리적 포만감인 헬퍼스 하이(Helper's High)를 느끼는데</u>, 이때 즐거움을 느끼게 하는 엔도르핀의 분비는 정상치의 3배 이상 상승하고, 면역 항체의 수치도 높아진다.

(1) 밑줄 친 ㉠에 해당하는 행복의 실현 조건을 쓰시오.

(2) (1)을 실현하기 위해 필요한 요건을 <u>세 가지</u> 서술하시오.

# 01 자연환경과 인간 생활

## A 자연환경이 인간 생활에 미치는 영향

**1. 자연환경과 인간** 인간은 서로 다른 자연환경에 적응하면서 지역마다 고유한 생활 양식을 형성함

↳ 생활 양식: 사회나 집단이 공통적으로 갖고 있는 생활에 대한 인식이나 생활하는 방식

**2. 자연환경과 인간 생활**

(1) 자연환경을 대하는 인간의 자세: 인간은 자연환경에 순응하며 살아가기도 하며, 자연환경의 제약을 극복하고 자연환경을 이용하기도 함

(2) 자연환경과 다양한 생활 양식: 기후, 지형, 토양, 식생 등 지역의 자연환경 특성에 따라 인간의 의복·음식·주거 문화가 다르게 나타남

## B 기후와 인간 생활

**1. 세계의 기후 분포**

| | |
|---|---|
| 열대 기후 | 일 년 내내 기온이 높고, 강수량이 많음 |
| 건조 기후 | 강수량이 적고, 기온의 일교차가 큼 |
| 온대 기후 | 계절의 변화가 뚜렷하고, 기온이 온화함 |
| 냉대 기후 | 기온의 연교차가 매우 크고, 겨울이 길고 추움 |
| 한대 기후 | 겨울이 매우 길고 추우며, 강수량이 적음 |

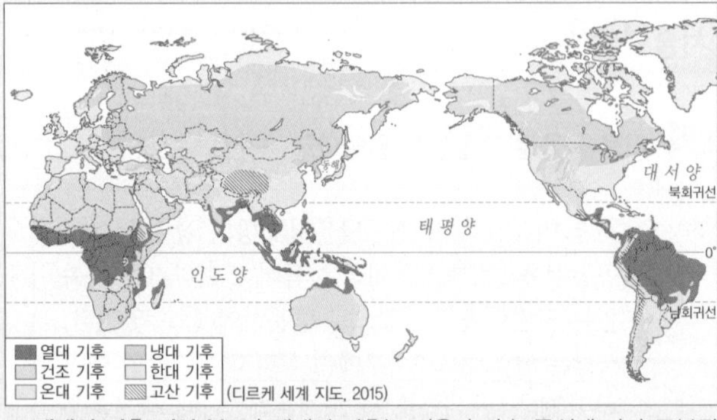


**세계의 기후 지역 분포** | 세계의 기후는 기온과 강수 특성에 따라 구분된다. 대체로 적도에서부터 극지방으로 가면서 열대 기후, 건조 기후, 온대 기후, 냉대 기후, 한대 기후 순으로 나타난다.

**★ 2. 기후에 따른 생활 양식의 차이**

(1) 열대 기후 지역: 얇고 가벼운 옷차림, 향신료를 사용하고 기름에 볶거나 튀기는 음식 문화 발달, 개방적 가옥 구조, 벼농사 및 이동식 경작 발달

↳ 이동식 경작: 얌, 카사바 등의 식량 작물을 재배한다.

(2) 건조 기후 지역: 온몸을 감싸는 헐렁한 옷차림, 흙벽돌집이나 이동식 가옥에 거주, 오아시스나 외래 하천 주변에서 관개 농업을 통해 밀이나 대추야자 재배, 유목 발달

↳ 관개 농업: 농작물이 자라기 좋은 조건을 만들기 위해 경작지에 물을 대어서 하는 농업

↳ 유목: 일정한 거처를 정하지 않고 가축을 몰고 물과 목초지를 찾아다니는 목축 방식

(3) 온대 기후 지역: 더위와 추위를 모두 극복하고, 계절 변화에 적응하는 생활 양식이 나타남

① 지중해 연안: 여름철 열기를 막기 위한 가옥 구조, 올리브 및 포도 농업 발달

② 온대 계절풍 지역: 벼농사 발달 → 쌀을 이용한 음식 문화 발달

↳ 벼는 성장기에 고온 다습해야 잘 자라는 작물로 동남 및 남부 아시아의 열대 기후 지역과 동아시아의 온대 계절풍 기후 지역에서 주로 재배된다.

(4) 냉대 기후 지역: 침엽수를 이용한 통나무집, 임업 발달

(5) 한대 기후 지역: 두꺼운 옷차림, 열량이 높은 육류 위주의 음식 문화, 순록 유목

↳ 열대 지역에서는 바람이 잘 통하도록 창문을 크게, 건조 지역에서는 일교차를 조절하고 뜨거운 바람을 막기 위해 창문을 작게 만든다.

고상 가옥

흙벽돌집

이동식 가옥

열대 지역에서는 열기와 습기를 피하기 위해 바닥을 지면에서 띄운 고상 가옥이 나타나며, 빗물이 잘 흘러내리도록 지붕의 경사를 급하게 만든다. 일교차가 큰 사막 지역에서는 한낮의 열기를 막기 위해 창문이 작고 벽이 두꺼운 흙벽돌집을 짓는다. 유목이 발달한 건조 초원 지역에서는 나무로 된 뼈대에 동물의 털로 짠 천이나 가죽을 덮어 이동식 가옥을 만든다.

↳ 이동식 가옥: 조립과 분해가 쉬워 유목 생활에 적합하다.

## C 지형과 인간 생활

**1. 지형이 인간 생활에 미치는 영향** 산지, 평야, 하천, 해안, 화산, 사막, 빙하 지형 발달 → 각 지형적 특성에 따라 인간의 생활 양식이 달라짐

↳ 화산: 일본, 뉴질랜드 북섬 등

↳ 하천: 라인강처럼 계절에 따른 수위 변화가 없고, 유량이 풍부한 하천은 오래전부터 지역 간 교통로로 이용되었다.

**★ 2. 지형에 따른 생활 양식의 차이**

| | |
|---|---|
| 산지 지역 | • 해발 고도가 높고 경사가 급하며 교통이 불편함<br>• 밭농사 발달, 고산 지대에서 가축 사육, 지하자원이 풍부한 지역에서 광업 발달, 산지 경관을 활용한 관광 산업 발달<br>• 적도 부근의 고산 지대는 일 년 내내 서늘한 고산 기후가 나타나 고산 도시 발달 |
| 평야 지역 | • 지형이 평탄하여 경지 개간, 교통로 건설에 유리함<br>• 다양한 형태의 농업 발달, 교통이 편리한 지역에 도시 발달 |
| 해안 지역 | • 육지와 바다가 만나는 지역은 교역에 유리함<br>• 농업 및 어업·양식업 발달, 대규모 항구와 산업 단지 조성<br>• 모래 해안과 갯벌 등 해안 지형을 이용한 관광 산업 발달 |

↳ 가축 사육: 야마, 알파카 등

↳ 고산 도시: 에콰도르의 키토, 볼리비아의 라파스 등

사막에 조성된 원형 경작지(요르단)

화산 지대의 온천과 지열 발전(아이슬란드)

카르스트 지형의 관광지(베트남)

과학 기술의 발달로 인간이 거주할 수 있고, 산업 활동이 가능한 지역이 확대되고 있다. 관개 시설의 확충으로 사막에서도 농업이 가능해졌으며, 화산 지대에서는 지열 발전과 같이 지형의 특성을 이용한 에너지 생산이 이루어지기도 한다. 화산·빙하·카르스트 지형 등 수려한 자연 경관이 나타나는 지역은 세계적인 관광지가 되기도 한다.

↳ 오늘날에는 스프링클러를 설치하여 지하수를 퍼 올려 대규모 관개 농업이 이루어지고 있다.

↳ 카르스트 지형: 석회암이 용식되는 과정에서 형성되는 지형

★ 표시는 시험 전에 확인해 주세요.

## D 시민의 안전할 권리

### ★ 1. 인간 생활을 위협하는 자연재해

(1) 자연재해: 기후, 지형 등의 자연환경 요소들이 안전한 생활을 위협하면서 인간과 인간 활동에 피해를 주는 현상

(2) 자연재해의 유형 ─ 지각이 불안정한 판과 판의 경계를 따라 주로 발생한다.

| 구분 | 내용 |
|---|---|
| 지각 변동에 의한 재해 | • 지진: 땅이 갈라지고 흔들림 → 건축물과 도로 붕괴 등<br>• 화산 활동: 용암, 화산재 등 분출 → 농작물 피해 등<br>• 지진 해일: 해저에서 지진, 화산 폭발 등 지각 변동으로 일어나는 거대한 파도 → 해안 지역 침수 등 |
| 기상 현상에 의한 재해 | • 홍수: 일시에 많은 비가 내림 → 시가지, 농경지 등 침수<br>• 가뭄: 오랫동안 비가 내리지 않음 → 각종 용수 부족 등<br>• 폭설: 한꺼번에 많은 눈이 내림 → 시설물 붕괴 등<br>• 열대 저기압(태풍): 강풍과 호우 동반 → 홍수 피해 발생 |

(3) 자연재해에 대한 대응: 평상시 예보 활동과 대피 훈련 시행, 재해 발생 시 신속한 복구 체계 및 피해 지역에 대한 지원 대책 마련 ─ 대서양에서 발생하는 열대 저기압을 부르는 말이다.

> (가) 허리케인 '아이린'이 미국 뉴욕을 강타하였다. 이에 정부는 최첨단 스마트 재난 관리 시스템을 구축하여 예상 강우량, 침수 예상 지역 등의 정보를 시민들에게 실시간으로 제공하였다.
> (나) 아이티를 강타한 허리케인 '매튜'는 전 국토를 초토화했으며, 사망자 900명, 이재민 6만 명을 발생시켰다. 강풍에 건물이 무너지고, 폭우로 전국 곳곳이 물에 잠겼다. 아이티 정부가 재해 대책 마련에 실패하면서 피해는 더욱 커졌다.

(가)는 안전하고 쾌적한 환경 속에서 살아갈 시민의 권리가 보장된 사례, (나)는 시민들이 국가로부터 안전권을 제대로 보장받지 못한 사례이다. 자연재해는 발생을 예측하기 어렵고, 발생할 경우 인명과 재산에 큰 피해를 주기 때문에 세계 각국은 자연재해 피해를 최소화하기 위해 노력하고 있다.

### ★ 2. 안전하고 쾌적한 환경에서 살아가기 위한 노력

| 구분 | 내용 |
|---|---|
| 국가적 차원 | • 헌법 제34조와 제35조의 안전권과 환경권 보장<br>• 재해 예방을 비롯하여 복구와 지원에 대한 정책 수립 ─ 특별 재난 지역 지정, 풍수해 보험 지원 등<br>• 스마트 재난 관리 시스템 구축 |
| 개인적 차원 | • 국민 스스로의 안전에 대한 권리 인식 필요<br>• 재해·재난 대비 안전 교육 및 대응 훈련에 적극 참여<br>• 재해 발생 시 행동 요령에 따라 대응, 피해 발생 시 신속한 복구와 보상 신청 |

> **헌법에 보장된 안전권과 환경권**
> • **제34조** ⑥ 국가는 재해를 예방하고 그 위험으로부터 국민을 보호하기 위하여 노력하여야 한다.
> • **제35조** ① 모든 국민은 건강하고 쾌적한 환경에서 생활할 권리를 가지며, 국가와 국민은 환경 보전을 위하여 노력하여야 한다.

모든 국민은 안전하고 쾌적한 환경에서 살아갈 권리를 지니고 있으며, 이에 우리나라는 국민의 생명과 재산의 보호를 법적으로 보장하고 있다. ─ 우리나라는 헌법 정신에 따라 「재난 및 안전관리기본법」, 「국민 안전 교육 진흥 기본법」 등 법률을 제정하여 국민의 생명과 재산의 보호를 법적으로 보장하고 있다.

## 1단계 개념 짚어 보기

정답과 해설 6쪽

**01** 인간은 서로 다른 자연환경에 적응하면서 지역마다 고유한 (        )을 형성한다.

**02** ㉠, ㉡에 들어갈 내용을 각각 쓰시오.

> 기후는 (㉠        )과 강수 특성에 따라 정해진다. 이에 따라 세계의 기후는 적도에서부터 극지방으로 가면서 열대 기후, 건조 기후, 온대 기후, (㉡        ), 한대 기후 순으로 나타난다.

**03** 다음 기후 지역에서 주로 나타나는 음식 문화를 〈보기〉에서 골라 기호를 쓰시오.

> 보기
> ㄱ. 쌀을 이용한 음식 문화
> ㄴ. 기름에 볶거나 튀기는 음식 문화
> ㄷ. 열량이 높은 육류 위주의 음식 문화

(1) 열대 기후 지역 (    )
(2) 한대 기후 지역 (    )
(3) 온대 계절풍 기후 지역 (    )

**04** 다음 빈칸에 들어갈 내용을 쓰시오.

(1) 적도 부근의 고산 지대는 일 년 내내 서늘한 기후가 나타나 (        ) 도시가 발달하였다.
(2) 화산 지대에서는 (        ) 발전과 같이 지형의 특성을 이용한 에너지 생산이 이루어진다.

**05** 다음 설명이 맞으면 ○표, 틀리면 ×표를 하시오.

(1) 가뭄, 홍수, 폭설, 열대 저기압 등은 지각 변동에 의해 발생하는 자연재해이다. (    )
(2) 자연재해는 기후, 지형 등의 자연환경 요소들이 안전한 생활을 위협하면서 인간과 인간 활동에 피해를 주는 현상이다. (    )
(3) 국가는 재해를 예방하고 그 위험으로부터 국민을 보호해야 하며, 국민은 안전하고 쾌적한 환경에서 살아갈 권리가 있다. (    )

## A 자연환경이 인간 생활에 미치는 영향

**01** 다음 글에 나타난 자연환경과 인간 생활에 대한 설명으로 가장 적절한 것은?

- 냉대 기후가 주로 나타나는 캐나다는 음식을 냉동, 훈제, 건조하여 보관하는 음식 문화가 발달하였다.
- 몽골은 초원 지대가 넓게 펼쳐져 있어 풀밭을 찾아 옮겨 다니며 말, 양 등의 가축을 키우며, 이 가축들로부터 먹을거리와 의복, 가옥의 재료 등을 얻는다.

① 지역마다 주민들의 생활 양식이 유사하게 나타난다.
② 인간은 자연환경의 특성에 맞추어 순응하며 살아간다.
③ 기후가 비슷해도 가치관에 따라 주민 생활이 달라진다.
④ 기후가 비슷한 지역일지라도 지형에 따라 주민 생활이 달라진다.
⑤ 과학 기술의 발달로 인간은 자연환경의 제약을 극복하고 이를 이용하기도 한다.

## B 기후와 인간 생활

출제가능성 90%

**02** 지도는 세계의 기후 지역을 나타낸 것이다. A~E 지역의 주민 생활 모습으로 옳은 것은?

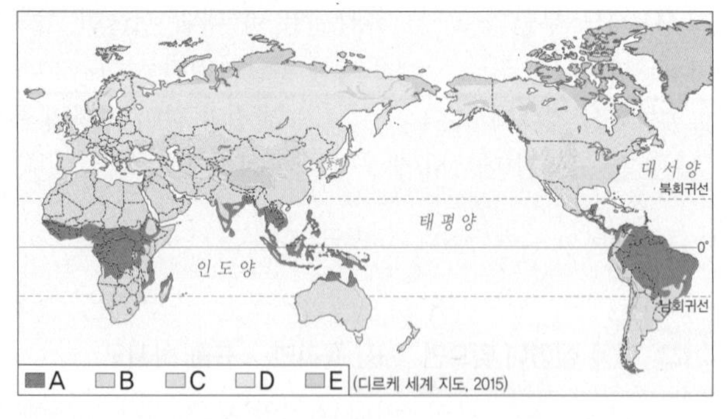


① A - 온몸을 감싸는 헐렁한 옷을 입는다.
② B - 관개 농업을 통해 쌀을 주로 재배한다.
③ C - 열량이 높은 육류 위주의 음식을 주로 먹으며, 저장 음식 문화가 발달하였다.
④ D - 침엽수로 만든 통나무집을 많이 볼 수 있다.
⑤ E - 강수량이 적어 지붕이 평평한 흙벽돌집에서 생활한다.

**03** 다음과 같은 음식 문화가 나타나는 지역의 특징으로 옳은 것은?

우리나라의 인도네시아 음식점에서도 볼 수 있는 '나시고렝'은 인도네시아의 볶음밥으로, 밥에 해산물이나 고기를 넣고 각종 채소와 함께 향신료 소스로 양념하여 볶아 낸다. '나시'는 밥을 뜻하며 '고렝'은 기름에 볶거나 튀긴다는 뜻이다.

① 넓게 펼쳐진 풀밭을 찾아다니며 유목을 한다.
② 가옥의 재료로 주변에서 구하기 쉬운 흙을 사용한다.
③ 나무로 된 뼈대에 동물의 털로 짠 천을 덮어 만든 가옥에 거주한다.
④ 덥고 습한 날씨가 지속되어 통풍이 잘되는 얇고 가벼운 옷을 입는다.
⑤ 주민들은 오아시스 주변에서 관개 농업을 통해 밀이나 대추야자 등을 재배한다.

**04** (가), (나)와 같은 농업 방식이 주로 나타나는 지역을 지도에서 찾아 옳게 연결한 것은?

(가) 밀림의 나무를 자르고 불을 질러 밭을 만든 후 카사바, 얌 등의 작물을 재배한다.
(나) 기온이 높고 강수량이 많은 여름철 기후를 이용하여 평야 지대에서 주로 벼를 재배한다.

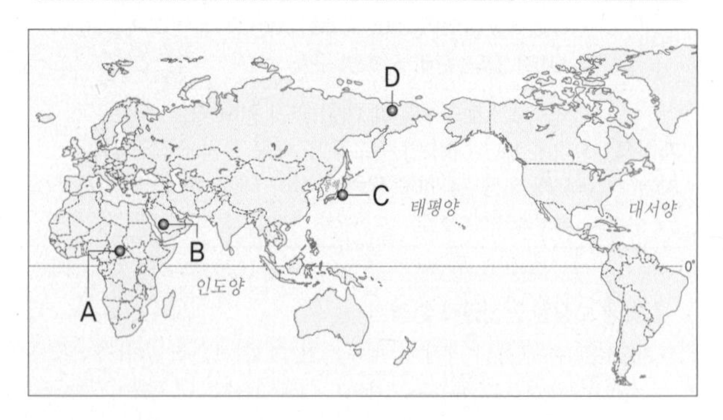


| | (가) | (나) |
|---|---|---|
| ① | A | B |
| ② | A | C |
| ③ | B | C |
| ④ | B | D |
| ⑤ | C | D |

출제가능성 90%

**05** (가), (나)는 서로 다른 기후 지역에서 볼 수 있는 전통 가옥을 나타낸 것이다. 이에 대한 옳은 설명만을 〈보기〉에서 있는 대로 고른 것은?

(가)

(나)

보기

ㄱ. (가)가 지면에서 띄워져 있는 이유는 열기와 습기를 피하기 위해서이다.
ㄴ. (나)는 조립과 분해가 쉬워 이동 생활에 유리하다.
ㄷ. (가)는 (나)보다 저위도 지역에서 주로 볼 수 있다.
ㄹ. (가)와 (나)는 모두 한낮의 열기를 막기 위해 벽이 두껍고 창문이 작다.

① ㄱ, ㄴ ② ㄱ, ㄹ ③ ㄷ, ㄹ
④ ㄱ, ㄴ, ㄷ ⑤ ㄴ, ㄷ, ㄹ

**07** 다음은 서술형 평가와 학생 답안이다. 학생 답안의 밑줄 친 ㉠~㉤ 중 옳지 않은 것은?

서술형 평가

• 문제: 사진은 건조 지역의 농업 방식 변화 모습을 나타낸 것이다. 농업 방식의 특징을 각각 쓰고, 자연환경이 인간 생활에 미치는 영향이 어떻게 변화하였는지 서술하시오.

전통적 방식

현대적 방식

• 학생 답안: 건조 지역은 ㉠ 전통적으로 자연 상태에서 벼농사가 이루어졌다. 그러나 ㉡ 오늘날에는 현대식 스프링클러를 설치하여 지하수를 퍼 올려 대규모 관개 농업을 하는 곳이 많아지고 있다. ㉢ 과거에는 인간 활동이 자연환경에 적응하면서 이루어졌지만, ㉣ 오늘날에는 과학 기술의 발달로 자연환경의 제약을 극복하고 자연환경을 이용하는 경우가 많아졌다. ㉤ 도시가 발달하고 국경이 설정되면서 전통적인 유목 생활은 줄어들고 있다.

① ㉠ ② ㉡ ③ ㉢ ④ ㉣ ⑤ ㉤

## C 지형과 인간 생활

**06** 다음 '지식 Q&A'의 질문에 옳지 않은 답변을 한 학생은?

▶ 지식 Q&A

지구상의 다양한 지형은 인간 생활에 어떤 영향을 미치나요?

▶ 답변하기

↳ 갑: 산지 지역은 평지 지역보다 교통로 건설과 농업에 불리합니다.
↳ 을: 라인강처럼 유량이 풍부한 하천은 지역 간 교통로로 이용되기도 합니다.
↳ 병: 내륙 지역이 육지와 바다가 만나는 해안 지역보다 산업 단지 조성에 유리합니다.
↳ 정: 지열 발전, 조력 발전처럼 지형의 특성을 이용해 에너지 생산이 이루어지기도 합니다.
↳ 무: 히말라야산맥이나 사하라 사막처럼 높은 산지나 넓은 사막은 지역 간 교류에 장애가 됩니다.

① 갑 ② 을 ③ 병 ④ 정 ⑤ 무

**08** (가), (나) 지형에 대한 옳은 설명만을 〈보기〉에서 있는 대로 고른 것은?

(가)

(나)

보기

ㄱ. (가)에서는 땅속의 열에너지를 이용한 지열 발전이 이루어진다.
ㄴ. (나)는 석회암이 용식되는 과정에서 형성되었다.
ㄷ. (가)는 카르스트 지형, (나)는 화산 지형이다.
ㄹ. (가), (나) 모두 수려한 자연 경관을 이용하여 관광 산업이 발달해 있다.

① ㄱ, ㄴ ② ㄱ, ㄷ ③ ㄴ, ㄷ
④ ㄱ, ㄴ, ㄹ ⑤ ㄴ, ㄷ, ㄹ

## D 시민의 안전할 권리

**09** 다음은 자연재해 발생 시 행동 요령을 나타낸 것이다. 이 자연재해에 대한 설명으로 옳은 것은?

> • 학교에 있을 경우에는 책상 아래로 들어가 책상 다리를 잡고 몸을 보호한다.
> • 집 안에 있을 경우에는 전기와 가스를 차단하고 문을 열어 출구를 확보한다.

① 짧은 시간 동안 많은 눈이 내린다.
② 한꺼번에 많은 비가 내려 하천이 범람한다.
③ 지하의 마그마가 지각의 약한 곳을 뚫고 분출한다.
④ 지구 내부의 힘이 지표면에 전달되어 땅이 흔들리거나 갈라진다.
⑤ 열대 지역의 해상에서 발생하여 중위도 지역으로 이동하며 폭풍우를 동반한다.

**10** 다음과 같은 대처가 이루어진 근본적인 이유로 적절하지 않은 것은?

> 2012년 8월, 허리케인 '아이린'이 미국 뉴욕을 강타하였다. 이에 정부는 최첨단 재난 방지 시스템으로 예상 총강우량, 침수 예상 지역 등의 정보를 시민들에게 실시간으로 제공하였다. 또한, 허리케인 이동 경로에 거주하는 주민들에게 강제 대피령을 내리고, 항공, 지하철, 버스의 운행을 금지하였으며, 원전 가동을 일시 중단하는 등 철저한 안전 대책을 마련하였다.

① 자연재해는 발생 시기를 예측하는 것이 어렵기 때문이다.
② 자연재해는 현재의 과학 기술로도 완전히 극복할 수 없기 때문이다.
③ 자연재해 발생 시 신속하게 대응할 수 있는 관리 체계가 중요하기 때문이다.
④ 모든 국민은 안전하고 쾌적한 환경에서 살아갈 권리를 지니고 있기 때문이다.
⑤ 자연재해로 인한 피해는 개인적 차원의 문제로 국가가 개입할 필요가 없기 때문이다.

**11** (가), (나)에 대한 옳은 설명을 〈보기〉에서 고른 것은?

> (가) 우리나라의 역사 문헌인 『삼국사기』, 『조선왕조실록』 등을 살펴보면 2년부터 1904년까지 기록된 지진은 2,161회이다. 기상청에 따르면 1978년부터 2015년까지 지진 발생 횟수는 약 1,212회로, ㉠ 최근 한반도의 지진 발생 횟수가 급증하고 있다고 한다. 대형 지진이 발생할 가능성은 낮지만 경주에서 규모 5.8의 역대 최대 지진이 발생하는 등 위험이 감지되고 있다.
> (나) 일본은 1995년 고베에서 규모 7.2의 지진 발생 이후 지진 대응 체계를 수정하였다. 일본 정부는 지진 발생이 예측될 경우, 5~10초 안에 비상경보를 방송국과 통신사에 자동으로 전파하는 긴급 지진 속보 시스템을 마련하였다. 또한 현대식 건물을 지을 때에는 내진 설계를 하도록 의무화하고 있다. 그리고 국민들에게 의무적으로 재난 대응 방재 교육과 실습 훈련을 받도록 하는 등 지진 피해를 최소화하기 위해 노력하고 있다.

**보기**
ㄱ. (가)를 통해 우리나라는 지진 안전지대가 아님을 알 수 있다.
ㄴ. (나)를 통해 일본은 지진의 발생을 완전히 근절하였음을 알 수 있다.
ㄷ. (가), (나)를 통해 우리나라가 일본보다 안전권이 더 잘 보장됨을 알 수 있다.
ㄹ. ㉠에 대처하기 위해서는 (나)의 사례를 참고하여 방안을 모색할 수 있다.

① ㄱ, ㄴ　② ㄱ, ㄹ　③ ㄴ, ㄷ
④ ㄴ, ㄹ　⑤ ㄷ, ㄹ

출제가능성 90%

**12** 다음 헌법 조항에서 공통적으로 파악할 수 있는 내용으로 가장 적절한 것은?

> • **제34조** ⑥ 국가는 재해를 예방하고 그 위험으로부터 국민을 보호하기 위하여 노력하여야 한다.
> • **제35조** ① 모든 국민은 건강하고 쾌적한 환경에서 생활할 권리를 가지며, 국가와 국민은 환경 보전을 위하여 노력하여야 한다.

① 평등한 사회의 실현을 목적으로 한다.
② 경제적으로 취약한 계층을 보호해야 한다.
③ 국민의 생명과 재산의 보호를 법적으로 보장한다.
④ 사회 전체의 이익을 위해서는 개인의 권리를 제한할 수 있다.
⑤ 안전권과 환경권 보장을 위해 국가보다 시민의 역할을 강조하고 있다.

# 3단계 등급 올리기

2013 평가원 응용

**01** (가), (나)는 서로 다른 기후 지역의 가옥 구조를 나타낸 것이다. (가) 지역과 비교한 (나) 지역의 상대적인 특징을 그림의 A~E에서 고른 것은?

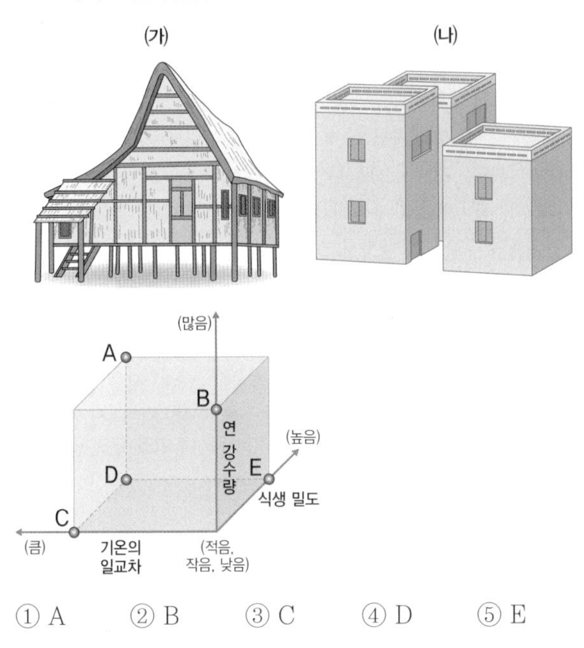


① A ② B ③ C ④ D ⑤ E

**02** 갑과 을이 다녀온 여행 지역을 지도에서 찾아 옳게 연결한 것은?

갑: 저는 전 세계에서 온 관광객들과 함께 일정한 간격을 두고 주기적으로 뜨거운 물, 수증기, 가스 등이 분출하는 간헐천을 보고 왔습니다.

을: 제가 다녀온 지역은 해발 고도가 높아 날씨가 서늘했습니다. 이곳에 사는 사람들은 '야마'라는 동물을 기르고, 야마의 털로 옷을 지어 입습니다.

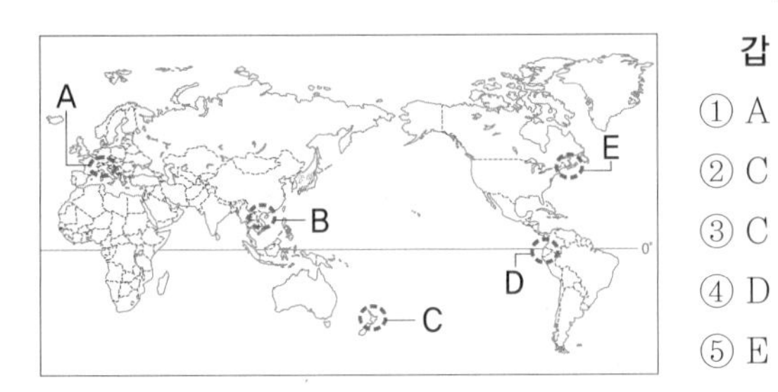


| | 갑 | 을 |
|---|---|---|
| ① | A | E |
| ② | C | B |
| ③ | C | D |
| ④ | D | B |
| ⑤ | E | A |

2017 수능 응용 최고난도

**03** 다음 자료는 우리나라에서 발생하는 (가), (나) 자연재해에 대한 국민 행동 요령을 나타낸 것이다. 이에 대한 옳은 설명을 〈보기〉에서 고른 것은?

| (가) | (나) |
|---|---|
| • 저지대 및 상습 침수 지역의 주민은 대피합니다.<br>• 바람에 날릴 수 있는 입간판 및 위험 시설물 주변에 접근하지 않습니다. | • 집 앞과 골목길에 염화칼슘과 모래를 살포합니다.<br>• 비닐하우스 위에 쌓인 것을 지속적으로 치워 줍니다. |

보기

ㄱ. (가)는 여름철, (나)는 겨울철에 주로 발생한다.
ㄴ. (가)는 (나)보다 해일 피해를 유발하는 경우가 많다.
ㄷ. (가)는 (나)보다 시간이 지날수록 피해 규모가 커진다.
ㄹ. (가)는 중국 내륙의 건조 지역, (나)는 열대 해상에서 발원한다.

① ㄱ, ㄴ ② ㄱ, ㄷ ③ ㄴ, ㄷ
④ ㄴ, ㄹ ⑤ ㄷ, ㄹ

## 서술형 문제

**04** 다음 글을 읽고 물음에 답하시오.

> 2016년 10월 4일, 카리브해에서는 초강력 ( ㉠ ) '매튜'가 아이티를 휩쓸고 지나갔다. 매튜는 시속 230km의 강풍을 동반한 ( ㉠ )(으)로 아이티에서 연간 강수량보다 많은 비를 내렸고, 900여 명의 목숨을 앗아갔다. 당시 아이티는 3년간 지속된 가뭄으로 150여만 명이 영양실조를 겪고 있었으며, 2010년 대지진으로 받은 피해를 완전히 복구하지 못한 상황이었다. 많은 사람들이 임시 거처에서 생활하고 있었으며, 사회 기반 시설이 무너진 상황에서 정부 대응이 늦어져 매튜의 피해가 더욱 컸다.

(1) ㉠에 들어갈 자연재해를 쓰시오.

(2) ㉠에 대한 국가적 차원의 대응 방안을 평상시와 발생 시로 구분하여 서술하시오.

# 02 인간과 자연의 관계 ~03 환경 문제의 해결을 위한 노력

## A 자연을 바라보는 다양한 관점

### ★ 1. 인간 중심주의 자연관

(1) 의미: 인간을 가장 가치 있는 존재로 여기며, 인간의 이익이나 필요에 따라 자연의 가치를 평가하는 관점

(2) 특징

• 이분법적 관점에 따르면 자연은 정신 혹은 영혼이 없는 단순한 물질에 불과해 인간이 마음대로 이용하고 지배할 수 있는 대상이 된다.

① 이분법적 관점: 인간과 자연을 분리하여 바라봄 → 인간을 자연으로부터 독립된 존재이자 자연보다 우월한 존재라고 인식함

② 자연의 도구적 가치 강조: 자연은 인간의 풍요로운 삶을 위한 도구에 불과함 → 인간은 자연을 이용할 권리를 지님

(3) 장점: 과학 기술의 발전과 경제 성장을 이루어 인간의 삶을 풍요롭게 함

(4) 문제점: 인간 중심주의를 지나치게 강조한 결과 자원 고갈, 환경 오염 등 환경 문제를 초래함

> **인간 중심주의 자연관을 주장한 사상가**
>
> • "아는 것이 힘이다. 자연이 인간에게 이롭도록 지식을 활용해야 한다. 방황하고 있는 자연을 사냥해서 노예로 만들어 인간의 이익에 봉사하도록 해야 한다." – 베이컨
>
> • "우리는 자연의 주인이자 소유자가 될 수 있다. 인간은 정신을 소유한 존엄한 존재이지만, 자연은 의식이 없는 물질이다." – 데카르트
>
> • "식물은 동물의 생존을 위해서, 동물은 인간의 생존을 위해서 존재한다. … 중략 … 자연은 일정한 목적이나 의도를 위한 것이라는 우리의 믿음이 타당하다면, 그것은 다름 아닌 인간을 위한 것임에 틀림없다." – 아리스토텔레스

인간 중심주의 자연관은 인간이 자연을 이용할 권리를 지니며, 자연에 대한 행위의 옳고 그름은 자연이 인간의 필요와 이익에 얼마나 도움이 되는가에 달려 있다고 본다.

### ★ 2. 생태 중심주의 자연관

(1) 의미: 인간의 이익보다 인간을 포함한 자연 전체의 균형과 안정을 먼저 고려하는 관점

(2) 특징

• 자연은 인간, 동식물, 환경 등과 같은 다양한 구성원이 유기적으로 엮여 있는 생태계이므로 인간은 자연과 독립적으로 존재할 수 없다고 본다.

① 전일론적 관점: 인간을 포함한 자연 전체를 하나로 바라봄 → 모든 생명체는 자연의 일부이며, 인간도 자연을 구성하는 일부라고 인식함

② 자연의 내재적 가치 강조: 자연은 그 자체로 본래의 가치를 지니고 있음

(3) 장점: 인간은 생태계의 안정을 유지해야 할 의무가 있다는 것을 일깨움으로써 환경 문제를 바라보는 새로운 시각을 제공함

• 생태계 전체의 선을 위해 개체의 선을 희생할 수 있다고 보는 극단적 생태 중심주의의 입장을 비판하는 용어

(4) 문제점: 생태 중심주의를 지나치게 강조할 경우 모든 인간 활동을 허용할 수 없으므로 비현실적이라는 비판을 받음 → 환경 파시즘으로 이어질 우려가 있음

> **레오폴드의 대지 윤리**
>
> "바람직한 대지 이용을 오직 경제적 문제로만 생각하지 마라. 낱낱의 물음을 경제적으로 무엇이 유리한가 하는 관점뿐만 아니라 윤리적, 심미적으로 무엇이 옳은가의 관점에서도 검토하라. 생명 공동체의 통합성과 안정성 그리고 아름다움의 보전에 이바지한다면, 그것은 옳다. 그렇지 않다면 그르다."
>
> – 레오폴드, 『모래 군(郡)의 열두 달』

생태 중심주의 사상가인 레오폴드는 공동체의 범위를 식물, 동물, 토양, 물을 포함하는 대지로 확대시키는 대지 윤리를 주장한다. 대지 윤리는 대지를 지배와 이용의 대상으로 간주하는 인간 중심주의와 달리 공동체로 존중할 것을 강조한다.

## B 인간과 자연의 공존

### 1. 인간과 자연의 바람직한 관계

(1) 자연을 바라보는 관점의 변화

| 구분 | 내용 |
|---|---|
| 산업화 이전 | 자연과 인간을 서로 의존하는 관계로 인식하고, 자연에 순응하는 삶을 중시함 |
| 산업화 이후 | 인간 중심주의 자연관을 바탕으로 자연을 이용과 지배의 대상으로 인식함 |
| 오늘날 | 환경친화적인 삶을 강조하며, 환경 보호와 경제 성장을 동시에 추구함 |

(2) 인간과 자연의 유기적 관계: 인간은 자연의 일부로서 다른 생명체 및 환경과 밀접한 관계를 맺으며 생태계를 구성하고 있음

### 2. 인간과 자연의 공존

(1) 인간과 자연의 조화: 인간 중심주의 자연관과 생태 중심주의 자연관 각각의 장점을 조화롭게 추구 → 인간의 기본적인 삶을 유지하며 살아가기 위해 자연과 공존하려는 노력 필요

(2) 인간과 자연의 공존을 위한 노력

| 구분 | 내용 |
|---|---|
| 개인적 차원 | • 생태계의 한 구성원으로서 환경친화적 가치 추구<br>• 자연 보호에 대한 책임 의식 정립 |
| 사회적 차원 | 인간과 자연의 공존을 위한 사회 제도 확대 예 생태 도시 지정, 생태 통로 건설, 자연 휴식년제 도입, 환경 영향 평가 제도 시행, 갯벌 복원 및 하천 생태계 복원 사업 등 |

• 환경 영향 평가 제도: 대규모 개발 사업이 자연환경에 어떤 영향을 미치는지 사전 조사하고 평가하여 그 영향을 최소화하고 환경 파괴 방지책을 마련하고자 하는 제도

★ 표시는 시험 전에 확인해 주세요.

## C 환경 문제의 발생과 해결을 위한 노력

### 1. 환경 문제의 발생과 특징

(1) 환경 문제의 발생: 산업 발달, 인구 증가, 자원 개발, 자원 소비 증가 → 오염 물질 배출, 자연의 자정 능력 상실

(2) 환경 문제의 특징: 정상 상태로 회복하기까지 오랜 시간이 걸리고 많은 비용이 발생함, 발생 지역을 넘어 인접한 국가와 전 지구적 차원의 문제로 확산됨

- 오염 물질이 물과 대기의 순환 과정을 통해 다른 지역으로 이동하기 때문이다.

### ★ 2. 다양한 환경 문제

| | |
|---|---|
| 지구 온난화 | • 원인: 석탄이나 석유 등의 화석 연료 사용 증가, 삼림 파괴로 인한 온실가스 배출량 증가<br>• 영향: 극지방 빙하 면적 감소, 해수면 상승으로 저지대 침수, 동식물 서식 환경 변화, 기상 이변 발생 |
| 오존층 파괴 | • 원인: 염화 플루오린화 탄소(CFCs)의 사용 증가로 오존의 밀도가 낮아짐 (냉장고의 냉매제, 분사제 등으로 사용된다.)<br>• 영향: 자외선 증가로 피부 및 눈 질환 발생, 농작물 수확량 감소 (→ 몬트리올 의정서 채택) |
| 산성비 | • 원인: 공장이나 화력 발전소, 자동차 등에서 배출되는 대기 오염 물질이 비와 섞여 빗물의 성질을 산성으로 바꿈 (황산화물, 질소 산화물 등)<br>• 영향: 삼림 및 농경지 파괴, 토양과 하천의 산성화, 건축물과 문화 유산 부식 |
| 사막화 | • 원인: 극심한 가뭄 지속, 과도한 방목과 농경지 개간<br>• 영향: 사막 지역 확대, 식량 및 물 부족 문제 |
| 열대림 파괴 | • 원인: 무분별한 벌목과 개간, 목축 등<br>• 영향: 생물종 다양성 감소, 지구 온난화의 가속화 |

- 사막화 피해를 입은 개발 도상국을 지원하기 위해 사막화 방지 협약이 체결되었다.

### 3. 환경 문제 해결을 위한 노력

(1) 정부의 노력

① 국제 사회와의 협력: 전 지구적 차원의 환경 문제 해결을 위해 국제 환경 협약 체결 예 지구 온난화 방지를 위한 파리 기후 협약, 교토 의정서 체결 (선진국의 온실가스 감축 목표치를 규정하였다.)

② 환경 보전을 위한 제도 마련: 환경 관련 법률 제정, 환경 영향 평가 제도 시행, 온실가스 배출권 거래제, 탄소 배출량 감축 제도 실시, 친환경 산업 육성 (온실가스의 배출 허용량을 정해 주고 남거나 모자랄 때 사고팔 수 있도록 하는 제도)

(2) 기업의 노력: 환경 오염 물질 방지 시설 정비, 환경친화적 기술 개발 및 제품 생산, 신·재생 에너지 사용 확대

(3) 시민 단체의 노력: 환경 문제의 사회적 쟁점화, 정부의 환경 정책과 기업의 활동 감시 및 비판, 환경 보호 캠페인 전개

(4) 개인의 노력

① 개인 역할의 중요성: 많은 환경 문제가 일상생활에서 발생 → 개인의 행동과 선택이 환경에 미치는 영향이 큼

② 일상생활에서의 실천 방안: 녹색 소비의 실천, 재사용과 재활용 생활화, 자원 및 에너지 절약 (제품을 구매하고 사용한 후 버릴 때까지의 전 과정에 걸쳐 하는 친환경적인 행동)

## 1단계 개념 짚어 보기

정답과 해설 8쪽

**01** 다음 설명이 맞으면 ○표, 틀리면 ×표를 하시오.

(1) 인간 중심주의 자연관은 인간의 이익이나 필요에 따라 자연의 가치를 평가한다. ( )

(2) 생태 중심주의 자연관은 인간을 자연에 비해 우월한 존재로 인식하고, 자연을 인간의 욕구를 충족하는 도구로 여긴다. ( )

(3) 인간과 자연은 서로 영향을 주고받는 관계이므로 인간과 자연 중 어느 한쪽만을 중시하기보다는 조화와 공존을 추구해야 한다. ( )

**02** 인간은 자연의 주인이자 소유자가 될 수 있으며 인간은 정신을 소유한 존엄한 존재이지만, 자연은 의식이 없는 물질이라고 주장한 사상가는?

**03** 환경 문제가 발생하는 원인으로 옳은 것만을 〈보기〉에서 있는 대로 골라 기호를 쓰시오.

보기
ㄱ. 급속한 인구 증가
ㄴ. 무분별한 자원 개발
ㄷ. 자정 능력 한계 내에서의 개발
ㄹ. 생활 수준 향상에 따른 자원 소비 증가

**04** 다양한 환경 문제의 원인을 정리한 표이다. ㉠~㉢에 들어갈 내용을 각각 쓰시오.

| 환경 문제 | 원인 |
|---|---|
| 지구 온난화 | 석탄이나 석유 등의 화석 연료 사용 증가, 삼림 파괴로 인한 (㉠ ) 배출량 증가 |
| (㉡ ) | 염화 플루오린화 탄소(CFCs)의 사용 증가 |
| (㉢ ) | 화력 발전소와 공장 매연, 자동차에서 나오는 배기가스가 비와 결합 |

**05** 다음은 환경 문제 해결을 위한 노력 사례이다. 빈칸에 들어갈 내용을 쓰시오.

(1) ( )는 정부의 환경 정책이나 기업의 활동을 감시하고 비판하는 역할을 한다.

(2) 정부는 대규모 개발 사업이 환경에 어떤 영향을 미치는지 예측하기 위해 ( ) 제도를 실시한다.

## A 자연을 바라보는 다양한 관점

출제가능성 90%

**01** 다음은 어느 사상가의 주장이다. 이 사상가의 자연관으로 옳은 것을 〈보기〉에서 고른 것은?

> "아는 것이 힘이다. 자연이 인간에게 이롭도록 지식을 활용해야 한다. 방황하고 있는 자연을 사냥해서 노예로 만들어 인간의 이익에 봉사하도록 해야 한다."

보기

ㄱ. 자연은 그 자체로 본래의 가치를 지니고 있다고 본다.
ㄴ. 자연의 가치를 인간의 이익이나 필요에 따라 평가한다.
ㄷ. 인간은 생태계의 안정을 위해 노력해야 할 의무가 있음을 강조한다.
ㄹ. 인간과 자연을 분리하여 바라보며 자연은 단순한 물질에 불과하다고 생각한다.

① ㄱ, ㄴ ② ㄱ, ㄷ ③ ㄴ, ㄷ
④ ㄴ, ㄹ ⑤ ㄷ, ㄹ

**02** 다음 두 사상가의 공통된 관점에 해당하는 내용에만 'V'를 표시한 학생은?

> • "우리는 자연의 주인이자 소유자가 될 수 있다. 인간은 정신을 소유한 존엄한 존재지만, 자연은 의식이 없는 물질이다." – 데카르트
>
> • "식물은 동물의 생존을 위해서, 동물은 인간의 생존을 위해서 존재한다. … 중략 … 자연은 일정한 목적이나 의도를 위한 것이라는 우리의 믿음이 타당하다면, 그것은 다름 아닌 인간을 위한 것임에 틀림없다." – 아리스토텔레스

| 관점 \ 학생 | 갑 | 을 | 병 | 정 | 무 |
|---|---|---|---|---|---|
| 자연은 인간의 도구이자 수단이다. | V | V | | | |
| 인간은 자연을 구성하는 일부이다. | V | | V | V | V |
| 자연은 그 자체로서 가치를 지니고 있다. | | | V | V | |
| 인간은 독립된 존재이며, 자연보다 우월한 존재이다. | | V | V | | V |

① 갑 ② 을 ③ 병 ④ 정 ⑤ 무

**03** 다음 내용에서 파악할 수 있는 자연관에 대한 설명으로 옳은 것은?

> 미국에서는 국립 공원 내 자연을 있는 그대로 보전하는 데 초점을 맞추고 있다. 그래서 국립 공원에서 산불이 나도 자연 현상에 의해 일어난 불일 경우 웬만해서는 인간이 나서서 끄지 않는다. 인간이 개입할 일이 아니라고 판단하기 때문이다.

① 자연은 인간이 정복해야 할 대상이다.
② 오직 인간만이 유일하게 이성을 지닌 존재이다.
③ 자연은 정신 혹은 의식이 없는 단순한 물질에 불과하다.
④ 인간의 풍요로운 삶을 위한 수단으로 자연을 이용할 수 있다.
⑤ 인간을 포함한 생태계의 구성원들은 하나의 유기체로 연결되어 있다.

**04** (가)의 사례에 대해 (나)의 입장에서 내릴 수 있는 평가로 옳은 것을 〈보기〉에서 고른 것은?

> (가) 도넛, 치약, 초콜릿 등 다양한 제품의 원료로 이용되는 팜유의 최대 생산지는 인도네시아이다. 열대림을 제거하고 조성한 대규모 팜유 농장은 많은 일자리를 만들고 수출을 통해 외화를 벌어들이며 인도네시아 경제 발전에 크게 기여하였다.
>
> (나) 바람직한 대지 이용을 오직 경제적 문제로만 생각하지 마라. 낱낱의 물음을 경제적으로 무엇이 유리한가 하는 관점뿐만 아니라 윤리적, 심미적으로 무엇이 옳은가의 관점에서도 검토하라. 생명 공동체의 통합성과 안정성 그리고 아름다움의 보전에 이바지한다면, 그것은 옳다. 그렇지 않다면 그르다.

보기

ㄱ. 자연의 참모습과 본래적 가치를 인정하지 않았다.
ㄴ. 자원 고갈과 환경 오염 등 환경 문제를 초래하였다.
ㄷ. 자연 보전을 위한 인간의 어떤 개입도 인정하지 않았다.
ㄹ. 생태계 전체의 선을 위해 개별 생명체의 희생을 강요하고 있다.

① ㄱ, ㄴ ② ㄱ, ㄷ ③ ㄴ, ㄷ
④ ㄴ, ㄹ ⑤ ㄷ, ㄹ

**05** 다음은 신문 기사를 읽고 학생들이 토론한 내용을 정리한 것이다. (가), (나)에 들어갈 내용을 〈보기〉에서 골라 옳게 연결한 것은?

> 환경부가 강원도 양양군의 ○○산 케이블카 설치 사업에 대해 조건부 승인을 하였다. 환경부는 양양군이 제출한 사업의 원안에 정상부 등산로 통제와 멸종 위기 종 보호 대책 수립 등 7가지 조건을 붙였다. 환경 단체의 반대로 무산되었던 케이블카 사업은 승인되었지만 여전히 환경 단체 등의 반대도 만만치 않아 운행이 가능할지는 불투명하다.
>
> –「한국경제」, 2015. 9. 14.

| 주장 | 저는 케이블카 설치를 찬성합니다. | 저는 케이블카 설치를 반대합니다. |
|---|---|---|
| 근거 | (가) | (나) |

**보기**

ㄱ. 자연의 가치를 인간의 이익만을 위한 수단으로 보아서는 안 된다.
ㄴ. 생태계 보존 지역으로 지정된 지역의 자연환경이 파괴될 수 있다.
ㄷ. 자연이 아무리 아름답게 보존된다 해도 감상하는 사람이 없다면 그 의미가 없다.
ㄹ. 케이블카는 지역 경제 활성화에 도움이 되며 이동에 어려움을 겪는 관광객에게 도움을 준다.

| | (가) | (나) | | (가) | (나) |
|---|---|---|---|---|---|
| ① | ㄱ, ㄴ | ㄷ, ㄹ | ② | ㄱ, ㄷ | ㄴ, ㄹ |
| ③ | ㄴ, ㄷ | ㄱ, ㄹ | ④ | ㄴ, ㄹ | ㄱ, ㄷ |
| ⑤ | ㄷ, ㄹ | ㄱ, ㄴ | | | |

## B 인간과 자연의 공존

출제가능성 90%

**06** 다음 글에 나타난 인간과 자연의 관계에 해당하는 사례로 가장 적절한 것은?

> 천지 만물은 모두 우리와 같은 동료입니다. 동료 사이에 귀천의 차별은 없습니다. 다만, 크고 작은 차이, 지혜와 힘의 차이에 따라 서로 잡아먹고 있을 뿐이지, 다른 것에게 사용되기 위해 만들어진 것은 아닙니다.

① 가뭄 예방을 위해 댐을 건설하였다.
② 간척지를 조성하기 위해 갯벌을 매립하였다.
③ 열대림을 제거하고 대규모 팜유 공장을 조성하였다.
④ 야생 동물의 이동 경로를 따라 생태 통로를 만들었다.
⑤ 홍수 예방을 위해 하천 주변에 인공 제방을 건설하였다.

**07** 다음 글을 토대로 자연을 바라보는 관점의 변화를 옳게 설명한 것은?

> 대전광역시의 도심을 관통하는 대전천은 산업화가 이루어지면서 하천에 콘크리트 구조물을 덮는 복개 공사가 추진되었다. 복개 후에는 아파트, 상가 등의 건물과 도로 등으로 활용되었다. 이후 대전천은 유량이 줄어들어 건천이 되었고, 악취가 발생하는 등의 문제가 발생하였다. 2008년에 환경 문제를 해결하기 위해 대전광역시와 시민들이 함께 하천 복원 사업을 본격적으로 추진하였다.

① 인간과 자연을 이분법적 관점으로 바라보게 되었다.
② 자연환경에 의해 인간 생활이 결정된다는 가치관이 확산되고 있다.
③ 경제적인 관점에서 자연은 개발의 대상이라는 인식이 강해지고 있다.
④ 형평성보다 효율성이 중시되면서 자연을 이용하는 사례가 증가하고 있다.
⑤ 자연과 인간의 조화와 균형을 추구하는 환경친화적인 자연관이 확산되고 있다.

**08** 다음 글에 나타난 문제를 해결하기 위한 방안을 가장 적절하게 제시한 학생은?

> 아인슈타인은 "꿀벌이 지구에서 사라지면 4년 안에 인류도 사라진다."고 말하였다. 꿀벌이 하는 중요한 일 중 하나가 꽃가루를 옮겨 꽃을 수정하게 하는 것이다. 세계 식량의 90%를 공급하는 100대 농작물의 71%가 꿀벌의 수분(受粉)으로 열매를 맺고 있다. 그런데 최근 기온 이상으로 꽃의 개화 시기가 변하면서 꿀벌의 개체 수가 급감하고 있으며, 농약을 과도하게 살포하여 꿀벌의 신경계에 이상이 생기는 일도 많아졌다.

① 갑: 환경 보전을 위해 모든 개발을 금지해야 해.
② 을: 자연의 효용성과 유용성을 더욱 중시해야 해.
③ 병: 인간이 자연으로부터 벗어나 살아갈 수 있는 방법을 찾아야 해.
④ 정: 인간과 자연이 공존 관계임을 인식하고 자연환경을 소중히 여겨야 해.
⑤ 무: 자연환경이 훼손되더라도 인간이 물질적인 풍요를 누리기 위해서 더 많은 개발이 필요해.

## C 환경 문제의 발생과 해결을 위한 노력

**09** 다음 글에 나타난 환경 문제의 특징으로 가장 적절한 것은?

> 과거에는 환경이 파괴되는 정도가 심하지 않았기 때문에 자연스럽게 회복되는 경우가 많았다. 환경은 어느 정도 심하지 않은 파괴에 대해서는 탄력적으로 대응할 능력이 있기 때문이다. 그러나 오늘날에는 그 파괴 정도가 심각하고 쉽게 회복되지 못하는 상태에 이르렀다.

① 산업 혁명 이후 환경 문제는 완화되고 있다.
② 자연의 자정 능력을 초과하여 오염되고 있다.
③ 생활 수준이 낮은 개발 도상국에서만 나타난다.
④ 미래 세대에게는 직접적인 영향을 미치지 않는다.
⑤ 인간 활동보다 자연적인 요인에 의해 발생하고 있다.

출제가능성 90%

**10** 다음은 수행 평가 보고서의 일부분이다. (가)에 들어갈 내용으로 옳은 것을 <보기>에서 고른 것은?

> **수행 평가 보고서**
> 1. 주제: 오존층의 파괴와 대책
> 2. 현황: 성층권의 오존층이 다양한 화학 물질에 의해 조금씩 파괴되어 밀도가 낮아지고 있다.
> 3. 영향: ______(가)______
> 4. 대책: 염화 플루오린화 탄소(CFCs)의 생산과 사용을 규제해야 한다.

보기
ㄱ. 농작물의 수확량이 감소한다.
ㄴ. 극지방과 고산 지대의 빙하가 감소한다.
ㄷ. 대리석을 포함한 건축물과 조각상이 부식된다.
ㄹ. 지상에 도달하는 자외선 증가로 피부 및 눈 질환의 발생률이 증가한다.

① ㄱ, ㄴ ② ㄱ, ㄹ ③ ㄴ, ㄷ
④ ㄴ, ㄹ ⑤ ㄷ, ㄹ

**11** 교사의 질문에 옳게 답변한 학생만을 있는 대로 고른 것은?

① 갑, 을 ② 갑, 병 ③ 병, 정
④ 갑, 을, 병 ⑤ 을, 병, 정

**12** 다음 사례들을 활용한 학습 주제로 가장 적절한 것은?

> • 사막화 방지 및 환경 보호 단체인 미래숲은 2002년부터 중국과 협약을 맺고 중국 네이멍구 자치구의 쿠부치 사막에 나무를 심어 왔다. 이들이 사막에 심은 나무 중 840만 그루가 자라서 남북으로 1km, 동서로 0.8km에 달하는 숲을 이룬다.
> • 국제 환경 단체인 그린피스가 화장품과 생활용품 제조에 이용된 미세 플라스틱인 '마이크로비즈'에 대한 사용 중단 및 규제 법안 제정을 촉구하며 한강에서 퍼포먼스를 벌였다. 그린피스는 미세 플라스틱이 강과 바다로 흘러들어 해양 오염을 유발하고, 인체에도 유해하다고 경고하며 정부에 신속한 규제를 마련해 줄 것을 요구하였다. 퍼포먼스 이후 그린피스는 마이크로비즈 규제 법제화를 요구하는 많은 시민들의 서명을 국무 총리실에 전달하였다.

① 환경 오염을 최소화하는 기술 개발
② 지속 가능한 발전을 위한 정부의 노력
③ 지구 온난화로 인한 지구 환경의 변화 모습
④ 사막화 방지를 위한 동북아시아의 국제 협약 체결
⑤ 환경 문제 대응 방안을 홍보하기 위한 시민 단체의 활동

# 3단계 등급 올리기

2018 평가원 응용

**01 (가), (나)에 해당하는 자연관에 대한 옳은 설명을 〈보기〉에서 고른 것은?**

(가) 생명 공동체의 범위를 대지까지 확장시키기 위해서는 생태계를 경제적 관점뿐만 아니라 윤리적·심미적 관점으로도 살펴봐야 한다.
(나) 우리는 대지의 일부분이며, 대지는 우리의 일부분이다. 들꽃은 우리의 누이이고, 순록과 말과 독수리는 우리의 형제이다. 강의 물결과 초원에 핀 꽃들의 수액, 조랑말의 땀과 인간의 땀은 모두 하나이다. 모두가 같은 부족, 우리의 부족이다. …… 세상의 모든 것은 하나로 연결되어 있다. 대지에게 일어나는 일은 대지의 아들들에게도 일어난다.

보기
ㄱ. (가)는 모든 생명체가 자연을 구성하는 일부라고 본다.
ㄴ. (나)는 자연의 도구적·수단적 가치를 중요시한다.
ㄷ. (나)는 인간과 자연을 이분법적 관점으로 바라본다.
ㄹ. (가), (나) 모두 자연 자체의 내재적 가치를 인정하고 존중해야 한다고 본다.

① ㄱ, ㄴ ② ㄱ, ㄹ ③ ㄴ, ㄷ
④ ㄴ, ㄹ ⑤ ㄷ, ㄹ

**02 다음 사례에 나타난 인간과 자연의 관계에 대한 설명으로 적절한 것은?**

'크리스털 워터스'는 1985년 환경 운동가들의 설계에 따라 조성된 세계 최초의 계획 공동체 마을이다. 넓은 초지와 계곡을 중심으로 집과 도로, 상하수도, 저수지 등을 섬세하게 배치하였다. 이곳에서는 주로 나무와 흙으로 직접 집을 지으며, 빗물과 계곡물을 받아 태양열 전지판으로 데워 사용한다. 유기 농법으로 퇴비를 만들고 텃밭을 가꾸어 기본적인 작물은 직접 재배해 먹는다.

① 오직 인간만이 이성적인 존재라고 본다.
② 자연은 인간의 행복을 위한 도구라고 여긴다.
③ 인간과 자연의 관계에서 인간의 이익을 먼저 고려한다.
④ 자연에 대한 인간의 어떤 개입도 허용되어서는 안 된다고 본다.
⑤ 인간 역시 자연처럼 생태계를 구성하는 일부이며 끊임없이 영향을 주고받는 관계라고 본다.

2018 수능 응용 최고난도

**03 (가), (나)에 대한 설명으로 옳지 않은 것은?**

(가)

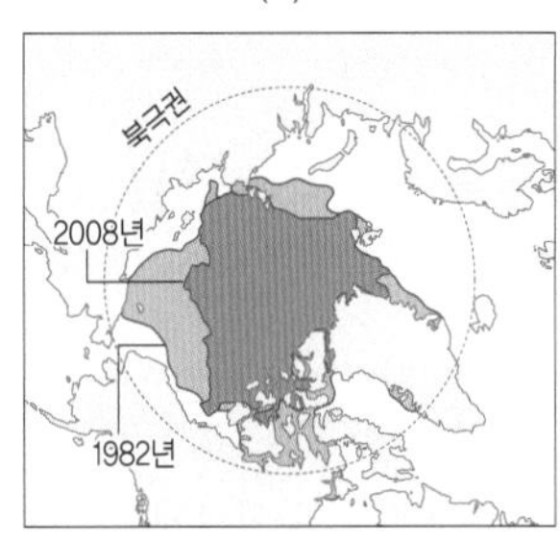


↑ 해빙(sea ice)의 축소

(나)

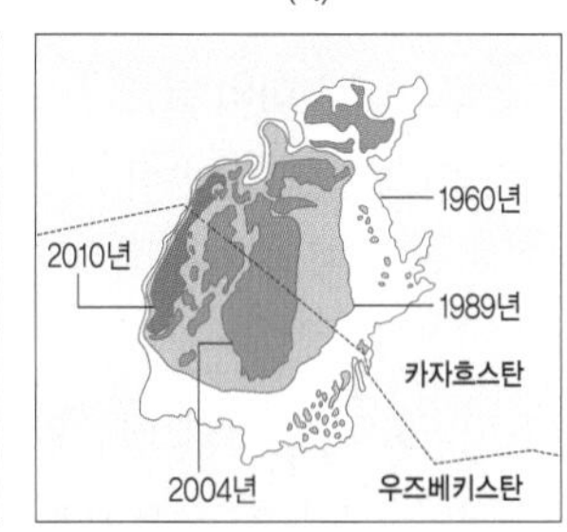


↑ 아랄해의 축소

① (가)의 주요 원인 중 하나로 온실가스 배출량의 증가를 들 수 있다.
② (가)의 해결을 위한 국제 협력의 결과 파리 기후 협약이 체결되었다.
③ (가)로 인해 해안 저지대가 침수되면서 인간 거주 지역이 축소되고 있다.
④ (나)는 장기간의 가뭄, 지나친 방목 등으로 발생한다.
⑤ 국제 사회는 (나)를 해결하기 위해 바젤 협약을 체결하였다.

## 서술형 문제

**04 다음 글을 읽고 물음에 답하시오.**

메슥거리는 영국의 검은 석탄 구름이
이 지방에 검은 장막을 씌우고
신선한 녹음으로 빛나는 초목을 모조리 상처 입히며
아름다운 새싹을 말려 죽이고
독기를 휘감은 채 소용돌이치며
태양과 그 빛을 들에서 빼앗고 고대의 심판을 받은 저 마을에
재의 비처럼 떨어져 내린다.

– 헨리크 입센, 『브란트』

(1) 윗글에서 묘사하고 있는 환경 문제를 쓰시오.

(2) (1)의 발생 원인을 서술하시오.

# 산업화와 도시화

## A 산업화와 도시화

### 1. 산업화·도시화의 발생

(1) 산업화: 산업 혁명 이후 기계화 및 분업화가 나타남 → 농림 어업 중심의 사회에서 공업 및 서비스업 중심의 사회로 변화함

(2) 도시화: 산업화의 영향으로 촌락의 인구가 일자리를 찾아 도시로 이동함 → 도시에 거주하는 인구가 많아지고 도시적 생활 양식이 확대됨
- 이촌 향도 현상이라고 한다.

### 2. 우리나라의 산업화·도시화
1960년대 이후 경제 개발 계획을 추진하면서 산업화·도시화가 빠르게 진행 → 인구의 대부분이 도시에 거주하고, 2·3차 산업에 종사함

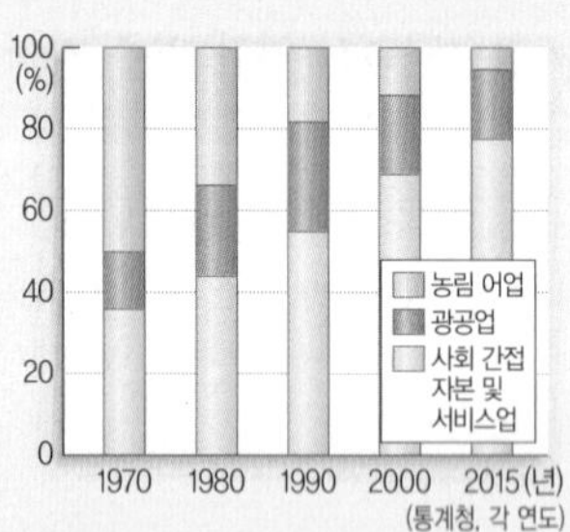


▲ 우리나라의 산업 구조 변화

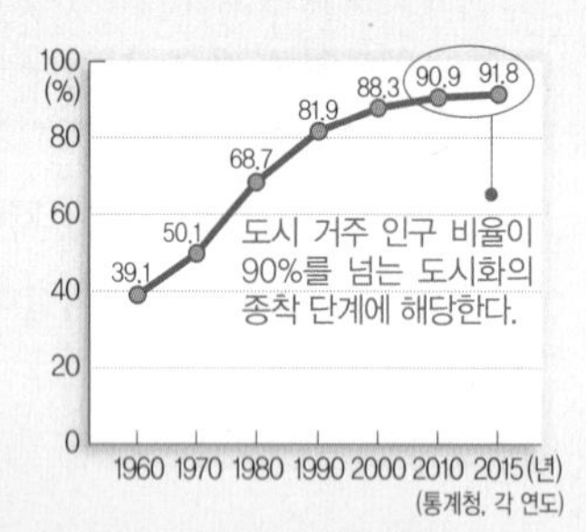


▲ 우리나라의 도시화율 변화

우리나라는 1960년대 이전까지 1차 산업 중심의 사회였으나 1960년대 이후 경제 개발 정책이 추진되면서 산업화가 빠르게 진행되었다. 산업화에 따른 이촌 향도 현상으로 사람들이 도시로 이동하면서 도시화율이 지속적으로 증가하였다. 최근에는 탈공업화로 서비스업이 차지하는 비중이 더욱 높아지고 있다.

## B 산업화·도시화에 따른 생활 공간의 변화

### ★ 1. 거주 공간의 변화

(1) 도시 내부의 지역 분화

① 집약적 토지 이용: 제한된 공간을 효율적으로 이용하기 위해 고층 빌딩과 공동 주택 증가
- 도시에 많은 인구와 기능이 집중되어 있기 때문이다.

② 기능별 지역 분화: 도시의 규모가 커지면서 도시 내부는 지대와 접근성의 차이에 따라 상업 및 업무·공업·주거 기능 등에 따라 지역이 분화됨

(2) 대도시권의 형성

① 교외화 현상: 도시의 영향력이 커지면서 대도시와 도시 주변 지역이 기능적으로 밀접한 관계를 형성함

② 대도시권의 확대: 교통 발달에 따라 대도시권의 범위가 점차 확대되고 있음 → 주거지와 직장의 거리가 멀어짐
- 업무 기능을 하는 직장은 주로 도심에, 주거 기능을 하는 집은 주로 외곽 지역에 분포하기 때문이다.

③ 근교 촌락의 변화: 대도시에 인접한 농업 지역이 주거 지역 또는 공업 지역으로 변화함 → 도시적 경관이 확대됨

▲ 도심(서울 중구) ▲ 외곽 지역 (서울 노원구) ▲ 근교 촌락 지역 (경기 김포시)

도시의 규모가 커지면서 도시 내부는 기능별로 상업·업무 지역, 주거 지역, 공업 지역 등으로 분화한다. 도심은 접근성이 높아 교통이 편리하고 고층 건물이 밀집되어 있어 행정·금융 기관, 백화점, 대기업 본사 등이 들어서 상업 및 업무 기능이 발달한다. 외곽 지역은 대규모 주거 단지 또는 넓은 부지를 필요로 하는 공업 단지가 조성되어 있다. 한편, 교통의 발달로 대도시권이 확대되면 근교 촌락 지역에서도 대규모 아파트 단지나 산업 단지가 조성되는 등 도시적 경관이 나타난다.

### 2. 생태 환경의 변화

(1) 산업화·도시화로 인한 생태 환경의 변화

| 산업화·도시화 이전 | • 대부분의 사람들은 농림 어업에 유리한 촌락에 거주<br>• 농경지와 산림 등 자연 상태의 토지 유지 → 녹지 공간의 비중이 높음 |
|---|---|
| 산업화·도시화 이후 | • 주택, 공장, 도로 등 인공적인 토지 이용 확대<br>• 콘크리트 건물과 아스팔트 도로 등 포장 면적 증가 → 녹지 공간의 비중이 감소함 |

(2) 생태 환경의 변화로 발생한 문제: 환경 오염, 도시 홍수, 열섬 현상, 생물종 다양성 감소 등 → 도시 내 생활 환경 악화
- 지하수의 양이 감소하고, 흙이나 나무로부터 증발하는 수증기가 줄어들어 도심의 상대 습도가 낮아진다.

## C 산업화·도시화에 따른 생활 양식의 변화

### ★ 1. 도시성의 확산

(1) 도시성: 도시에 거주하는 사람들이 가지는 특징적인 사고 및 생활 양식

(2) 요인: 효율성과 합리성을 추구하는 문화, 자율성과 다양성을 존중하는 분위기 형성, 익명성을 띤 2차적 인간관계 확대
- 특정한 목적의식을 가지고 모인 수단적이고 간접적인 인간관계

(3) 영향: 사회적 유대감 약화, 도시 주변 지역 및 근교 촌락으로 도시성 확산

### 2. 직업의 분화 및 전문화

(1) 요인: 2·3차 산업 중심으로의 변화

(2) 영향: 도시 주민들은 다양한 직업에 종사, 직업 간 소득 격차 발생 → 도시 주민들 간의 이질성 증가

### 3. 개인주의의 확산

(1) 요인: 공동체보다 개인의 가치와 성취 및 자유와 권리를 강조하는 개인주의적 가치관 확대

(2) 영향: 핵가족과 1인 가구의 보편화, 개인 간 경쟁 심화

★ 표시는 시험 전에 확인해 주세요.

정답과 해설 10쪽

## D 산업화·도시화에 따른 문제와 해결 방안

### 1. 산업화·도시화에 따른 문제

(1) 환경 문제

① 환경 오염 발생: 각종 오염 물질 배출로 인해 수질 오염, 토양 오염, 대기 오염 발생

② 도시 홍수 위험 증가: 콘크리트나 아스팔트로 포장된 면적이 넓음 → 토양의 빗물 흡수 능력 저하

③ 열섬 현상 심화: 냉난방 시설과 자동차 등에서 발생하는 인공 열로 인해 도심 내부의 기온 상승

(2) 도시 문제

① 주택 문제: 주택 부족, 집값 상승, 불량 주택 지역 형성 등

② 교통 문제: 교통 혼잡 발생, 도로 및 주차 공간 부족 등

(3) 사회 문제 (● 인간의 풍요로운 생활을 위해 만든 물질이 오히려 인간을 지배하는 현상)

① 인간 소외 현상 발생: 생산 과정의 자동화로 인간을 기계의 부속품처럼 여김 → 노동에서 얻는 성취감이나 만족감 약화

② 공동체 의식 약화: 자신의 이익만을 중시하고 타인에 대해서는 무관심해짐 (● 물질적 가치와 경쟁을 강조하면서 점차 속도 지향적 가치를 추구하게 된다.)

③ 사회적 갈등 심화: 지역 간 공간 불평등 확대, 계층 간 빈부 격차 심화, 노동 문제 발생 등 (● 실업 문제, 노사 갈등 등)

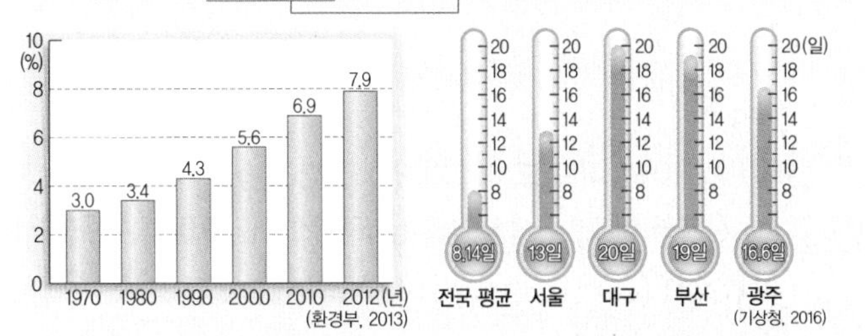


◐ 우리나라의 불투수 면적률 변화 ◐ 주요 도시의 평균 열대야 일수

지표면이 콘크리트나 아스팔트로 덮이면 빗물을 흡수하지 못하는 불투수 면적이 늘어나 홍수 발생 위험이 커진다. 이러한 인공 상태의 지표면은 흙으로 된 땅보다 더 많은 태양열을 흡수하고 서서히 열기를 뿜어내며, 고층 건물이 바람길을 차단하기 때문에 도심 지역의 온도가 다른 지역보다 높게 나타난다.

### 2. 산업화·도시화에 따른 문제의 해결 방안

| 구분 | 사회적 차원 (● 예 도시 농업) | 개인적 차원 |
|---|---|---|
| 환경 문제 | 환경친화적 도시 계획 수립, 녹지 공간 확대, 생태 하천 조성 등 | 쓰레기 분리수거, 자원 절약 등 환경 보호를 위한 행동 실천 |
| 도시 문제 | 신도시 건설, 도시 재개발 사업 추진, 대중교통 수단 확충 등 | 대중교통 이용, 이웃 간 주차 공간 배려 등 |
| 사회 문제 | 소외 계층을 위한 사회 복지 제도, 최저 임금제와 비정규직 보호법 등의 제도 마련 등 | 인간의 존엄성 중시 및 타인 존중 실천, 공동체 의식 함양, 배려와 협력의 자세 확립 등 |

**01** ㉠, ㉡에 들어갈 용어를 각각 쓰시오.

> 산업 혁명 이후 농림 어업 중심의 사회에서 공업 및 서비스업 중심의 사회로 변화하는 과정을 (㉠ )라고 하며, 전체 인구 중 도시에 거주하는 인구가 많아지고 도시적 생활 양식이 보편화되는 과정을 (㉡ )라고 한다.

**02** 산업화·도시화 과정에서 나타나는 생활 공간의 변화로 옳은 것만을 〈보기〉에서 있는 대로 골라 기호를 쓰시오.

> 보기
> ㄱ. 도시 내부의 지역 분화가 나타난다.
> ㄴ. 토지 이용이 집약적으로 이루어진다.
> ㄷ. 아스팔트 도로 등 포장 면적이 감소한다.
> ㄹ. 대도시에 인접한 농업 지역이 주거 지역이나 공업 지역으로 변화한다.

**03** 산업화·도시화에 따른 생활 양식의 변화에 대한 설명이 맞으면 ○표, 틀리면 ×표를 하시오.

(1) 2·3차 산업이 발달하면서 직업이 분화되고 전문성이 감소하였다. ( )

(2) 개인의 가치와 성취 및 정체성을 중시하는 개인주의적 가치관이 확대되었다. ( )

**04** 냉난방 시설과 자동차 등에서 발생하는 인공 열에 의해 주변 지역보다 도심 내부에서 기온이 높게 나타나는 현상을 ( )이라고 한다.

**05** 산업화·도시화로 인한 도시 문제와 해결 방안을 정리한 표이다. ㉠~㉢에 들어갈 내용을 각각 쓰시오.

| 구분 | 문제점 | 해결 방안 |
|---|---|---|
| 주택 문제 | 주택 부족 및 집값 상승, 불량 주택 지역 형성 등 | (㉠ ) 건설, 도시 재개발 사업 추진 등 |
| (㉡ ) 문제 | 교통 혼잡 발생, 도로 및 주차 공간 부족 등 | (㉢ ) 수단 확충 및 이용, 이웃 간 주차 공간 배려 등 |

## A 산업화와 도시화

출제가능성 90%

**01** 그래프는 우리나라의 산업별 종사자 비중 변화를 나타낸 것이다. 이에 대한 옳은 분석을 〈보기〉에서 고른 것은?

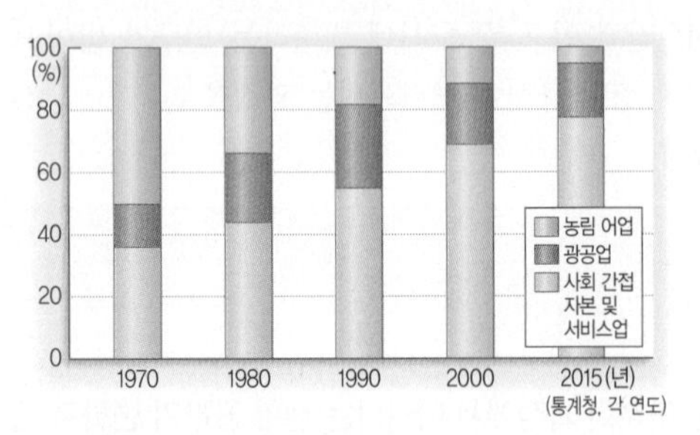


보기

ㄱ. 오늘날 광공업 종사자 비중이 빠르게 증가하고 있다.
ㄴ. 1970년 이후 농림 어업 종사자 비중이 감소하고 있다.
ㄷ. 우리나라의 산업 구조는 점차 2차 산업 중심으로 변화하고 있다.
ㄹ. 사회 간접 자본 및 서비스업 종사자 비중은 1970년 이후 꾸준히 증가하고 있다.

① ㄱ, ㄴ ② ㄱ, ㄷ ③ ㄴ, ㄷ
④ ㄴ, ㄹ ⑤ ㄷ, ㄹ

**02** 그래프는 우리나라의 도시화율 변화를 나타낸 것이다. 이에 대한 설명으로 옳지 않은 것은?

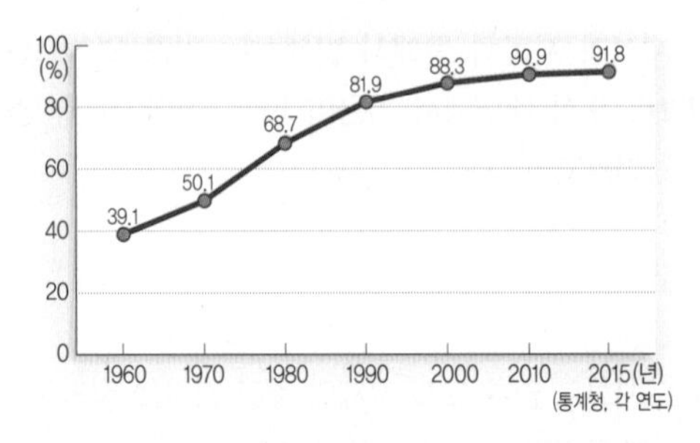


① 1960년대는 촌락 인구가 도시 인구보다 많았다.
② 1970년대에 도시화율이 가장 빠르게 증가하였다.
③ 1980년대는 촌락보다 도시에 거주하는 인구가 많았다.
④ 현재 우리나라의 도시화 수준은 종착 단계에 해당한다.
⑤ 촌락에서 도시로 이동하는 인구의 증가율이 점차 높아지고 있다.

## B 산업화·도시화에 따른 생활 공간의 변화

**03** 소설을 통해 알 수 있는 괭이부리말의 변화 모습을 추론한 것으로 적절하지 않은 것은?

> 지금 괭이부리말이 있는 자리는 원래 땅보다 갯벌이 더 많은 바닷가였다. 그 바닷가에 '고양이섬'이라는 작은 섬이 있었다. 호랑이까지 살 만큼 숲이 우거진 곳이었다던 고양이섬은 바다가 메워지면서 흔적도 없어졌고, 오랜 세월이 지나면서 그곳은 소나무 숲 대신 공장 굴뚝과 판잣집들만 빼곡이 들어찬 공장 지대가 되었다. 그리고 고양이섬 때문에 생긴 '괭이부리말'이라는 이름만 남게 되었다.
>
> – 김중미, 『괭이부리말 아이들』

① 인구 밀도가 증가하였을 것이다.
② 도시적 생활 양식이 확대되었을 것이다.
③ 토지 이용의 집약도가 높아졌을 것이다.
④ 녹지 면적이 감소하고 시가지 면적이 늘어났을 것이다.
⑤ 1차 산업 종사자 비중이 증가하고, 2차 산업 종사자 비중이 감소하였을 것이다.

출제가능성 90%

**04** (가), (나)는 어느 도시의 과거와 현재 모습을 나타낸 것이다. (가) 시기와 비교한 (나) 시기의 상대적 특징을 그림의 A~E에서 고른 것은?

(가)

(나)

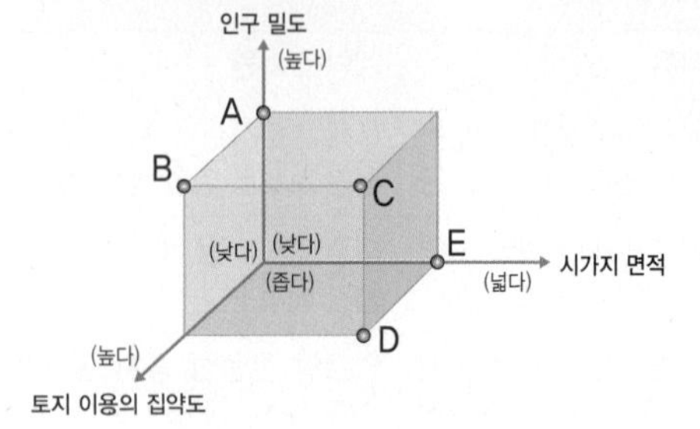


① A ② B ③ C ④ D ⑤ E

**05** (가) 지역에 비해 (나) 지역에 많이 나타나는 것을 〈보기〉에서 고른 것은?

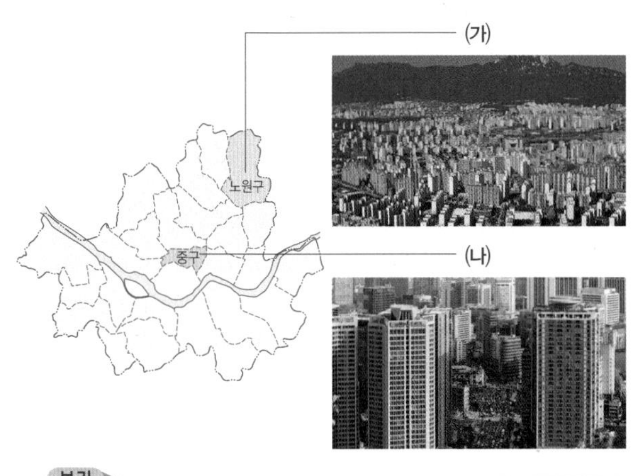


**보기**

ㄱ. 대기업의 본사　　ㄴ. 행정·금융 기관
ㄷ. 대형 마트와 학교　　ㄹ. 대규모 아파트 단지

① ㄱ, ㄴ　② ㄱ, ㄷ　③ ㄴ, ㄷ
④ ㄴ, ㄹ　⑤ ㄷ, ㄹ

**06** 그래프는 우리나라의 불투수 면적률 변화를 나타낸 것이다. 이와 같은 현상이 나타나게 된 원인과 그 영향을 옳게 연결한 것은?

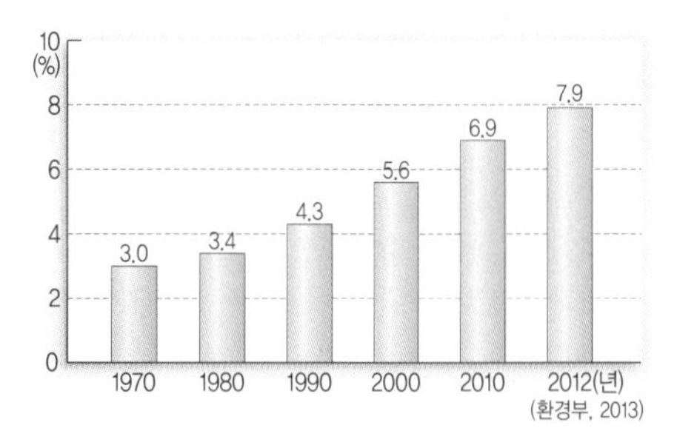

(환경부, 2013)

| | 원인 | 영향 |
|---|---|---|
| ① | 도시화 | 녹지 공간의 확대 |
| ② | 도시화 | 도시 홍수의 발생 위험 증가 |
| ③ | 산업화 | 녹지 공간의 확대 |
| ④ | 정보화 | 열섬 현상의 발생 |
| ⑤ | 정보화 | 도시 홍수의 발생 위험 증가 |

## C 산업화·도시화에 따른 생활 양식의 변화

**07** ㉠이 확산된 사회의 특징으로 보기 어려운 것은?

> 도시에 거주하는 사람들은 촌락과 구별되는 독특한 사고 및 생활 양식인 ( ㉠ )을/를 가지고 있으며, 이는 오늘날 보편적인 생활 양식으로 자리 잡고 있다.

① 익명성이 높다.
② 사회적 유대감이 강하다.
③ 효율성과 합리성을 추구한다.
④ 자율성과 다양성을 존중한다.
⑤ 형식적으로 맺는 인간관계가 늘어난다.

**08** (가), (나) 시기의 상대적인 특징을 그래프와 같이 표현할 때 A, B에 들어갈 항목을 옳게 연결한 것은?

(가) 1966년 ○월 ○일

> 우리 동네 느티나무 집 큰아들이 결혼했다. 아침부터 마을 사람들이 모여 음식을 장만하고, 결혼 준비를 도와주었다. 내일은 마을 청년들이 지난 장마에 무너진 김 씨 아저씨 댁의 외양간을 고쳐 주기로 했다.

(나) 2018년 ○월 ○일

> 주말 아침, 아파트에 사다리차가 들어왔다. 우리 동의 누군가가 이사를 가는 것 같다. 그러나 누가 살았는지, 또 누가 이사를 오는지 나는 알 수가 없다. 다만 소란스럽지 않고 조용한 이웃이면 좋겠다.

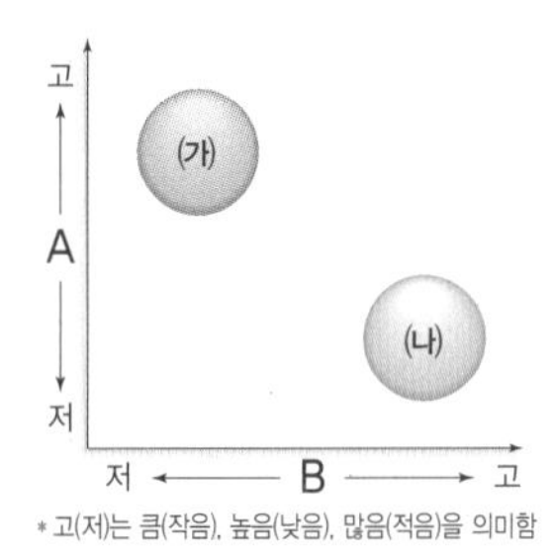

* 고(저)는 큼(작음), 높음(낮음), 많음(적음)을 의미함

| | A | B |
|---|---|---|
| ① | 1인 가구 비중 | 평균 가구원 수 |
| ② | 1인 가구 비중 | 주민 간의 유대감 |
| ③ | 평균 가구원 수 | 1인 가구 비중 |
| ④ | 평균 가구원 수 | 주민 간의 유대감 |
| ⑤ | 주민 간의 유대감 | 평균 가구원 수 |

**09** 다음은 어느 대중가요의 노랫말 중 일부이다. 이를 통해 알 수 있는 도시 주민들의 생활 모습만을 〈보기〉에서 있는 대로 고른 것은?

> **도시인**
> 아침에는 우유 한 잔, 점심에는 패스트푸드
> 쫓기는 사람처럼 시곗바늘 보면서
> 거리를 가득 메운 자동차 경적 소리
> … 중략 …
> 구겨진 셔츠 샐러리맨
> 기계 부속품처럼 큰 빌딩 속에 앉아
> 점점 빨리 가는 세월들 This is the city life
> 모두가 똑같은 얼굴을 하고
> 손을 내밀어 악수하지만
> 가슴 속에는 모두 다른 마음
> 각자 걸어가고 있는 거야

**보기**
ㄱ. 속도 지향적인 삶을 살고 있다.
ㄴ. 개인 간의 경쟁이 완화되고 있다.
ㄷ. 노동에서 얻는 만족감이 줄어들고 있다.
ㄹ. 사회 구성원으로서의 의무보다 개인의 가치를 중요시하는 가치관이 나타난다.

① ㄱ, ㄴ ② ㄱ, ㄷ ③ ㄷ, ㄹ
④ ㄱ, ㄷ, ㄹ ⑤ ㄴ, ㄷ, ㄹ

## D 산업화·도시화에 따른 문제와 해결 방안

**10** 그래프는 주요 도시의 평균 열대야 일수를 나타낸 것이다. 이와 같은 현상이 나타나는 원인을 알아보기 위한 조사 항목으로 적절하지 않은 것은?

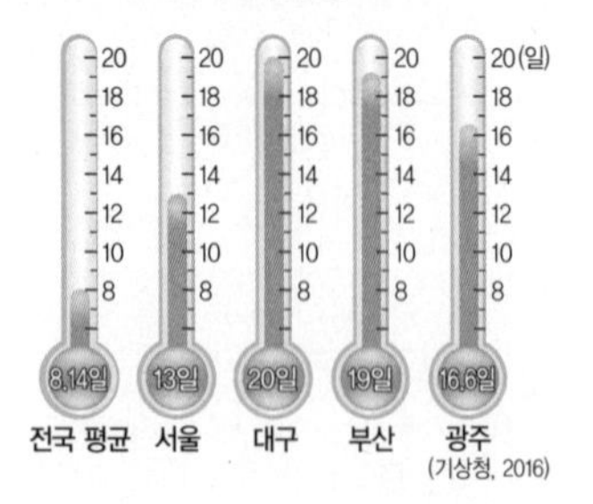


① 냉난방 시설의 인공 열 배출량
② 자동차에 나오는 배기가스 배출량
③ 오존층 파괴로 인한 자외선 투과량
④ 아스팔트로 덮여 있는 도로의 면적률
⑤ 콘크리트로 만들어진 건물의 지표 면적

**11** 다음 신문 기사에 제시된 프로젝트가 확산될 경우 기대할 수 있는 효과를 〈보기〉에서 고른 것은?

> 대학생 8명이 아파트에 함께 사는 '모두의 아파트'라는 공동 주거 프로젝트가 추진되고 있다. '모두의 아파트'에서는 단순히 학생들에게 먹고 잠잘 수 있는 공간만 제공하는 것이 아니다. 방을 어떻게 나눠 쓸 것인지, 가구는 어떻게 배치할 것인지, 빨래나 화장실 청소는 누가 할 것인지 등 입주자 8명이 머리를 맞대고 공동생활을 위한 규약을 만들어야 한다.
> – 「경향신문」, 2015. 6. 6.

**보기**
ㄱ. 파편화된 인간관계를 회복할 수 있다.
ㄴ. 지역 간 공간 불평등을 해결할 수 있다.
ㄷ. 주택 문제를 해결하는 데 도움을 줄 수 있다.
ㄹ. 물질 만능주의와 대량 소비를 해소할 수 있다.

① ㄱ, ㄴ ② ㄱ, ㄷ ③ ㄴ, ㄷ
④ ㄴ, ㄹ ⑤ ㄷ, ㄹ

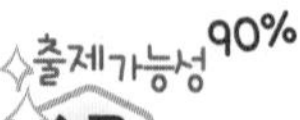


**12** 다음 '지식 Q&A'의 질문에 옳지 않은 답변을 한 학생은?

> **▶ 지식 Q&A**
> 산업화와 도시화로 다양한 문제가 나타나고 있습니다. 이를 해결하기 위한 방안으로 무엇이 있을까요?
>
> **▶ 답변하기**
> ↳ 갑: 대중교통 이용은 교통 혼잡을 줄이는 데 도움이 됩니다.
> ↳ 을: 주택 문제를 해결하기 위해서는 도시 재개발 사업을 추진해야 합니다.
> ↳ 병: 사회 복지 제도 확충을 통해 계층 간 빈부 격차를 완화할 수 있습니다.
> ↳ 정: 곡류하는 하천을 인공적으로 직선화하면 도시 홍수 피해를 줄일 수 있습니다.
> ↳ 무: 인간 소외 현상을 완화하기 위해서는 인간의 존엄성을 중시하는 자세가 필요합니다.

① 갑 ② 을 ③ 병 ④ 정 ⑤ 무

2014 교육청 응용

**01** 다음 글은 정주 공간의 변화에 관한 것이다. 밑줄 친 ㉠~㉤에 대한 설명으로 옳지 않은 것은?

> 도시화는 ㉠ 도시적 요소가 점차 확대되는 과정이다. 우리나라는 1960년대 이후 ㉡ 경제 개발 정책이 추진되면서 급격한 도시화가 이루어졌다. 특히 ㉢ 대도시의 성장 속도가 빨랐으며, 대도시의 영향력이 커지면서 대도시와 주변 촌락이 기능적으로 밀접한 관계를 형성하게 되었다. 이로 인해 ㉣ 대도시 주변의 촌락에서는 도시적인 경관이 나타나고, ㉤ 대도시로의 통근자가 증가하였다.

① ㉠ – 시가지 면적이 증가하고 도시적 생활 양식이 확산된다.
② ㉡ – 수도권과 남동 임해 지역을 중심으로 이루어졌다.
③ ㉢ – 제한된 공간을 효율적으로 이용하기 위해 집약적 토지 이용이 나타난다.
④ ㉣ – 대규모 아파트 단지가 들어서거나 공업 지역이 조성된다.
⑤ ㉤ – 주거지와 직장의 거리가 가까워졌다.

**02** 우리나라에서 (가), (나)와 같은 변화가 지속될 경우 나타날 현상으로 적절하지 않은 것은?

(가)

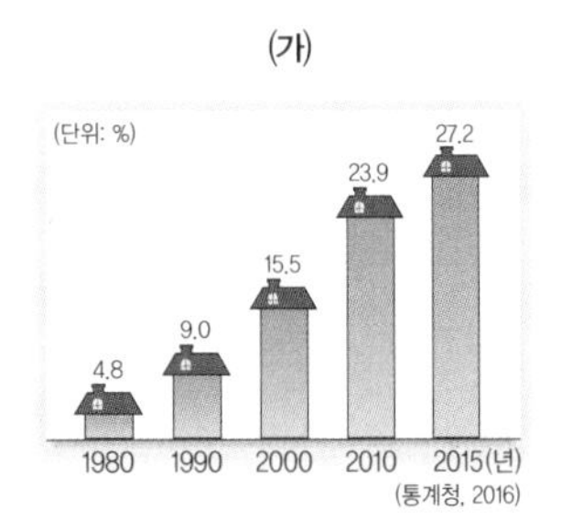


↑ 1인 가구 비율의 변화

(나)

(개) 20,000 / 15,000 / 10,000 / 5,000 / 0
＊2003년에 세분화되어 있던 기존 직업명을 통합하였음
1986: 10,600 / 1995: 12,600 / 2003: 9,426 / 2012: 11,655 / 2016(년): 15,537
(한국 고용 정보원, 2016)

↑ 직업 수의 변화

① (가) – 가족, 이웃 간의 유대감이 강화될 것이다.
② (가) – 익명성을 띤 2차적 인간관계가 증가할 것이다.
③ (나) – 직업의 전문성이 높아지면서 개인 간 경쟁이 심화될 것이다.
④ (나) – 촌락보다는 도시에 거주하는 사람들의 직업 종류가 다양할 것이다.
⑤ (가), (나) – 사회 구성원으로서 의무보다는 개인의 자율성과 다양성이 존중될 것이다.

최고난도

**03** 교사의 질문에 대해 적절한 답변을 한 학생을 고른 것은?

① 갑, 을　② 갑, 병　③ 을, 병
④ 을, 정　⑤ 병, 정

## 서술형 문제

**04** 자료를 보고 물음에 답하시오.

> 영화 「모던 타임즈」는 미국의 공장 노동자들이 대량 생산을 위해 동일한 작업을 기계처럼 반복하는 포드주의식 생산 방식을 비판한다. 또한 노동자의 시간과 자유를 억압하는 미국의 산업화를 풍자하고 하층 노동자들의 삶을 대변한다.

↑ 영화 「모던 타임즈」의 한 장면

(1) 위 자료에 나타나는 사회 현상을 쓰시오.

(2) (1)과 같은 현상이 나타나게 된 원인과 이를 해결하기 위한 방안을 서술하시오.

# 02~03 교통·통신의 발달과 정보화 / 지역의 공간 변화

## A 교통·통신의 발달에 따른 변화와 문제점

### ★ 1. 교통·통신의 발달에 따른 생활 공간의 변화

(1) 생활권의 확대: 이동에 소요되는 시간과 비용이 감소하면서 사람들의 이동 가능 거리 증가 → 대도시권 형성, 원거리 통근·통학 증가

(2) 경제 활동 공간의 확대: 대형 선박과 항공기를 이용한 대량의 화물 수송 가능, 전자 상거래의 발달과 무점포 상점의 증가로 상권 확대, 통신망을 활용한 국제 금융 거래 활성화

(3) 여가 공간의 확대: 고속 철도, 항공기 등을 이용한 장거리 이동이 가능해지면서 국내 및 해외여행 관광객 증가

(4) 생태 환경의 변화: 교통·통신 시설을 구축하는 과정에서 생태계가 파괴되지만, 교통·통신 수단을 이용하여 생태 환경에 도움을 주기도 함

- 생태 환경에 도움: 예 헬리콥터를 이용한 산불 진압, 위성 위치 확인 시스템(GPS)을 이용한 멸종 위기 동물 보호 등

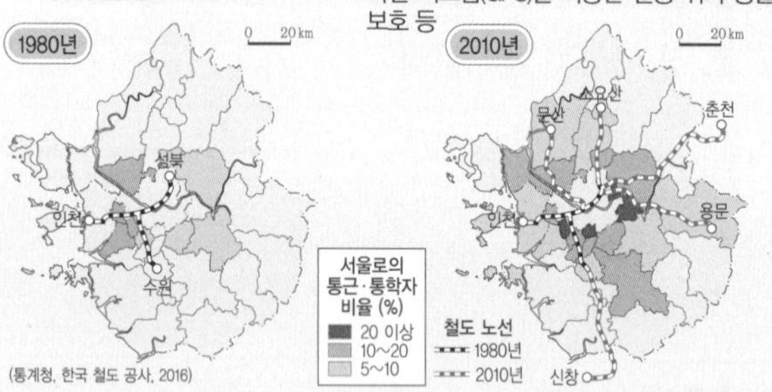


↑ **교통의 발달과 통근·통학권의 변화** | 수도권의 철도 노선이 확대되면서 서울과 인접한 경기·인천 지역에서 서울로 통근·통학하는 사람들의 비율이 증가하고 수도권의 지역 간 교류도 활발해졌다. 이처럼 교통의 발달로 대도시의 인구와 기능이 주변 지역으로 분산되면서 대도시권이 형성된다.

### 2. 교통·통신의 발달에 따른 생활 양식의 변화

(1) 풍요롭고 편리한 생활: 언제 어디서나 필요한 물건을 구입할 수 있음, 다양한 정보를 쉽고 빠르게 주고받을 수 있음

- 언제 어디서나 필요한 물건을 구입할 수 있음: 인터넷, 스마트폰 등을 이용한 전자 상거래가 보편화되었기 때문이다.

(2) 문화 교류의 확대: 다른 지역 및 국가의 문화 체험 기회 증가 → 문화 전파로 새로운 문화 형성, 전 세계적으로 보편적인 문화 등장

### ★ 3. 교통·통신의 발달에 따른 문제와 해결 방안

(1) 지역 격차 발생

- 지역 격차 발생: 교통의 발달로 대도시가 주변 중소 도시의 인구와 각종 기능을 흡수하는 현상

| 구분 | 내용 |
|---|---|
| 문제점 | • 교통·통신이 발달한 지역은 접근성이 향상되고 교류가 활발해져 지역 경제가 활성화됨 → 빨대 효과가 나타나 지역 발전에 불균형이 발생하기도 함<br>• 교통·통신이 불리한 지역은 인구 및 기능이 유출되면서 지역 경제가 쇠퇴하기도 함 |
| 해결 방안 | • 교통·통신 기반 시설 구축 예 도로·철도 등 교통로 신설, 역·터미널 등 교통 시설 건설, 대중교통 수단 확충<br>• 지역 경쟁력 강화 및 경제 활성화 방안 마련 예 지방 중추 도시권 육성 사업, 지역 특성을 활용한 지역 축제 개최 등 |

> **교통 발달과 지역의 변화**
> 2015년 호남 고속 철도의 개통 이후 수도권에서 호남 지역을 찾는 인구가 늘어났다. 이에 따라 호남 고속 철도의 이용객은 급증한 반면, 버스와 항공기의 이용객은 감소하였다. 또한 고속 철도가 정차하는 광주 송정역 주변은 경제 활동이 활성화되고, 고속 철도가 정차하지 않는 광주역 주변은 경제 활동이 침체되고 있다.

교통수단이 새롭게 구축되는 지역은 접근성이 향상되고 지역 간 교류가 활발해져 경제가 활성화된다. 그러나 교통 조건이 좋은 지역이 오히려 주변 지역의 인구와 기능을 흡수하면서 지역 격차가 커지기도 한다.

(2) 생태 환경 파괴

| 구분 | 내용 |
|---|---|
| 문제점 | • 교통수단에서 발생하는 각종 오염 물질 증가<br>• 교통로 건설에 따른 녹지 면적 감소 → 생태 공간의 연속성 단절, 야생 동물 서식지 파괴<br>• 교통수단을 통해 유입된 외래 생물종에 의한 생태계 교란 |
| 해결 방안 | • 오염 물질 배출량 검사 강화, 배기가스 저감 장치 기술 개발<br>• 야생 동물 주의 표지판 설치, 생태 통로 건설<br>• 선박 평형수 처리 장치의 설치 강화 등 |

- 각종 오염 물질: 대기 오염, 토양 오염, 해양 오염 등을 발생시킨다.
- 생태 통로: 야생 동물의 서식지가 파괴되는 것을 막고, 동물들이 자유롭게 이동할 수 있도록 도로나 터널 위에 건설하는 도로
- 선박 평형수: 선박의 무게 중심을 유지하기 위해 선박 내부에 저장하는 바닷물로 이 물을 통해 각종 외래 생물종이 유입될 수도 있다.

## B 정보화에 따른 변화와 문제점

### 1. 정보화에 따른 생활 공간의 변화

(1) 가상 공간의 등장: 인터넷을 통한 업무 및 소비 활동 → 일상생활에서 공간적 제약 감소

(2) 공간 정보 기술의 활용: 지리 정보 시스템(GIS), 위성 위치 확인 시스템(GPS) → 공공 부문과 일상생활에 다양하게 활용

- 위성 위치 확인 시스템(GPS): 인공위성이 정해진 지구 궤도를 돌며 보내는 신호를 수신하여 사람과 사물의 위치를 파악하는 공간 정보 기술

### ★ 2. 정보화에 따른 생활 양식의 변화

| 구분 | 내용 |
|---|---|
| 정치·행정 분야 | • 가상 공간이나 누리 소통망(SNS)을 통한 정치 참여 기회 확대 → 전자 민주주의 실현<br>• 인터넷을 이용한 민원 및 행정 서류 신청·발급 |
| 경제 분야 | • 업무 활동의 효율성 증가 → 원격 근무, 화상 회의 등<br>• 온라인 금융 거래 및 전자 상거래 활성화 |
| 사회·문화 분야 | • 언제 어디서나 쌍방향 의사소통 가능 → 원격 교육, 원격 진료 서비스 확대<br>• 다양한 정보 공유 및 교환 가능 → 수평적 인간관계로의 변화 |

- 전자 민주주의: 인터넷을 통해 시민이 직접 정치 과정에 참여함으로써 이루어지는 민주주의
- 수평적 인간관계로의 변화: 대부분 대면 접촉을 통해 인간관계를 맺었던 산업 사회와 달리 오늘날 가상 공간에서 새로운 인간관계를 맺고 있다.

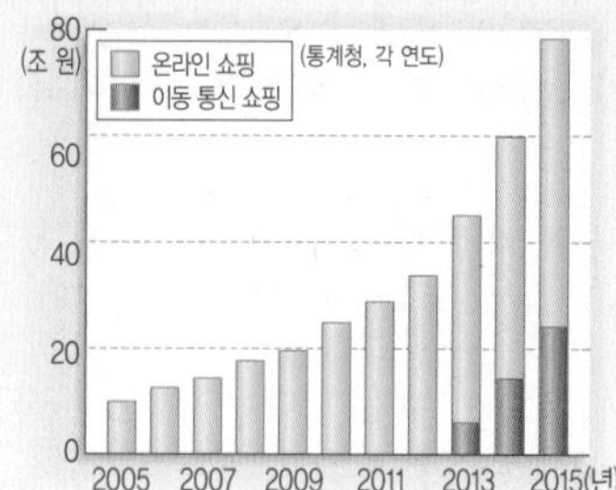


← **온라인 및 이동 통신 쇼핑 거래액의 변화** | 온라인 및 이동 통신 쇼핑을 통해 언제 어디서나 물건을 구매할 수 있게 되면서 전자 상거래액이 크게 증가하고 있다. 이러한 소비 특성이 보편화되어 택배 산업도 성장하였으며, 교통이 편리한 곳에 물류 센터가 입지하고 있다.

★ 표시는 시험 전에 확인해 주세요.

### ★ 3. 정보화에 따른 문제와 해결 방안

| 구분 | 문제점 | 해결 방안 |
|---|---|---|
| 인터넷 중독 | 지나친 인터넷 사용에 따른 대면적 인간관계 약화, 일상생활에 지장 초래 | 인터넷 중독 예방 교육 및 치료 프로그램 마련, 인터넷 사용 시간 제한 |
| 사생활 침해 | 개인 정보 유출, 폐회로 텔레비전(CCTV)이나 휴대 전화 위치 추적 등을 통한 감시와 통제 | 개인 정보 관리 강화, 보안 프로그램 개발, 관련 법률 마련 및 강화 |
| 사이버 범죄 | 사이버 공간의 익명성을 이용하여 사이버 폭력, 해킹, 프로그램 불법 복제, 전자 상거래 사기, 유해 사이트 운영 등의 범죄 발생 | 사이버 범죄 예방 교육 시행, 개인 정보 보호 수칙 준수, 정보 윤리 실천 |
| 정보 격차 | 정보 기기의 이용과 정보에 대한 접근에 있어 지역 간, 계층 간, 연령 간 격차 발생 | 정보 소외 계층을 위한 정보 기기 및 소프트웨어 지원, 정보화 교육 실시 |

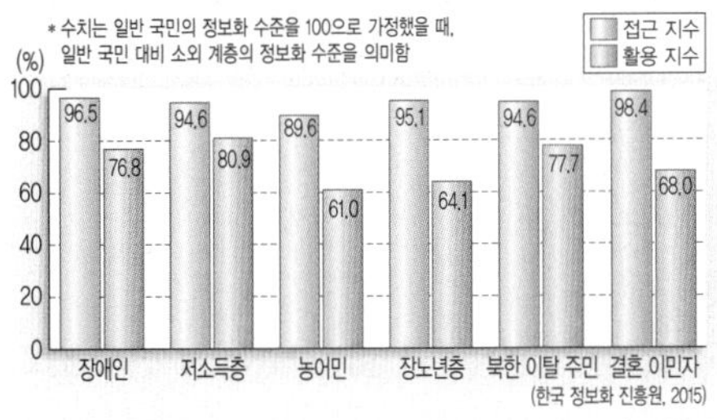


**소외 계층의 정보 격차 지수** | 정보 격차는 새로운 정보 기술에 접근할 수 있는 능력을 보유한 사람과 그렇지 못한 사람 사이에 발생하는 경제적·사회적 격차를 말한다. 소외 계층은 일반 국민에 비해 접근 지수와 활용 지수가 낮게 나타나고 있다. 정보 격차는 부의 불평등을 초래하여 사회적·경제적 격차를 심화하는 요인이 되기도 한다.

## C 지역의 공간 변화와 지역 조사

**1. 지역의 공간 변화** 산업화와 도시화, 교통·통신의 발달, 정보화의 영향으로 끊임없이 변화하는 지역의 특성을 토지 이용, 산업 구조, 인구, 생태 환경, 인간관계, 주민의 가치관 등 다양한 요인을 통해 파악할 수 있음

### ★ 2. 지역 조사

(1) 지역 조사의 필요성: 지역의 공간 변화 파악 → 지역 문제의 원인 분석 및 해결 방안 모색

(2) 지역 조사 과정

조사 목적 및 조사 주제 선정 → 조사 계획 수립 → 지역 정보 수집 → 지역 정보의 정리 및 분석 → 보고서 작성

- 조사 목적 및 조사 주제 선정: • 지역 특성 파악 • 지역 문제의 해결 방안 모색
- 조사 계획 수립: • 조사 항목 선정 • 조사 방법 선정
- 지역 정보 수집: • 실내 조사 (야외 조사를 위한 사전 준비 과정도 이루어진다.) • 야외(현지) 조사 (실내 조사만으로 불충분하거나 현지에서 직접 정보를 수집해야 할 경우에 시행된다.)
- 지역 정보의 정리 및 분석: • 수집된 자료를 항목별로 정리 • 도표 · 주제도 작성
- 보고서 작성: • 결론 도출

## 1단계 개념 짚어 보기

정답과 해설 12쪽

**01** 교통·통신의 발달로 이동에 소요되는 시간과 비용이 감소하면서 (　　　　)이 확대되었다.

**02** 다음 설명이 맞으면 ○표, 틀리면 ×표를 하시오.

(1) 전자 상거래의 발달과 무점포 상점의 증가로 상권이 축소되고 있다. (　　)

(2) 교통·통신의 발달로 전 세계적으로 보편적인 문화가 나타나기도 한다. (　　)

(3) 교통·통신의 발달로 장거리 이동이 가능해지면서 해외 여행 관광객과 국내 여행 관광객은 감소하고 있다. (　　)

**03** ㉠, ㉡에 들어갈 내용을 각각 쓰시오.

> 교통·통신이 발달한 지역은 (㉠　　　　)이 향상되고 지역 간 교류가 활발해져 지역 경제가 활성화되지만, 대도시가 주변 중소 도시의 인구와 각종 기능을 흡수하는 (㉡　　　　)가 발생하기도 한다.

**04** 야생 동물의 서식지가 파괴되는 것을 막고, 동물들이 자유롭게 이동할 수 있도록 도로나 터널 위에 (　　　　)가 건설되고 있다.

**05** 정보화에 따른 생활 양식의 변화를 정리한 표이다. ㉠~㉢에 들어갈 내용을 각각 쓰시오.

| 정치·행정 분야 | 가상 공간이나 누리 소통망(SNS)을 통한 정치 참여 기회 확대 → 전자 (㉠　　　　) 실현 |
|---|---|
| 경제 분야 | 온라인 금융 거래 및 (㉡　　　　) 상거래 활성화 |
| 사회·문화 분야 | 언제 어디서나 (㉢　　　　) 의사소통 가능, 다양한 정보 공유 및 교환 가능 |

**06** 정보화에 따른 문제점과 해결 방안을 옳게 연결하시오.

(1) 정보 격차 •　　　　• ㉠ 개인 정보 관리 강화

(2) 사생활 침해 •　　　　• ㉡ 인터넷 사용 시간 제한

(3) 인터넷 중독 •　　　　• ㉢ 소외 계층에 대한 정보화 교육 실시

## A 교통·통신의 발달에 따른 변화와 문제점

**01** 지도는 수도권의 광역 철도 노선과 통근·통학권 변화를 나타낸 것이다. 이를 보고 1980년과 비교한 2010년의 상대적 특성을 그림의 A~E에서 고른 것은?

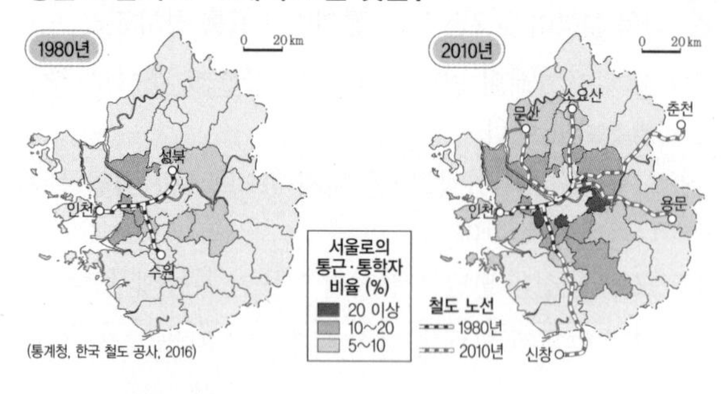


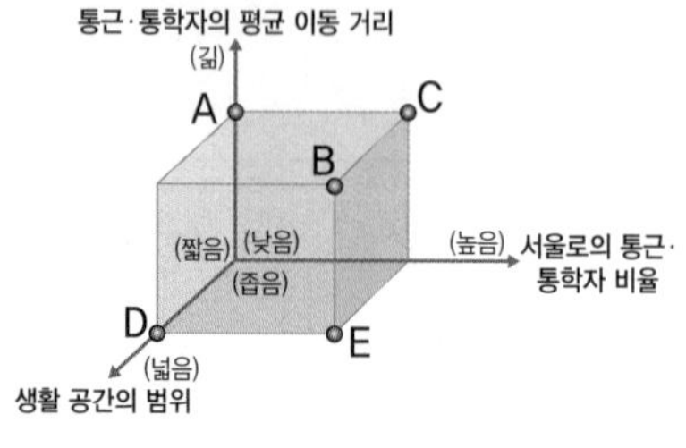


① A ② B ③ C ④ D ⑤ E

출제가능성 90%

**02** 그래프를 통해 추론할 수 있는 춘천시의 변화 모습을 〈보기〉에서 고른 것은?

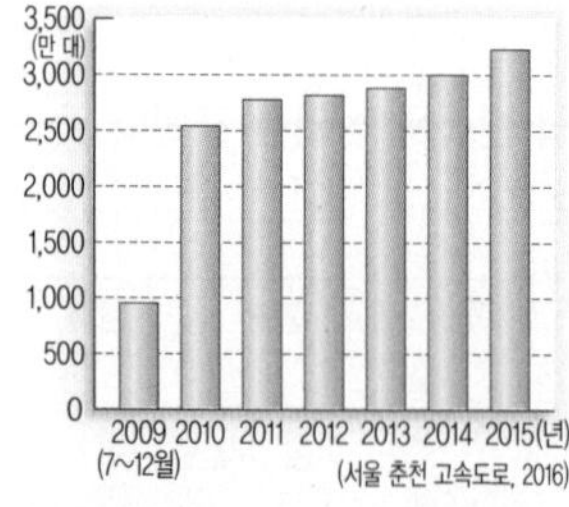


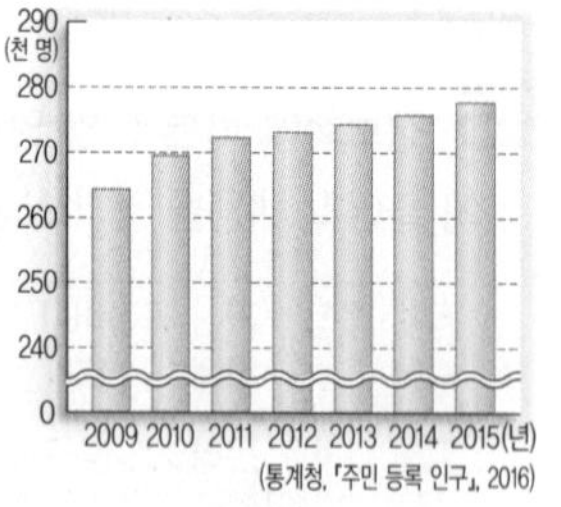


⊙ 서울 춘천 고속 국도의 이용 차량 수 ⊙ 춘천시의 총인구수

보기

ㄱ. 음식점과 숙박업의 매출액이 증가할 것이다.
ㄴ. 쇼핑, 문화 수요의 수도권 집중이 심화될 것이다.
ㄷ. 서울의 대학교로 통학하는 학생 수가 감소할 것이다.
ㄹ. 서울 춘천 고속 국도 주변의 지역 경제가 쇠퇴할 것이다.

① ㄱ, ㄴ ② ㄱ, ㄷ ③ ㄴ, ㄷ
④ ㄴ, ㄹ ⑤ ㄷ, ㄹ

**03** (가)에 들어갈 내용으로 가장 적절한 것은?

> **수행 평가 보고서**
>
> • 주제: ______(가)______
>
> • 사례 1: 과거 부여는 강경과 함께 금강 수운의 중심으로 자리하여 번화가를 이루면서 지역 경제의 중심지 역할을 하였다. 그러나 도로와 철도 등 육상 교통의 발달로 지역의 중심 기능이 천안, 대전 등지로 이전하면서 지역 경제가 침체하였다. 최근 부여군은 지역 경제 활성화를 위해 지역의 문화 자원을 이용한 문화 특화 사업을 추진하고 있다.
>
> • 사례 2: 2015년 호남 고속 철도가 개통된 후 수도권에서 호남 지역으로 이동할 때 고속 철도를 이용하는 승객은 늘어난 반면, 버스와 항공기를 이용하는 승객은 줄어들었다. 또한 고속 철도가 정차하는 광주 송정역 주변은 경제 활동이 활성화되고, 고속 철도가 정차하지 않는 광주역 주변은 경제 활동이 침체되고 있다.

① 빨대 효과로 인한 지역 간 격차 감소
② 교통 혼잡과 같은 각종 교통 문제 발생
③ 교통 발달에 따른 대도시의 영향권 확대
④ 새로운 교통수단의 발달에 따른 지역의 변화
⑤ 도로와 철도 건설로 인한 산림 훼손 및 녹지 면적 감소

**04** (가), (나)에 나타난 문제를 해결하기 위한 방안을 〈보기〉에서 골라 옳게 연결한 것은?

> (가) 항공, 선박 등을 통해 국내에 외래 생물종이 전파되어 생태계가 교란되고 있다. 대표적인 예로 지중해 담치는 남해안에 서식하며 생태계를 교란하고 있다.
>
> (나) 최근 두꺼비가 멸종 위기를 맞고 있다. 도로와 인접한 산에 서식하는 두꺼비가 산란을 위해 물가로 이동하는 도중 도로에서 차에 치여 죽는 '로드킬'이 빈번하기 때문이다.

보기

ㄱ. 배기가스 저감 장치 기술을 개발한다.
ㄴ. 해양 오염 물질 배출량 검사를 강화한다.
ㄷ. 선박 평형수 처리 장치 설치를 의무화한다.
ㄹ. 야생 동물 주의 표지판을 설치하고 생태 통로를 건설한다.

| | (가) | (나) |
|---|---|---|
| ① | ㄱ | ㄴ |
| ② | ㄴ | ㄷ |
| ③ | ㄷ | ㄱ |
| ④ | ㄷ | ㄹ |
| ⑤ | ㄹ | ㄴ |

## B 정보화에 따른 변화와 문제점

**05** 다음 '지식 Q&A'의 질문에 옳게 답변한 학생만을 있는 대로 고른 것은?

▶ 지식 Q&A

정보화에 따른 생활 양식의 변화로는 무엇이 있을까요?

▶ 답변하기

↳ 갑: 대면 접촉에 의해 사회적 관계를 형성하는 경우가 증가합니다.

↳ 을: 인터넷을 이용한 민원 신청 및 행정 서류 발급 등이 가능해집니다.

↳ 병: 누리 소통망(SNS)을 통해 선거 운동을 할 수 있어 개인의 정치 참여 기회가 확대됩니다.

↳ 정: 온라인 금융 거래가 활성화되어 인터넷, 스마트폰 등을 이용하여 은행 업무를 볼 수 있습니다.

① 갑, 정 ② 을, 병 ③ 병, 정
④ 갑, 을, 병 ⑤ 을, 병, 정

**06** (가), (나)에 대한 설명으로 옳지 않은 것은?

(가) 특허청은 재택근무를 도입하여 업무 특성에 맞추어 일하는 방식을 바꾸었다. 재택근무자의 약 40%가 육아를 이유로 재택근무를 신청하였다. 재택근무를 하는 직원들은 업무를 볼 때 일회용 비밀번호(OTP) 인증을 거쳐 특허청 업무 시스템에 들어가 일을 처리하고 있다.

(나) ○○시에서는 만성 질환으로 인해 장기 입원이나 통원 치료가 필요하여 학교에 다닐 수 없는 건강 장애 학생들을 위해 사이버 학교를 운영하고 있다. 학생들은 개인용 컴퓨터를 이용해 교사와 얼굴을 보면서 일대일 화상 강의를 들을 수 있다.

① (가)는 일과 가정의 양립, 여성의 경력 단절 해소에 도움이 될 것이다.
② (가)의 업무 방식이 확대되면 통근에 소요되는 비용과 시간이 감소할 것이다.
③ (나) 현상이 지속되면 사회적 약자를 배려할 수 있을 것이다.
④ (가), (나)는 모두 정보화에 따른 생활 공간의 변화 사례이다.
⑤ (가), (나)가 확대되면 쌍방향 의사소통보다는 일방향 의사소통이 증가할 것이다.

출제가능성 90%

**07** 그래프는 온라인 및 이동 통신 쇼핑 거래액 변화를 나타낸 것이다. 이와 같은 현상이 지속될 경우 나타날 변화 모습으로 가장 적절한 것은?

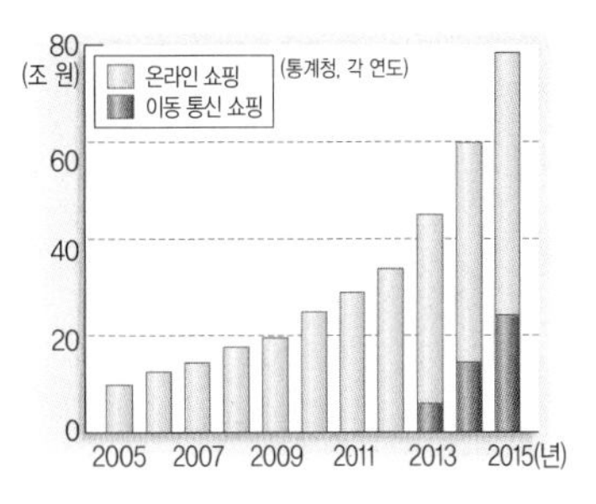


① 제품이 판매되는 시장의 범위가 좁아질 것이다.
② 상점 입지에 있어 접근성의 중요도가 높아질 것이다.
③ 상품 구매를 위한 소비자의 이동 거리가 짧아질 것이다.
④ 택배 산업이 성장하고 도심에 물류 센터가 입지할 것이다.
⑤ 기존 상거래 방식보다 상품의 유통 단계가 복잡해질 것이다.

**08** 밑줄 친 판결을 뒷받침할 수 있는 적절한 근거를 〈보기〉에서 고른 것은?

'잊힐 권리'는 인터넷 사이트나 누리 소통망(SNS)에 올라 있는 자신과 관련된 각종 정보의 삭제를 요구할 권리를 뜻한다. 2014년 5월 에스파냐의 한 변호사가 신문에 실린 자신과 관련된 기사 링크를 삭제해 달라고 요청한 소송에서 유럽 사법 재판소가 해당 기사의 링크를 없애라며 <u>잊힐 권리를 인정하는 판결</u>을 내렸다.

보기

ㄱ. 개인의 행복 추구권과 사생활 보호는 기본적인 권리이다.
ㄴ. 범죄자가 과거 행적을 지우는 등 신분 세탁에 이용할 수 있다.
ㄷ. 공익과 관련된 게시물도 삭제될 수 있어 국민의 알 권리를 침해당할 수 있다.
ㄹ. 신상 털기와 해킹 등을 통해 개인 정보가 유출되면 각종 사이버 범죄에 이용될 수 있다.

① ㄱ, ㄴ ② ㄱ, ㄷ ③ ㄱ, ㄹ
④ ㄴ, ㄹ ⑤ ㄷ, ㄹ

주관식

**09** 다음 글을 통해 파악할 수 있는 정보화 사회의 문제점을 쓰시오.

> 광주 지방 경찰청 사이버 수사대는 인터넷 중고 물품 거래 사이트에서 평창 올림픽 경기 입장권 등을 판매하겠다고 속여 여행사를 상대로 5,100만 원 상당을 편취한 A 씨를 사기 혐의로 구속했다. A 씨는 2017년 5월경 인터넷 중고 물품 거래 사이트에 평창 올림픽 티켓을 판매하겠다는 거짓 게시물을 올렸고, 이에 속은 여행사 직원 B 씨가 5,100만 원을 송금하였으나 티켓을 보내 주지 않고 연락을 끊었다. – 광주 지방 경찰청, 2018. 2. 13.

**[10~11]** 그래프는 소외 계층의 정보 격차 지수를 나타낸 것이다. 이를 보고 물음에 답하시오.

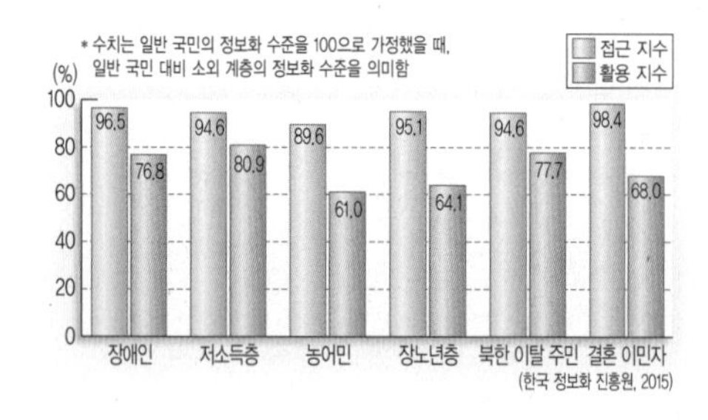


**10** 위 그래프에 대한 분석으로 옳지 않은 것은?

① 정보 격차 지수가 가장 낮은 계층은 농어민이다.
② 모든 소외 계층의 접근 지수는 활용 지수보다 높다.
③ 저소득층은 일반 국민 대비 활용 지수 격차가 가장 작다.
④ 결혼 이민자는 일반 국민 대비 접근 지수 격차가 가장 작다.
⑤ 북한 이탈 주민은 접근 지수와 활용 지수 모두 장노년층보다 높다.

**11** 위 그래프를 통해 파악할 수 있는 문제에 대한 대책으로 가장 적절한 것은?

① 개인 정보 보안 전문가를 육성한다.
② 가상 공간에서 정보 윤리를 실천한다.
③ 사생활 침해에 대한 처벌을 강화한다.
④ 인터넷 중독 치료 프로그램을 실시한다.
⑤ 정보 소외 계층을 위한 정보화 교육을 실시한다.

## C 지역의 공간 변화와 지역 조사

출제가능성 90%

**12** 자료를 통해 ○○시의 공간 변화를 옳게 추론한 것만을 〈보기〉에서 있는 대로 고른 것은?

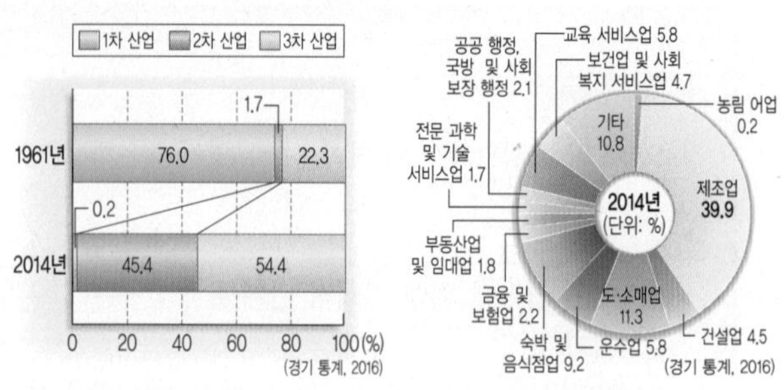


⊙ ○○시의 산업 구조 ⊙ ○○시의 직업 구성

**보기**

ㄱ. 시가지의 면적이 확대되었을 것이다.
ㄴ. 주민들이 종사하고 있는 직업의 종류가 단순해졌을 것이다.
ㄷ. 교육 및 의료 시설 등 주민들을 위한 편의 시설이 증가하였을 것이다.
ㄹ. 전체 산업에서 차지하는 3차 산업의 생산액 비중이 증가하였을 것이다.

① ㄱ, ㄴ ② ㄱ, ㄷ ③ ㄴ, ㄷ
④ ㄱ, ㄷ, ㄹ ⑤ ㄴ, ㄷ, ㄹ

**13** 지역 조사 과정 중 (가), (나) 단계에서 이루어지는 활동을 〈보기〉에서 골라 옳게 연결한 것은?

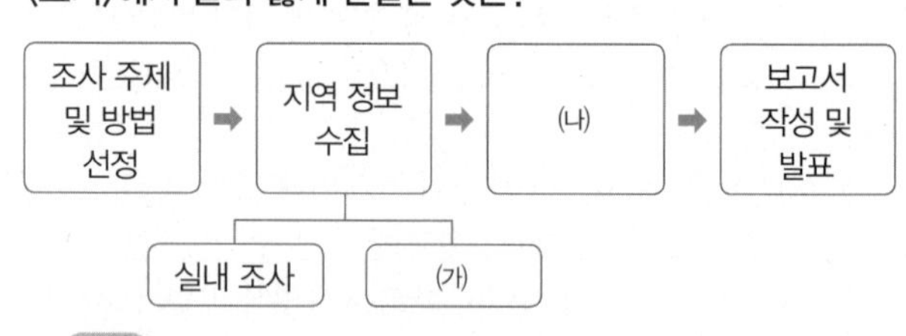


**보기**

ㄱ. 경부 고속 철도 개통에 따른 부산 지역 특성의 변화에 대한 주제를 선정한다.
ㄴ. 수집된 자료를 정리하여 부산 주요 관광지를 찾는 여행객의 그래프를 작성한다.
ㄷ. 지형도에서 부산역, 부산 주요 관광지 등의 위치를 찾아 조사 경로를 결정한다.
ㄹ. 부산역에서 직원을 만나 경부 고속 철도 개통 이후 부산 기차 여행 상품의 이용 현황에 대해 질문한다.

| | (가) | (나) |
|---|---|---|
| ① | ㄱ | ㄴ |
| ② | ㄴ | ㄷ |
| ③ | ㄷ | ㄱ |
| ④ | ㄹ | ㄴ |
| ⑤ | ㄹ | ㄷ |

**01** 지도와 같은 교통 네트워크의 구축으로 나타날 수 있는 현상으로 옳은 것만을 〈보기〉에서 있는 대로 고른 것은?

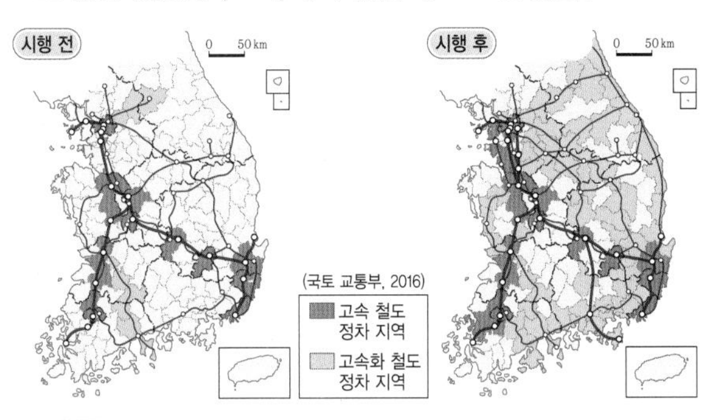


보기
ㄱ. 빨대 효과로 지역 간의 상호 교류가 감소할 것이다.
ㄴ. 동해안 지역과 다른 지역 간의 접근성이 향상될 것이다.
ㄷ. 서울, 부산, 대구와 같은 대도시로의 통근권이 확대될 것이다.
ㄹ. 고속 철도 이용객의 증가로 고속 국도 통행량의 분산 효과가 나타날 것이다.

① ㄱ, ㄴ ② ㄱ, ㄷ ③ ㄴ, ㄷ
④ ㄱ, ㄴ, ㄷ ⑤ ㄴ, ㄷ, ㄹ

**02** 다음은 정보화에 따른 변화에 대한 학생들의 대화이다. 밑줄 친 ㉠~㉣에 대한 설명으로 옳지 않은 것은?

원하는 시간에 언제든 ㉡ 인터넷을 통해 물건을 구입할 수 있게 되었어.

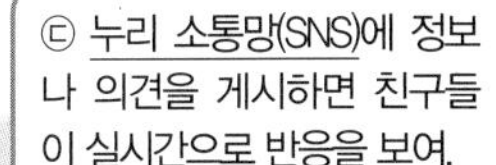

① ㉠이 활성화되면 직장 선택 시 통근 거리의 중요성이 감소하게 된다.
② ㉡으로 소비자가 상점을 직접 찾지 않아도 물건을 구입할 수 있다.
③ ㉢과 같은 가상 공간을 통해 대면적 인간관계가 확대되고 있다.
④ ㉢을 이용해 개인의 정치적인 의견을 표현하는 것이 자유로워졌다.
⑤ ㉣로 인해 정보 격차가 발생하며 이는 빈부 격차를 확대하기도 한다.

2018 평가원 응용 최고난도

**03** 갑, 을의 입장으로 적절한 것을 〈보기〉에서 고른 것은?

- 갑: '정보 리터러시'는 정보 접근 능력과 정보 수용 능력을 가리킨다. 정보 격차는 주로 그러한 능력들의 차이로 인해 발생하므로, 이를 해결하기 위해 정보 약자에게 정보 접근 및 수용 능력을 제공하는 정보 복지가 보장되어야 한다.
- 을: '정보 리터러시'는 정보 매체의 쌍방향성이 강화됨에 따라 접근 및 수용 능력 이외에 정보 생산 능력까지도 포함해야 한다. 정보 격차는 주로 정보 생산 능력의 차이에 기인하므로 정보 생산 능력을 제공하는 정보 복지가 보장되어야 한다.

* 정보 리터러시: 정보를 받아들여 해석하고 활용하는 능력

보기
ㄱ. 갑: 정보 약자에게 정보 접근 능력만 제공해서는 안 된다.
ㄴ. 갑: 정보 격차의 주된 원인은 정보 생산 능력의 차이에 있다.
ㄷ. 을: 정보 약자가 정보 생산에서 소외되지 않도록 해야 한다.
ㄹ. 을: 정보 복지의 핵심 과제는 정보 기기 및 소프트웨어의 평등한 분배이다.

① ㄱ, ㄴ ② ㄱ, ㄷ ③ ㄴ, ㄷ
④ ㄴ, ㄹ ⑤ ㄷ, ㄹ

## 서술형 문제

**04** 그래프는 ○○시의 도로 면적 변화를 나타낸 것이다. 이로 인해 생태 환경에서 나타날 문제점과 해결 방안을 서술하시오.

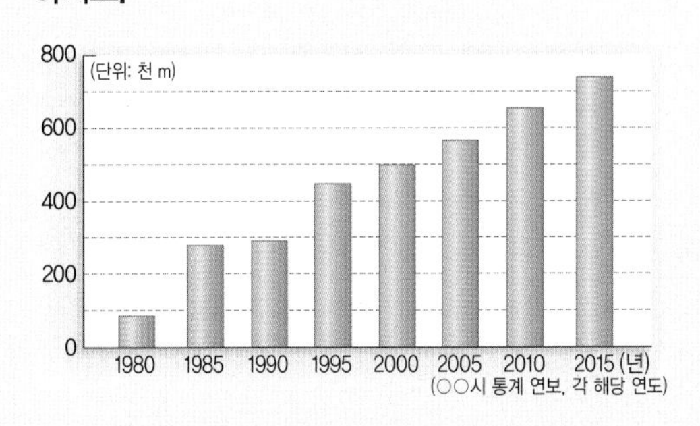

# 01 인권의 의미와 변화 양상

## A 인권의 의미와 특징

**1. 인권의 의미** 오직 인간이라는 이유만으로 자신의 존엄성을 보장받으며 행복하게 살아갈 권리 → 인간은 어떤 목적을 위한 수단이 아니라 그 자체로서 존중받아야 함

**★ 2. 인권의 특징**

| | |
|---|---|
| 보편성 | 인종·성별·종교·사회적 신분 등과 관계없이 인류 구성원 모두가 가지는 권리 |
| 천부성 | 태어나면서부터 갖게 되는 당연한 권리 |
| 불가침성 | 국가나 다른 사람이 침해할 수 없는 권리 |
| 항구성 | 일정 기간에만 한정되는 것이 아니라 영구히 보장되는 권리 |

• 하늘 천(天), 줄 부(賦), 태어나면서부터 하늘이 준 것이라는 의미이다.

## B 인권 보장의 역사

**1. 근대 이전** 왕과 귀족, 성직자 등 일부 계층이 권력을 독점하고, 대부분의 평민은 엄격한 신분 제도에 가로막혀 부당한 대우와 차별을 받음

• 세금 납부, 병역 의무 등을 이행하면서도 정치에 참여할 수 없었다.

**★ 2. 시민 혁명의 발생**

(1) 시민 혁명: 봉건적 신분제에 의한 차별과 절대 군주의 억압에 맞서 시민들이 자유와 권리를 보장받기 위해 일으킨 혁명

(2) 시민 혁명의 발생 배경

| | |
|---|---|
| 역사적 배경 | • 상공업의 발달로 성장한 시민 계급이 사회에서 영향력을 행사하기 시작함<br>• 왕과 귀족에 의한 억압 통치, 신분제 사회에서의 차별과 억압에 대해 불만을 가짐 |
| 사상적 배경 | 계몽사상, 사회 계약설, 천부 인권 사상 등이 확산됨 |

(3) 시민 혁명의 결과: 자유권과 평등권 강조

• 왕의 권한을 처음으로 제한한 문서

| | |
|---|---|
| 영국 명예혁명 | 대헌장 이후 의회의 권한이 강화되면서 평화적인 정권 교체가 이루어짐 → 의회의 동의 없는 과세 금지, 선거의 자유 등이 담긴 권리 장전 선포(1689) |
| 미국 독립 혁명 | 영국의 식민지 지배에 반발함 → 국민 주권의 원리, 저항권 등이 담긴 미국 독립 선언 발표(1776) |
| 프랑스 혁명 | 구체제의 모순을 자각한 시민 계급이 주도함 → 자유권, 평등권, 재산권 보장 등이 담긴 인권 선언(인간과 시민의 권리 선언) 발표(1789) |

**★ 3. 참정권 확대 운동**

• 권리의 주체는 시민(일정 이상의 재산을 가진 성인 남자)에 한정되었다.

(1) 참정권 확대 운동의 배경: 시민 혁명 이후에도 직업, 재산, 성별 등에 따라 선거권이 제한되어 참정권을 보장받지 못한 노동자, 여성, 흑인 등이 참정권 확대 운동을 전개함

(2) 참정권 확대 운동

| | |
|---|---|
| 차티스트 운동(1838) | 영국 노동자들이 인민 헌장을 통해 참정권, 비밀 투표권 등을 요구함 |
| 여성 참정권 운동(1910년대) | 영국에서 여성들이 남성과 동등한 참정권 보장을 요구하며 참정권 확대 운동을 전개함 |
| 흑인 민권 운동(1960년대) | 미국에서 흑인들이 인종 차별에 맞서 선거권 확대 운동을 전개함 |

(3) 참정권 확대 운동의 결과: 20세기에 보통 선거 제도가 확립되어 거의 모든 사람의 참정권이 보장됨

• 선거인의 자격에 제한을 두지 않고 일정한 나이에 도달하면 선거권이 주어짐

**★ 4. 사회권의 등장**

| | |
|---|---|
| 의미 | 인간다운 생활의 보장을 국가에 요구할 수 있는 권리 |
| 배경 | 산업 혁명으로 자본주의가 발전하면서 열악한 근로 조건, 빈부 격차 확대 등의 문제점이 발생함 → 최소한의 인간다운 생활 보장을 국가에 요구함 |
| 관련 문서 | 독일 바이마르 헌법(1919) → 최초로 사회권을 규정함 |

**★ 5. 연대권의 등장**

• 성차별 때문에 인권을 침해받는 여성, 노동에 시달리는 아동, 내전으로 인한 난민 등

| | |
|---|---|
| 의미 | 지구촌 구성원의 인권 보장을 위해 함께 협력할 권리 |
| 배경 | 두 차례의 세계 대전 이후에 인권의 중요성을 인식하고, 인종 차별, 빈부 격차 등으로 인권을 누리지 못하는 개인과 집단의 인권 보호에 주목함 |
| 관련 문서 | 세계 인권 선언(1948) → 인권 보장의 국제적 기준을 제시함, 연대권의 개념이 확립됨 |
| 내용 | 자결권, 발전의 권리, 평화의 권리, 재난으로부터 구제받을 권리, 지속 가능한 환경에 대한 권리 등 |

**인권의 확대 과정**

| | |
|---|---|
| 1세대 인권(자유권 중심) | 신체의 자유, 사상·양심·종교의 자유, 집회 및 결사의 자유, 표현의 자유, 자유로운 선거를 통해 정부에 참여할 수 있는 권리 |
| ⬇ | |
| 2세대 인권(사회권 중심) | 근로의 권리, 교육에 대한 권리, 인간다운 생활을 할 권리, 사회 보장을 받을 권리, 쾌적한 환경에서 생활할 권리 |
| ⬇ | |
| 3세대 인권(연대권 중심) | 자결권, 발전의 권리, 평화의 권리, 지속 가능한 환경에 대한 권리, 재난으로부터 구제받을 권리 |

프랑스의 법학자인 카렐 바작은 인권의 변화 과정을 1, 2, 3세대로 설정하여 설명하였다. 1세대 인권은 자유롭기 위해 국가로부터의 불간섭을 요구하는 시민·정치적 권리이다. 2세대 인권은 인간다운 삶을 보장받기 위해 국가가 적극적으로 개입할 것을 요구하는 경제적·사회적·문화적 권리이다. 3세대 인권은 차별받는 개인과 집단의 인권 보호에 주목하여 연대와 단결을 강조하는 집단의 권리이다.

★ 표시는 시험 전에 확인해 주세요.

## C 현대 사회의 인권

**1. 인권 확장의 경향** 오늘날 인권 의식이 높아지고 사회가 변화하면서 다양한 영역으로 인권이 확장되고, 인권으로 보장하는 권리의 범위가 넓어지며 그 내용도 구체화됨

### ★ 2. 현대 사회에서 새롭게 요구되는 인권

(1) 환경권 — 현재 세대뿐만 아니라 미래 세대에까지 영향을 미치기 때문에 환경권의 중요성이 더욱 강조되고 있다.

| | |
|---|---|
| 의미 | 건강하고 쾌적한 생활에 필요한 모든 조건이 충족된 양호한 환경을 누리는 권리 → 국민의 권리로 보장함과 동시에 국민의 의무로 규정함 |
| 배경 | 환경 오염 증대, 소음 공해 증가 등 다양한 환경 문제 발생 |
| 보장 노력 | • 「환경 정책 기본법」 등을 통해 국가와 지방 자치 단체, 기업가, 국민 등의 환경 보전 노력을 규정함<br>• 「유엔 기후 변화 협약」 등 환경 관련 국제 회의에서 논의된 내용을 이행하기 위해 노력함<br>• 환경 관련 분쟁에 대한 환경 분쟁 조정 제도 시행 |

(환경 관련 분쟁 — 층간 소음 문제 등도 해당된다.)

(2) 주거권

| | |
|---|---|
| 의미 | 쾌적하고 안정적인 주거 환경에서 인간다운 주거 생활을 할 권리 |
| 배경 | 주택 부족, 불안정한 주거 생활 등의 문제 발생 |
| 보장 노력 | 「주거 기본법」 등을 통해 국민의 주거권을 보장하고, 최저 주거 기준 설정 등으로 주거 약자를 지원함 |

(최저 주거 기준 — 인간이라면 기본적으로 누려야 할 최소한의 주거 수준으로, 가구당 면적, 방 개수, 화장실, 부엌 등의 면적을 기준으로 한다.)

(3) 안전권

| | |
|---|---|
| 의미 | 각종 위험으로부터 안전을 보호받을 권리 |
| 배경 | 자연재해, 과학 기술의 발전에 따른 인위적인 위험이 인간의 삶을 위협함 |
| 보장 노력 | • 「재난 및 안전 관리 기본법」 등을 통해 국가 및 지방 자치 단체가 재난 안전 관리를 위해 노력함<br>• 「산업 안전 보건법」 등을 통해 기업의 사업장 안전 관리 강화 노력을 유도함 → 산업 재해 예방<br>• 개인은 안전 생활 수칙을 준수함 → 안전 불감증 해소 |

(4) 문화권

| | |
|---|---|
| 의미 | 공동체의 문화생활에 자유롭게 참여하고 문화를 향유할 권리 |
| 배경 | 여가의 증대, 문화 예술에 대한 수요 증대, 대중 매체 발달, 지역 간 또는 계층 간 문화 격차 해소에 대한 욕구 증대 등 |
| 보장 노력 | 「문화 예술 진흥법」 등을 통해 문화 소외 계층의 문화 예술 복지 시책을 강구함 |

(5) 잊힐 권리 — '잊힐 권리'는 자신과 관련된 정보가 인터넷상에서 많은 사람에게 공개되어 고통을 겪고 있는 사람들에게 도움을 줄 수 있다.

| | |
|---|---|
| 의미 | 인터넷상에서 유통되는 개인 정보를 당사자가 수정 또는 삭제해 달라고 요청할 권리 |
| 배경 | 정보 사회의 발달, 개인 정보를 비롯한 민감한 정보들이 다른 사람에게 공개되지 않도록 자기 정보에 대한 결정권을 가져야 한다는 생각이 확산됨 |

# 1단계 개념 짚어 보기

정답과 해설 14쪽

**01** ㉠, ㉡에 들어갈 내용을 각각 쓰시오.

> 인권은 인종, 성별, 사회적 신분 등에 관계없이 인류 구성원 모두가 가지는 권리라는 점에서 (㉠ )을 가지며, 태어나면서부터 갖게 되는 당연한 권리라는 점에서 (㉡ )을 가진다.

**02** 다음 설명이 맞으면 ○표, 틀리면 ×표를 하시오.

(1) 인권은 헌법에 규정되어야만 보장받을 수 있다. ( )

(2) 사회권이 최초로 규정된 문서는 세계 인권 선언이다. ( )

(3) 시민 혁명 이후에도 직업, 재산, 성별 등에 따라 선거권이 제한되었다. ( )

(4) 20세기 이후 평등 선거 제도의 확립으로 모든 사람의 참정권이 보장되었다. ( )

**03** 표는 각국의 시민 혁명을 비교한 것이다. ㉠~㉣에 들어갈 내용을 각각 쓰시오.

| 구분 | 관련 문서 | 의의 |
|---|---|---|
| 영국 명예혁명 | (㉠ ) | 국왕의 권력 행사에 (㉡ )의 동의를 받도록 규정함 |
| 미국 독립 혁명 | (㉢ ) | 국민 주권의 원리, 저항권 등의 내용이 담김 |
| (㉣ ) | 인간과 시민의 권리 선언 | 자유권, 평등권, 재산권 보장 등의 내용이 담김 |

**04** 세대별 인권의 종류를 〈보기〉에서 골라 기호를 쓰시오.

> 보기
> ㄱ. 근로의 권리
> ㄴ. 신체의 자유
> ㄷ. 평화의 권리
> ㄹ. 사회 보장을 받을 권리
> ㅁ. 사상, 양심, 종교의 자유
> ㅂ. 재난으로부터 구제받을 권리

(1) 1세대 인권 ( )

(2) 2세대 인권 ( )

(3) 3세대 인권 ( )

**05** ( )은 건강하고 쾌적한 생활에 필요한 모든 조건이 충족된 환경을 누릴 권리이다.

## A 인권의 의미와 특징

**01 다음 글을 통해 파악할 수 있는 인권의 특징으로 가장 적절한 것은?**

> 우리가 사는 세상에는 성별, 나이, 피부색 등이 서로 다른 다양한 사람들이 살아가고 있다. 이렇게 사람들은 서로 다른 모습과 특성을 보이지만, 인간이라는 공통점을 가지고 있다. 인간은 단지 인간이라는 이유만으로 존엄한 가치를 지닌 존재이므로 누구나 자유롭고 평등하며 인간답게 살아갈 권리를 가지고 있다.

① 주로 사회적 약자가 갖는 권리이다.
② 모든 인간이 누리는 보편적 권리이다.
③ 행정상의 효율을 위해 제한될 수 있는 권리이다.
④ 헌법에 규정되어야만 보장받을 수 있는 권리이다.
⑤ 국제적인 연대를 통해서 보장받을 수 있는 권리이다.

## B 인권 보장의 역사

**02 (가)에 들어갈 내용으로 옳지 않은 것은?**

> 근대 이전에는 대다수의 사람들이 왕과 소수의 귀족에게 부당한 억압과 차별을 받으며 생활하였다. 사람들은 점차 불평등하고 비인간적인 대우에 불만을 갖게 되었고, 특히 상공업의 발달 과정에서 성장한 시민 계급은 지배 계급이 누려 왔던 권리를 모든 사람이 함께 누려야 한다고 생각하였다. 영국에서는 명예혁명으로 권리 장전이 승인되며 시민의 자유와 권리가 확대되었다. 17세기 이후 ______(가)______ 등이 확산되면서 18세기 후반 미국과 프랑스에서도 시민 혁명이 일어났다. 이를 계기로 모든 인간은 태어날 때부터 자유롭고 평등하다는 기본적 권리가 미국 독립 선언과 프랑스 인권 선언에 명시되었다.

① 계몽사상　② 봉건사상
③ 사회 계약설　④ 자연권 사상
⑤ 천부 인권 사상

**03 다음은 영국 권리 장전의 일부 내용이다. 이 문서의 역사적 의의로 가장 적절한 것은?**

> • 의회의 승인 없이 법을 개정하거나 법의 효력을 정지시킬 수 없다.
> • 의회의 승인 없이 과세할 수 없다.
> • 의회의 승인 없이 상비군을 유지할 수 없다.
> • 의회의 선거는 자유로워야 한다.

① 국왕의 권력 행사에 대해 최초로 제한을 두었다.
② 인권이 국민의 개인적인 권리로 인정되기 시작했다.
③ 왕의 권력 행사에 대해 의회가 견제할 수 있도록 했다.
④ 인권 보장을 위해 국제적인 연대가 필요함을 명시하였다.
⑤ 국민의 인간다운 생활을 보장하는 최초의 규정을 두었다.

**04 다음은 프랑스 인권 선언의 일부 내용이다. 이에 대한 분석으로 적절하지 않은 것은?**

> • **제1조** 인간은 태어나면서부터 자유롭고 평등하다.
> • **제2조** 모든 정치적 결사의 목적은 인간의 자연적이고 소멸될 수 없는 권리를 보전함에 있다. 그 권리란 자유, 재산, 안전, 그리고 압제에의 저항 등이다.
> • **제3조** 모든 주권의 근원은 국민에게 있다.

① 천부 인권 사상이 나타나 있다.
② 국가에 대한 국민의 저항권을 인정한다.
③ 국가 권력은 국민의 지지와 동의에 기초한다.
④ 국가 권력의 간섭에서 자유로울 권리를 강조한다.
⑤ 사회적 약자를 보호하기 위한 국가의 역할을 강조한다.

**05** (가), (나)에 대한 옳은 설명을 〈보기〉에서 고른 것은?

(가)

프랑스 혁명

(나)

미국 독립 혁명

보기

ㄱ. (가)에 의해 보통 선거 제도가 확립되었다.
ㄴ. (가)에서 시민들은 신분제 타파를 주장하였다.
ㄷ. (나)에 의해 국왕은 의회의 견제를 받게 되었다.
ㄹ. (가)와 (나)는 계몽사상과 사회 계약설의 영향을 받았다.

① ㄱ, ㄴ　② ㄱ, ㄷ　③ ㄴ, ㄷ
④ ㄴ, ㄹ　⑤ ㄷ, ㄹ

출제가능성 90%

**06** (가), (나)에 대한 옳은 설명을 〈보기〉에서 고른 것은?

(가) 근대에 들어와 봉건적 신분제에 의한 차별과 절대 군주의 억압에 맞서 시민의 자유와 권리를 요구하는 시민 혁명이 일어났으며, 그 결과 시민의 권리를 명시한 선언이 발표되었다.
(나) 산업 혁명 이후 빈부 격차가 커지는 등의 문제점이 나타나자 시민들은 모든 국민의 인간다운 생활 보장을 국가에 요구하여 이를 실현해야 한다고 생각하였다.

보기

ㄱ. (가)의 결과 세계 인권 선언이 채택되었다.
ㄴ. (가)에서는 국가로부터의 자유를 중요한 가치로 보았다.
ㄷ. (나)로 인해 환경권, 근로권, 교육권 등이 등장하였다.
ㄹ. (나)로 인해 지구촌 구성원의 인권 보장을 위한 연대가 필요하다는 인식이 확산되었다.

① ㄱ, ㄴ　② ㄱ, ㄷ　③ ㄴ, ㄷ
④ ㄴ, ㄹ　⑤ ㄷ, ㄹ

**07** 다음 역사적 사건에 대한 설명으로 옳은 것은?

차티스트 운동

여성 참정권 운동

① 보통 선거 제도가 확립되는 계기가 되었다.
② 직접 민주 정치가 시행되는 계기가 되었다.
③ 자유권과 평등권이 보장되는 계기가 되었다.
④ 국가에 대하여 인간다운 생활의 보장을 요구할 수 있게 되었다.
⑤ 산업화 과정에서 나타난 빈부 격차, 실업 증가 등의 문제를 해결하고자 하였다.

출제가능성 90%

**08** 밑줄 친 ㉠~㉤에 대한 설명으로 옳은 것은?

㉠ 시민 혁명 과정에서 시민 계급은 ㉡ 절대 군주의 억압으로부터 해방을 주장했고, 결국 ㉢ 각종 인권 관련 문서를 통해 인권의 천부성을 명시하였다. 이후 산업 혁명을 거치면서 노동자의 권리가 강조되었고, ㉣ 바이마르 헌법에 이들의 권리를 명시하였다. 인류는 두 차례의 세계 대전을 겪은 후 전쟁을 막고 평화를 지키기 위해서는 세계 여러 나라가 힘을 합쳐야 한다는 인식하에 국제 연합(UN)을 창설하여 ㉤ 세계 인권 선언을 발표하였다.

① ㉠으로 모든 국민이 정치에 참여할 권리가 보장되었다.
② ㉡의 권한은 영국의 명예혁명 이후 더욱 강화되었다.
③ ㉢에는 미국 독립 선언, 프랑스 인권 선언 등이 있다.
④ ㉣에서는 인종이나 국적을 초월한 연대권을 중시하였다.
⑤ ㉤에서는 자유권과 평등권을 최초로 규정하였다.

**09** 다음 교사의 질문에 옳은 답변을 한 학생만을 있는 대로 고른 것은?

① 갑, 을 ② 갑, 정 ③ 병, 정
④ 갑, 을, 병 ⑤ 을, 병, 정

**10** 밑줄 친 인권을 실현하기 위한 노력으로 적절하지 않은 것은?

> 프랑스의 법학자인 카렐 바작은 1세대 인권을 시민적·정치적 권리, 2세대 인권을 경제적·사회적·문화적 권리, 3세대 인권을 연대·단결의 권리로 분류하였다. 특히 3세대 인권은 개별 국가의 노력만으로는 대처하기 어려워 여러 나라가 연대해야 보장받을 수 있는 인권을 말한다.

① 최저 임금제 시행
② 기후 변화 협약 이행 노력
③ 유럽 난민에 대한 각국의 원조
④ 인권 탄압 국가에 대한 국제적인 압력
⑤ 빈곤 국가에 대한 국제기구의 식량 지원

## C 현대 사회의 인권

출제가능성 90%

**11** 헌법 조항 (가), (나)에 나타난 인권에 대한 옳은 설명만을 <보기>에서 있는 대로 고른 것은?

> (가) 국가는 재해를 예방하고 그 위험으로부터 국민을 보호하기 위하여 노력하여야 한다. - 헌법 제34조 ⑥
> (나) 국가는 주택 개발 정책 등을 통하여 모든 국민이 쾌적한 주거 생활을 할 수 있도록 노력하여야 한다. - 헌법 제35조 ③

보기
ㄱ. (가)는 안전권, (나)는 주거권을 보장하려는 것이다.
ㄴ. (가)의 인권은 (나)의 인권과 달리 바이마르 헌법에서 최초로 명시되었다.
ㄷ. (가)의 인권과 달리 (나)의 인권은 현대 복지 국가에서 중시되기 시작하였다.
ㄹ. (가)와 (나)의 인권은 모두 인구의 도시 집중으로 새롭게 등장하였다.

① ㄱ, ㄴ ② ㄱ, ㄹ ③ ㄷ, ㄹ
④ ㄱ, ㄴ, ㄷ ⑤ ㄴ, ㄷ, ㄹ

**12** 다음 사례는 교사가 수업 시간에 제시한 것이다. 이를 토대로 이 수업의 주제를 옳게 추론한 것은?

> ○○군 보건소가 농촌 지역 문화 격차 해소를 위해 문화 프로그램인 '웃음으로 응답하라 구구팔팔'을 진행할 예정이다. 이 프로그램은 오카리나(악기) 공연, 오리춤, 가요 메들리, 율동, 웃음 치료와 건강을 위한 의료 서비스가 접목되어 운영된다. ○○군 보건소 관계자는 즐거운 문화생활을 통해 구십 구세까지 아프지 않고 팔팔하게 살다가 죽는 구구팔팔 인생에 지친 심신을 달래고 스트레스를 해소하는 데 최선을 다할 것이라고 밝혔다.

① 농촌 주민의 문화권 증진 방안을 탐색해 보자.
② 농촌 노인이 처한 삶의 질 실태를 조사해 보자.
③ 문화권 보장을 위한 개인적 차원의 노력을 알아보자.
④ 도시와 농촌의 문화 교류 활성화 방안을 모색해 보자.
⑤ 문화권이 새로운 인권으로 등장하게 된 배경을 알아보자.

정답과 해설 15쪽

2017 수능 응용

**01** 다음은 시민 혁명에 관해 정리한 내용이다. (가)~(마)에 들어갈 내용으로 옳지 않은 것은?

학습 주제: 근대 시민 혁명과 민주 정치의 발전 과정
1. 근대 시민 혁명의 배경: ______(가)______
2. 근대 시민 혁명의 결과
 • 영국: ______(나)______
 • 미국: ______(다)______
 • 프랑스: ______(라)______
3. 근대 시민 혁명의 한계와 극복 노력
 • 한계: 재산과 성별 등에 따른 참정권 제한 및 차등 부여
 • 한계 극복 노력: ______(마)______

① (가) – 천부 인권 사상, 사회 계약설
② (나) – 입헌 군주제 폐지, 의회 정치 기반 마련
③ (다) – 영국으로부터 독립, 국민 주권의 원리 천명
④ (라) – 인권 선언 채택, 자유와 평등의 이념 확산
⑤ (마) – 노동자들을 중심으로 차티스트 운동 전개

최고난도

**02** (가)~(마)는 인권 발달 과정에서 등장한 문서이다. 이에 대한 설명으로 옳은 것은?

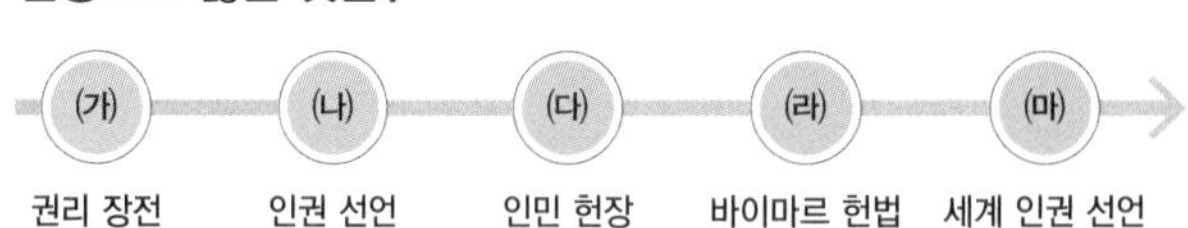


| (가) | (나) | (다) | (라) | (마) |
|---|---|---|---|---|
| 권리 장전 (영국, 1689) | 인권 선언 (프랑스, 1789) | 인민 헌장 (영국, 1838) | 바이마르 헌법 (독일, 1919) | 세계 인권 선언 (유엔, 1948) |

① (가)는 인권 보장의 국제적 기준을 제시하였다.
② (나)는 노동자의 권리, 사회 보장을 받을 권리 등을 핵심 내용으로 한다.
③ (다)는 여성의 참정권 보장을 요구하였다.
④ (라)는 사회권을 처음으로 국민의 기본권에 포함하였다.
⑤ (마)는 최초로 저항권, 국민 주권주의 등을 명시하였다.

2017 평가원 응용

**03** 다음 글에 나타난 인권에 대한 설명으로 옳은 것은?

> 거주한다는 것은 특정한 장소에 속해 있는 것이다. 여기에서부터 세상으로 모든 길이 뻗어나가고 모든 길이 되돌아온다. 인간은 안전과 안정을 얻기 위해 경계를 그어야 하고, 반갑지 않은 침입자로부터 보호되어야 한다. 집은 인간의 정신 건강을 위해 필수불가결한 조건이다. 집은 내부에서 즐겁게 머무를 수 있는 공간이어야 하며, 아늑함을 유지할 수 있는 곳이어야 한다.

① 역사적으로 가장 오래된 권리이다.
② 다른 기본권 보장을 위한 수단적 권리이다.
③ 인간다운 생활의 보장을 국가에 요구할 수 있는 권리이다.
④ 국가의 의사 결정에 주체적으로 참여할 수 있는 권리이다.
⑤ 국가 권력으로부터 간섭받지 않고 자유롭게 생활할 권리이다.

## 서술형 문제

**04** 다음은 인권의 확대 과정을 나타낸 것이다. 이를 보고 물음에 답하시오.

| 1세대 인권(자유권) | 2세대 인권( ㉠ ) | 3세대 인권( ㉡ ) |
|---|---|---|
| • 신체의 자유<br>• 사상, 양심, 종교의 자유<br>• 집회 및 결사, 표현의 자유<br>• 자유로운 선거를 통해 정부에 참여할 수 있는 권리 | • 근로의 권리<br>• 교육에 대한 권리<br>• 사회 보장을 받을 권리<br>• 인간다운 생활을 할 권리<br>• 쾌적한 환경에서 생활할 권리 | • 자결권<br>• 발전의 권리<br>• 평화의 권리<br>• 재난으로부터 구제받을 권리<br>• 지속 가능한 환경에 대한 권리 |

(1) ㉠, ㉡에 들어갈 권리를 각각 쓰시오.

(2) 1, 2세대 인권과 비교하여 3세대 인권의 특징을 서술하시오.

# 02 헌법의 역할과 시민 참여
# ~03 인권 문제의 양상과 해결

## A 인권 보장을 위한 헌법의 역할

**1. 인권과 헌법의 관계** 국가의 최고법인 헌법은 국민의 인권 보장을 위한 법과 제도의 근본적 토대가 됨 → 헌법에 국민의 기본권을 규정하여 국가의 인권 보장 의무를 밝힘

(헌법: 국가의 통치 조직과 운영 원리를 담고 있는 국가의 최고법)

**★ 2. 헌법으로 보장하는 기본권**

| | |
|---|---|
| 자유권 | • 국가 권력의 간섭 또는 침해를 받지 않을 권리<br>• 신체의 자유, 종교의 자유, 집회·결사의 자유 등 |
| 평등권 | • 불합리한 기준에 의해 차별을 받지 않을 권리<br>• 법 앞에서의 평등, 차별받지 않을 권리 등 |
| 사회권 | • 국가에 대하여 인간다운 생활의 보장을 요구할 수 있는 권리<br>• 교육권, 근로권, 사회 보장권, 쾌적한 환경에서 살 권리 등 |
| 참정권 | • 국가 의사 결정에 적극적으로 참여할 수 있는 권리<br>• 선거권, 피선거권, 국민 투표권 등 |
| 청구권 | • 다른 기본권이 침해되었을 때 구제하도록 요구할 수 있는 권리<br>• 청원권, 형사 보상 청구권, 국가 배상 청구권 등 |

(피선거권: 공무 담임권이라고도 한다.)
(형사 보상 청구권: 형사 피의자 또는 형사 피고인으로 구금되었다가 불기소 처분이나 무죄 판결을 받았을 때 국가에 정당한 보상을 청구할 수 있는 권리)

**헌법에 명시된 개별적 기본권**
- **제11조** ① 모든 국민은 법 앞에 평등하다. → 평등권
- **제12조** ① 모든 국민은 신체의 자유를 가진다. → 자유권
- **제24조** 모든 국민은 법률이 정하는 바에 의하여 선거권을 가진다. → 참정권
- **제26조** ① 모든 국민은 법률이 정하는 바에 의하여 국가 기관에 문서로 청원할 권리를 가진다. → 청구권
- **제34조** ① 모든 국민은 인간다운 생활을 할 권리를 가진다. → 사회권

우리 헌법은 인간의 존엄과 가치, 행복을 추구할 권리를 불가침의 기본적 인권으로 규정하고, 국가가 이를 보장해야 한다는 의무를 지우고 있다. 이러한 인권 보장의 의무를 실천하기 위해 우리 헌법은 자유권, 평등권, 참정권, 사회권, 청구권 등의 여러 기본권을 보장하고 있다.

**3. 인권 보장을 위한 헌법상의 제도적 장치**

★ (1) 권력 분립 제도

| | |
|---|---|
| 의미 | 국가 권력을 나누어 각각 다른 기관에 분담시켜 상호 견제와 균형을 이루도록 함 → 권력 남용을 막아 국민의 인권 보장 |
| 내용 | 삼권 분립 제도 실시, 각 기관 간 견제 장치 마련 |

(2) 민주적 선거 제도

| | |
|---|---|
| 의미 | 국민은 선거를 통해 국가를 운영할 대표자를 선출하여 국민의 의사와 이익을 정치에 반영하도록 함 |
| 내용 | 선거권 및 공무 담임권, 선거 공영제, 선거구 법정주의 등 |

(선거구 법정주의: 선거구를 법률로써 획정하는 제도)

(3) 복수 정당제

| | |
|---|---|
| 의미 | 누구든지 정당을 설립할 수 있고, 여러 정당이 자유롭게 활동할 수 있음 → 국민의 정치적 견해가 정치에 잘 반영될 수 있음 |
| 내용 | 정당 등록제, 정당에 대한 국가의 보조금 지급 등 |

(4) 기본권 구제 제도

| | |
|---|---|
| 의미 | 인권을 침해받은 국민이 사안에 따라 국가의 기본권 구제 기관을 통해 권리를 구제받을 수 있음 |
| 내용 | • 법원의 재판<br>• 헌법재판소의 위헌 법률 심판 및 헌법 소원 심판<br>• 국가 인권 위원회의 인권 침해 구제<br>• 국민 권익 위원회의 고충 민원 처리, 불합리한 행정 제도 개선 등 |

(위헌 법률 심판: 재판의 전제가 된 법률이 헌법에 위반되는지의 여부를 심판하는 제도)
(헌법 소원 심판: 법률, 공권력이 헌법에 보장된 국민의 기본권을 침해하는지 여부를 심판하는 제도)

**★ 4. 기본권의 제한과 한계** 국가 안전 보장, 질서 유지, 공공복리를 위해 필요한 경우에 한하여 법률로써 기본권을 제한할 수 있음 → 제한하는 경우에도 자유와 권리의 본질적인 내용은 침해할 수 없음

## B 준법 의식과 시민 참여

**1. 준법 의식의 의미와 기능**

(1) 준법 의식: 사회 구성원들이 법, 규칙을 지키고자 하는 의식

(2) 준법 의식의 기능

| | |
|---|---|
| 개인적 측면 | 개인의 자유와 권리 보호 |
| 사회적 측면 | 사회 질서 유지, 국가 공동체 유지, 정의 및 공동선 실현 |

**2. 시민 참여**

| | |
|---|---|
| 의미 | 시민들이 참여 의식을 갖고 정치 과정이나 사회의 공공 문제에 개입하여 영향을 미치는 행위 |
| 기능 | • 정의로운 사회 실현: 모든 사회 구성원의 인간 존엄성이 보장되는 정의로운 사회 실현에 기여할 수 있음<br>• 대의 민주주의 보완: 시민의 의사를 정책에 제대로 반영하고, 자신의 권리를 지킬 수 있게 함 |
| 방법 | • 합법적 방법: 선거, 서명 운동, 이익 집단 및 시민 단체 활동, 민원 제기, 청원 운동, 1인 시위 등<br>• 비합법적 방법: 시민 불복종 |

**★ 3. 시민 불복종**

(1) 시민 불복종: 정의롭지 못한 법이나 정책을 바로잡아 공공의 이익을 지키기 위해 의도적으로 법을 위반하는 행위

(2) 시민 불복종의 정당화 조건

| | |
|---|---|
| 목적의 정당성 | 개인의 사익이 아닌 사회 정의 실현을 목표로 하는 행동이어야 함 |
| 비폭력성 | 폭력적인 방법은 배제되어야 함 |
| 최후의 수단 | 모든 합법적인 수단을 동원했으나 해결되지 않을 때 마지막 수단으로 행사해야 함 |
| 처벌 감수 | 법을 어김으로써 받게 되는 처벌을 감수함으로써 법을 존중하고 있음을 분명히 해야 함 |

## C 국내 인권 문제의 양상과 해결

### ★ 1. 사회적 소수자 차별 문제

(1) 사회적 소수자: 한 사회에서 신체적, 문화적 특징 때문에 다른 구성원에게 차별을 받으며, 스스로 차별받는 집단에 속해 있다는 의식을 가진 사람

(2) 우리 사회의 사회적 소수자: 장애인, 이주 외국인, 비정규직 노동자, 여성, 북한 이탈 주민 등

(3) 사회적 소수자의 특징

① 규정 기준의 다양성: 성별, 인종, 장애, 국적 등 다양한 기준에 따라 규정됨

② 시·공간적 상대성: 절대적인 수가 적은 사람들을 의미하는 것이 아니라 상황과 여건에 따라 누구나 사회적 소수자로 규정될 수 있음

(4) 사회적 소수자 차별의 문제점: 인간 존엄성 훼손, 사회적 갈등 유발

(5) 사회적 소수자 차별 문제의 해결 방안

| | |
|---|---|
| 개인적 차원 | • 사회적 소수자에 대한 편견을 버려야 함<br>• 다양성을 존중하는 자세를 갖추어야 함 |
| 사회적 차원 | • 사회적 소수자에 대한 차별을 금지하는 법과 불평등을 해소하는 제도를 마련해야 함<br>• 지속적인 교육과 의식 개선 활동을 지원해야 함 |

### ★ 2. 청소년 노동권의 침해 문제

(1) 청소년 노동권의 침해 실태: 비인간적 대우, 장시간 노동, 최저 임금보다 낮은 임금 지급 등

**청소년 아르바이트 십계명**

① 만 15세 이상이어야 근로할 수 있어요.
② 부모님 동의서와 나이를 알 수 있는 증명서가 필요해요.
③ 근로 계약서를 반드시 작성해야 해요.
④ 성인과 같은 최저 임금을 적용받아요.
⑤ 하루 7시간, 일주일에 35시간까지 일할 수 있어요.
⑥ 휴일에 일하거나 초과 근무를 했을 때는 50%의 가산 임금을 받을 수 있어요.
⑦ 일주일을 개근하고 15시간 이상 일을 하면 하루의 유급 휴일을 받을 수 있어요.
⑧ 청소년은 위험한 일이나 유해 업종의 일을 할 수 없어요.
⑨ 일을 하다 다치면 산재 보험으로 치료와 보상을 받을 수 있어요.
⑩ 상담은 청소년 신고 대표 전화 1644-3119로 전화하세요.

– 고용 노동부

청소년 근로자는 「근로 기준법」의 주요 내용을 이해하고 이를 바탕으로 근로 계약서를 작성해야 한다. 또한 노동권을 침해받았을 경우 고용 노동부 등을 통해 적극적으로 대처해야 한다.

(2) 청소년 노동권 침해 문제의 해결 방안

| | |
|---|---|
| 개인적 차원 | • 청소년은 노동권에 대한 지식을 갖추고, 부당한 대우를 받았을 때 적극적으로 대처해야 함<br>• 고용주는 준법 의식을 갖고 청소년의 노동권 보장에 힘써야 함 |
| 사회적 차원 | 청소년 노동 관련 법률과 제도를 보완해야 함 |

## D 세계 인권 문제의 양상과 해결

### 1. 세계 인권 문제의 양상

(1) 빈곤 문제: 생존의 위협은 물론 생활 환경, 교육, 직업 등 최소한의 인간다운 생활을 어렵게 함

(2) 성차별 문제: 남녀 간 임금 격차나 고용 및 승진 등에서의 남녀 차별, 교육 수준이나 정치 참여 기회 등 일상생활의 전반적인 영역에서 남녀 차별이 나타남

(3) 아동 노동 문제: 저소득 국가나 개발 도상국의 아동들 중 상당수가 노동력을 착취당함

(4) 기본권 침해 문제: 국가 지도자의 체제 유지 목적이나 종교 관습 유지 등을 이유로 국민의 일상생활을 지나치게 통제하여 국민의 기본권을 침해함

**다양한 인권 지수**

| | |
|---|---|
| 세계 기아 지수 | 빈곤의 정도를 나타내는 지수로서, 영양실조 상태인 인구 비율, 5세 이하 아동의 급성·만성 영양 결핍과 사망률 등을 측정함 |
| 세계 성 격차 지수 | 남녀 차별 정도를 나타내는 지수로서, 남녀 간 경제 참여 기회, 교육 성취, 정치적 힘, 건강 등의 항목으로 산출함 |
| 시민 자유권 지수 | 국가에 의한 인권 침해 문제를 나타내는 지수로서, 언론 및 출판의 자유, 신체의 자유, 사상 및 양심의 자유, 집회 및 결사의 자유 등을 측정함 |
| 언론 자유 지수 | 언론의 자유를 나타내는 지수로서, 각국의 정치적 압력·통제, 언론 피해 사례 등을 측정함 |
| 국제 노동 권리 지수 | 노동자의 권리 보장 정도를 나타내는 지수로서, 노동 제도와 노동권 보장 수준 등을 측정함 |

### 2. 세계 인권 문제의 해결 방안

| | |
|---|---|
| 개인적 차원 | 인류를 하나의 공동체로 인식하는 세계 시민 의식을 가지고 국제 사회의 인권 문제 해결을 위해 노력해야 함 |
| 사회적 차원 | • 국제적인 연대를 통해 빈곤 국가에 대한 경제적 지원<br>• 국제적인 여론 조성을 통한 인권 개선 유도<br>• 국제법에 근거한 인권 침해 제재 등 |

# 1단계 개념 짚어 보기

정답과 해설 16쪽

**01** 다음 괄호 안의 내용 중 알맞은 말에 ○표를 하시오.

(1) 불합리한 기준에 의해 차별을 받아서는 안 되는 권리는 (사회권, 평등권)이다.
(2) 국가에 대해 인간다운 생활의 보장을 요구할 수 있는 권리는 (자유권, 사회권)이다.
(3) 다른 기본권이 침해되었을 때 이를 구제하기 위한 수단적 권리는 (청구권, 참정권)이다.

**02** 기본권의 종류를 〈보기〉에서 골라 기호를 쓰시오.

보기
ㄱ. 청원권 ㄴ. 근로의 권리
ㄷ. 종교의 자유 ㄹ. 교육을 받을 권리
ㅁ. 국가 배상 청구권 ㅂ. 집회 및 결사의 자유

(1) 사회권 (     )
(2) 자유권 (     )
(3) 청구권 (     )

**03** ㉠, ㉡에 들어갈 내용을 각각 쓰시오.

(㉠      )이 정당화되기 위해서는 행위의 목적이 정당해야 하고, 비폭력적인 방법을 사용해야 하며, 최후의 수단이어야 하고, 위법 행위에 대한 (㉡      )을 감수할 수 있어야 한다.

**04** 신체적, 문화적 특징 때문에 차별을 받으며, 스스로 차별받는 집단에 속해 있다는 의식을 가진 사람을 (          )라고 한다.

**05** 다음 내용이 맞으면 ○표, 틀리면 ×표를 하시오.

(1) 빈곤 문제는 최소한의 인간다운 삶을 어렵게 한다. (   )
(2) 성차별, 난민 등과 같은 인권 문제는 개별 국가의 노력만으로도 해결된다. (   )
(3) 국제 사회의 인권 문제를 해결하기 위해서는 세계 시민 의식을 가져야 한다. (   )

# 2단계 내신 다지기

## A 인권 보장을 위한 헌법의 역할

**01** 다음 헌법 조항에 대한 옳은 설명을 〈보기〉에서 고른 것은?

**제10조** 모든 국민은 인간으로서의 존엄과 가치를 가지며, 행복을 추구할 권리를 가진다. 국가는 개인이 가지는 불가침의 기본적 인권을 확인하고, 이를 보장할 의무를 진다.

보기
ㄱ. 불합리한 기준에 의해 차별받지 않을 권리를 강조한다.
ㄴ. 국가는 국민의 기본권을 보장할 의무가 있음을 명시한다.
ㄷ. 국민은 국가 의사 결정에 참여할 수 있는 권리가 있음을 강조한다.
ㄹ. 모든 기본권이 지향하는 근본 가치를 기본적 인권으로 규정한다.

① ㄱ, ㄴ ② ㄱ, ㄷ ③ ㄴ, ㄷ
④ ㄴ, ㄹ ⑤ ㄷ, ㄹ

출제가능성 90%

**02** (가), (나)에 해당하는 기본권에 대한 설명으로 옳지 않은 것은?

(가) 모든 국민이 국가 권력에 의한 간섭이나 침해를 받지 않을 권리이다.
(나) 모든 국민이 인간다운 생활을 국가에 요구할 수 있는 권리이다.

① (가)는 소극적 성격의 권리이다.
② (가)는 근대 시민 혁명 과정에서 가장 중시되었다.
③ (나)에는 근로의 권리, 교육을 받을 권리 등이 있다.
④ (나)는 국가의 적극적인 개입을 통해 보장되는 권리이다.
⑤ (가)는 (나)에 비해 현대 복지 국가에서 더 강조된다.

**03** 다음 글에 나타난 평등의 이념이 적용된 사례로 보기 어려운 것은?

> 평등은 먼저, 법 앞에서 만인이 평등하다는 것을 의미한다. 그렇다고 법 앞에서의 평등이 성별, 체력, 재능 등과 같은 선천적인 조건의 차이나 직업, 재산, 교육 수준 등과 같은 후천적인 차이를 부인하는 것은 결코 아니다. 따라서 법 앞에서의 평등은 모든 사람이 똑같다는 뜻이 아니라, 모든 사람을 평등하게 대우하고, 모든 사람에게 기회를 균등하게 부여한다는 뜻이다.

① 여성 근로자는 탄광 내 근로를 금지한다.
② 회사의 경영 사정이 어려워 고령자를 우선 해고한다.
③ 빈곤 계층의 학생에게 인터넷 강의 무료 수강권을 제공한다.
④ 공공 기관과 민간 기업은 일정 비율 이상의 장애인을 채용해야 한다.
⑤ 교원 임용 고시에서는 시각 장애인을 위한 음성 지원 프로그램을 제공한다.

**04** 인터넷 게시판의 질문에 옳게 답변한 학생은?

▶ 질문 Q&A

저는 얼마 전 퇴근하다가 길에서 경찰의 불심 검문을 받았습니다. 근처에서 발생한 어린이 유괴 사건의 용의자와 인상착의가 비슷하다는 이유로 긴급 체포되었습니다. 다행히 진범이 잡혀 검사의 불기소 처분으로 풀려났지만 너무 억울합니다. 제가 어떻게 해야 할까요?

▶ 답변하기

↳ 갑: 해당 경찰관을 형사 고소하세요.
↳ 을: 국민 권익 위원회에 민원을 제기하세요.
↳ 병: 국가를 상대로 형사 보상을 청구하세요.
↳ 정: 헌법재판소에 위헌 법률 심판을 청구하세요.
↳ 무: 국가 인권 위원회에 검사의 인권 침해를 진정하세요.

① 갑 ② 을 ③ 병
④ 정 ⑤ 무

**05** 다음 인권 보장을 위한 제도적 장치에 대한 옳은 설명만을 〈보기〉에서 있는 대로 고른 것은?

> 모든 정치권력을 가진 자는 그것을 남용하기 쉽다. 그는 권력을 극한까지 사용하고 싶어 한다. 이것은 오랜 경험이 실증한 바이다. 이러한 문제점을 해소하기 위해서는 국가의 어느 한 기관이나 개인이 견제 없이 마음대로 국가 권력 전부를 행사할 수 없도록 해야 한다. 우리나라도 입법부, 행정부, 사법부로 국가 기관의 권력을 분리하였다.

보기

ㄱ. 국가 기관 상호 간의 견제를 추구한다.
ㄴ. 국가 권력의 자의적인 행사를 제한하고자 한다.
ㄷ. 국가 기관의 행정 전문성을 높이는 것을 목적으로 한다.
ㄹ. 국가 기관 간의 권력 균형을 통해 국민의 기본권을 보장한다.

① ㄱ, ㄴ ② ㄱ, ㄷ ③ ㄷ, ㄹ
④ ㄱ, ㄴ, ㄹ ⑤ ㄴ, ㄷ, ㄹ

출제가능성 90%

**06** 다음 헌법재판소의 판결 근거로 가장 적절한 것은?

> 헌법재판소는 조합장 선거에서 후보자 외에는 선거 운동을 하지 못하도록 한 「위탁 선거법」에 대해 합헌으로 결정했다. 조합장 선거는 선거인들이 비교적 소수여서 서로를 잘 알고 있고, 인정과 의리를 중시하는 특정 집단 내에서 이루어지므로 정책보다는 후보자와의 관계에 따라 선거권을 행사하는 분위기가 조성되어 있다는 특성 때문에 선거를 자칫 과열·혼탁으로 빠뜨릴 위험이 있다. 이러한 상황에서 후보자가 아닌 사람에게 선거 운동을 허용하게 되면, 선거가 과열되어 상호 비방 등에 의한 혼탁 선거가 가중될 우려가 있어 조합장 선거에서는 후보자가 아닌 자의 선거 운동을 금지한 것이다.

① 기본권은 초국가적인 불가침의 권리이다.
② 국가는 국민의 기본권을 보장해야 할 의무가 있다.
③ 헌법과 법률에 규정되지 않은 기본권은 보장받을 수 없다.
④ 공공복리를 위해 필요한 경우 기본권 행사는 제한될 수 있다.
⑤ 법률에 어떠한 조항을 정할 것인지는 입법자의 재량에 해당한다.

## B 준법 의식과 시민 참여

**07** 다음 사례를 통해 알 수 있는 시민 참여의 역할을 〈보기〉에서 고른 것은?

> 최근 반려견에 의한 물림 사건이 사회적 문제로 번지자 시민들이 대책을 촉구하고 있다. 국민 신문고와 각 지방 자치 단체 누리집에는 반려견 입마개 의무화 방안을 찬성하는 의견이 쇄도하고 있다. 이와 함께 반려견으로 인한 인명 피해 발생 시 현행 처벌 기준을 강화해야 한다는 주장의 글도 많다. ○○도는 이에 따라 반려견 관리에 대한 시민의 의견을 폭넓게 듣기 위해 동물 애호 단체, 전문가, 일반 시민으로 나누어 체계화된 여론 조사를 실시하기로 했다.

보기
ㄱ. 대의 민주주의를 보완한다.
ㄴ. 대표자의 권한을 강화시킨다.
ㄷ. 사회의 공공선을 실현시킨다.
ㄹ. 정책 결정의 신속성을 도모한다.

① ㄱ, ㄴ ② ㄱ, ㄷ ③ ㄴ, ㄷ
④ ㄴ, ㄹ ⑤ ㄷ, ㄹ

출제가능성 90%

**08** 다음과 같은 주장이 정당성을 갖추기 위한 조건으로 옳지 않은 것은?

> 우리는 먼저 인간이어야 하고 그 다음에 국민이어야 한다. 법에 대한 존경심보다는 정의에 대한 존경심을 가지는 것이 바람직하다. 불의한 법이 당신으로 하여금 다른 사람에게 불의를 행하는 하수인이 되라고 요구한다면 그 법을 어겨야 한다.

① 사회 정의 실현을 목적으로 삼아야 한다.
② 위법 행위에 대한 처벌을 기꺼이 감수해야 한다.
③ 불의에 대한 저항 수단으로 폭력을 배제해야 한다.
④ 자신의 이익 추구에 불리한 법률이나 정책에 저항해야 한다.
⑤ 합법적인 방법이 효과가 없을 때 최후의 수단으로 사용해야 한다.

## C 국내 인권 문제의 양상과 해결

**09** ㉠에 대한 옳은 설명을 〈보기〉에서 고른 것은?

> ( ㉠ )은/는 인종, 성별, 장애, 종교, 사회적 출신 등을 이유로 다른 사회 구성원으로부터 소외와 차별을 받는 사람들을 일컫는다. 이들은 사회에서 부당한 대우를 받기 쉬워 여러 측면에서 인권 침해를 경험할 수 있다.

보기
ㄱ. 구성원의 수가 절대적으로 적은 집단이다.
ㄴ. 상황과 여건에 따라 상대적으로 규정된다.
ㄷ. 정치적·사회적·경제적 권력에서 우위에 있다.
ㄹ. 자기가 차별받는 집단의 구성원이라는 점을 느끼고 있다.

① ㄱ, ㄴ ② ㄱ, ㄷ ③ ㄴ, ㄷ
④ ㄴ, ㄹ ⑤ ㄷ, ㄹ

**10** 다음 사례에 나타난 사회 문제의 해결 방안으로 적절하지 않은 것은?

> 전국 각지의 농어촌에서 일하는 외국인 근로자들은 근무 시간이 정해져 있지 않아서 장시간 노동에 시달리는 경우가 많다. 도시의 공장에서 일하는 외국인 근로자들도 근무를 하다가 다쳐도 제대로 된 보상을 받지 못하는 경우가 많다. 또한 우리 사회의 외국인 근로자들은 의사소통 문제, 문화적 차이, 차별 대우 등으로 어려움을 겪고 있다.

① 사회적 소수자를 배려해야 한다.
② 외국인 근로자를 사회적 소수자에서 제외해야 한다.
③ 인간 존엄성이 가장 소중한 가치임을 인식해야 한다.
④ 다른 문화를 이해하고 존중하는 자세를 가져야 한다.
⑤ 사회적 소수자의 인권을 보호하는 법률을 마련해야 한다.

## 11 다음 사례에서 얻을 수 있는 교훈으로 가장 적절한 것은?

> ○○여고 학생인 A는 청각 장애인이다. A의 학교생활을 돕기 위해 비장애인인 같은 반 학생들이 수화를 배우고 있다. 또한 같은 반 친구들 중 학업 도우미와 수업 도우미를 정해서 A의 공부와 학교생활을 도와주고 있다. A는 친구들과 수화로 의사소통이 가능해지고 여러 친구들의 배려 덕분에 학업이나 일상생활 등에서 큰 도움을 얻고 있다.

① 장애인에 대한 편견을 버려야 한다.
② 장애인은 사회적 소수자로 볼 수 없다.
③ 장애인에 대한 국가 차원의 지원이 필요하다.
④ 장애인은 비장애인과 동등한 대우를 받아야 한다.
⑤ 장애인은 차별 개선을 위해 스스로 노력해야 한다.

출제가능성 90%

## 12 다음 사례와 관련한 옳은 법적 판단을 〈보기〉에서 고른 것은?

> 올해 17세인 갑은 아르바이트 일자리를 구하려고 한다. 마침 집 근처 제과점에서 아르바이트 직원을 모집한다는 공고문을 보고 지원할지 고민하고 있다.
>
> **아르바이트 직원 모집**
> • 근무 장소 : ○○ 제과점
> • 근무 시간 : 10시~18시
> • 임금 : 시간당 1만 원

**보기**

ㄱ. 갑의 부모가 갑을 대신하여 근로 계약을 체결할 수 있다.
ㄴ. 갑의 사용자는 법정 휴게 시간을 근로 시간 도중에 주어야 한다.
ㄷ. 갑이 학생일 경우 학교장의 동의를 얻어 근로 계약을 체결할 수 있다.
ㄹ. 갑이 일하다가 자신의 실수로 다치더라도 갑의 사용자는 갑의 임금에서 치료비를 공제할 수 없다.

① ㄱ, ㄴ　② ㄱ, ㄷ　③ ㄴ, ㄷ
④ ㄴ, ㄹ　⑤ ㄷ, ㄹ

# D 세계 인권 문제의 양상과 해결

## 13 다음 기사에 대한 분석으로 가장 적절한 것은?

> 국제 식량 정책 연구소(IFPRI) 등이 발표한 「2017 세계 기아 지수」 보고서에 의하면 기아 지수가 위험 단계에 해당하는 국가는 대개 정치적 위기나 내전을 겪은 나라들인 차드, 예멘, 수단 등이다. 올해 전 세계 기아 지수는 21.8점으로 2000년 29.9점보다 8.1점 감소했다. 세계 기아 지수는 영양 결핍, 허약 아동, 발육 부진 아동, 영유아 사망률 등의 네 가지 지표를 근거로 산출된다. －「뉴시스」, 2017. 10. 12

① 빈곤에서 탈출하는 국가가 점차 늘어나고 있다.
② 해당 국민 스스로의 빈곤 탈출 노력이 가장 시급하다.
③ 민주주의가 정착되지 못한 나라들의 빈곤이 심각하다.
④ 다국적 기업의 무분별한 확장으로 아프리카의 빈곤 문제가 심각해졌다.
⑤ 국민의 기아 문제를 해결하지 못한 국가 지도자의 형사 처벌이 필요하다.

## 14 다음 자료에 대한 분석 및 추론으로 적절하지 않은 것은?

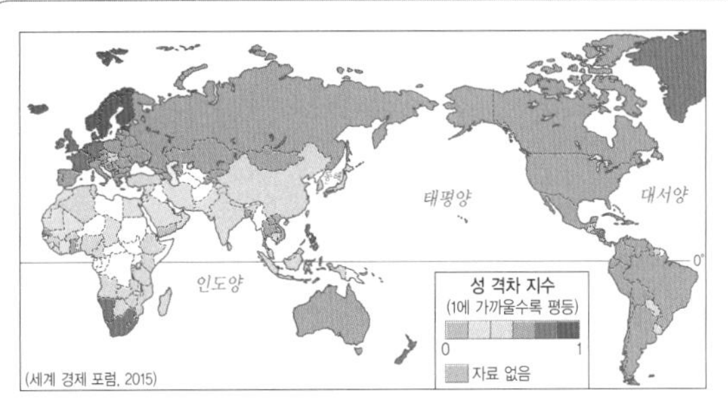


세계 경제 포럼(WEF)은 「세계 성 격차 지수 2015」 보고서에서 145개국의 남녀 간 경제 참여 기회, 교육 성취, 정치적 힘, 건강 등 4개 분야 항목을 수치화해 분석했다. 경제 참여 기회에서는 남성 대비 여성 임금 수준이 큰 비중을 차지했다. 아이슬란드가 1위를 차지했고, 노르웨이, 핀란드, 스웨덴 등이 뒤를 이었다. 아프리카의 르완다와 아시아의 필리핀이 각각 6위와 7위를 차지했고, 한국은 115위이다.

① 한국은 남녀 차별이 심각한 상태이다.
② 빈곤 상태와 남녀 차별은 정(+)의 관계에 있다.
③ 양성평등에 근접한 국가들은 주로 북유럽에 속한다.
④ 한국은 남성 임금 대비 여성의 임금 수준이 낮은 편이다.
⑤ 성 격차 순위가 낮은 나라는 종교나 관습 등의 영향을 받았을 것이다.

## 3단계 등급 올리기

2018 수능 응용 최고난도

**01** 기본권 ㉠에 대한 옳은 설명을 〈보기〉에서 고른 것은?

> 헌법재판소는 집행 유예 기간 중인 자의 ( ㉠ )을/를 제한하고 있는 ○○법의 해당 부분은 제37조 제2항을 위반하여 청구인들의 ( ㉠ )을/를 침해하였을 뿐만 아니라 평등 원칙도 위반한 것이라고 결정하였다. 헌법재판소는 그 이유에서 형사 책임과 주권의 행사는 다른 차원의 문제로서 범죄자가 저지른 범죄의 경중을 전혀 고려하지 않고 공동체의 운용을 주도하는 국가 조직의 구성에 참여하는 것을 전면적·획일적으로 제한하는 것은 헌법에 위반된다고 하였다.

보기

ㄱ. 국민 주권주의를 실현하는 수단이 된다.
ㄴ. 국가의 존재를 전제로 인정되는 권리이다.
ㄷ. 다른 기본권을 보장하기 위한 수단적 권리이다.
ㄹ. 인간다운 삶의 보장을 국가에 요구할 수 있는 권리이다.

① ㄱ, ㄴ ② ㄱ, ㄷ ③ ㄴ, ㄷ
④ ㄴ, ㄹ ⑤ ㄷ, ㄹ

2016 수능 응용

**02** 다음 글에 나타난 활동들의 공통적인 특징으로 적절한 것은?

> • △△시 학부모들은 통학로에 있는 위험한 철도 건널목의 개선을 요구하는 민원을 국민 권익 위원회에 제기하였다.
> • ○○ 단체는 학교 앞에서 판매하는 불량 식품에 대한 규제를 강화해야 한다며 식품 유통 관련법의 개정을 위한 서명 운동을 전개하였다.

① 특정한 분야에서 집단의 이익을 추구한다.
② 시민의 자발적인 참여로 공공선을 추구한다.
③ 부당한 정책에 대해 시민 불복종을 전개한다.
④ 직접 민주주의의 문제점을 보완하는 역할을 한다.
⑤ 국가 권력의 남용을 막기 위해 권력 분립을 주장한다.

2017 수능 응용

**03** 다음 사례에 대한 옳은 분석 및 추론을 〈보기〉에서 고른 것은?

> 갑은 운전 중 좌석 안전띠를 의무적으로 매야 하고 이를 어기면 범칙금을 부과하는 「도로 교통법」 규정이 행복 추구권을 침해한다며 헌법 소원 심판을 청구하였다. 이에 대해 헌법재판소는 이 규정은 교통사고에서 국민을 보호하고 사회적 부담을 줄이려는 것이므로 목적이 정당하고, 안전띠를 매는 것에 따른 운전자의 답답함이나 경미한 범칙금에 비하여 달성하려는 공익이 크다고 보아 갑의 청구를 기각하였다.

보기

ㄱ. 갑이 헌법재판소에 구제를 청구한 기본권은 포괄적 권리이다.
ㄴ. 헌법재판소는 공익보다 갑의 기본권 보장이 우선한다고 판단하였다.
ㄷ. 해당 규정은 공공복리를 위해 국민의 기본권을 제한하는 내용이다.
ㄹ. 갑이 청구한 심판은 「도로 교통법」 규정의 위헌 여부를 심판 대상으로 하므로 재판의 전제성을 필요로 한다.

① ㄱ, ㄴ ② ㄱ, ㄷ ③ ㄴ, ㄷ
④ ㄴ, ㄹ ⑤ ㄷ, ㄹ

**04** 표는 준법 의식과 인권 의식에 대한 설문 조사 결과이다. 이에 대한 분석으로 옳지 <u>않은</u> 것은?

〈'그렇다'에 응답한 비율〉

(단위: %)

| 항목 \ 연도 | 2010년 | 2015년 |
|---|---|---|
| 비현실적인 법이 많다. | 43 | 52 |
| 금연 구역을 확대해야 한다. | 43 | 71 |
| 야간 수사를 금지해야 한다. | 54 | 65 |
| 개발 제한 구역을 해제해야 한다. | 34 | 61 |

① 형사 절차에서의 인권 의식이 확산되고 있다.
② 국민의 법 감정이 시대에 따라 변화하고 있다.
③ 건강권에 대한 국민의 인식이 높아지고 있다.
④ 법의 현실 적합성에 대한 회의가 증가하고 있다.
⑤ 사유 재산의 공공복리성을 찬성하는 여론이 높아졌다.

2018 평가원 응용

**05** 다음 주장을 한 서양 사상가가 긍정의 대답을 할 질문으로 옳은 것은?

> 시민 불복종은 법이나 정부의 정책에 변혁을 가져올 목적으로 행해지는, 공공적이고 비폭력적이며 양심적이긴 하지만 법에 반하는 정치적 행위이다. 이러한 행위를 통해서 우리는 공동 사회의 다수자가 갖고 있는 정의감을 드러내고, 자유롭고 평등한 개인들 사이에서 정의의 원칙이 존중되고 있지 않음을 보여 준다.

① 위법 행위로 인한 처벌을 거부해야 하는가?
② 소수의 사람들에 의해 비밀리에 이루어져야 하는가?
③ 자신의 이익에 반하는 법에 대해서 불복종해야 하는가?
④ 자신의 양심에 어긋나는 법에 대해서 비폭력적으로 저항해야 하는가?
⑤ 법이 수정되기 전까지는 법이 인정하는 범위 내에서 행동해야 하는가?

**06** 다음은 갑(17세)이 체결한 근로 계약서 내용 중 일부이다. 이에 대한 옳은 설명만을 〈보기〉에서 있는 대로 고른 것은?

> **근로 계약서**
> 1. 근로 시간: 10:00~18:00(휴게 시간 1시간 포함)
> 2. 임금: 시간당 10,000원(연장 근로 시 50%의 가산 임금 지급)
> 3. 근무일/휴일: 월~금/토, 일
> 4. 매월 25일에 갑의 부모에게 임금을 지급한다.
>
> (후략)

보기
ㄱ. 4항은 「근로 기준법」을 위반한 조항이다.
ㄴ. 사용자는 갑에게 휴게 시간 1시간을 근로 시작 전에 줄 수 있다.
ㄷ. 사용자는 갑을 원칙적으로 토요일과 일요일에 근로시킬 수 없다.
ㄹ. 갑이 연장 근로를 1시간 한다면 하루치 임금은 80,000원이다.

① ㄱ, ㄴ　② ㄱ, ㄷ　③ ㄷ, ㄹ
④ ㄱ, ㄴ, ㄹ　⑤ ㄴ, ㄷ, ㄹ

## 서술형 문제

**07** 다음 글을 읽고 물음에 답하시오.

> 1930년 영국의 지배를 받고 있던 인도에는 시민의 소금 제조 및 판매를 금지하는 법이 있었다. 간디는 영국 정부에 이 법의 폐지를 요구하였으나, 그 요구가 받아들여지지 않자 소금 제조 금지법을 반대하는 행진을 시작하였다. 행진 후 간디는 해변에 모인 군중에게 비협력의 의미를 설명하였다. 이튿날 간디와 군중들은 바다에서 직접 소금을 만들었다. 경찰들이 이들을 강제로 진압하였으나 그들은 소금 만드는 것을 멈추지 않았다.

(1) 위 사례와 같이 부당한 정책이나 제도에 대해 저항하는 행위를 무엇이라고 하는지 쓰시오.

(2) 이러한 행위가 정당화되기 위한 요건을 네 가지 서술하시오.

**08** 다음 글을 읽고 물음에 답하시오.

> ( ㉠ )은/는 신체적 또는 문화적 특징으로 불리한 환경에 놓이거나 차별 대우를 받는 사람들로서, 자기들이 다수의 사회 구성원들과는 다른 대상임을 인식하는 사람들의 집단을 의미한다. 현재 우리 사회에서는 장애인이나 이주 외국인, 노인, 여성, 북한 이탈 주민 등을 ( ㉠ )(으)로 볼 수 있으며, 이들은 부당한 대우를 받거나 지속적으로 차별받는 일이 많다.

(1) ㉠에 들어갈 내용을 쓰시오.

(2) ㉠에 대한 차별을 해결하기 위한 개인적 차원의 노력을 두 가지 서술하시오.

# 01 자본주의와 합리적 선택
# ~02 시장 경제와 시장 참여자의 역할

## A 자본주의의 의미와 역사적 전개 과정

### 1. 자본주의의 의미와 특징

(1) 자본주의: 사유 재산 제도를 바탕으로 시장에서 자유로운 경제 활동을 할 수 있도록 보장하는 경제 체제

(2) 자본주의의 특징: 사유 재산권 보장, 시장 가격에 따른 상품 거래, 경제 활동의 자유 보장 등

### ★ 2. 자본주의의 역사적 전개 과정

(1) 상업 자본주의(16~18세기)

| | |
|---|---|
| 등장 배경 | 15세기 말의 신항로 개척을 계기로 유럽과 아프리카, 아메리카 등을 잇는 교역망이 형성되면서 발달함 |
| 특징 | • 유럽 절대 왕정이 중상주의 정책을 통해 국내의 상공업을 육성하고 대외 교역에 적극적으로 나서면서 발전함<br>• 상품의 생산보다는 상품의 유통 과정에서 이윤을 추구함 |

(2) 산업 자본주의(18~19세기)

| | |
|---|---|
| 등장 배경 | 영국에서 일어난 산업 혁명으로 공장제 기계 공업에 의한 상품의 대량 생산 체제가 갖추어지면서 발달함 |
| 특징 | • 상품의 유통보다는 상품의 생산 과정에서 이윤을 추구함<br>• 개인의 경제 활동의 자유를 최대한 보장함 → 자유방임주의를 근거로 작은 정부를 추구함 |

자유방임주의: 시장의 기능을 강조하면서 국가의 간섭을 최대한 배제하려는 경제사상

> 우리가 저녁 식사를 기대할 수 있는 건 푸줏간 주인, 양조장 주인, 빵집 주인의 자비심 덕분이 아니라, 그들이 자기 이익을 챙기려는 생각 덕분이다. – 애덤 스미스, 『국부론』

애덤 스미스는 『국부론』에서 시장의 작동 원리를 '보이지 않는 손'에 비유하면서 각자가 자신의 이익을 추구하도록 경제 활동의 자유를 최대한 보장할 때 사회 전체의 이익도 커지므로, 정부의 시장 개입을 최소화해야 한다고 주장하였다.

(3) 수정 자본주의(20세기)

대공황: 소비자의 구매력 하락 및 과잉 생산에 따른 과도한 경쟁으로 독과점이 강화되면서 발생하였다.

| | |
|---|---|
| 등장 배경 | 1929년 대공황으로 나타난 생산 위축, 기업 도산, 대량 실업 등의 문제를 해결하기 위해 등장함 |
| 특징 | 시장의 한계를 보완하고 모든 국민의 인간다운 생활을 보장하기 위해 정부의 역할을 강조하는 큰 정부를 추구함 → 공공사업 시행, 사회 보장 제도 강화 등 |

> 경제학자 케인스는 경기 불황으로 나타나는 문제를 해결하기 위해 정부가 재정 지출을 확대하여 일자리를 확충함으로써 국민의 소득을 늘려야 한다고 주장하였다. 미국의 루스벨트 대통령은 대공황을 극복하기 위해 케인스의 주장을 받아들여 계곡에 댐과 발전소를 건설하는 등 대규모 공공사업을 벌였다.

케인스는 시장 경제의 문제점을 보완하려면 정부가 시장에 개입해야 한다고 주장하여 대규모 공공사업으로 일자리를 창출하고 구매력을 높이려는 정부 정책을 뒷받침하였다.

(4) 신자유주의(20세기 후반)

신자유주의: 하이에크는 정부가 시장에 개입하는 것이 비효율성이나 부패를 낳아 효율적인 자원 배분을 저해하므로 경제는 시장의 기능에 맡겨야 한다고 주장하였다.

스태그플레이션: 경기 침체와 물가 상승이 동시에 발생하고 있는 상태

| | |
|---|---|
| 등장 배경 | 두 차례의 석유 파동으로 스태그플레이션이 발생함 → 정부의 적극적인 시장 개입이 오히려 자원 배분의 비효율을 초래하는 문제가 발생함 |
| 특징 | • 정부의 역할을 제한하고 시장의 기능과 자유로운 경제 활동을 강조함 → 기업에 대한 세금 감면, 노동 시장의 유연성 강화, 공기업의 민영화, 복지 축소 등<br>• 시장의 효율성은 증진되었지만 빈부 격차가 심화된다는 비판이 제기되기도 함 |

## B 합리적 선택의 의미와 한계

### ★ 1. 합리적 선택

(1) 합리적 선택: 최소의 비용으로 최대의 편익을 얻을 수 있도록 선택하는 것

(2) 합리적 선택의 고려 사항

① 기회비용: 어떤 것을 선택함으로써 포기한 것들 중 가장 가치 있는 것

| | |
|---|---|
| 명시적 비용 | 대안을 선택함으로써 직접 화폐로 지출하는 비용 |
| 암묵적 비용 | 선택을 위해 포기한 대안이 갖는 가치 → 화폐로 지출하지는 않지만 발생하는 비용 |

② 편익: 어떤 선택을 통해 얻어지는 만족이나 이익

편익: 물질적이고 금전적인 이익뿐만 아니라 심리적 만족과 같은 비금전적인 것도 포함한다.

(3) 합리적 선택의 원칙

① 선택에 따른 편익이 기회비용보다 큰 것을 선택해야 함

② 선택함으로써 새롭게 발생하는 비용과 편익만 비교해야 함 → 매몰 비용은 고려해서는 안 됨

매몰 비용: 이미 지급하고 난 뒤 회수할 수 없는 비용

> **비용 – 편익 분석을 통한 합리적 선택**
> 대학생인 갑은 서점에서 아르바이트를 하면서 한 시간당 8,000원을 받고 있는데 오늘 저녁 친구들이 뷔페를 가자고 한다. 뷔페에 가려면 아르바이트 두 시간을 빼야 하고, 뷔페 가격은 10,000원이다. 만약 갑이 친구들과 뷔페에 가기로 했다면 이를 통해 어느 정도의 편익을 얻어야 합리적 선택일까?

제시된 사례에서 갑의 기회비용은 뷔페 가격인 10,000원에 아르바이트를 하지 못해 포기한 비용인 16,000원을 합한 26,000원이다. 따라서 뷔페 식사를 통해 얻는 편익이 26,000원보다 작다면 합리적인 선택으로 볼 수 없다.

### 2. 합리적 선택의 한계와 극복 노력

| | |
|---|---|
| 한계 | • 선택에 따른 편익과 비용을 정확히 파악하기가 어려움<br>• 지나치게 효율성만 추구할 경우 공공의 이익이나 규범 준수와 같은 가치를 훼손할 수 있음 |
| 극복 노력 | 합리적 선택의 효율성뿐만 아니라 공공의 이익도 고려하여 공정한 경쟁의 틀 안에서 올바른 선택이 이루어지도록 해야 함 |

## C 시장 경제의 한계와 시장 참여자의 역할

### ★ 1. 시장 경제의 한계

(1) 시장 실패의 의미와 원인

① 시장 실패: 시장에서 자원이 비효율적으로 배분되는 상태

② 시장 실패의 원인

| | |
|---|---|
| 불완전 경쟁 | 하나 또는 소수의 기업이 지배하는 상품 시장에서 기업이 이윤 극대화를 위해 가격이나 생산량을 임의로 조정할 수 있음 |
| 공공재 공급 부족 | 공공재는 무임승차 문제가 나타나기 쉬움 → 시장 기능에 만 맡겨둘 경우 필요한 양만큼 생산되지 않음 (무임승차: 어떤 재화나 서비스를 소비하여 이득을 보았음에도 불구하고 이에 대한 대가를 지급하지 않는 행위) |
| 외부 효과 발생 | • 외부 경제: 다른 사람에게 혜택을 주지만 그에 대한 대가를 받지 않는 긍정적 외부 효과<br>• 외부 불경제: 다른 사람에게 손해를 끼치지만 그에 대한 보상을 하지 않는 부정적 외부 효과 |

(가) 담장을 허물고 정원을 가꾸면 집주인뿐만 아니라 이웃이나 지나가는 사람에게 즐거움을 주는데도 담장을 허물어 정원을 가꾸는 집은 그리 많지 않다.

(나) 어떤 공장에서 대기 오염을 일으키는 물질을 배출하자, 인근 주민들이 호흡기 질환으로 병원을 찾는 일이 잦아졌다. 그러나 공장에서는 어떠한 배상도 하지 않았다.

(가)는 외부 경제의 사례이고, (나)는 외부 불경제의 사례이다. 시장 경제에서는 외부 효과로 인해 발생하는 혜택이나 비용이 계산되지 않기 때문에 재화나 서비스가 사회적으로 적정한 수준보다 많거나 적게 생산 또는 소비되어 자원이 효율적으로 배분되지 않는다.

(2) 시장 실패 이외의 한계: 소득 불균형, 실업, 인플레이션 등

### 2. 시장 참여자의 바람직한 역할

★ (1) 정부의 역할 (예 「독점 규제 및 공정 거래에 관한 법률」 적용, 한국 소비자원·공정 거래 위원회 운영 등)

① 공정한 경쟁 유도: 독점 기업의 횡포 및 과점 기업의 담합, 기업 간 불공정 거래 등 공정한 경쟁을 해치는 행위를 규제하고, 소비자의 권리를 보호함

② 공공재 공급: 국방, 치안, 도로, 항만, 공원, 도서관 등과 같이 사회 운영에 꼭 필요하지만, 시장에서 충분히 생산되지 못하는 공공재를 직접 생산하고 공급함

국방 서비스는 서비스 사용에 대한 비용을 지불하지 않은 사람을 소비로부터 배제할 수 없다. 또한 우리나라에 방문한 외국인이 우리나라의 국방 서비스를 소비한다고 해서 우리나라 국민이 소비할 수 있는 몫이 줄어들지도 않는다.

공공재는 한 사람이 사용하더라도 다른 사람이 얼마든지 사용할 수 있고, 대가를 지급하지 않아도 누구든지 사용할 수 있으므로 무임승차의 문제가 나타나기 쉽다. 이러한 특성 때문에 공공재 생산은 시장 원리에 충실한 민간 기업에서 담당하기 어렵고, 사회가 필요로 하는 만큼 공급되지 않는다. 따라서 정부에서 직접 공공재를 생산하여 공급한다.

③ 외부 효과 개선

| | |
|---|---|
| 외부 경제 | 보조금 지급, 세금 감면 등의 긍정적 유인을 제공하여 생산이나 소비를 늘리도록 유도함 |
| 외부 불경제 | 오염 물질 배출량 제한, 세금 부과 등의 부정적 유인을 제공하여 생산이나 소비를 줄이도록 유도함 |

(2) 기업의 역할

① 기업가 정신 발휘: 기업가는 이윤 극대화를 위해 위험과 불확실성을 무릅쓰고 모험적이고 창의적인 정신을 발휘할 필요가 있음 → 기업의 생산성 향상, 일자리 창출 등 (이윤 극대화: 기업은 생산 활동을 통해 이윤 극대화라는 목적을 추구한다.)

② 사회적 책임 실천: 건전한 이윤을 추구하면서 환경과 공동체 전체를 배려해야 함 예 윤리 경영, 공정한 경쟁, 소비자 및 노동자의 이익 보호, 장애인 고용 등

(3) 노동자의 역할과 권리

① 노동자의 역할: 사용자와 맺은 근로 계약에 따라 자신의 업무를 성실히 수행하고, 사용자와 소통하고 협력하며 상생의 관계를 형성하도록 노력해야 함

② 노동자의 권리: 노동자는 사용자에게 법이 정한 근로 조건을 요구할 수 있으며, 헌법에 보장된 노동 삼권(단결권, 단체 교섭권, 단체 행동권)을 행사할 수 있음

| | |
|---|---|
| 단결권 | 노동자가 노동조합을 결성할 수 있는 권리 |
| 단체 교섭권 | 노동조합이 사용자와 근로 조건에 관해 교섭할 수 있는 권리 |
| 단체 행동권 | 사용자를 상대로 파업 등의 쟁의 행위를 할 수 있는 권리 |

★ (4) 소비자의 역할

| | |
|---|---|
| 소비자 주권 확립 | 환경과 건강을 해치는 상품이나 부당한 영업 행위에 대해 감시해야 함 |
| 합리적 소비 실천 | • 자신이 소유한 자원의 범위 내에서 합리적 소비를 통해 최대 효용을 얻기 위해 노력해야 함<br>• 소득 수준에 맞지 않는 무분별한 과소비는 지양해야 함 |
| 윤리적 소비 실천 | 원료 재배, 생산, 유통 등의 전 과정이 소비와 연결되어 있다는 것을 인식하고 인간, 동물, 환경에 해를 끼치지 않는 윤리적인 상품을 구매해야 함 예 친환경 상품, 공정 무역 상품, 동물 실험 없는 화장품 등을 구매하는 행위 |

얼마 전 ○○ 기업이 만든 살균제에 인체에 유해한 물질이 있었는데도 소비자들을 속이고 판매하는 바람에 죽거나 장애를 갖게 된 사람이 많아졌다는 사실이 밝혀졌다. 이에 소비자들은 ○○ 기업의 제품 불매 운동을 추진하였다.

제시된 사례에서 소비자들은 환경과 공동체를 고려한 윤리적 소비를 하고 있다. 원료의 재배, 생산, 유통 과정에서 소비자를 속이거나 사회적 책임을 다하지 않는 기업에 대해 불매 운동을 함으로써 기업이 건전한 제품을 만들도록 유도하고, 정의로운 경제 체제가 구축되도록 할 수 있다.

# 1단계 개념 짚어 보기

정답과 해설 19쪽

**01** 다음 빈칸에 들어갈 내용을 쓰시오.

(1) 사유 재산 제도를 바탕으로 시장에서 자유로운 경제 활동을 할 수 있도록 보장하는 경제 체제를 (　　　　　)라고 한다.

(2) 수정 자본주의에서는 시장의 한계를 보완하기 위해 사회 보장 제도 강화, 공공사업 시행 등과 같은 (　　　　　)의 개입과 역할을 강조한다.

**02** 다음 설명이 맞으면 ○표, 틀리면 ×표를 하시오.

(1) 선택에 따른 비용이 같다면 편익이 가장 큰 것으로 선택하는 것이 합리적이다. (　　)

(2) 합리적 선택을 하기 위해서는 선택으로 새롭게 발생하는 비용뿐만 아니라 매몰 비용도 고려해야 한다. (　　)

**03** 다음 괄호 안의 내용 중 알맞은 말에 ○표를 하시오.

(1) (시장 실패, 정부 실패)는 시장에서 자원이 효율적으로 배분되지 못하는 상태를 말한다.

(2) 국방 및 치안 서비스, 도로 등과 같은 공공재는 사회적으로 필요한 수준보다 (많이, 적게) 공급된다.

(3) 어떤 경제 주체의 활동이 다른 경제 주체에게 혜택을 주지만 그에 대한 대가를 받지 않는 것을 (외부 경제, 외부 불경제)라고 한다.

**04** 시장 참여자의 바람직한 역할을 옳게 연결하시오.

| | |
|---|---|
| (1) 정부 • | • ㉠ 공공재 공급 |
| (2) 기업 • | • ㉡ 성실한 업무 수행 |
| (3) 노동자 • | • ㉢ 사회적 책임 실천 |
| (4) 소비자 • | • ㉣ 공정 무역 상품 구매 |

**05** ㉠, ㉡에 들어갈 내용을 각각 쓰시오.

> 기업은 이윤 추구에만 급급하지 않고 건전하게 이윤을 추구하면서 환경과 공동체 전체를 배려하는 등 (㉠　　　　)을 다해야 한다. 한편 소비자는 환경 오염을 일으키거나 소비자의 안전을 고려하지 않는 상품 대신 친환경 상품, 공정 무역 상품 등을 구매함으로써 (㉡　　　　)를 실천할 수 있다.

# 2단계 내신 다지기

## A 자본주의의 의미와 역사적 전개 과정

**01** 다음 질문에 대한 답변으로 적절하지 않은 것은?

> 우리나라를 비롯하여 미국과 유럽의 많은 나라 사람들은 '자본주의'라는 경제 체제 아래에서 경제생활을 하고 있다. 자본주의의 특징에는 어떤 것이 있을까?

① 사유 재산권이 법적으로 보장된다.
② 누구에게나 균등한 소득을 보장한다.
③ 대부분의 경제 활동이 시장에서 이루어진다.
④ 개인의 이익 추구를 위한 자유로운 선택이 인정된다.
⑤ 시장에서 결정된 가격에 따라 상품의 거래가 이루어진다.

**02** (가)~(라)의 역사적 사건을 계기로 발달한 자본주의에 대한 설명으로 옳지 않은 것은?

> (가) 산업 혁명으로 공장제 기계 공업에 의한 상품의 대량 생산 체제가 갖추어졌다.
> (나) 신항로 개척을 계기로 유럽과 아프리카, 아메리카 등을 잇는 교역망이 형성되었다.
> (다) 두 차례에 걸친 석유 파동으로 경기 침체 속에서 물가가 상승하는 스태그플레이션이 발생하였다.
> (라) 소비자의 구매력 하락 및 과잉 생산에 따른 과도한 경쟁으로 독과점이 강화되면서 대공황이 나타났다.

① (가) – 상품의 생산보다는 유통 과정에서 이윤을 추구하였다.
② (나) – 절대 왕정의 중상주의 경제 정책하에서 발달하였다.
③ (다) – 시장에서 정부의 역할을 제한해야 한다고 보았다.
④ (라) – 정부가 시장에 적극적으로 개입하는 큰 정부를 추구하였다.
⑤ 자본주의의 역사는 '(나) – (가) – (라) – (다)' 순으로 전개되었다.

## 03 (가), (나) 주장의 영향을 받은 자본주의에 대한 설명으로 옳은 것은?

> (가) 정부 기능의 확대는 시장 경제를 침해하는 것이 아니다. 나는 그것이 시장 경제의 전면적 붕괴를 막는 유일한 수단이라고 본다.
> (나) 우리가 저녁 식사를 기대할 수 있는 건 푸줏간 주인, 양조장 주인, 빵집 주인의 자비심 덕분이 아니라, 그들이 자기 이익을 챙기려는 생각 덕분이다. … 중략 … 그는 자신의 이익을 추구함으로써 오히려 더 효과적으로 사회의 이익을 촉진한다.

① (가)는 복지 정책의 확대를 지향한다.
② (가)는 시장에 대한 규제 완화를 주장한다.
③ (나)는 민간의 자유로운 경제 활동을 제한해야 한다고 본다.
④ (가)는 (나)와 달리 개인의 자유로운 이익 추구를 보장하지 않는다.
⑤ (나)는 (가)에 비해 정부의 역할을 중시한다.

## 04 (가)에 들어갈 내용으로 적절한 것을 〈보기〉에서 고른 것은?

> 1933년 집권한 미국의 루스벨트 대통령은 뉴딜 정책으로 대공황 극복에 나섰다. 그는 소비가 살아나지 않으면 기업이 투자할 수 없고 고용도 늘어나지 않는다고 판단하였다. 그래서 케인스의 주장에 따라 ______(가)______ 등의 정책을 추진하였다.

**보기**
ㄱ. 공공사업 확대
ㄴ. 기업에 대한 세금 감면
ㄷ. 사회 보장 제도의 확대
ㄹ. 노동 시장의 유연성 강화

① ㄱ, ㄴ ② ㄱ, ㄷ ③ ㄴ, ㄷ
④ ㄴ, ㄹ ⑤ ㄷ, ㄹ

## 05 다음 사례에 나타난 문제점을 해결하기 위해 등장한 자본주의에 대한 옳은 설명을 〈보기〉에서 고른 것은?

> 1970년대 두 차례에 걸친 석유 공급 감소로 국제 석유 가격이 상승하여 전 세계적으로 경기 침체와 물가 상승이 동시에 나타나는 스태그플레이션이 발생하였다. 당시 이를 해결하려는 정부의 정책이 효과를 보지 못하고 정부의 재정이 악화되는 등 여러 가지 문제가 나타났다.

**보기**
ㄱ. 정부의 시장 가격 결정을 지지하였다.
ㄴ. 공기업 민영화, 복지 축소 등을 주장하였다.
ㄷ. 시장의 한계를 해결하기 위해 큰 정부를 강조하였다.
ㄹ. 시장의 효율성은 높아졌지만 빈부 격차가 심화되는 문제점이 나타났다.

① ㄱ, ㄴ ② ㄱ, ㄷ ③ ㄴ, ㄷ
④ ㄴ, ㄹ ⑤ ㄷ, ㄹ

출제가능성 90%

## 06 밑줄 친 ㉠~㉢에 해당하는 자본주의에 대한 옳은 설명을 〈보기〉에서 고른 것은?

> 18~19세기에는 ㉠ 자유방임주의에 기초한 자본주의 체제가 발달하였다. 그러나 1929년 시작된 대공황으로 기업 도산, 대량 실업, 경기 침체 등의 문제가 발생하자 이를 해결하기 위한 ㉡ 새로운 자본주의가 등장하였다. 한편 20세기 후반에 들어서면서 정부의 적극적인 시장 개입이 오히려 자원 배분의 비효율을 초래하자 이를 비판하는 ㉢ 새로운 움직임이 나타났다.

**보기**
ㄱ. ㉠을 받아들인 국가에서는 작은 정부를 추구하였다.
ㄴ. ㉡에서는 독점 방지, 실업자 구제 등과 같은 정부의 개입과 역할을 강조하였다.
ㄷ. ㉡은 ㉠에 비해 시장의 기능을 더 신뢰한다.
ㄹ. ㉢은 ㉡과 달리 민간의 자유로운 경제 활동을 제한한다.

① ㄱ, ㄴ ② ㄱ, ㄷ ③ ㄴ, ㄷ
④ ㄴ, ㄹ ⑤ ㄷ, ㄹ

## B 합리적 선택의 의미와 한계

출제가능성 90%

**07** 다음 사례에 대한 분석으로 옳은 것은?

> A 음식점에서 주방장으로 일하는 갑은 현재 300만 원의 월급을 받고 있다. 갑은 A 음식점을 그만두고 자신이 B 음식점을 개업하는 것이 어떨까 하는 생각에서 수입과 비용을 예측해 보았다. B 음식점을 개업했을 때 1년 동안의 예상 수입은 1억 원이고, 예상 비용은 7천만 원이다.

① 갑이 합리적인 선택을 할 경우 기회비용은 발생하지 않는다.
② 갑이 A 음식점에서 계속 일할 경우 기회비용은 1억 원이다.
③ 갑은 A 음식점에서 일하는 것보다 B 음식점을 개업하는 것이 더 합리적이다.
④ 갑이 B 음식점을 개업하여 1년간 운영할 경우 암묵적 비용은 3천 6백만 원이다.
⑤ 갑이 B 음식점을 개업할 때의 편익이 1억 원이라면 A 음식점을 그만두는 것이 합리적이다.

**08** 다음 사례에서 갑이 을에게 해 줄 수 있는 조언으로 가장 적절한 것은?

> 갑과 을은 함께 영화를 보러 갔다. 영화는 재미가 없었고, 30분쯤 지나서 갑이 을에게 날씨가 좋으니까 영화를 그만보고 공원 산책을 하자고 했지만, 을은 이미 지불한 영화 관람료가 아깝다면서 영화를 계속 보겠다고 했다.

① 현재의 만족만을 추구해서는 안 돼.
② 어떤 선택을 하기 전에 여러 대안을 검토해야 해.
③ 영화 관람료는 매몰 비용이므로 고려해서는 안 돼.
④ 심리적 만족과 같은 비금전적인 것도 고려해서 선택해야 해.
⑤ 합리적 선택을 위해서는 비용과 상관없이 편익이 가장 큰 대안을 선택해야 해.

## C 시장 경제의 한계와 시장 참여자의 역할

**[09~10]** 다음 글을 읽고 물음에 답하시오.

> 시장의 기능이 제대로 작동하기 위해서는 시장에서의 경쟁이 자유롭고 공정하게 이루어져야 한다. 그러나 현실 경제에서는 시장이 불완전하거나 재화나 서비스의 특성 등으로 인해 자원의 배분이 효율적으로 이루어지지 못하는 경우가 발생하기도 하는데, 이를 ( ㉠ )(이)라고 한다.

**09** ㉠에 들어갈 개념을 쓰시오.

**10** ㉠의 사례로 적절하지 않은 것은?

① 이상 기후가 나타나 농작물의 가격이 폭등하였다.
② 도로, 항만 등과 같은 공공재는 민간 기업에서 생산을 꺼린다.
③ 꽃 가게 옆에 선물 가게가 생기면서 꽃 가게 매출이 증가하였다.
④ 교복을 생산하는 기업들이 담합하여 교복 가격을 동일하게 인상하였다.
⑤ 주택가 근처에 야구 연습장이 들어서면서 소음 공해로 고통받는 주민들이 늘어났다.

**11** (가)~(다)에 대한 옳은 설명을 〈보기〉에서 고른 것은?

> (가) 하나 또는 소수의 기업이 지배하는 상품 시장에서 기업이 가격을 임의로 조정하였다.
> (나) 공원은 사회 운영에 꼭 필요하지만 수익성이 낮아 민간 기업은 생산하려고 하지 않는다.
> (다) 어떤 공장이 생산 과정에서 사회에 의도하지 않은 피해를 주지만 그에 대한 보상을 하지 않는다.

보기

> ㄱ. (가)는 시장에서의 자유로운 경쟁을 저해한다.
> ㄴ. (나)는 정부가 시장에 개입하는 이유가 될 수 있다.
> ㄷ. (다)는 사회적으로 적정한 수준보다 적게 생산된다.
> ㄹ. (가)~(다)는 자원이 효율적으로 배분되는 상태이다.

① ㄱ, ㄴ ② ㄱ, ㄷ ③ ㄴ, ㄷ
④ ㄴ, ㄹ ⑤ ㄷ, ㄹ

**12** 밑줄 친 정부의 활동에 대한 옳은 분석만을 <보기>에서 있는 대로 고른 것은?

> ○○ 공사 입찰에서 4개의 기업들이 입찰 전에 전화 통화 및 문자 메시지를 주고받으며 담합을 했다는 것이 드러났다. 이에 공정 거래 위원회는 서로 담합을 한 과점 기업에 수백억 원의 과징금을 부과했다.

보기
- ㄱ. 외부 불경제를 개선한다.
- ㄴ. 자원 배분의 효율성을 높인다.
- ㄷ. 시장의 공정한 경쟁을 해치는 행위를 규제한다.
- ㄹ. 시장에서 충분히 생산되지 못하는 재화를 공급한다.

① ㄱ, ㄴ ② ㄱ, ㄷ ③ ㄴ, ㄷ
④ ㄱ, ㄴ, ㄷ ⑤ ㄴ, ㄷ, ㄹ

출제가능성 90%

**13** 갑과 을의 주장에 대한 분석 및 추론으로 가장 적절한 것은?

> • 갑: 기업의 유일한 역할은 생산 활동을 통해 이윤 극대화라는 목적을 추구하는 것이다.
> • 을: 기업은 이윤 추구 이외에도 사회 구성원으로서 사회에 긍정적인 영향을 주는 책임 있는 활동을 해야 한다.

① 갑은 환경과 공동체 전체를 배려하는 윤리 경영을 강조할 것이다.
② 갑은 최소 비용으로 최대 생산을 이끌어내야 한다고 주장할 것이다.
③ 을은 새로운 시장의 개척만을 중시할 것이다.
④ 을은 생산비 절감을 위한 기업의 대규모 구조 조정에 찬성할 것이다.
⑤ 을은 기업이 공공의 이익을 실현할 의무가 있다는 것을 부정할 것이다.

**14** 갑과 을이 행사한 권리를 옳게 연결한 것은?

> • A 회사에 근무하는 갑은 근로 조건의 개선을 위해 직원들을 설득하여 노동조합을 설립하였다.
> • B 회사에서 노조 위원장을 맡고 있는 을은 사용자 측과의 임금 협상에서 기본급 인상에 합의하였다.

| | 갑 | 을 |
|---|---|---|
| ① | 단결권 | 단체 교섭권 |
| ② | 단결권 | 단체 행동권 |
| ③ | 단체 교섭권 | 단결권 |
| ④ | 단체 행동권 | 단결권 |
| ⑤ | 단체 행동권 | 단체 교섭권 |

**15** 밑줄 친 내용에 해당하는 사례로 적절하지 않은 것은?

> 윤리적 소비를 평가하는 기준은 인간, 동물, 환경, 지속 가능성이다. 즉 윤리적 소비는 인간이나 동물, 환경에 해를 끼치는 상품은 피하고, 환경과 지역 사회에 도움이 되거나 공정 무역을 통해 만들어진 상품을 구매하며, 제3 세계 노동자들을 인식하자는 소비 운동이다.

① 재활용 소재를 활용한 옷을 구매한다.
② 공정 무역으로 수입된 초콜릿을 구매한다.
③ 생산 농가에서 직거래로 유기농 채소를 구매한다.
④ 배기가스가 기준치 이상 발생하는 자동차는 구매하지 않는다.
⑤ 동물을 대상으로 다양한 실험을 해보고 만든 화장품을 구매한다.

**01** 다음 토론에서 갑과 을의 주장에 대한 옳은 분석 및 추론을 〈보기〉에서 고른 것은?

- 갑: 우리 경제의 발전을 위해 정부는 다양한 방면에서 적극적으로 시장에 개입해야 합니다.
- 을: 제 생각은 다릅니다. 정부는 시장의 기능을 신뢰하고 시장 개입을 최소화해야 합니다.

보기

ㄱ. 갑은 사회 보장 제도를 강화하자는 의견을 지지할 것이다.
ㄴ. 을은 세율을 높이고 새로운 세금을 만드는 것에 찬성할 것이다.
ㄷ. 갑은 을과 달리 경쟁을 저해하는 규제의 폐지에 찬성할 것이다.
ㄹ. 을은 갑에 비해 시장의 기능을 더 중요하게 생각할 것이다.

① ㄱ, ㄴ ② ㄱ, ㄹ ③ ㄴ, ㄷ
④ ㄴ, ㄹ ⑤ ㄷ, ㄹ

2015 수능 응용

**02** 교사의 질문에 대한 학생의 답변으로 옳지 않은 것은?

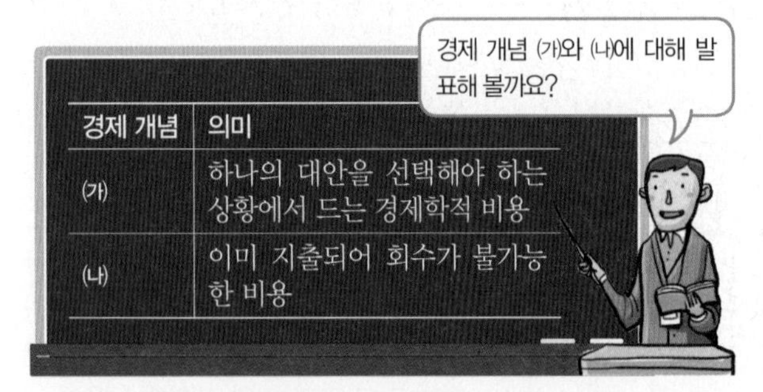


① 갑: (가)는 기회비용에 해당해요.
② 을: 경제적 선택을 할 때 (나)를 고려해서는 안 돼요.
③ 병: 합리적 선택은 편익이 (가)보다 큰 대안을 선택하는 것이에요.
④ 정: 가격이 동일한 상품 중 하나를 소비할 때 포기한 대안들 중 가장 편익이 큰 것으로 (가)를 측정할 수 있어요.
⑤ 무: 가격이 동일한 상품 중 하나를 소비할 때 포기한 대안들의 편익을 모두 합한 것으로 (나)를 측정할 수 있어요.

2018 평가원 응용

**03** 다음에 나타난 현상에 대한 설명으로 옳지 않은 것은?

해안에 등대를 설치하면 오가는 모든 배들이 항로를 파악하는 데 도움이 된다. 그런데 일단 등대가 설치되면 대가를 지불하지 않고도 혜택을 얻을 수 있기 때문에 누군가가 먼저 설치해 주기만을 기다리게 된다.

① 자원의 비효율적인 배분을 초래한다.
② 시장에서 충분히 생산이 이루어지기 어렵다.
③ 무임승차를 배제할 수 없다는 점에서 비롯된다.
④ 정부의 시장 개입 확대를 주장하는 근거가 된다.
⑤ 한 사람의 소비가 다른 사람의 소비 기회를 감소시킨다.

최고난도

**04** 다음 자료에 대한 옳은 설명을 〈보기〉에서 고른 것은?

갑은 여름휴가로 언제, 어느 지역을 여행할지 고민 중이다. 아래 표는 각 대안을 화폐 단위로 평가한 것이다. (단, 제시된 내용 외의 요인은 고려하지 않는다.)

(단위: 만 원)

| 구분 | A 지역 여행 | | B 지역 여행 | |
|---|---|---|---|---|
| | 편익 | 비용 | 편익 | 비용 |
| 평일 | 45 | 15 | 30 | 25 |
| 주말 | 35 | 25 | 40 | 20 |

보기

ㄱ. A 지역을 평일에 여행할 경우 기회비용은 35만 원이다.
ㄴ. A 지역을 평일에 여행하는 것이 가장 합리적인 선택이다.
ㄷ. B 지역을 주말에 여행하는 데 따른 순편익은 0원이다.
ㄹ. B 지역을 평일에 여행하는 데 따른 기회비용은 A 지역을 주말에 여행할 경우 얻을 편익보다 작다.

① ㄱ, ㄴ ② ㄱ, ㄹ ③ ㄴ, ㄷ
④ ㄴ, ㄹ ⑤ ㄷ, ㄹ

2017 평가원 응용

**05** 다음 글을 쓴 사람이 긍정의 대답을 할 질문으로 가장 적절한 것은?

> "기업은 자유 시장에서 이윤 극대화 이외의 사회적 책임을 지지 않아도 된다."라는 주장은 시장 실패를 통해 그 부당성이 입증될 수 있다. 시장 실패의 대표적 사례는 기업 활동으로 인한 환경 오염과 같은 부정적 외부 효과이다. 이에 따른 문제의 핵심은 환경 오염의 처리 비용을 당사자인 기업이 아니라 일반 시민이나 미래 세대 같은 제삼자가 부담해야 한다는 사실이다. 그러나 이는 분명히 잘못이다. 윤리적 관점에서 볼 때, 기업은 이윤이 감소하더라도 사회적 문제에 대해 적극적으로 책임을 져야 한다.

① 기업의 유일한 사회적 책임은 이윤 극대화 추구인가?
② 기업은 외부 효과 방지를 위해 이윤 극대화 활동에 전념해야 하는가?
③ 기업은 미래 세대의 생존과 삶의 질 문제에 관심을 기울여야 하는가?
④ 기업은 노동자의 복지보다 생산 비용 절감을 우선적으로 고려해야 하는가?
⑤ 기업은 이윤 극대화를 위해 정년 단축을 통한 대규모 구조 조정을 실시해야 하는가?

**06** 갑과 을의 입장으로 적절한 것을 <보기>에서 고른 것은?

> • 갑: 소비를 할 때는 상품과 서비스에 대한 올바른 정보를 바탕으로 편익과 비용을 고려해야 한다.
> • 을: 상품이나 서비스를 구매할 때는 인류의 보편적 가치를 소중히 고려하여 올바르게 선택해야 한다.

보기

ㄱ. 갑: 소비가 인간과 동물에 미치는 영향을 고려해야 한다.
ㄴ. 갑: 소비자는 자신이 소유한 자원의 범위 내에서 최대 효용을 얻기 위해 노력해야 한다.
ㄷ. 을: 상품을 선택할 때는 경제적 측면을 우선시해야 한다.
ㄹ. 을: 제품 구매 시 원료의 재배 및 유통 과정도 고려해야 한다.

① ㄱ, ㄷ　② ㄱ, ㄹ　③ ㄴ, ㄷ
④ ㄴ, ㄹ　⑤ ㄷ, ㄹ

## 서술형 문제

**07** 다음 글을 읽고 물음에 답하시오.

> 산업 혁명으로 경제의 생산 능력은 증가하였으나 아동 노동의 착취, 도시 빈민 발생 등의 사회 문제가 나타났다. 뿐만 아니라 기업들의 경쟁 과정에서 소수의 거대한 독점 기업들이 시장을 장악하면서 경제 활동의 순환이 어려워졌고, 시장 경제는 큰 위기를 맞았다. 이러한 상황에서 케인스의 ( ㉠ ) 이론이 힘을 얻게 되었다.

(1) ㉠에 들어갈 자본주의를 쓰시오.

(2) ㉠에서 정부의 역할을 서술하시오.

**08** 다음 글을 읽고 물음에 답하시오.

> 어떤 경제 주체의 경제 활동이 다른 경제 주체에게 의도하지 않은 혜택을 주지만 그에 대한 대가를 받지 않는 경우를 ( ㉠ )(이)라고 한다. 한편 어떤 경제 주체의 경제 활동이 다른 경제 주체에게 손해를 끼치지만 그에 대한 보상을 하지 않는 경우를 ( ㉡ )(이)라고 한다.

(1) ㉠, ㉡에 들어갈 개념을 각각 쓰시오.

(2) ㉠, ㉡에 나타난 현상을 개선하기 위한 정부의 역할을 각각 서술하시오.

# 03 국제 무역의 확대와 영향
# ~04 자산 관리와 금융 생활

## A 국제 분업과 무역의 필요성

### 1. 국제 분업과 무역

각 국가가 보유한 생산 요소를 특정 재화나 서비스의 생산에 집중 투입하여 전문성과 생산성을 높이는 생산 방식

(1) 국제 분업의 의미와 발생 원인

| | |
|---|---|
| 의미 | 국가별로 각자의 특수한 환경에 가장 적합한 상품을 특화하여 생산하는 것 |
| 발생 원인 | 지역마다 기후, 지형 등과 같은 자연조건이 다르고 생산 요소의 질과 양도 차이가 남 → 국가 간 생산비의 차이 발생 |

(2) 무역의 의미와 필요성

| | |
|---|---|
| 의미 | 각 국가가 자신들이 생산한 상품이나 서비스, 생산 요소 등을 다른 국가와 사고파는 국제 거래 |
| 필요성 | • 자국 내에서 생산되지 않거나 부족한 재화와 서비스, 자원, 기술 등을 다른 국가에서 얻을 수 있음<br>• 각국이 다른 국가보다 생산비가 적게 드는 상품을 특화하여 생산, 교환하면 무역 당사국 모두가 이익을 얻을 수 있음 |

### ★ 2. 절대 우위와 비교 우위

(1) 절대 우위: 한 국가가 어떤 상품을 생산하는 비용이 다른 국가보다 적게 드는 것

(2) 비교 우위: 한 국가가 생산하는 상품의 기회비용이 다른 국가보다 적은 것

국가별로 각 상품의 기회비용을 비교하여 기회비용이 적은 상품을 특화 생산하여 교환하면 무역 이익을 얻을 수 있다.

## B 국제 무역 확대의 영향

### 1. 국제 무역 확대의 배경

(1) 세계화의 가속화: 교통과 통신 수단의 발달로 운송 비용이 감소하였고, 시간과 공간의 장벽이 약화되어 교류가 촉진됨

(2) 자유 무역 추구: 세계 무역 기구(WTO)를 중심으로 자유 무역을 추구함

국제 거래 시 지켜야 할 규칙을 정하고 회원국 간의 무역 마찰을 조정하는 국제기구

(3) 국가 간 경제 협력 증가: 지역 경제 협력체 결성 및 자유 무역 협정(FTA)을 통한 경제 협력이 증가함

국가 간 상품의 자유로운 이동을 위해 무역 장벽을 완화하거나 제거하는 협정

### ★ 2. 국제 무역 확대의 영향

(1) 국제 무역 확대의 긍정적 영향

| | |
|---|---|
| 소비 기회 확대 | 다양한 상품이나 서비스를 낮은 가격에 소비할 기회가 확대되어 풍요로운 소비 생활을 할 수 있음 → 소비 생활의 만족감 향상 |
| 규모의 경제 실현 | 생산 규모가 확대되고 생산량이 증가하면서 평균 생산 비용이 하락함 → 일자리 창출, 국가 경제 성장 |
| 기업 경쟁력 강화 | 국내 기업이 외국 기업과 경쟁하면서 기술 개발과 생산성 향상에 힘쓰게 됨 → 국내 기업의 효율성과 생산성 증대 |
| 새로운 기술 전파 | 국가 간 기술이나 자본 등이 이전됨 → 개발 도상국에 경제 발전의 기회 제공 |

생산 규모가 커지거나 생산량이 늘어나면서 제품 단위당 평균 생산 비용이 하락하는 경제 현상

(2) 국제 무역 확대의 부정적 영향

| | |
|---|---|
| 경쟁력 없는 기업 및 산업 쇠퇴 | 경쟁력이 낮은 국내 기업 및 산업이 위축되어 일자리와 소득이 감소할 수 있음 → 사회 통합 저해 및 사회 불안 유발 |
| 국가 간 상호 의존성 심화 | • 국외의 경제 상황에 국내 경제가 민감하게 반응할 수 있음 → 무역 의존도가 높은 국가에 더 큰 영향을 미침<br>• 정부의 독자적인 경제 정책 시행이 어려워질 수 있음 |
| 국가 간 빈부 격차 심화 | 자본과 기술이 풍부한 선진국과 상대적으로 경쟁력이 떨어지는 개발 도상국 간의 격차가 확대될 수 있음 |

국내 총생산(GDP)에서 무역액(수출액 + 수입액)이 차지하는 비율

## C 자산 관리와 금융 자산

### 1. 자산 관리의 필요성

(1) 자산 관리: 개인의 생애에 걸쳐 안정적인 경제생활을 유지하기 위해 저축과 투자에 대한 계획을 세우고 실행하는 것

(2) 자산 관리의 필요성: 평균 수명의 증가로 은퇴 이후의 생활에 대비해야 할 필요성이 높아짐 → 전 생애에 걸쳐 자산을 효과적으로 관리해야 함

### ★ 2. 자산 관리의 원칙

| | |
|---|---|
| 안전성 | • 금융 자산의 원금과 이자가 보전될 수 있는 정도<br>• 투자의 위험 요소가 많을수록 그 투자 수단의 안전성은 낮음 |
| 수익성 | • 금융 자산의 가격 상승이나 이자 수익을 기대할 수 있는 정도<br>• 수익성이 높을수록 안전성이나 유동성이 낮을 수 있음 |
| 유동성 | • 보유 자산을 필요할 때 쉽게 현금으로 전환할 수 있는 정도<br>• 자산을 현금으로 전환하는 데 시간이 오래 걸리거나 거래 가격이 높아 팔기가 쉽지 않으면 유동성이 낮다고 볼 수 있음 |

### 3. 다양한 금융 자산

• 요구불 예금: 입출금이 자유로운 예금 예 보통 예금
• 저축성 예금: 이자 수익을 주된 목적으로 하는 예금 예 정기 예금, 정기 적금

| | |
|---|---|
| 예금 | • 의미: 일정한 계약에 따라 이자를 받기로 하고 금융 기관에 돈을 맡기는 것<br>• 수익 형태: 이자<br>• 특징: 예금자 보호 제도의 보호를 받으므로 안전성이 높은 편임 |
| 주식 | • 의미: 주식회사가 경영 자금을 마련하기 위해 투자를 받고 그 대가로 회사 소유권의 일부를 지급하는 증표<br>• 수익 형태: 배당, 시세 차익<br>• 특징: 수익성이 높지만, 원금 손실의 위험이 있어 안전성은 낮음 |
| 채권 | • 의미: 국가나 공공 기관, 금융 기관, 기업 등이 미래에 일정한 이자를 지급할 것을 약속하고 돈을 빌린 후 발행하는 차용 증서<br>• 수익 형태: 이자, 시세 차익<br>• 특징: 주식보다는 안전성이 높은 편임 |
| 기타 | 간접 투자 상품인 펀드, 미래의 위험에 대비할 수 있는 보험, 노후 생활의 안정을 위한 연금 등 |

★ 표시는 시험 전에 확인해 주세요.

### 4. 합리적인 자산 관리 방법

(1) **분산 투자:** 투자 목적과 기간에 따라 각 금융 자산의 안전성, 수익성, 유동성을 고려하여 자금을 다양한 금융 자산에 적절히 분산하여 투자해야 함

(2) **유동성 수준 파악:** 장기적 관점에서 자신이 돈을 써야 하는 목적이나 시기에 맞추어 적절하게 현금화할 수 있도록 관리해야 함

## D 생애 주기별 금융 생활 설계

### 1. 생애 주기별 과업

(1) 생애 주기 : 시간의 흐름에 따라 개인이나 가족의 삶의 모습이 어떻게 변화하는지를 몇 가지 단계로 나타낸 것

(2) 생애 주기별 과업

| | |
|---|---|
| 아동기 | 교육과 성장의 시기 → 부모의 소득에 의존한 소비 생활을 함 |
| 청년기 | 취업, 결혼, 자녀 출산 등 다양한 과업이 요구되는 시기 → 점차 본인의 소득에 따른 경제생활을 하게 됨 |
| 중·장년기 | 가족 부양, 노후 준비 등의 과업을 갖는 시기 → 일반적으로 소득이 가장 많지만 소비 규모도 큼 |
| 노년기 | 건강 유지 및 은퇴 후의 행복한 생활 유지가 가장 큰 과업이 되는 시기 → 경제적 정년으로 소득보다 소비가 많음 |

(3) 생애 주기별 수입과 지출의 흐름

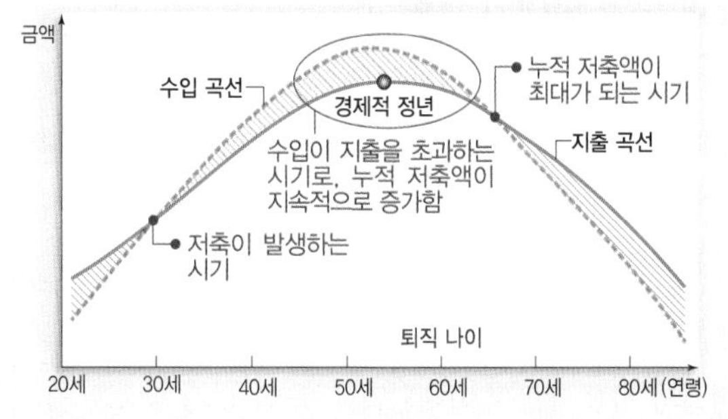


**⊙ 일반적인 생애 주기별 수입과 지출 곡선** | 시기별로 수입이 지출을 초과하는 시기가 있고, 반대로 지출이 수입을 초과하는 시기가 있다. 사람마다 수입과 지출의 크기와 추이는 다르지만 일반적으로 노년기 이전에는 수입이 지출보다 많으므로 이 시기에 충분한 금융 자산을 확보해야 한다. 따라서 전 생애 동안의 예상 소득에 맞추어 장기적인 관점에서 소비와 저축을 결정해야 한다.

### 2. 생애 주기별 금융 생활 설계

(1) **재무 설계:** 생애 주기별 과업을 바탕으로 재무 목표를 설정하고, 미래의 수입과 지출을 예상하면서 목표 달성에 필요한 구체적인 계획을 세우는 과정

(2) **재무 설계 과정:** 재무 목표 설정 → 재무 상태 분석 → 목표 달성을 위한 대안 모색 → 재무 행동 계획 실행 → 실행 평가와 수정

정답과 해설 22쪽

**01** 다음 설명이 맞으면 ○표, 틀리면 ×표를 하시오.

(1) 한 국가가 상대적으로 더 적은 기회비용으로 상품을 생산할 수 있을 때 절대 우위가 있다고 말한다. ( )

(2) 세계 무역 기구(WTO)의 출범 이후, 국가 간 무역 장벽이 낮아짐에 따라 국제 무역이 확대되었다. ( )

**02** 다음 괄호 안의 내용 중 알맞은 말에 ○표를 하시오.

(1) 국제 무역이 확대되면 생산 규모가 커지거나 생산량이 늘어나면서 생산비가 (증대, 절감)된다.

(2) 자유 무역의 확대에 따라 국외의 경제 상황이 국내 경제에 미치는 파급 효과가 (증가, 감소)하고 있다.

**03** 다음 빈칸에 들어갈 자산 관리의 원칙을 쓰시오.

(1) ( )은 금융 자산의 원금과 이자가 보전될 수 있는 정도를 말한다.

(2) 금융 자산의 가격 상승이나 이자 수익을 기대할 수 있는 정도를 ( )이라고 한다.

(3) 보유 자산을 필요할 때 쉽게 현금으로 전환할 수 있는 정도를 ( )이라고 한다.

**04** 다음에서 설명하는 금융 자산을 〈보기〉에서 골라 기호를 쓰시오.

| 보기 | | |
|---|---|---|
| ㄱ. 예금 | ㄴ. 주식 | ㄷ. 채권 |

(1) 예금자 보호 제도의 보호를 받아 안전성이 높은 편이다. ( )

(2) 국가나 공공 기관, 금융 기관이 미래에 자금을 조달하기 위해 발행하는 차용 증서이다. ( )

(3) 배당 또는 시세 차익을 통해 수익을 누릴 수 있지만, 원금 손실의 위험이 있어 안전성이 낮은 편이다. ( )

**05** 생애 주기별 주요 과업을 옳게 연결하시오.

| | |
|---|---|
| (1) 아동기 • | • ㉠ 교육 및 성장 |
| (2) 청년기 • | • ㉡ 결혼 및 자녀 출산 |
| (3) 중·장년기 • | • ㉢ 노후 생활 및 건강 유지 |
| (4) 노년기 • | • ㉣ 자녀 양육 및 노후 준비 |

## A 국제 분업과 무역의 필요성

**01** 다음 사례를 통해 알 수 있는 국제 분업과 무역의 발생 원인으로 적절하지 않은 것은?

> 국토 대부분이 사막 지역인 아랍에미리트에는 석유 매장량이 많은 대신 농사지을 수 있는 땅이 거의 없다. 그래서 아랍에미리트는 에티오피아를 비롯한 여러 국가에서 농작물을 수입한다. 한편 에티오피아는 풍부한 노동력과 적합한 기후 조건을 보유해 전 국토의 약 70%에 달하는 토지에서 농작물 재배가 가능하다. 그러나 에티오피아는 지하자원이 부족해 사우디아라비아와 아랍에미리트 등에서 석유를 수입하고 있다.

① 모든 국가가 무역을 통해 동일한 이익을 얻을 수 있기 때문이다.
② 국가마다 노동, 자본 등 생산 요소의 질과 양이 다르기 때문이다.
③ 국가마다 보유하고 있는 천연자원의 종류와 양이 다르기 때문이다.
④ 자국에서 얻기 힘든 물건을 다른 국가에서 얻을 수 있기 때문이다.
⑤ 같은 종류의 상품을 만들더라도 각 국가마다 생산비가 다르기 때문이다.

**02** 다음 사례에 대한 옳은 분석을 〈보기〉에서 고른 것은?

> 갑국은 높은 기술력을 바탕으로 을국보다 카메라와 운동화를 싸게 만들 수 있다. 그러나 갑국은 카메라를 직접 생산하고 운동화는 노동력이 풍부한 을국에서 수입하고 있다. 한편 기술력이 부족한 을국은 갑국으로부터 카메라를 수입하고 있다.

**보기**
ㄱ. 갑국은 카메라 생산에 절대 우위를 갖는다.
ㄴ. 갑국은 운동화 생산에 절대 우위와 비교 우위를 모두 갖는다.
ㄷ. 을국은 운동화 생산에 비교 우위를 갖는다.
ㄹ. 무역을 통해 얻는 이익은 을국이 갑국보다 클 것이다.

① ㄱ, ㄴ ② ㄱ, ㄷ ③ ㄴ, ㄷ
④ ㄴ, ㄹ ⑤ ㄷ, ㄹ

출제가능성 90%

**03** 표는 갑국과 을국이 쌀과 자동차 한 단위를 생산하는 데 드는 비용을 나타낸다. 이에 대한 분석으로 옳지 않은 것은?

| 구분 | 갑국 | 을국 |
|---|---|---|
| 쌀 | 100원 | 600원 |
| 자동차 | 200원 | 300원 |

① 갑국은 자동차 생산에 절대 우위를 갖는다.
② 을국은 자동차 생산에 비교 우위를 갖는다.
③ 갑국은 쌀, 을국은 자동차 생산에 특화하는 것이 유리하다.
④ 쌀 생산의 상대적 생산비는 을국이 갑국보다 적다.
⑤ 자동차 1단위 생산의 기회비용은 갑국이 을국의 4배이다.

## B 국제 무역 확대의 영향

**04** 밑줄 친 ㉠, ㉡에 대한 옳은 설명을 〈보기〉에서 고른 것은?

> 국제 사회는 ㉠ 세계 무역 기구(WTO)를 중심으로 활발한 무역을 전개하고 있다. 세계 무역 기구가 출범한 이후 농산물, 서비스 등 국제적으로 거래되는 모든 상품과 서비스의 시장 개방이 확대되었다. 또한 세계 각국은 경제적 이해관계를 같이하는 국가끼리 ㉡ 자유 무역 협정(FTA)을 체결하여 국제 거래에서 자국의 이익을 증진하기 위해 노력하고 있다.

**보기**
ㄱ. ㉠은 회원국 간의 무역 마찰을 조정한다.
ㄴ. ㉠은 보호 무역의 확산을 목적으로 설립되었다.
ㄷ. ㉡은 협정 당사국 간 무역 장벽을 낮추거나 제거한다.
ㄹ. ㉡은 체결 당사국 간의 경제적 상호 의존도를 낮출 것이다.

① ㄱ, ㄴ ② ㄱ, ㄷ ③ ㄴ, ㄷ
④ ㄴ, ㄹ ⑤ ㄷ, ㄹ

**05** 그림은 우리나라의 무역 의존도 추이를 나타낸다. 이를 통해 알 수 있는 우리나라의 경제 상황에 대한 분석으로 적절한 것은?

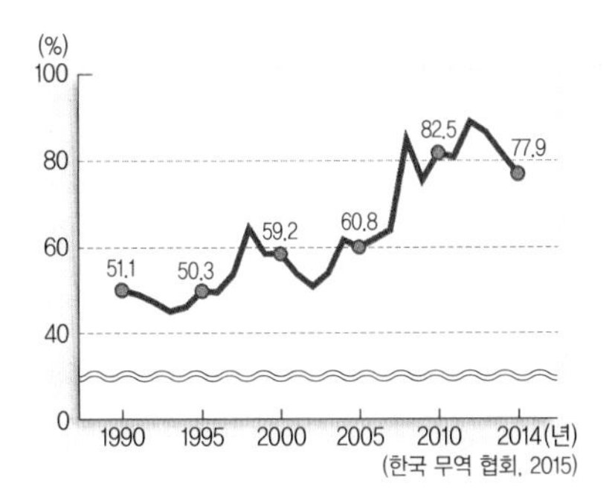


① 규모의 경제 실현으로 기업의 생산비가 증가할 것이다.
② 정부에서 시행하는 경제 정책의 자율성이 높아질 것이다.
③ 국내 경제는 해외 불안 요인의 영향을 받지 않을 것이다.
④ 경쟁력을 갖추지 못한 국내 산업은 어려움을 겪을 수 있다.
⑤ 소비자가 선택할 수 있는 상품과 서비스의 폭이 축소될 것이다.

**06** 국제 무역을 바라보는 갑과 을의 입장에 대한 분석 및 추론으로 옳지 않은 것은?

- 갑: 무역이 확대되면서 다양한 상품을 싼값에 소비할 수 있게 되었어. 무역은 우리의 경제생활에 이익이 되므로 더욱 확대되어야 해.
- 을: 무역의 확대가 꼭 좋은 점만 있는 건 아닌 것 같아. 자유 무역 협정(FTA)의 확대로 해외 농산물이 쏟아져 들어오면서 수많은 국내 농가들이 폐업하고 있대.

① 갑은 자유 무역 협정(FTA)의 확대에 찬성할 것이다.
② 갑의 주장은 세계 무역 기구(WTO)의 설립 취지에 부합한다.
③ 을은 국내 경제의 해외 의존도 심화를 우려할 것이다.
④ 을은 국제 무역의 확대가 국가 간 빈부 격차를 심화시킨다고 볼 것이다.
⑤ 을은 국제 무역의 확대를 통해 국내 기업의 경쟁력이 강화된다고 볼 것이다.

## C 자산 관리와 금융 자산

**07** 그림은 갑이 보유하고 있는 금융 자산의 구성을 나타낸다. 이에 대한 분석 및 추론으로 옳지 않은 것은?

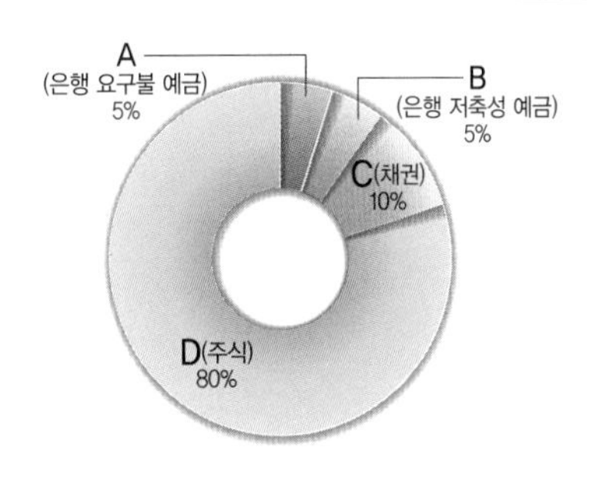


① A는 예금자 보호 제도의 대상이다.
② B는 D에 비해 안전성이 높다.
③ C는 A에 비해 유동성이 높다.
④ 갑은 배당금이 지급되는 금융 상품에 투자하고 있다.
⑤ 갑은 안전성보다 수익성을 우선시하는 투자 성향을 보이고 있다.

출제가능성 90%

**08** (가), (나)는 금융 상품의 유형을 나타낸 것이다. 이에 대한 옳은 설명을 <보기>에서 고른 것은?

(가) 국가나 공공 기관 등이 미래에 이자를 지급할 것을 약속하고 돈을 빌리면서 발행하는 차용 증서
(나) 주식회사가 경영 자금을 마련하기 위해 투자를 받고 그 대가로 회사 소유권의 일부를 지급하는 증표

보기
ㄱ. (가)는 원칙적으로 만기가 있는 상품이다.
ㄴ. (나)는 원금 손실의 위험이 큰 편이다.
ㄷ. (가)는 (나)와 달리 시세 차익을 기대할 수 있다.
ㄹ. (나)는 (가)에 비해 안전성은 높지만, 수익성은 낮다.

① ㄱ, ㄴ ② ㄱ, ㄷ ③ ㄴ, ㄷ
④ ㄴ, ㄹ ⑤ ㄷ, ㄹ

**09** 그림은 갑, 을이 보유한 금융 상품의 구성을 나타낸다. 이에 대한 옳은 분석 및 추론만을 〈보기〉에서 있는 대로 고른 것은? (단, 갑과 을의 투자 금액은 동일하다.)

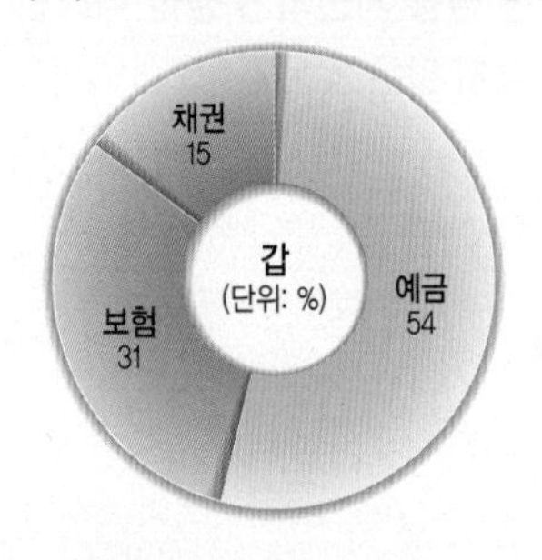


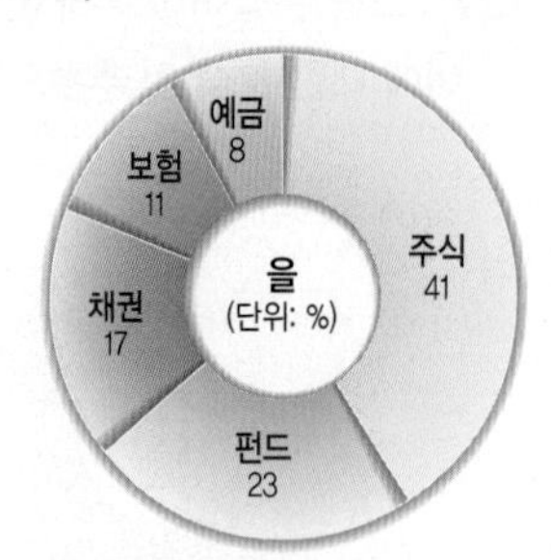


보기
ㄱ. 을은 갑에 비해 분산 투자의 원칙에 더 충실하다.
ㄴ. 미래의 위험에 대비할 수 있는 금융 상품의 비중은 갑이 을보다 크다.
ㄷ. 예금 금리가 낮아지면 을보다 갑이 수익에 더 많은 영향을 받을 것이다.
ㄹ. 을은 갑과 달리 수익성보다 안전성을 중시하는 투자 선향을 보이고 있다.

① ㄱ, ㄴ ② ㄱ, ㄷ ③ ㄴ, ㄷ
④ ㄱ, ㄴ, ㄷ ⑤ ㄴ, ㄷ, ㄹ

## D 생애 주기별 금융 생활 설계

**10** 다음은 수업 시간의 한 장면이다. 교사의 질문에 옳게 답변한 학생을 고른 것은?

① 갑, 을 ② 갑, 정 ③ 을, 병
④ 을, 정 ⑤ 병, 정

출제가능성 90%

**11** 그림은 생애 주기에 따른 일반적인 수입과 지출의 흐름을 나타낸다. 이에 대한 옳은 분석을 〈보기〉에서 고른 것은?

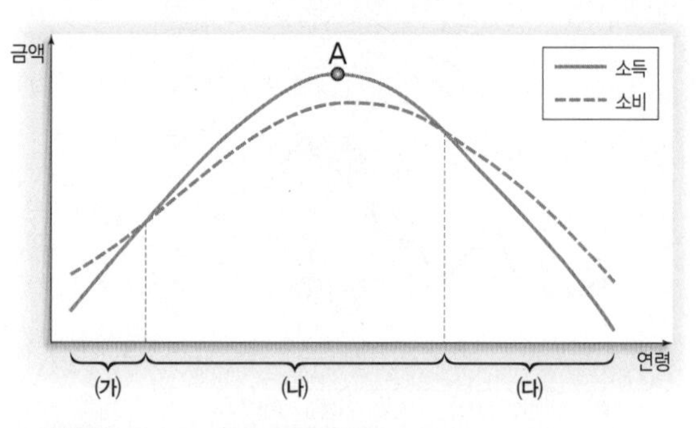


보기
ㄱ. (가) 시기 이전에는 저축이 발생하기 어렵다.
ㄴ. 평균 수명이 연장되어 (다) 시기가 점차 감소하고 있다.
ㄷ. (나) 시기는 (다) 시기보다 소득 대비 소비의 비중이 작다.
ㄹ. A 시기에 퇴직하는 것이 안정된 노후 생활을 위해 바람직하다.

① ㄱ, ㄴ ② ㄱ, ㄷ ③ ㄴ, ㄷ
④ ㄴ, ㄹ ⑤ ㄷ, ㄹ

**12** 다음은 결혼 준비를 위한 갑의 재무 설계 과정을 나타낸 것이다. (가)~(라) 단계에 대한 분석으로 옳지 않은 것은?

(가) 갑은 자신의 월급, 통장 잔고와 월별 지출 내역을 파악하였다.
(나) 지난달 취업에 성공한 갑은 2년 안에 결혼 자금을 마련하겠다는 계획을 세웠다.
(다) 갑은 결혼 자금 마련을 위해 월급의 40%를 정기 적금에 넣고, 10%를 주식에 투자하였다.
(라) 취업 후 경조사비 지출이 늘어난 갑은 정기 적금에 대한 비중을 줄여 비상금을 모으기로 결정했다.

① (가) 단계에서는 재무 목표 달성에 필요한 자금 규모를 설정해야 한다.
② (나) 단계에서는 목표의 우선 순위, 자신의 가치관 등을 고려해야 한다.
③ (다) 단계에서 갑은 소득 수준을 고려하여 포트폴리오를 구성하여야 한다.
④ (라) 단계에서 갑은 자신의 지출 변화에 따라 포트폴리오를 수정하였다.
⑤ 재무 설계 과정은 '(나) − (가) − (다) − (라)'의 순서대로 이루어진다.

최고난도

**01** 표는 갑국과 을국이 X재와 Y재를 1단위 생산하는 데 드는 비용을 나타낸다. 이에 대한 옳은 분석만을 <보기>에서 있는 대로 고른 것은?

| 구분 | X재 | Y재 |
|---|---|---|
| 갑국 | 60원 | 40원 |
| 을국 | 30원 | 100원 |

보기
ㄱ. 을국은 X재 생산에 절대 우위와 비교 우위를 모두 가진다.
ㄴ. 갑국은 Y재 생산, 을국은 X재 생산에 특화하는 것이 유리하다.
ㄷ. 갑국과 을국이 더 유리한 것에 특화하여 1단위씩 교환한다면 갑국의 이익은 20원이다.
ㄹ. 갑국과 을국이 더 유리한 것에 특화하여 1단위씩 교환한다면 을국의 이익은 30원이다.

① ㄱ, ㄴ ② ㄱ, ㄷ ③ ㄴ, ㄷ
④ ㄱ, ㄴ, ㄷ ⑤ ㄴ, ㄷ, ㄹ

**02** 다음 사례에 대한 분석 및 추론으로 옳은 것은?

갑, 을, 병은 1,000만 원의 자산을 각각 다음과 같이 활용하기로 하였다.
• 갑은 1년 만기의 연리 3%의 정기 예금에 예치하였다.
• 을은 연리 1% 요구불 예금에 500만 원을 예치하였다. 그리고 나머지 500만 원은 A 회사의 주식에 투자하였다.
• 병은 ㉠ 채권에 500만 원을 투자하여 만기 시 원금과 ㉡ 이자를 받기로 하였다. 그리고 나머지 500만 원은 갑이 가입한 조건과 동일한 정기 예금에 예치하였다.

① ㉠의 수익률이 4%일 경우 병이 갑보다 큰 수익을 얻을 수 있다.
② ㉡은 병이 채권을 매입했을 때의 기회비용에 포함된다.
③ 갑은 을과 달리 예금자 보호 제도의 적용을 받는 상품에 투자하고 있다.
④ 을은 갑, 병과 달리 이자 수입을 주된 목적으로 하는 예금 상품을 선호한다.
⑤ 1년 후 A 회사의 주가가 8% 상승했을 때 갑이 을보다 큰 수익을 얻을 수 있다.

2018 평가원 응용

**03** 그림은 생애 주기에 따른 일반적인 수입과 지출의 흐름을 나타낸다. 이에 대한 분석 및 추론으로 옳지 않은 것은?

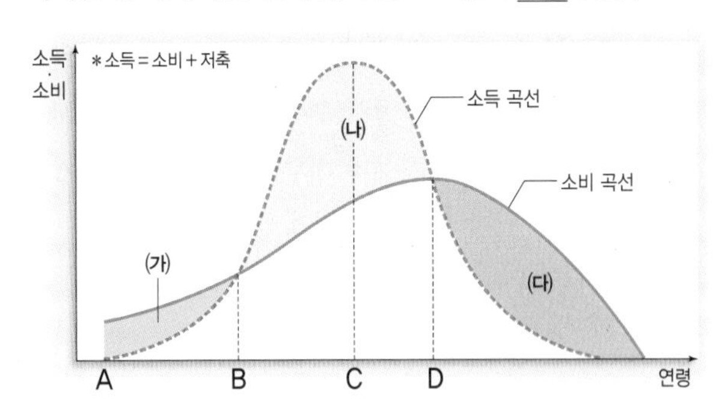


① A~B 기간에는 소득 대비 소비 비중이 크다.
② B~D 기간에는 누적 저축액이 지속적으로 증가한다.
③ 취업 시기가 늦을수록 (가) 영역이 늘어날 것이다.
④ 연금 수혜 규모가 커질수록 (다) 영역이 줄어들 것이다.
⑤ 안정적인 금융 생활을 위해서는 (가)와 (다)의 합이 (나)보다 크도록 재무 설계를 해야 한다.

## 서술형 문제

**04** 다음 글을 읽고 물음에 답하시오.

'100−나이'의 원칙이란 금융 상품에 투자할 때, 100에서 자신의 나이를 뺀 숫자만큼의 비율을 원금 손실의 위험이 큰 ( ㉠ ) 위주의 자산에 투자하고, 나머지는 원금이 보장되는 ( ㉡ ) 위주의 자산에 투자하라는 것이다. 즉 나이가 들수록 투자의 위험이 큰 금융 자산의 비중을 줄여야 한다는 뜻이다.

(1) ㉠, ㉡에 들어갈 자산 관리의 원칙을 각각 쓰시오.

(2) '100−나이'의 원칙에 따를 때, 35세인 사람은 자신의 자금을 어떠한 금융 자산에 분산하여 투자할지 서술하시오.

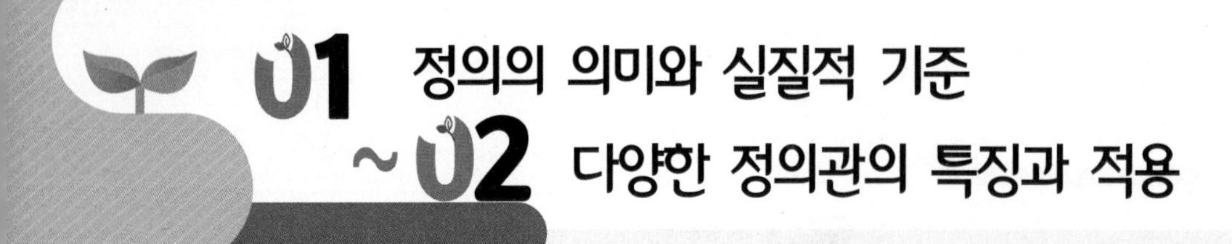

# 01 정의의 의미와 실질적 기준 ~ 02 다양한 정의관의 특징과 적용

## A 정의의 의미와 실질적 기준

### 1. 정의의 의미와 역할

(1) 정의의 의미 ─● 오늘날에는 공정한 절차에 따라 자유와 평등이 조화롭게 실현된 상태를 의미하기도 한다.

① 정의의 일반적 의미: 사회적 대우나 보상, 처벌 등에 있어 '마땅히 받을 만한 몫'을 공정하게 받는 것

② 정의에 관한 여러 사상가의 주장

| 공자 | 천하의 바른 도리를 이루는 것 |
|---|---|
| 플라톤 | 국가가 지녀야 할 가장 필수적 덕목 |
| 아리스토텔레스 | 같은 것은 같게, 다른 것은 다르게 대우하는 것 |

각자의 가치에 비례하는 몫의 분배를 추구하였다.

(2) 정의의 역할

① 기본적 권리 보장: 사회 구성원이 기본적 권리를 보장받으며 인간다운 삶을 누릴 수 있게 함

② 사회 통합의 기반 마련: 사회 구성원이 서로 신뢰하고 협력할 수 있게 함

③ 사회 갈등 해결: 옳고 그름에 대한 판단 기준을 제시하여 사회 구성원 간의 이해 갈등을 공정하게 처리할 수 있게 함

### 2. 정의의 실질적 기준

(1) 분배적 정의: 사회적·경제적 가치를 공정하게 분배하는 것과 관련된 정의

└● 각자가 자신의 몫을 누리며 살아갈 수 있게 한다.

★ (2) 분배적 정의의 실질적 기준

① 능력에 따른 분배

| 의미 | 육체적·정신적인 능력에 따라 분배하는 것 |
|---|---|
| 장점 | 개인이 지닌 잠재력을 실현할 기회를 제공함 |
| 단점 | • 타고난 재능이나 환경과 같은 우연적 요소가 분배에 개입하여 사회 불평등을 심화할 수 있음<br>• 능력을 평가할 정확한 기준을 마련하기 어려움 |

② 업적에 따른 분배

| 의미 | 당사자들이 성취하고 이바지한 정도에 따라 분배하는 것 |
|---|---|
| 장점 | • 각자가 달성한 결과를 객관화·수량화할 수 있어서 평가와 측정이 비교적 쉬움<br>• 성취동기를 북돋워 생산성 및 효율성 향상을 기대할 수 있음 |
| 단점 | • 사회적 약자에 대한 배려가 부족해질 수 있음<br>• 업적을 쌓기 위한 과열 경쟁으로 사회적 갈등이 발생할 수 있음 |

질병이나 장애, 가난 등의 이유로 업적을 쌓기 어려운 사람들이 있기 때문이다.

③ 필요에 따른 분배

| 의미 | 개인의 기본적 필요에 따라 분배하는 것 |
|---|---|
| 장점 | 최대한 많은 사람이 인간다운 삶을 살 수 있게 함 |
| 단점 | • 사회적·경제적 가치는 한정되어 있으므로 모두의 필요를 충족하기 어려움<br>• 노동 의욕 및 창의성을 저해할 수 있음 |

**대학 입학 전형에 적용된 분배적 정의의 실질적 기준**

(가) 예술이나 체육 등과 같이 특정 분야에 탁월한 재능을 가진 학생을 선발한다.

(나) 대학 수학 능력 시험을 치른 결과 상위 성적을 거둔 학생을 우선적으로 선발한다.

(다) 장애 또는 지체로 인하여 특별한 교육적 요구가 있는 학생들을 대상으로 선발한다.

(가)는 개인이 지닌 잠재력과 재능, 즉 '능력'을 분배 기준으로 삼고 있으며, (나)는 열심히 공부하여 성취한 '업적'을 분배 기준으로 삼고 있다. (다)는 사회적 약자에게 기회를 우선적으로 주는 '필요'를 분배 기준으로 삼고 있다. 각각의 분배 기준에는 장단점이 있어서 어느 한 가지 기준만이 정의롭다고 볼 수 없다. 따라서 여러 가지 기준을 고려하여 각각의 상황에 가장 적합한 분배 기준을 찾아보려는 노력이 필요하다.

## B 다양한 정의관의 특징과 적용

### ★ 1. 자유주의적 정의관

─● 자유주의적 정의관에서는 공동체를 개인의 자유와 권리를 실현하는 수단이라고 본다.

(1) 자유주의적 정의관의 사상적 근거

① 자유주의: 개인의 자유와 권리를 존중하고 보장하는 데 우선적인 가치를 두는 사상

② 개인주의: 국가나 사회보다 개인이 우선한다고 보는 사상 → 개인의 독립성과 자율성 중시

(2) 자유주의적 정의관의 입장: 개인선의 실현이 자연스럽게 공동선의 실현으로 이어진다고 봄

(3) 자유주의적 정의관에서 본 개인과 공동체의 역할

| 개인 | 독립적이고 자율적인 존재로서, 자기 삶의 목적과 방식을 스스로 결정함 |
|---|---|
| 공동체 | • 공동체에 속한 개인에게 특정한 가치를 강요해서는 안 됨<br>• 개인이 자신의 삶을 스스로 계획하고 살아갈 수 있도록 중립적 입장에서 개인의 자유로운 선택권을 최대한 보장해야 함 |

(4) 자유주의적 정의관의 한계: 개인의 이익만을 추구하는 극단적인 이기주의로 변질할 경우 타인의 자유와 권리를 침해하고 공동체를 위태롭게 할 수 있음

(5) 자유주의 입장의 대표적 사상가

| 롤스 | • 공정한 절차를 거쳐 합의된 것이라면 정의롭다고 봄(공정으로서의 정의)<br>• 사람이라면 누구나 동등한 기본적 자유를 최대한 누릴 수 있어야 한다고 봄<br>• 사회적·경제적 불평등을 해결하기 위한 국가 역할의 필요성을 인정함 |
|---|---|
| 노직 | • 개인의 자유와 소유 권리를 최우선으로 보장하는 것이 정의롭다고 봄(소유 권리로서의 정의)<br>• 개인이 가진 권리와 재산을 강도, 절도, 사기 등으로부터 보호하는 선에서만 행동하는 최소 국가를 정의롭다고 봄 |

★ 표시는 시험 전에 확인해 주세요.

공동체주의적 정의관에서는 공동체를 개인의 정체성 형성 및 삶의 방향을 설정하는 기반으로 본다.

### ★ 2. 공동체주의적 정의관

(1) 공동체주의적 정의관의 사상적 근거: 개인이 자신이 속한 공동체의 영향으로 소속감과 정체성을 형성한다는 공동체주의 사상을 바탕으로 함

(2) 공동체주의적 정의관의 입장: 개인이 속한 공동체의 공동선을 실현하는 것이 정의롭다고 봄

(3) 공동체주의적 정의관에서 본 개인과 공동체의 역할

| | |
|---|---|
| 개인 | 공동체가 추구하는 목표를 달성하기 위해 책임과 의무를 성실히 수행해야 함 |
| 공동체 | 개인이 공동체의 가치와 목적을 내면화하고, 공동체에 관한 소속감을 지니며 자신에게 주어진 책무를 충실하게 이행하며 살아갈 수 있도록 장려해야 함 |

(4) 공동체주의적 정의관의 한계: 집단의 이익만을 중시하는 집단주의로 변질할 경우 개인의 자유와 권리를 훼손하여 개인선의 실현이 어려워질 수 있음

(5) 공동체주의 입장의 대표적 사상가

| | |
|---|---|
| 매킨타이어 | • 공동체의 가치와 전통을 존중하는 삶을 강조함<br>• 개인은 사회적 역할을 통해 자아 정체성을 형성하고, 공동체의 역사적 흐름 속에서 자신의 삶을 구성하는 존재라고 봄 |
| 왈처 | 공동체의 문화적 특수성과 차이를 고려하여 사회적 가치를 분배해야 한다고 봄 |
| 샌델 | 시민들은 연고 의식과 책임 의식을 가지고 공동체의 활동에 참여해야 한다고 봄 |

나는 이 도시 혹은 저 도시의 시민이며, 이 조합 혹은 저 집단의 구성원이다. 또한, 나는 이 씨족, 저 부족, 이 민족에 속해 있다. 그러므로 나에게 좋은 것은 공동체에서 역할을 담당하는 누구에게나 좋은 것이어야 한다. 이처럼 나는 내 가족, 도시, 부족, 민족으로부터 다양한 부담과 유산, 정당한 기대와 책무를 물려받았다. 그것들은 나의 삶과 도덕의 출발점을 구성한다. – 매킨타이어, 『덕의 상실』

공동체주의적 정의관에 의하면 공동체는 우리 존재의 출발점이므로 공동체의 구성원들은 자신이 속한 공동체의 이익이나 공동선을 추구하는 것이 바람직하며, 공동체의 발전을 위해 노력해야 할 의무를 가진다. 또한 공동선이 실현되면 자연스럽게 개인의 자유와 권리가 보장될 뿐만 아니라 좋은 삶을 살아갈 수 있다.

### 3. 다양한 정의관의 적용

(1) 자유주의적 정의관과 공동체주의적 정의관의 관계: 개인의 행복한 삶과 정의로운 사회를 지향한다는 점에서 상호 보완적임

(2) 개인선과 공동선의 조화: 개인은 공동체에 대한 의무를 다하고, 공동체는 개인의 자유와 권리를 최대한 보장해야 함

개인선과 공동선의 조화가 적절히 이루어질 때 모든 구성원이 행복한 정의로운 사회가 실현된다.

## 1단계 개념 짚어 보기

정답과 해설 24쪽

**01** 다음 설명이 맞으면 ○표, 틀리면 ×표를 하시오.

(1) 일반적으로 정의는 '누구에게나 동일한 몫을 주는 것'을 의미한다. ( )

(2) 정의는 개인의 이익 증진보다는 사회 제도의 개선에 관심을 갖게 한다. ( )

(3) 정의는 사회 구성원 모두가 기본적 권리를 누리며 인간다운 삶을 살아가는 데 필요하다. ( )

**02** 다음 빈칸에 들어갈 내용을 쓰시오.

(1) ( )에 따른 분배는 개인이 지닌 잠재력을 실현할 기회를 제공한다.

(2) ( )에 따른 분배는 객관적 평가와 측정이 용이하다는 장점이 있다.

(3) ( )에 따른 분배는 노동 의욕과 창의성을 저해할 수 있다는 단점이 있다.

**03** 다음 내용이 자유주의적 정의관의 입장이면 '자', 공동체주의적 정의관의 입장이면 '공'이라고 쓰시오.

(1) 개인은 자유롭고 독립적인 존재이다. ( )

(2) 개인선의 실현이 자연스럽게 공동선의 실현으로 이어진다. ( )

(3) 개인은 자신이 속한 공동체의 발전을 위해 노력해야 할 의무가 있다. ( )

**04** 다음 괄호 안의 내용 중 알맞은 말에 ○표를 하시오.

(1) (자유주의, 공동체주의)적 정의관에서는 공동체를 좋은 삶의 원천으로 본다.

(2) 자유주의적 정의관에서는 개인의 자유와 권리를 최대한 보장하여 (개인선, 공동선)을 실현하는 것이 정의롭다고 본다.

**05** ㉠, ㉡에 들어갈 내용을 각각 쓰시오.

(㉠ )적 정의관에서는 공동체를 개인의 자유와 권리를 실현하기 위한 수단이라고 보는 반면, (㉡ )적 정의관에서는 공동체를 개인의 정체성을 형성하고 삶의 방향을 설정하는 기반으로 본다.

## A 정의의 의미와 실질적 기준

**01** 교사의 질문에 옳은 답변을 한 학생을 고른 것은?

① 갑, 을　② 갑, 병　③ 을, 병
④ 을, 정　⑤ 병, 정

**02** 다음 사례에 나타난 정의의 역할로 가장 적절한 것은?

> 「부정 청탁 및 금품 등 수수의 금지에 관한 법률」, 일명 「청탁 금지법」에 따르면 인허가, 인사 개입, 학교 입학·성적 처리 등 총 14가지 업무와 관련해 공무원 등에게 부정 청탁을 하면 처벌을 받는다. 또한 기준을 초과하는 금품을 받을 때도 형사 처분을 받는다.

① 사회적 약자에게 자원을 우선 배분한다.
② 사회 구성원의 기본적 권리를 보장한다.
③ 누구에게나 사회적 자원을 동등하게 분배한다.
④ 사회 제도의 개선보다 개인의 이익 증진에 관심을 갖게 한다.
⑤ 옳고 그름에 대한 판단 기준을 제시하여 사회 질서를 유지시켜 준다.

**03** 갑과 을이 중시한 분배적 정의의 실질적 기준을 옳게 연결한 것은?

> • 교사: 우리 학급에서 단 한 명만 해외 견학을 갈 수 있는데, 누구를 추천하는 것이 좋을까?
> • 갑: 저는 외국어 구사 실력이 뛰어난 학생이 가야 한다고 생각합니다.
> • 을: 저는 가정 형편이 좋지 않아 따로 해외 견학을 갈 기회가 없는 학생이 적합하다고 생각합니다.

| | 갑 | 을 | | 갑 | 을 |
|---|---|---|---|---|---|
| ① | 능력 | 업적 | ② | 능력 | 필요 |
| ③ | 업적 | 능력 | ④ | 업적 | 필요 |
| ⑤ | 필요 | 업적 | | | |

**[04~05]** 다음 글을 읽고 물음에 답하시오.

> 성과 연봉제란 개인의 업무에 대한 성과 평가에 따라 급여가 결정되는 임금 체계로, 직급 내 성과 평가에 따라 급여 수준의 차이가 발생한다. 기업의 성과 연봉제는 기업의 임금 유연성을 확보하는 동시에 근로자의 노력을 극대화하려는 전략적인 선택이라고 할 수 있다.

**04** 밑줄 친 제도가 강조하는 분배적 정의의 실질적 기준을 쓰시오.

출제가능성 90%

**05** 밑줄 친 제도를 분배 기준으로 삼을 경우 나타날 수 있는 문제점을 〈보기〉에서 고른 것은?

> 보기
> ㄱ. 사회적 약자가 소외될 수 있다.
> ㄴ. 노동 의욕과 창의성이 떨어질 수 있다.
> ㄷ. 지나친 경쟁을 유발하여 구성원 간에 갈등이 커질 수 있다.
> ㄹ. 타고난 재능이나 환경과 같은 우연적 요소가 개입할 수 있다.

① ㄱ, ㄴ　② ㄱ, ㄷ　③ ㄴ, ㄷ
④ ㄴ, ㄹ　⑤ ㄷ, ㄹ

**06** 다음 강연자가 지지할 주장으로 가장 적절한 것은?

> 대학 입학시험은 대학에서 교육을 받을 수 있는 자격을 갖춘 사람들을 선발해야 합니다. 따라서 대학 수학 능력 시험 성적이 우수한 학생들이 우선적으로 입학할 수 있도록 해야 합니다. 또한 법학 전문 대학원이나 약학 전문 대학원과 같이 전문직 양성과 관련된 대학원에서도 시험 성적이 우수한 학생들이 우선적으로 입학할 수 있도록 해야 합니다.

① 누구에게나 절대적으로 평등한 몫을 분배해야 한다.
② 개인의 업적보다는 능력을 분배의 기준으로 삼아야 한다.
③ 분배의 절차나 과정이 공정하다면 그에 따른 결과도 공정하다.
④ 분배를 통해 생산성을 높일 수 있는 동기를 제공할 수 있어야 한다.
⑤ 기본적 욕구 충족이 어려운 사람에게 필요한 재화나 가치를 우선적으로 분배해야 한다.

출제가능성 90%

**07** (가), (나) 사례에 적용된 정의의 실질적 기준에 대한 옳은 설명을 <보기>에서 고른 것은?

> (가) 국가가 생계가 어려운 사람에게 복지 서비스를 제공한다.
> (나) 신입 사원을 뽑을 때 전문적인 자격증이나 실력을 지닌 사람을 우대한다.

**보기**

ㄱ. (가)는 과열 경쟁을 유발할 수 있다.
ㄴ. (나)는 개인이 지닌 잠재력을 실현할 기회를 제공한다.
ㄷ. (가)는 (나)와 달리 개인의 기여도에 따라 분배가 이루어진다.
ㄹ. (나)는 (가)와 달리 사회적·경제적 불평등을 심화할 수 있다.

① ㄱ, ㄴ ② ㄱ, ㄷ ③ ㄴ, ㄷ
④ ㄴ, ㄹ ⑤ ㄷ, ㄹ

**08** (가)는 정의의 실질적 기준에 관한 갑~병의 입장이다. 갑~병의 입장을 (나) 그림으로 탐구하려 할 때, A~D에 들어갈 질문으로 가장 적절한 것은?

(가)
- 갑: 당사자들이 성취하고 이바지한 정도에 따라 분배해야 합니다.
- 을: 인간다운 삶을 사는 데 기본적인 필요를 충족할 수 있도록 분배해야 합니다.
- 병: 신체적·정신적인 능력이 뛰어난 사람에게 더 많은 보상이 이루어지도록 분배해야 합니다.

(나)
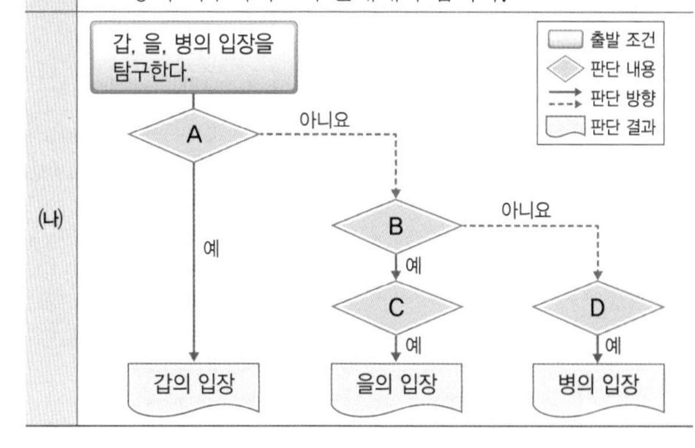


① A: 사회적 약자를 배려하는가?
② B: 기회의 평등을 실현하는 것을 전제로 하는가?
③ B: 객관적 평가 지표를 분배 기준으로 삼아야 하는가?
④ C: 개인의 성취동기를 높일 수 있는가?
⑤ D: 선천적 자질 등 우연적 요소의 영향을 받을 수 있는가?

## B 다양한 정의관의 특징과 적용

**09** 다음 사상가의 입장으로 가장 적절한 것은?

> 어떤 사람이 다른 사람에게 피해를 주지 않고 정당하게 소유물을 취득하거나 양도받았다면, 그 사람은 그 소유물에 대한 권리를 가져야 합니다. 그 결과로 빈부 격차가 생기는 것은 문제가 되지 않습니다. 개인의 소유물을 어떻게 사용할 것인가는 개인의 자유로운 선택에 맡겨야 합니다.

① 개인의 삶은 공동체에 뿌리를 두고 있다.
② 개인의 자유보다 공동체에 대한 의무가 중요하다.
③ 개인의 좋은 삶은 공동선과 분리되어서는 안 된다.
④ 공동선이 실현되면 자연스럽게 개인선이 실현된다.
⑤ 공동체는 개인의 자유와 권리를 보호하고 증진하는 수단에 불과하다.

## 10 다음 사상가의 입장을 〈보기〉에서 고른 것은?

> 사회적 가치는 각 공동체의 역사적이고 문화적인 소산으로, 공동체 안에는 고유한 사회적 가치들이 존재합니다. 모든 사회에서 동일하게 중요하다고 인정되는 가치는 없으므로, 가치를 분배할 때는 공동체의 문화적 특수성과 차이를 고려해야 합니다.

**보기**

ㄱ. 개인은 독립적이고 자율적인 존재이다.
ㄴ. 공동체적 삶을 토대로 개인의 정체성이 형성된다.
ㄷ. 좋은 삶이 무엇인지를 결정하는 주체는 개인일 뿐이다.
ㄹ. 개인은 자신이 속한 공동체의 발전을 위해 노력해야 할 의무가 있다.

① ㄱ, ㄴ ② ㄱ, ㄷ ③ ㄴ, ㄷ
④ ㄴ, ㄹ ⑤ ㄷ, ㄹ

출제가능성 90%

## 11 (가), (나) 정의관에 대한 설명으로 옳지 않은 것은?

> (가) 개인만이 궁극적 가치를 지니며, 공동체는 개인의 자유와 권리를 보호하고 증진하는 수단으로서만 가치가 있다.
> (나) 개인의 삶의 역사는 공동체의 역사 속에 편입되어 있으며, 개인의 정체성은 공동체의 문화와 역사로부터 도출된다.

① (가)는 개인선이 공동선을 토대로 실현된다고 본다.
② (가)는 개인의 자유로운 이익 추구에 의해 공동체가 발전한다고 본다.
③ (나)는 개인이 공동체의 구성원으로서 존재한다고 본다.
④ (나)는 좋은 삶의 조건으로 공동체가 부여한 역할 수행을 중시한다.
⑤ (가)에서는 개인선의 실현을, (나)에서는 공동선의 실현을 중시한다.

## 12 (가)의 사례에 관한 (나)의 갑과 을의 입장에 대한 분석 및 추론으로 가장 적절한 것은?

| | |
|---|---|
| (가) | ○○ 법원은 현역 입영 통지서를 받고 정당한 사유 없이 불응하면 3년 이하의 징역형에 처하도록 규정한 '병역법 제88조 ①'을 거부한 피고인 A 씨에게 유죄를 선고했다. |
| (나) | • 갑: 국가의 안전 보장은 모든 자유의 전제 조건이므로 양심과 종교의 자유가 국방의 의무에 우선한다고 볼 수 없어. 따라서 법원의 판결은 정당해.<br>• 을: 내 생각은 달라. 개인은 자신의 양심에 반대되는 일을 하지 않을 권리가 있어. A 씨의 행위는 종교적 교리에 의해 형성된 양심의 자유에 따른 것이므로 정당해. |

① 갑은 개인의 정체성과 공동체의 전통이 상호 독립적이라고 본다.
② 을은 국가가 특정 삶의 방식을 개인에게 강제해서는 안 된다고 본다.
③ 을의 태도가 지나칠 경우 개인적 자유와 권리의 희생을 정당화하는 집단주의 문제가 발생할 수 있다.
④ 갑은 을과 달리 사회적 약자를 배려하는 국가의 정책에 반대할 것이다.
⑤ 을은 갑과 달리 공동체에 관한 소속감을 중시한다.

## 13 (가) 정의관에 비해 (나) 정의관이 갖는 상대적 특징을 그림의 ㉠~㉤에서 고른 것은?

> (가) 공동체는 개인의 권리를 최대한 존중하고 보호해야 한다.
> (나) 개인은 공동체와 전통으로부터 생겨난 도덕을 지킬 의무가 있다.

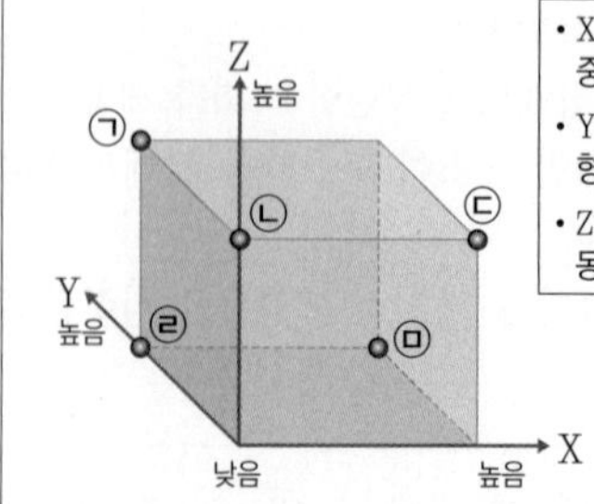


• X: 개인의 선택에 대한 국가의 중립을 강조하는 정도
• Y: 개인선이 공동체를 기반으로 형성됨을 강조하는 정도
• Z: 공동체의 역사, 시민의 의무, 동료 등을 강조하는 정도

① ㉠ ② ㉡ ③ ㉢ ④ ㉣ ⑤ ㉤

2018 평가원 응용

**01** (가)의 갑, 을 사상가의 입장을 (나) 그림으로 표현할 때, A~C에 해당하는 진술만을 〈보기〉에서 있는 대로 고른 것은?

(가)
- 갑: 정의는 같은 것은 같게, 다른 것은 다르게 분배할 것을 요구한다.
- 을: 정의는 최소 수혜자를 포함한 모든 사람에게 이익이 되도록 절차적 공정성을 보장할 것을 요구한다.

(나)

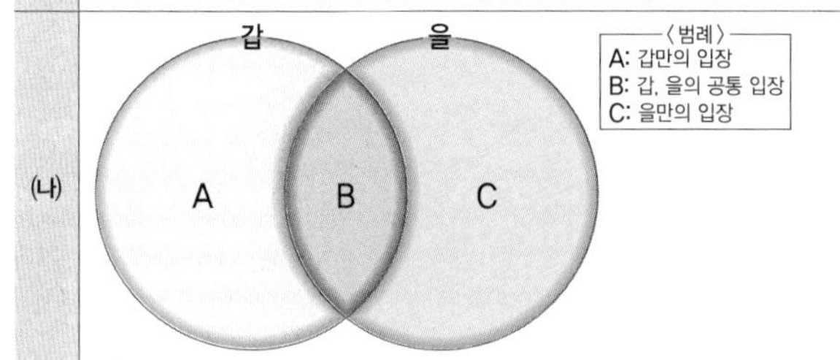


보기

ㄱ. A: 각자의 가치에 비례하여 각자의 몫을 받아야 한다.
ㄴ. B: 사회적·경제적 불평등을 허용해도 분배적 정의는 실현 가능하다.
ㄷ. C: 경제적 불평등은 모두에게 이익이 되어야 정당하다.
ㄹ. C: 어느 누구에게도 이익이 되지 않는 분배는 정의롭지 않다.

① ㄱ, ㄷ ② ㄴ, ㄹ ③ ㄷ, ㄹ
④ ㄱ, ㄴ, ㄷ ⑤ ㄴ, ㄷ, ㄹ

**02** 갑, 을 사상가의 입장을 〈보기〉에서 고른 것은?

- 갑: 사회적·경제적 불평등을 해결하기 위해서는 어떤 직책이나 지위에 오를 기회가 모두에게 균등하게 개방되어야 한다.
- 을: 국가는 개인의 소유권을 보호하는 역할에 머물러야 한다. 그런 국가에서만 개인의 자유와 권리가 최대한 존중받을 수 있다.

보기

ㄱ. 갑: 정의로운 사회에서도 경제적 불평등이 발생할 수 있다.
ㄴ. 갑: 사회적 이익을 위해 기본적 자유를 제한하는 것은 정당하다.
ㄷ. 을: 사회적 여건의 차이로 인해 발생한 불평등은 조정될 필요가 있다.
ㄹ. 갑, 을: 다수의 이익을 명목으로 개인의 자유를 침해해서는 안 된다.

① ㄱ, ㄴ ② ㄱ, ㄹ ③ ㄴ, ㄷ
④ ㄴ, ㄹ ⑤ ㄷ, ㄹ

최고난도

**03** (가)의 정의관에 관한 갑, 을의 입장을 (나) 그림으로 탐구하려 할 때, A~C에 들어갈 질문으로 옳은 것은?

(가)
- 갑: 개인은 불가침적인 권리를 지니므로 공동선을 위한다는 명목으로 누구도 타인을 강제할 수 없다. 도덕과 정치를 결합하려는 시도는 개인의 권리를 침해하므로 부당하다.
- 을: 우리가 공통으로 인정하는 도덕적·정치적 책무들은 우리가 선택하지 않은 도덕적 연대와 의무를 포함한다. 그러므로 개인을 무연고적 존재로 이해한다면 이 책무들을 설명하기 어렵다.

(나)

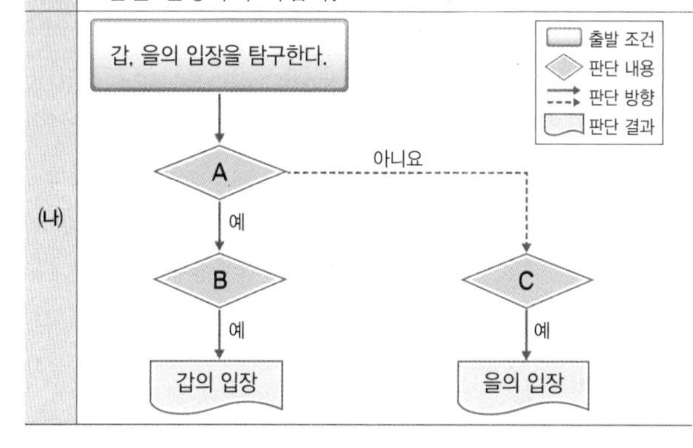


① A: 공동체를 개인의 정체성 형성의 기반으로 보는가?
② A: 공동체를 개인의 자유와 권리를 실현하기 위한 수단으로 보는가?
③ B: 어떤 경우에도 개인의 자유는 제한될 수 없는가?
④ C: 개인의 좋은 삶은 공동선과 분리될 수 있는가?
⑤ C: 개인의 가치관에 관해 국가는 중립을 지켜야 하는가?

## 서술형 문제

**04** 다음 글에서 강조하는 분배적 정의의 실질적 기준을 쓰고, 장단점을 각각 서술하시오.

정의로운 사회는 절제의 덕을 갖춘 사람에게는 생산에 힘쓸 수 있는 일자리를 배분하고, 용기의 덕을 가진 사람에게는 국가를 수호할 일자리를 배분하며, 지혜의 덕을 갖춘 합리적인 사람에게는 국가를 통치할 수 있는 일자리를 배분해야 한다.

# 03 불평등의 해결과 정의의 실현

## A 다양한 불평등 현상

### 1. 사회 불평등의 의미와 영향

(1) 사회 불평등: 부, 권력, 지위 등과 같은 사회적 희소가치가 불평등하게 분배되어 개인, 집단 및 지역이 서열화되어 있는 현상
- 정도의 차이는 있지만 모든 사회에서 공통으로 나타나며, 전통 사회에서는 주로 신분에 따른 불평등이 나타났다.

(2) 사회 불평등의 영향

① 긍정적 영향: 차별적인 보상으로 구성원들에게 열심히 노력하려는 동기 부여가 될 수 있음

② 부정적 영향: 개인의 노력으로 극복할 수 없는 구조적인 성격을 띠거나 사회적으로 용인될 수 있는 수준 이상으로 불평등이 심화하면 정의로운 사회가 실현될 수 없음

### 2. 다양한 불평등 현상

(1) 사회 계층의 양극화

| 의미 | 사회의 중간 계층이 점점 감소하면서 구성원들이 상층과 하층의 양 극단으로 쏠리는 현상 |
|---|---|
| 발생 원인 | 재산과 소득의 차이에 따른 경제적 격차가 대표적인 원인으로 작용함 |
| 문제점 | • 사회 발전의 동력이 줄어들고, 계층 간에 위화감이 조성될 수 있음 → 사회 통합이 어려워짐<br>• 경제적 격차가 인간다운 삶을 위한 주거, 여가, 교육 등의 격차로 이어질 수 있음 |

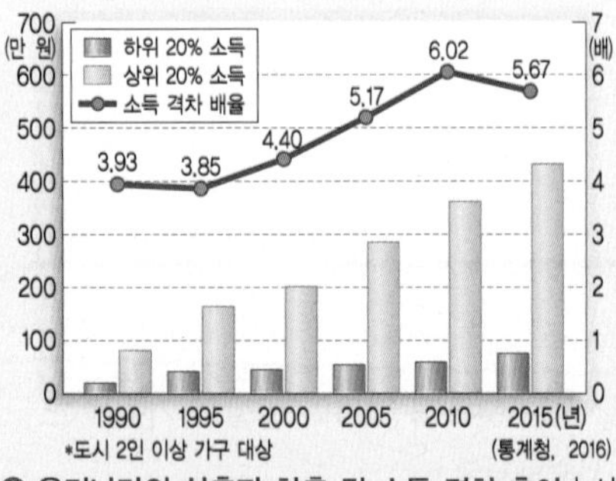


◐ **우리나라의 상층과 하층 간 소득 격차 추이** | 사회 계층의 양극화 현상은 일반적으로 재산과 소득의 차이에 따른 경제적 격차를 대표적인 원인으로 꼽을 수 있다. 이러한 경제적 격차는 교육 기회의 격차와 같은 다양한 격차로 이어져 부모의 계층이 자녀에게 대물림되는 결과를 낳기도 한다. 이는 개인의 능력이나 업적에 의한 계층 이동을 막아 폐쇄적인 사회 구조를 형성할 수 있다는 점에서 문제가 된다.

★ (2) 사회적 약자에 대한 차별

① 사회적 약자: 경제 수준이나 사회적 지위 등에서 열악한 위치에 있어 사회적으로 배려와 보호의 대상이 되는 개인 또는 집단
- 장애인, 여성, 이주 노동자, 북한 이탈 주민, 소상공인 등이 우리 사회의 대표적인 사회적 약자에 해당한다.

② 사회적 약자에 대한 차별: 성별, 장애, 출신 지역 등에 대한 선입견 및 편견과 이를 용인하는 사회적 환경 등에서 비롯함 → 구성원의 기본적 권리 침해

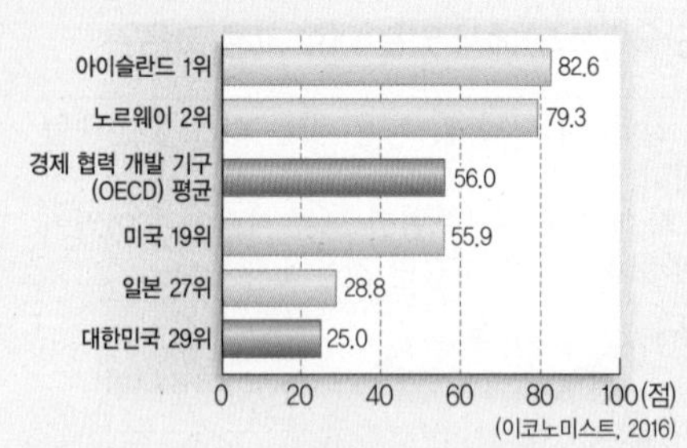


◐ **유리 천장 지수** | '유리 천장'이란 여성이 능력과 자격을 갖추었음에도 기업체 등 조직의 상층부로 올라가지 못하도록 가로막는, 보이지 않으면서도 깨뜨릴 수 없는 머리 위의 장벽을 말한다. 이를 수치화한 '유리 천장 지수'가 높을수록 여성을 비롯한 사회적 약자의 사회 참여 활동과 한 조직 내에서 승진이 자유롭다는 것을 의미한다.

★ (3) 공간 불평등

① 공간 불평등: 지역을 기준으로 사회적 자원이 불균등하게 분배되는 현상

② 우리나라 공간 불평등의 원인: 1960년대 이후 추진된 성장 거점 개발
- 성장 잠재력이 큰 지역을 집중 육성하고, 이에 따른 이익을 다른 지역으로 파급하여 효과를 확산하는 개발

③ 공간 불평등의 양상과 문제점

| 양상 | • 수도권과 대도시 지역으로 인구, 산업, 편의 시설 등이 지나치게 집중됨<br>• 비수도권과 촌락 지역은 인구가 지속적으로 유출되고 지역 경제가 침체됨 |
|---|---|
| 문제점 | • 소득 불평등뿐만 아니라 교육, 문화, 의료 등 생활 환경의 전반적인 불평등으로 이어질 수 있음<br>• 상대적으로 발전된 지역 주민과 낙후된 지역 주민 간에 갈등이 발생하여 사회 통합을 저해할 수 있음 |

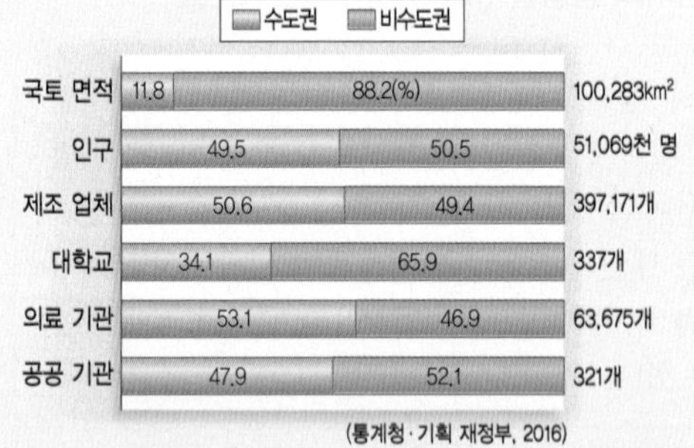


◐ **우리나라의 수도권과 비수도권 격차** | 우리나라 전체 인구의 절반 정도가 수도권에 밀집해 있으며 기업, 공공 기관 및 각종 교육·문화·의료 시설 등도 수도권에 집중되어 있다.

## B 정의로운 사회 실현을 위한 제도

### 1. 사회 복지 제도

(1) 사회 복지 제도: 사회 구성원이 기본적 욕구를 충족하고 정상적인 생활을 할 수 있도록 사회적으로 지원하는 제도

(2) 사회 복지 제도의 필요성: 사회 계층의 양극화 완화, 사회적 약자 보호 → 인간 존엄성 보장, 사회 통합에 기여
- 사회 복지 제도는 소득 재분배 효과가 있어서 경제적 측면의 불평등 완화에 도움이 된다.

★ 표시는 시험 전에 확인해 주세요.

★ (3) 우리나라의 사회 복지 제도

| | |
|---|---|
| 사회 보험 | • 의미: 일정 수준의 소득이 있는 개인과 정부, 기업이 보험료를 분담하여 구성원의 사회적 위험에 대비하는 제도<br>• 종류: 국민연금, 국민 건강 보험, 고용 보험, 노인 장기 요양 보험 등<br>강제 가입을 원칙으로 한다. |
| 공공 부조 | • 의미: 국가가 전액 지원하여 저소득 계층이 최소한의 삶을 꾸릴 수 있도록 돕는 제도<br>• 종류: 국민 기초 생활 보장 제도, 기초 연금 등 |
| 사회 서비스 | • 의미: 도움이 필요한 국민에게 다양한 서비스 혜택을 제공하는 제도<br>비금전적 지원<br>• 종류: 노인 돌봄 서비스, 장애인 활동 지원, 가사·간병 서비스 등 |

### ★ 2. 적극적 우대 조치

사회적 약자가 과거에 받았던 차별을 보상해야 한다고 본다.

(1) 적극적 우대 조치: 사회적 약자에게 실질적인 평등을 보장하기 위해 직간접적인 혜택을 부여하는 제도 ㉠ 여성 할당제, 장애인 의무 고용 제도, 대학 입학 전형 등

(2) 적극적 우대 조치 시행 시 유의점: 혜택의 정도가 과도하여 오히려 사회적 약자가 아닌 사람들이 차별받는 역차별의 문제가 발생하지 않도록 유의해야 함

### 3. 지역 격차 완화 정책

(1) 지역 격차 완화 정책의 목적: 수도권과 비수도권, 도시와 촌락 간의 공간 불평등 해소 → 국토의 균형 발전 추구

(2) 지역 격차 완화 정책

① 수도권 기능의 지방 분산: 공공 기관의 지방 이전, 수도권에서 지방으로 이전하는 기업에 세금 감면 및 규제 완화 등의 혜택 제공 → 수도권 과밀화 해소

② 자립형 지역 발전 기반 구축: 지역의 특성을 살릴 수 있는 발전 전략 추진 ㉠ 지역 브랜드 구축, 관광 마을 조성 및 지역 축제와 같은 장소 마케팅 추진 → 지역 경쟁력을 높일 수 있다.

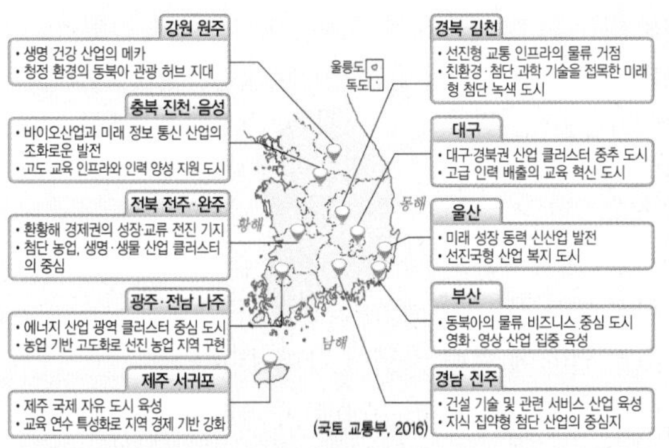


**우리나라의 혁신 도시 분포** | 혁신 도시란 주요 공공 기관이 수도권에서 지방으로 이전하는 것을 계기로 지역의 성장 거점에 조성되는 미래형 도시이다. 우리나라의 혁신 도시는 각 지역의 산업과 연계된 도시별 주제를 설정하여 특색 있는 도시로 개발될 예정이다.

## 1단계 개념 짚어 보기

정답과 해설 26쪽

**01** 다음 설명이 맞으면 ○표, 틀리면 ×표를 하시오.

(1) 사회 불평등은 어느 사회에서나 동일한 양상으로 나타난다. ( )

(2) 사회 계층의 양극화란 사회 계층 중 상층의 비중이 줄어들고 중층과 하층의 비중이 늘어나는 현상을 의미한다. ( )

(3) 우리나라에서는 1960년대 이후 수도권을 중심으로 성장 거점 개발 정책을 추진하면서 공간 불평등이 심화하였다. ( )

**02** 다음 빈칸에 들어갈 내용을 쓰시오.

(1) 다양한 측면에서 불리한 위치에 있어 불평등한 처우에 노출되는 개인 또는 집단을 ( )라고 한다.

(2) 사회 구성원이 기본적 욕구를 충족하고 정상적인 생활을 할 수 있도록 사회적으로 지원하는 제도를 ( )라고 한다.

**03** 정의로운 사회 실현을 위한 제도의 사례를 옳게 연결하시오.

(1) 사회 복지 제도 • 　　• ㉠ 여성 할당제
(2) 적극적 우대 조치 • 　　• ㉡ 국민 건강 보험
(3) 지역 격차 완화 정책 • 　　• ㉢ 공공 기관 지방 이전

**04** ㉠, ㉡에 들어갈 내용을 각각 쓰시오.

> (㉠ )은 일정 수준의 소득이 있는 개인과 정부, 기업이 보험료를 분담하여 구성원의 사회적 위험에 대비하는 제도이고, (㉡ )는 국가가 전액 지원하여 저소득 계층이 최소한의 삶을 꾸릴 수 있도록 돕는 제도이다.

**05** 다음 괄호 안의 내용 중 알맞은 말에 ○표를 하시오.

(1) (사회 보험, 사회 서비스)은/는 비금전적인 지원이 이루어진다.

(2) (혁신 도시, 장애인 의무 고용 제도)는 사회적 약자에게 실질적인 평등을 보장하는 적극적 우대 조치의 사례이다.

## A 다양한 불평등 현상

출제가능성 90%

**01** 다음은 학생이 수업 시간에 정리한 노트 필기이다. ㉠에 대한 설명으로 옳지 않은 것은?

> 학습 주제: ( ㉠ )의 의미와 양상
> • 의미: 사회적 희소가치가 불평등하게 분배되어 개인, 집단 및 지역이 서열화되어 있는 현상
> • 양상: 사회 계층의 양극화, 사회적 약자에 대한 차별, 공간 불평등 등

① 대부분의 사회에서 나타나는 현상이다.
② 전통 사회에서는 주로 신분에 따라 나타났다.
③ 사회 구성원의 기본적 권리를 침해할 수 있다.
④ 개인의 성취동기를 높여 사회 발전에 기여할 수 있다.
⑤ 사람들이 사회적 자원을 누구나 원하는 만큼 가질 수 있기 때문에 나타난다.

[02~03] 그림은 우리나라의 상위 10%와 하위 10%의 월평균 소득 격차 추이를 나타낸 것이다. 이를 보고 물음에 답하시오.

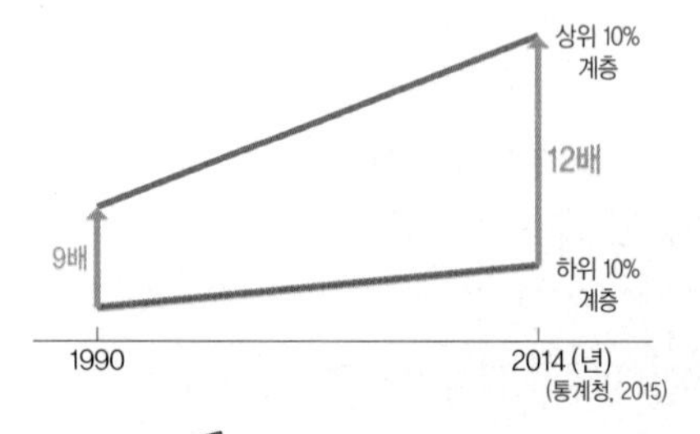


주관식

**02** 위 그림에 나타난 사회 불평등 현상이 무엇인지 쓰시오.

**03** 위와 같은 현상이 지속될 경우 나타날 수 있는 문제점으로 적절하지 않은 것은?

① 계층 간 위화감이 조성될 수 있다.
② 사회 발전의 동력이 줄어들 수 있다.
③ 정의로운 사회 실현을 저해할 수 있다.
④ 능력이나 업적에 따른 계층 이동이 심화할 수 있다.
⑤ 경제적 격차가 교육 기회의 격차와 같은 다양한 격차로 이어질 수 있다.

**04** 그림은 우리나라의 소득 수준별 암 환자 생존율을 나타낸 것이다. 이에 대한 옳은 분석 및 추론을 〈보기〉에서 고른 것은?

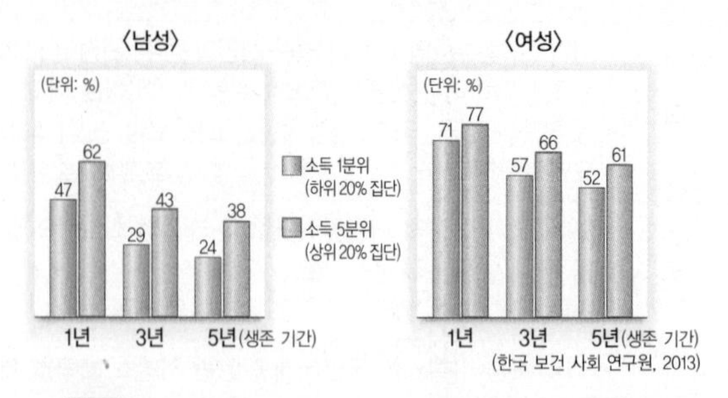


보기
ㄱ. 소득 수준과 암 환자 생존율 간에 음(−)의 관계가 나타난다.
ㄴ. 경제적 측면의 불평등이 건강과 의료 측면의 불평등으로 이어지고 있다.
ㄷ. 여성 암 환자의 생존율은 생존 기간에 상관없이 소득 수준이 높을수록 더 높다.
ㄹ. 같은 소득 수준이더라도 남성 암 환자의 생존율이 여성 암 환자의 생존율보다 높다.

① ㄱ, ㄴ ② ㄱ, ㄷ ③ ㄴ, ㄷ
④ ㄴ, ㄹ ⑤ ㄷ, ㄹ

**05** 다음 사례에 공통으로 나타난 문제점으로 가장 적절한 것은?

> • 대형 유통 업체와 백화점에 입점한 영세업체들은 높은 판매 수수료, 예측하지 못한 매장 이동과 퇴점 요구, 원치 않는 판촉 행사 참여 등으로 어려움을 겪고 있다.
> • 북한 이탈 주민 중 대다수가 북한 출신이라는 이유로 불이익을 받은 경험이 있는 것으로 나타났다. 말투나 생활 방식의 차이, 북한에 대한 부정적 인식이 주된 차별 이유였다.

① 사회 계층의 양극화 현상이 나타났다.
② 사회적 약자에 대한 차별이 나타났다.
③ 지역 격차에 따른 공간 불평등이 나타났다.
④ 세대 간 계층이 세습되는 문제가 나타났다.
⑤ 사회적 약자를 우대하는 과정에서 다른 집단에 대한 역차별 문제가 나타났다.

## 06 다음 내용을 뒷받침할 수 있는 근거 자료로 적절한 것을 〈보기〉에서 고른 것은?

우리 사회에서 여성은 과거부터 남성에 비해 상대적으로 약자의 위치에 놓여 있었으며, 양성평등 의식이 확산되고 있는 오늘날에도 사회 진출이나 승진 문제에 있어 여전히 차별받고 있다.

보기
ㄱ. 국가별 유리 천장 지수 비교
ㄴ. 지역별 문화 및 교육 시설 격차
ㄷ. 부모의 소득에 따른 자녀의 사교육비
ㄹ. 여성과 남성의 경제 활동 참가율 비교

① ㄱ, ㄴ ② ㄱ, ㄹ ③ ㄴ, ㄷ
④ ㄴ, ㄹ ⑤ ㄷ, ㄹ

## 07 그림은 우리나라의 수도권 집중도를 나타낸 것이다. 이에 대한 분석 및 추론으로 적절하지 않은 것은?

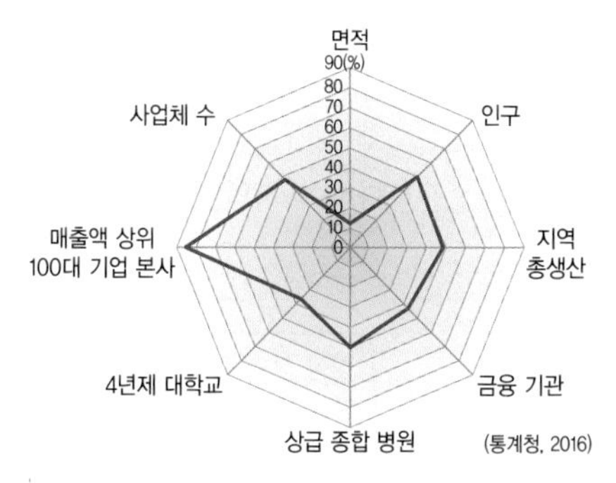

(통계청, 2016)

① 수도권과 비수도권 주민 간에 갈등이 발생할 수 있다.
② 공간 불평등이 경제와 교육, 의료 측면의 불평등으로 이어지고 있다.
③ 수도권은 인구 집중, 비수도권은 인구 유출의 문제가 나타날 수 있다.
④ 지역에 따라 사회적 기회나 자원이 불평등하게 분배되고 있음을 보여 준다.
⑤ 우리나라에서 낙후된 지역을 중심으로 균형 개발을 추진하면서 심화하였다.

# B 정의로운 사회 실현을 위한 제도

출제가능성 90%

## 08 그림은 국민연금과 기초 연금이 갖는 특징을 도식화한 것이다. (가)~(다)에 해당하는 내용으로 옳은 것은?

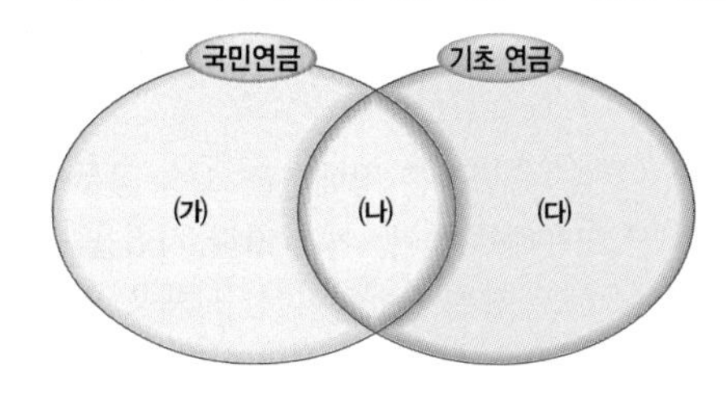


① (가) – 국가가 비용을 전액 부담한다.
② (가) – 빈곤층의 최저 생활 보장을 목적으로 한다.
③ (나) – 소득 재분배 효과가 나타난다.
④ (다) – 강제 가입을 원칙으로 한다.
⑤ (다) – 개인과 정부, 기업이 비용을 분담한다.

## 09 다음 사례에 나타난 사회 복지 제도에 대한 옳은 설명을 〈보기〉에서 고른 것은?

지난해 직장암 수술을 받은 갑은 수술 후 두 차례에 걸쳐 항암 치료를 받았다. 각종 검사를 하고 항암제를 투약하면서 470만 원의 치료비가 발생했지만, 국민 건강 보험 덕분에 23만 원만 냈다. 갑은 "항암제가 비싸서 걱정이 많았는데 국민 건강 보험 덕분에 진료비의 5%만 내면 되어 큰 도움이 되었다."라고 말했다.

보기
ㄱ. 사회 보험에 해당한다.
ㄴ. 빈곤층을 대상으로 한다.
ㄷ. 일반적으로 금전적 지원을 원칙으로 한다.
ㄹ. 상담, 재활, 사회 복지 시설 이용 등의 지원을 제공한다.

① ㄱ, ㄴ ② ㄱ, ㄷ ③ ㄴ, ㄷ
④ ㄴ, ㄹ ⑤ ㄷ, ㄹ

**10** 다음 정책들이 공통으로 추구하는 목적으로 가장 적절한 것은?

- 대학 입학 전형에서 정원 외 특별 전형을 통해 사회적 소외 계층이 대학에 진학할 수 있도록 별도의 경로를 마련하고, 진학 후 장학금과 학습 능력 향상 프로그램 등을 제공한다.
- 국가와 지방 자치 단체의 장은 장애인을 소속 공무원 정원의 3% 이상 고용해야 하며, 이에 따라 시험을 통해 공무원을 선발하는 경우 장애인이 신규 채용 인원의 3% 이상 채용되도록 시험을 실시해야 한다.

① 적극적 우대 조치로 인한 역차별을 해소한다.
② 수도권과 비수도권 간의 지역 격차를 해소한다.
③ 사회적 약자에게 실질적인 평등을 보장한다.
④ 모든 국민이 기본적 생활 수준을 유지할 수 있게 한다.
⑤ 개인이 이룬 업적을 기준으로 사회적 희소가치를 분배한다.

출제가능성 90%

**11** 갑, 을의 입장으로 적절하지 않은 것은?

- 갑: 사회적 약자에게 대학 입학 정원을 할당해야 합니다. 이러한 정책은 기회의 재조정을 통해 정의를 실현할 뿐만 아니라 사회의 다양성을 확보하여 사회 발전에 기여할 수 있습니다.
- 을: 사회적 약자를 우대하는 정책은 다른 사람들의 본질적 권리를 침해하거나 그들의 기회를 박탈함으로써 또 다른 차별을 낳을 수 있습니다. 따라서 사회적 약자에게 대학 입학 정원을 할당하는 것은 부당합니다.

① 갑: 사회적 약자들이 받은 과거의 차별을 보상해야 한다.
② 갑: 사회적 약자를 우대하는 입학 정책은 실질적 평등을 실현할 수 있다.
③ 을: 과거의 차별을 보상하는 입학 정책은 공정한 경쟁을 해친다.
④ 을: 사회적 약자의 입학을 위해 다른 지원자에게 해를 끼쳐서는 안 된다.
⑤ 갑, 을: 사회적 약자를 우대하는 입학 정책은 부당한 역차별을 심화시킨다.

**12** 다음 정책의 실시로 기대되는 효과로 적절한 것을 〈보기〉에서 고른 것은?

2005년 정부가 수도권의 공공 기관 지방 이전 계획을 세운 후, 전국에 10대 혁신 도시를 지정하여 공공 기관 이주를 추진하였다. 2016년 8월 기준으로 혁신 도시, 세종특별자치시, 기타 지역에 총 154개 공공 기관의 이전 계획이 승인·완료되었다.

보기

ㄱ. 수도권 집중 현상이 완화된다.
ㄴ. 낙후된 지역 경제가 활성화된다.
ㄷ. 지역 이기주의 완화에 기여한다.
ㄹ. 성장 잠재력이 큰 대도시를 집중 개발함으로써 다른 지역까지 파급 효과가 나타난다.

① ㄱ, ㄴ ② ㄱ, ㄷ ③ ㄴ, ㄷ
④ ㄴ, ㄹ ⑤ ㄷ, ㄹ

**13** 다음 사례의 지역 발전 전략에 대해 적절한 평가를 내린 학생을 고른 것은?

경상남도 통영의 동피랑 마을은 마을에 그려진 벽화가 입소문이 나면서 관광객이 모여들자, '마을 만들기 지원 센터'를 짓고 마을의 지속 가능한 발전을 추진하고 있다. 또한 우리나라의 최대의 녹차 생산지인 전라남도 보성은 특산물인 녹차를 브랜드화하여 지역 경제 활성화를 꾀하고 있다.

① 갑, 을 ② 갑, 정 ③ 을, 병
④ 을, 정 ⑤ 병, 정

최고난도

**01** 사회 불평등을 바라보는 갑, 을의 입장만을 〈보기〉에서 있는 대로 고른 것은?

- 갑: 개인이 취득한 재산이 정당한 노력의 대가로 이루어진 것이라면, 그 결과가 비록 현저한 불평등으로 나타나더라도 그것은 정의를 위하여 치러야 할 대가로 보아야 한다.
- 을: 사회적 지위나 가정 환경 때문에 발생하는 불평등뿐만 아니라, 개인이 우연히 가지게 된 재능 때문에 생겨나는 불평등도 정의롭지 못하다. 모든 사람을 동등하게 취급하기 위해서는 더 불리한 사회적 지위에서 태어난 사람과 더 적은 천부적 재능을 가진 사람에게 더 많은 관심을 가져야 한다.

보기

ㄱ. 갑: 사회 불평등은 자연스러운 현상이다.
ㄴ. 갑: 개인의 재능과 노력에 기초한 기여도를 중시해야 한다.
ㄷ. 을: 국가의 소득 재분배 정책은 정의롭지 않다.
ㄹ. 을: 개인의 천부적 재능에 따른 이익은 사회의 공동 자산이다.

① ㄱ, ㄴ ② ㄴ, ㄷ ③ ㄷ, ㄹ
④ ㄱ, ㄴ, ㄹ ⑤ ㄴ, ㄷ, ㄹ

2018 평가원 응용

**02** 우리나라의 사회 복지 제도 A, B의 특징으로 옳은 것은?

68세인 갑, 을은 각각 자신에게 맞는 사회 복지 제도에 대한 정보를 관련 기관 누리집에서 찾아보았다.
- 갑이 찾은 제도는 A의 하나로서, 국민 건강 보험 가입자 가운데 고령이나 노인성 질병 등으로 일상생활을 혼자서 수행하기 어려운 사람들에게 장기 요양 급여를 판정 등급에 따라 제공한다.
- 을이 찾은 제도는 B의 하나로서, 노인에게 안정적인 소득 기반을 제공하여 생활 안정을 돕는 것을 목적으로 한다. 만 65세 이상 노인 중 소득 인정액이 기준 금액 이하인 사람에게 연금을 지급한다.

① A는 대상자의 수혜 정도에 따른 비용 부담을 원칙으로 한다.
② B는 사후 처방적 성격이 강하다.
③ B는 강제 가입을 원칙으로 한다.
④ A는 B와 달리 소득 재분배 효과가 있다.
⑤ B는 A보다 혜택을 받는 대상자의 범위가 넓다.

**03** (가)에 들어갈 진술로 가장 적절한 것은?

- 갑: 사회적 약자를 대상으로 그들이 처한 불리한 조건을 개선하기 위한 적극적 우대 조치가 필요합니다.
- 을: 제 생각은 다릅니다. 적극적 우대 조치는 능력과 업적에 기초한 분배 원칙에 어긋납니다.
- 갑: 아닙니다. 100미터 경주에서 한 사람이 50미터를 갈 때, 다른 사람은 발목에 쇠구슬이 묶여 10미터밖에 못 갔다고 합시다. 이때 경쟁이 공정하려면 쇠구슬을 푸는 것만이 아니라 쇠구슬로 인해 벌어진 거리를 만회하도록 해 주어야 합니다.
- 을: 제 생각에 당신의 주장은 ______(가)______

① 과거의 차별에 대한 현재의 보상이 정당함을 간과하고 있습니다.
② 사회적 약자에게 유리한 기회를 부여해야 함을 간과하고 있습니다.
③ 차별받은 개인이 아닌 집단이 보상의 대상임을 간과하고 있습니다.
④ 적극적 우대 조치가 사회 정의 실현에 기여함을 간과하고 있습니다.
⑤ 적극적 우대 조치로 또 다른 차별이 생길 수 있음을 간과하고 있습니다.

## 서술형 문제

**04** 다음 글을 읽고 물음에 답하시오.

( ㉠ )(이)란 지역 간에 경제적·사회적·문화적 수준의 차이가 나타나는 현상을 의미한다. ( ㉠ )은/는 선진국과 개발 도상국의 격차, 수도권과 비수도권의 격차, 도시와 촌락의 격차 등 공간 규모에 따라 다양한 양상을 보인다.

(1) ㉠에 들어갈 내용을 쓰시오.

(2) ㉠을 해결하기 위한 노력을 두 가지 이상 서술하시오.

# 01 세계의 다양한 문화권

## A 문화권의 형성

### 1. 문화와 문화권

(1) 문화: 인간이 환경과 상호 작용하는 과정에서 형성한 의식주, 언어, 종교, 풍습 등의 생활 양식

(2) 문화권: 문화적 특성이 유사하게 나타나 주변의 다른 지역과 구별되는 공간적 범위

### ★ 2. 문화권 형성에 영향을 주는 요인

(1) 자연환경: 기후, 지형, 식생, 토양 등 → 의식주와 같은 기본 생활 양식에 영향을 미침
- 지형: • 산지 지역 → 임산물 채취나 산비탈 개간 • 해안 지역 → 항구 중심의 마을 형성, 수산업

| | |
|---|---|
| 의복 | 열대 기후 지역은 통풍이 잘 되는 옷, 건조 기후 지역은 온몸을 감싸는 헐렁한 옷, 한대 기후 지역은 가죽이나 털옷을 주로 입음 |
| 음식 | 아시아의 계절풍 기후 지역은 쌀, 건조 기후 지역과 유럽은 밀이 주식임 |
| 주거 | • 열대 기후 지역: 개방적인 구조의 고상 가옥, 비가 많이 내려 지붕의 경사가 급함<br>• 건조 기후 지역: 일교차가 커 벽을 두껍게 만들고 창을 작게 만듦, 비가 거의 오지 않아 지붕을 평평하게 함 |

- 고상 가옥: 지열, 습기, 해충을 막기 위해 가옥의 바닥을 지면에서 띄워 지었다.

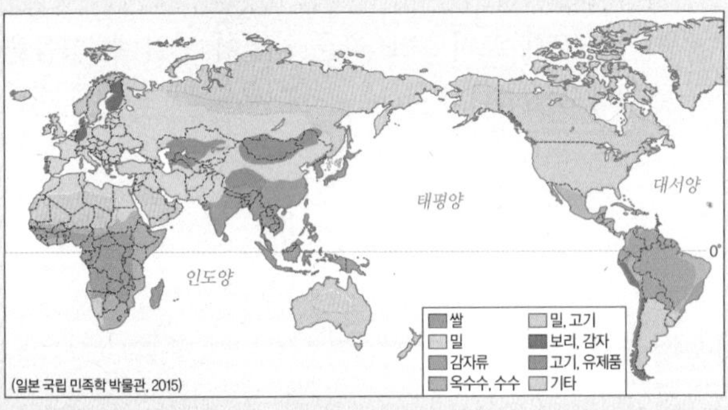


⊙ 세계의 주식 문화권

(2) 인문 환경: 종교, 언어, 예술, 산업, 관습, 제도 등 → 문화 경관뿐만 아니라 사람들의 가치관에도 영향을 미침

| | |
|---|---|
| 종교 | 종교에 따라 생활 양식, 사회 제도, 종교 경관 등이 서로 다르게 나타남 |
| 산업 | 농경, 유목, 상공업 등 중심을 이루는 산업에 따라 문화권의 생활 양식이 다름 |

- 생활 양식: 이슬람교 문화권 → 돼지고기 금기
- 종교 경관: 크리스트교 문화권 → 성당이나 교회 등의 문화 경관
- 농경: 정착 생활
- 유목: 이동 생활

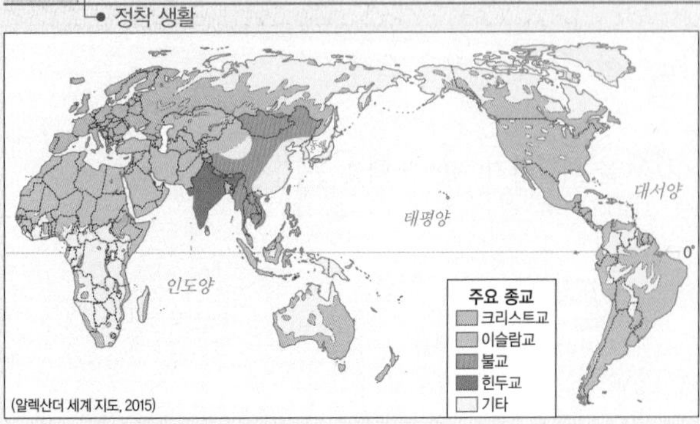


⊙ 세계의 종교 문화권

- 이슬람교: 돼지고기와 술을 먹지 않음
- 힌두교: 소를 신성시하여 먹지 않음
- 불교: 살생을 금하며 채식 위주의 식사를 함

## B 문화권의 구분과 특징

### 1. 다양한 문화권의 구분

(1) 문화권의 구분: 기후, 종교, 민족, 언어, 산업 등의 문화 요소를 복합적으로 고려하여 구분함

(2) 문화권 구분의 특징

① 문화권은 하천, 산맥, 사막 등의 지형에 의해 경계가 정해지며, 그 경계에는 점이 지대가 존재함
- 점이 지대: 서로 다른 지리적 특성을 가진 두 지역 사이에서 중간적인 현상이 나타나는 지역

② 같은 문화권에서는 대체로 유사한 삶의 방식이 나타나지만, 세부적으로는 문화적 특징이 다르게 나타나기도 함

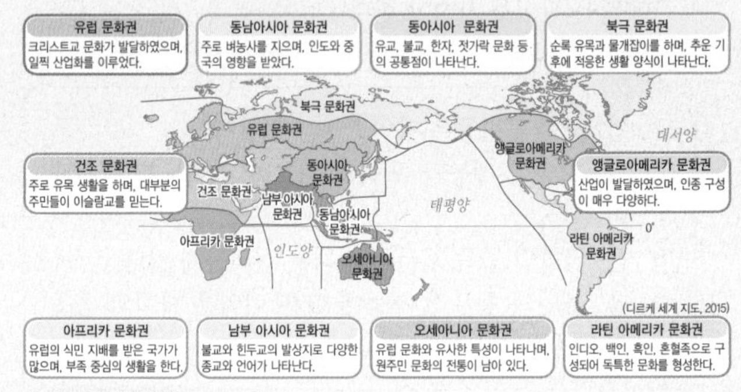


⊙ 세계의 문화권

### ★ 2. 세계 문화권의 특징

(1) 동양 문화권: 계절풍의 영향으로 벼농사 활발, 쌀을 주식으로 하는 음식 문화 발달
- 여름철 기온이 높고 강수량이 풍부하기 때문이다.

| | |
|---|---|
| 동아시아 문화권 | • 우리나라, 중국, 일본을 포함하는 지역<br>• 유교와 불교문화 발달, 한자와 젓가락 사용 |
| 동남아시아 문화권 | • 인도양과 태평양을 연결하는 교통의 요지<br>• 불교·이슬람교·크리스트교 등 다양한 종교가 혼재함 |
| 남부 아시아 문화권 | • 인도, 파키스탄, 방글라데시, 스리랑카 등이 해당<br>• 다양한 민족과 언어 분포, 힌두교·이슬람교·불교 발달 |

- 힌두교: 인도

⊙ 한자 문화권 | 동아시아는 한자를 공통으로 사용하기 때문에 한자 문화권으로 구분하기도 한다.

⊙ 벼농사 | 벼는 단위 면적당 생산량이 많아 인구 부양력이 높기 때문에 벼농사 지역은 인구가 밀집한다.

(2) 유럽 문화권: 크리스트교가 생활 전반에 큰 영향을 주고, 근대 시민 혁명을 바탕으로 민주주의가 발달함

| | |
|---|---|
| 북서 유럽 문화권 | • 서안 해양성 기후 → 혼합 농업과 낙농업 발달<br>• 게르만족과 개신교 우세, 산업 혁명의 발상지 |
| 남부 유럽 문화권 | • 지중해성 기후 → 수목 농업 발달<br>• 라틴족과 가톨릭교 우세, 그리스·로마 문화의 발상지 |

★ 표시는 시험 전에 확인해 주세요.

(3) 건조 문화권

건조 기후 지역의 의복

① 북부 아프리카·서남아시아·중앙아시아 일대
② 건조 기후 지역, 초원과 사막 분포, 유목과 오아시스 농업 발달, 이동식 가옥에 거주
③ 이슬람교 문화 형성, 아랍어 사용
④ 최근 석유 자원 개발에 따른 국제적 분쟁 발생

(4) 아프리카 문화권
① 사하라 사막 이남의 중·남부 아프리카 일대
② 열대 기후 지역, 수렵 및 채집 생활, 이동식 화전 농업, 플랜테이션 발달 (플랜테이션: 열대 기후 지역에서 선진국의 자본과 원주민의 값싼 노동력으로 특정 작물을 대규모로 재배하는 상업적 농업)
③ 부족 단위의 공동체 문화 및 토속 신앙 발달
④ 유럽의 식민 지배 영향 → 종족과 국경의 불일치로 분쟁이 빈번함

(5) 오세아니아 문화권
① 오스트레일리아·뉴질랜드·태평양 제도를 포함한 지역
② 영어 사용, 크리스트교 비중이 높음
③ 세계적인 목축업 지역(오스트레일리아, 뉴질랜드), 농업과 관광 산업 발달
④ 애버리지니와 마오리족의 원주민 문화가 남아 있음 (최근에는 소멸될 위기에 처해 있다.)

(6) 아메리카 문화권: 유럽인이 진출하면서 언어와 종교 등이 전파되어 새로운 문화가 형성됨

| | |
|---|---|
| 앵글로아메리카 문화권 | • 리오그란데강 이북의 미국과 캐나다<br>• 북서 유럽 문화의 영향 → 주로 영어 사용, 개신교 우세<br>• 세계 경제의 중심지, 세계적인 농산물 수출 지역 |
| 라틴 아메리카 문화권 | • 리오그란데강 이남의 중남미 지역<br>• 남부 유럽 문화의 영향 → 에스파냐어와 포르투갈어(브라질) 사용, 가톨릭교 우세<br>• 혼혈 인종이 많음 → 원주민, 아프리카, 유럽인 간의 융합된 문화 발달 |

(7) 북극 문화권
① 북극해 연안의 유라시아 대륙과 북아메리카 북부, 그린란드의 툰드라 지역
② 한대 기후 지역, 순록 유목, 수렵 및 어로 활동
③ 이누이트, 라프족, 사모예드족 거주
④ 최근 현대 문명 전파로 전통적 생활 양식이 약화됨

순록 유목(그린란드)

# 1단계 개념 짚어 보기

정답과 해설 28쪽

**01** 문화권은 기후, 지형, 식생, 토양과 같은 (㉠ )과 종교, 언어, 산업, 예술, 관습과 같은 (㉡ )의 영향을 받아 형성된다.

**02** 다음 설명이 맞으면 ○표, 틀리면 ×표를 하시오.

(1) 열대 기후 지역은 개방적인 구조의 고상 가옥이 발달하였다. ( )
(2) 유럽 문화권은 산업 혁명의 발상지이며, 크리스트교 문화가 발달하였다. ( )
(3) 기온이 높은 건조 기후 지역에 사는 사람들은 통풍이 잘 되는 짧고 가벼운 옷을 입는다. ( )
(4) 이슬람교 문화권에서는 소를 신성시하여 소고기를 먹지 않는 음식 문화가 형성되었다. ( )

**03** 동양 문화권과 그 특징을 옳게 연결하시오.

(1) 동아시아 문화권 • • ㉠ 한자와 젓가락 사용
(2) 동남아시아 문화권 • • ㉡ 불교와 힌두교의 발상지
(3) 남부 아시아 문화권 • • ㉢ 교통의 요지로 다양한 문화 혼재

**04** 각 문화권의 특징을 〈보기〉에서 골라 기호를 쓰시오.

보기
ㄱ. 마오리족　ㄴ. 한대 기후
ㄷ. 열대 기후　ㄹ. 순록 유목
ㅁ. 목축업 발달　ㅂ. 이동식 화전 농업

(1) 북극 문화권 ( )
(2) 아프리카 문화권 ( )
(3) 오세아니아 문화권 ( )

**05** 아메리카 문화권을 비교한 표이다. ㉠~㉣에 들어갈 내용을 각각 쓰시오.

| 구분 | (㉠ ) 문화권 | 라틴 아메리카 문화권 |
|---|---|---|
| 지역 | (㉡ )과 캐나다 | 리오그란데강 이남 중남미 지역 |
| 언어 | 영어 | (㉢ ), 포르투갈어 |
| 종교 | 개신교 | (㉣ ) |

## A 문화권의 형성

**01** 문화권에 대한 설명으로 옳지 않은 것은?

① 자연환경과 인문 환경의 영향을 받아 형성된다.
② 하나의 문화권에서는 비슷한 생활 양식이 나타난다.
③ 문화적 특성이 유사하게 나타나는 공간적 범위이다.
④ 문화권을 구분하는 경계는 일반적으로 국경과 일치한다.
⑤ 문화권과 문화권이 만나는 곳에는 점이 지대가 존재한다.

**02** 다음과 같이 다양한 음식 문화가 형성되는 데 영향을 미친 요인을 〈보기〉에서 고른 것은?

영국의 스테이크(고기)

베트남의 포(쌀)

멕시코의 토르티야(옥수수)

보기
ㄱ. 기후　　ㄴ. 지형
ㄷ. 언어　　ㄹ. 정치 제도

① ㄱ, ㄴ　② ㄱ, ㄷ　③ ㄴ, ㄷ
④ ㄴ, ㄹ　⑤ ㄷ, ㄹ

**03** 사진과 같은 생활 양식이 발달하는 데 영향을 끼친 기후로 옳은 것은?

① 열대 기후　② 건조 기후　③ 온대 기후
④ 냉대 기후　⑤ 한대 기후

출제가능성 90%

**04** 다음은 여행 중인 학생이 친구와 주고받은 메시지이다. 이 학생이 여행하고 있는 지역의 전통 가옥으로 옳은 것은?

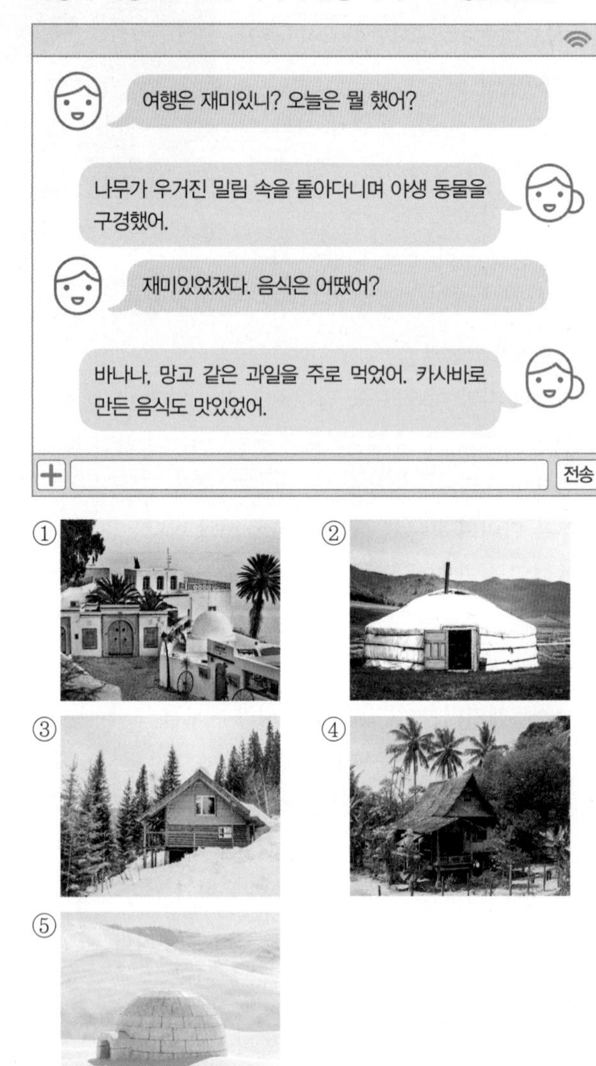


**05** ㉠, ㉡에 들어갈 말을 옳게 연결한 것은?

인문 환경은 문화권을 구분하는 주요 지표로 활용된다. 성당, 모스크, 사찰 등 ( ㉠ )을/를 상징하는 건축물은 다른 지역과 구분되는 문화 경관을 만들어 내며, 이념이나 사상 등을 반영하여 주민들의 생활 양식에 영향을 준다. 또한 ( ㉡ )은/는 주민들의 경제 활동에 영향을 미쳐 문화권 형성에 중요하게 작용한다.

| | ㉠ | ㉡ | | ㉠ | ㉡ |
|---|---|---|---|---|---|
| ① | 종교 | 언어 | ② | 종교 | 산업 |
| ③ | 언어 | 산업 | ④ | 언어 | 종교 |
| ⑤ | 산업 | 종교 | | | |

[06~07] 지도는 종교에 따라 문화권을 구분한 것이다. 이를 보고 물음에 답하시오.

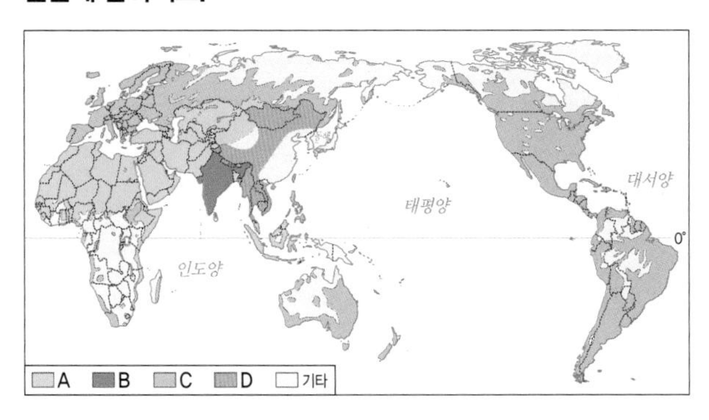


**06** 위 지도에서 A 종교가 나타나는 지역의 대표적인 문화 경관으로 옳은 것은?

①

②

③

④

⑤

**07** 위 지도에 나타난 A~D 종교 문화권의 생활 모습에 대한 옳은 설명을 〈보기〉에서 고른 것은?

보기
ㄱ. A – 일요일에 교회에 모여 예배를 한다.
ㄴ. B – 소를 신성시하여 소고기를 먹지 않는다.
ㄷ. C – 라마단 시기에 해가 떠 있는 동안 금식한다.
ㄹ. D – 승려가 집집마다 돌아다니며 먹을 것을 구한다.

① ㄱ, ㄴ ② ㄱ, ㄷ ③ ㄴ, ㄷ
④ ㄴ, ㄹ ⑤ ㄷ, ㄹ

## B 문화권의 구분과 특징

출제가능성 90%

**08** 다음에서 설명하는 문화권을 지도의 A~E에서 고른 것은?

- 유교와 불교의 영향을 받은 생활 양식이 나타난다.
- 언어는 다르지만 한자를 사용한다는 공통점이 있다.

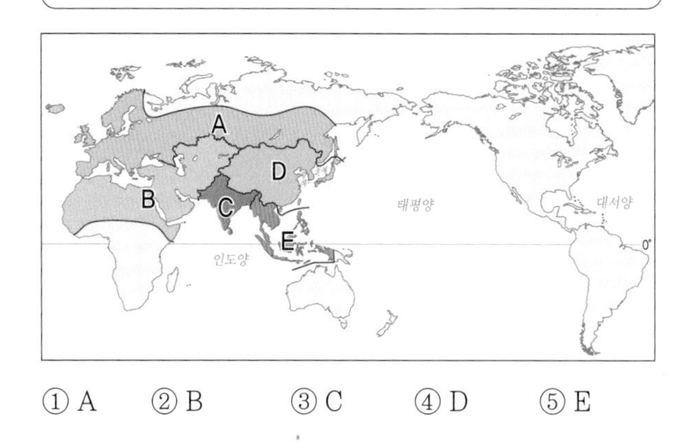


① A ② B ③ C ④ D ⑤ E

주관식

**09** 다음 내용에 해당하는 문화권을 쓰시오.

북부 아프리카와 서남아시아, 중앙아시아에 해당하는 지역이다. 주민들은 전통적으로 유목과 오아시스 농업을 해 왔으며, 주로 아랍어를 사용하고 이슬람교를 믿는다.

**10** 다음은 어떤 학생이 작성한 노트 필기의 일부이다. ㉠~㉤ 중 옳지 않은 것은?

유럽 문화권
- 산업 혁명의 발상지 ……… ㉠
- 크리스트교 문화 발달 ……… ㉡
- 시민 혁명을 바탕으로 민주주의 발달 ……… ㉢
- 북서 유럽은 개신교를 주로 믿고, 남부 유럽은 가톨릭교를 주로 믿음 ……… ㉣
- 북서 유럽은 수목 농업이 발달하였고, 남부 유럽은 혼합 농업과 낙농업이 발달함 ……… ㉤

① ㉠ ② ㉡ ③ ㉢ ④ ㉣ ⑤ ㉤

**11** 지도는 아메리카 문화권을 언어로 구분한 것이다. A~C 지역에서 사용하는 언어를 옳게 연결한 것은?

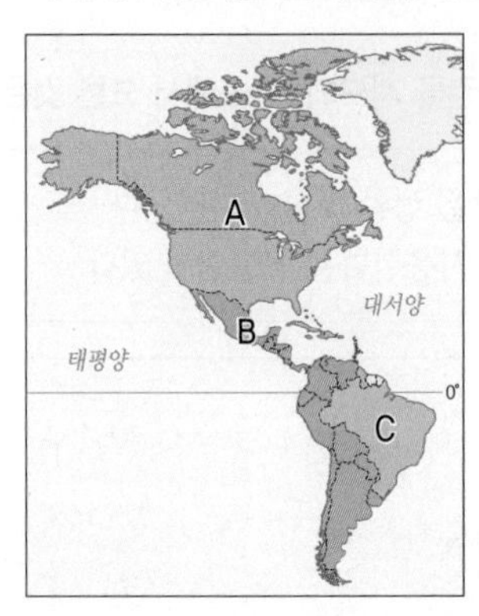


| | A | B | C |
|---|---|---|---|
| ① | 영어 | 포르투갈어 | 에스파냐어 |
| ② | 영어 | 에스파냐어 | 포르투갈어 |
| ③ | 포르투갈어 | 에스파냐어 | 영어 |
| ④ | 포르투갈어 | 영어 | 에스파냐어 |
| ⑤ | 에스파냐어 | 영어 | 포르투갈어 |

**12** 지도에 표시된 문화권의 주민 생활 모습으로 옳은 것을 〈보기〉에서 고른 것은?

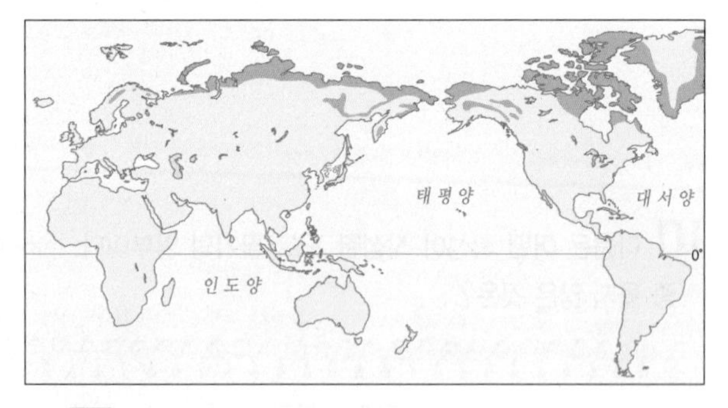


보기
ㄱ. 동물의 털과 가죽으로 만든 두꺼운 옷을 입는다.
ㄴ. 순록을 유목하거나 물고기, 바다표범 등을 사냥한다.
ㄷ. 울창한 침엽수림에서 얻을 수 있는 통나무를 이용하여 집을 짓는다.
ㄹ. 토양의 지력이 떨어지면 다른 곳으로 이동해 농사를 짓는 이동식 화전 농업이 이루어진다.

① ㄱ, ㄴ ② ㄱ, ㄷ ③ ㄴ, ㄷ
④ ㄴ, ㄹ ⑤ ㄷ, ㄹ

**13** 지도의 A~D 문화권에 대한 옳은 설명을 〈보기〉에서 고른 것은?

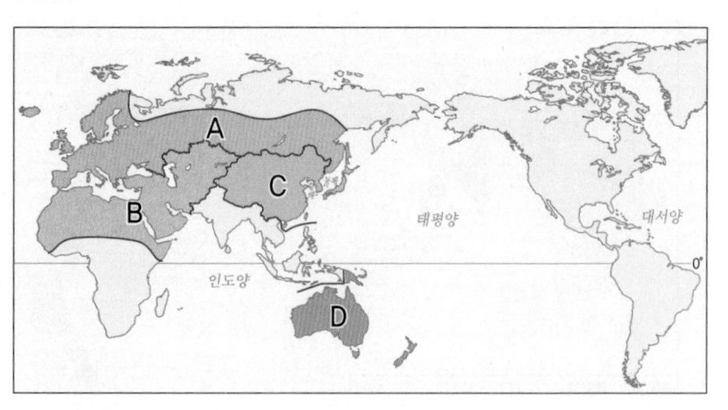


보기
ㄱ. A는 해상 교통의 요지로 다양한 종교 문화가 혼재되어 나타난다.
ㄴ. B에 거주하는 사람들은 주로 이슬람교를 믿는다.
ㄷ. C는 한자와 젓가락을 사용한다는 공통점이 있다.
ㄹ. D는 A의 영향을 받아 에스파냐어와 포르투갈어를 사용한다.

① ㄱ, ㄴ ② ㄱ, ㄷ ③ ㄴ, ㄷ
④ ㄴ, ㄹ ⑤ ㄷ, ㄹ

출제가능성 90%

**14** 지도의 A~E 문화권에서 체험할 수 있는 프로그램으로 적절하지 않은 것은?

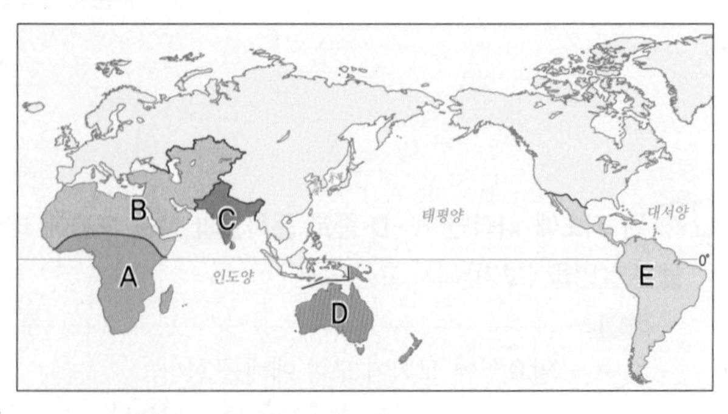


① A-초원에서 사파리 여행하기
② B-사막에서 샌드보드 타기
③ C-성당에서 벽화 감상하기
④ D-전통 농장에서 양털 깎기
⑤ E-밀림에서 원주민 마을 탐방하기

2017 수능 응용

**01** 그래프의 A~C 종교에 대한 옳은 설명을 <보기>에서 고른 것은?

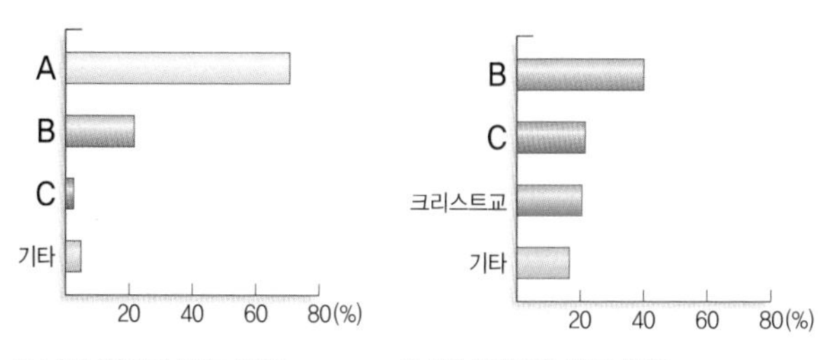


▲ 남부 아시아 종교 비중 ▲ 동남아시아 종교 비중

**보기**

ㄱ. A의 대표적인 종교 경관은 모스크이다.
ㄴ. B의 신자들은 성지를 향해 하루에 다섯 번 기도를 드린다.
ㄷ. C의 수행자들은 살생을 금하는 교리에 따라 채식 위주의 식사를 한다.
ㄹ. A는 B와 C에 비해 여러 국가에서 보편적으로 믿는 종교이다.

① ㄱ, ㄴ ② ㄱ, ㄷ ③ ㄴ, ㄷ
④ ㄴ, ㄹ ⑤ ㄷ, ㄹ

**02** 지도의 A 문화권에 대한 탐구 주제를 옳게 설정한 모둠은?

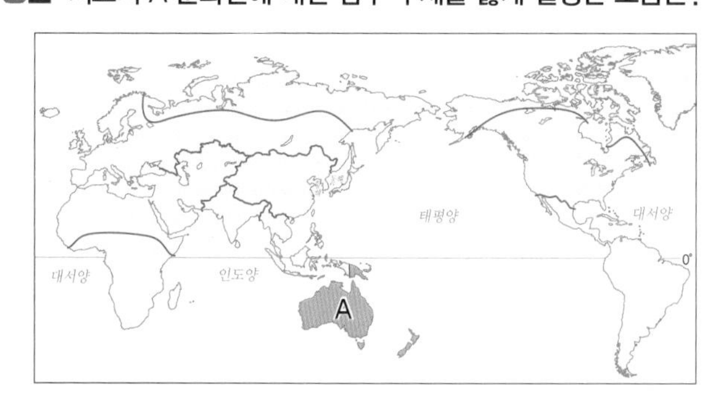


| | 모둠 | 탐구 주제 |
|---|---|---|
| ① | 1모둠 | 계절풍의 영향 |
| ② | 2모둠 | 산업 혁명의 발상지 |
| ③ | 3모둠 | 세계적인 목축업 지역 |
| ④ | 4모둠 | 이누이트와 라프족의 생활 |
| ⑤ | 5모둠 | 종교적으로 금기시하는 음식 |

최고난도

**03** 자료는 수업 시간 중에 활용된 게임 내용이다. (가)에 들어갈 문화권을 지도의 A~E에서 고른 것은?

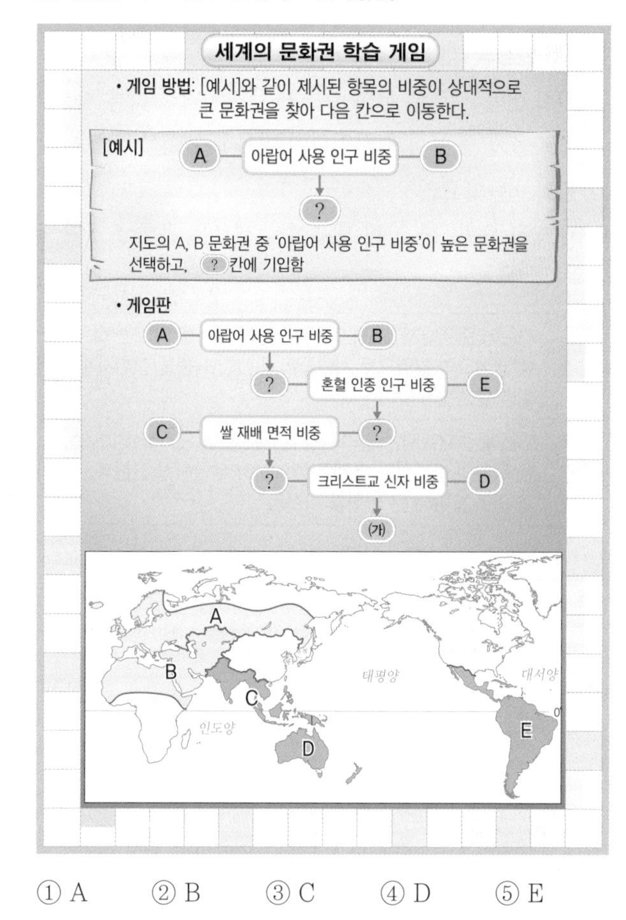


① A ② B ③ C ④ D ⑤ E

**서술형 문제**

**04** (가), (나) 지역 전통 가옥의 특징을 자연환경 측면에서 서술하시오.

# 02 문화 변동과 전통문화의 창조적 계승

## A 문화 변동의 의미와 양상

### 1. 문화 변동의 의미와 요인

(1) 문화 변동: 새로운 문화 요소가 등장하거나 다른 사회와의 접촉을 통해 문화가 끊임없이 변화하는 현상

★ (2) 문화 변동의 요인

① 내재적 요인: 한 사회 내부에서 새로운 문화 요소가 등장하는 것

• 문화를 구성하는 기본 요소로 기술, 언어, 예술, 가치, 규범 등이 해당한다.

| | |
|---|---|
| 발명 | 기존에 존재하지 않았던 새로운 문화 요소를 만드는 것<br>예 냉장고의 발명으로 사람들이 신선한 식품을 섭취하게 되면서 질병 발생률이 낮아짐 |
| 발견 | 기존에 존재했지만 알려지지 않았던 문화 요소를 찾아내는 것<br>예 독일의 물리학자 빌헬름 뢴트겐이 우연히 발견한 X선은 과학과 의료 분야에 큰 변화를 가져옴 |

② 외재적 요인(문화 전파): 한 사회가 다른 사회와 교류 및 접촉하는 과정에서 새로운 문화 요소가 전달되어 정착하는 현상

• 오늘날에는 국가 간 활발한 교류와 대중 매체의 발달 등에 따라 문화 전파가 문화 변동의 가장 큰 요인으로 작용하고 있다.

| | |
|---|---|
| 직접 전파 | 다른 사회 구성원과 직접적인 교류를 통해 다른 사회의 문화가 전파되는 것 |
| 간접 전파 | 인쇄물, 인터넷 등과 같은 간접적인 매개체를 통해 다른 사회의 문화가 전파되는 것 |
| 자극 전파 | 다른 사회의 문화 요소에서 아이디어를 얻어 새로운 문화 요소를 발명하는 것 |

• 한국 드라마나 노래가 인터넷 등을 통해 전 세계로 퍼진 것을 사례로 들 수 있다.

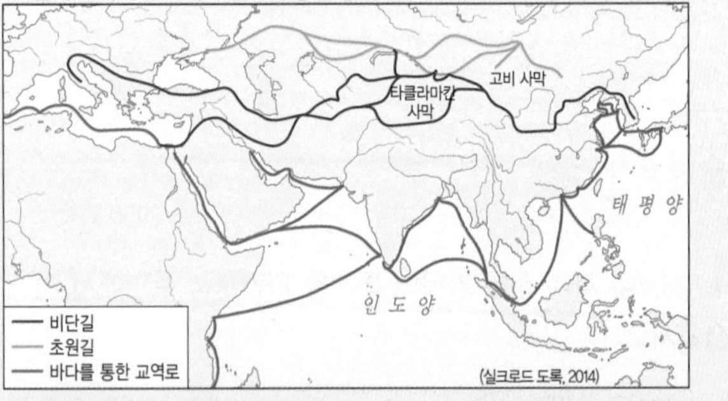


**동서 교역로** | 근대 이전의 동서 교역은 육상의 비단길, 초원길과 해상 교역로를 통해 활발히 이루어졌다. 대표적인 동서 교역로인 비단길을 통해 종이, 화약, 나침반 등이 중국에서 유럽으로 전해졌으며, 불교와 이슬람교 등과 같은 종교도 세계 곳곳으로 퍼져 나갔다. 이처럼 두 문화 간에 직접적인 접촉에 의하여 문화가 전파되는 것을 직접 전파라고 한다.

### 2. 문화 변동의 양상

(1) 내재적 변동

① 의미: 한 사회의 문화 체계 내에서 새로운 문화 요소가 기존의 문화 요소들과 상호 작용하는 과정에서 나타나는 문화 변동

② 사례: 한글 창제로 인해 나타난 생활 전반의 변화, 페니실린의 발견으로 의료 문화에 나타난 변화 등

(2) 문화 접변(외재적 변동)

• 다른 문화를 자발적으로 받아들이는 자발적 문화 접변과 다른 문화를 강제적으로 받아들이는 강제적 문화 접변이 있다.

① 의미: 둘 이상의 다른 문화가 장기간에 걸쳐 전면적인 접촉을 하면서 변동이 일어나는 것

② 유형: 문화 병존, 문화 융합, 문화 동화

### ★ 3. 문화 접변으로 인한 문화 변동의 양상

| | |
|---|---|
| 문화 병존 | • 의미: 기존 문화 요소와 전파된 다른 사회의 문화 요소가 한 사회 내에서 각자 문화의 고유성을 유지하며 공존하는 현상 → A + B → A and B<br>• 특징: 문화적 정체성의 보존으로 문화의 다양성 실현, 두 문화 중 하나의 문화만을 중시하는 사람들에 의한 갈등 발생 우려 |
| 문화 융합 | • 의미: 기존 문화 요소와 전파된 다른 사회의 문화 요소가 결합하여 이전의 두 문화와 다른 새로운 문화가 만들어지는 현상 → A + B → C<br>• 특징: 한 사회의 문화적 정체성을 상실하지 않으면서 외래 문화를 해석하고 재구성하여 정착시킴 |
| 문화 동화 | • 의미: 한 사회의 문화가 외부에서 전파된 다른 사회의 문화에 흡수되어 기존 문화 고유의 성격을 잃어버리는 현상 → A + B → A or B<br>• 특징: 한 사회의 문화적 정체성 상실 우려, 문화 다양성의 가치 훼손, 환경 변화에 맞추어 특정 사회의 문화가 발전하는 현상일 수도 있음 |

**문화 변동의 다양한 모습**

(가) 다양한 인종과 언어가 공존하는 싱가포르는 헌법상 말레이어를 국어로 지정하고 있지만 영어, 중국어, 타밀어도 공용어로 인정하고 있다.

(나) 아시아와 유럽의 중간에 위치한 터키는 동로마 제국의 지배를 받았을 때 지었던 크리스트교 건축물이 오스만 제국의 지배를 받으면서 이슬람 사원으로 개조되어 네 개의 첨탑이 추가되었다. 이는 크리스트교 문화와 이슬람교 문화가 융합된 독특한 경관이다.

(다) 아프리카 대륙의 원주민들은 유럽의 식민 지배 과정에서 유럽 문화와 접촉하면서 토속 신앙을 잃고 대다수가 크리스트교를 믿게 되는 등 원주민 고유의 문화를 상실하였다.

(가)는 한 사회 내에서 서로 다른 문화가 공존하는 문화 병존의 사례이다. (나)는 서로 다른 문화 요소가 결합하여 새로운 문화가 나타난 문화 융합의 사례이며, (다)는 기존 문화 요소가 새로운 문화에 흡수되어 정체성을 상실하는 문화 동화 현상의 사례이다.

## B 전통문화의 의의와 창조적 계승 방안

### 1. 전통문화의 의미와 의의

(1) 전통문화: 한 사회에서 오랜 기간 동안 이어져 내려오면서 그 사회의 고유한 가치로 인정받는 문화

★ 표시는 시험 전에 확인해 주세요.

(2) 전통문화의 의의

① 문화의 고유성 유지: 전통문화의 고유한 정신과 가치는 구성원에게 문화 정체성과 자문화에 대한 자긍심을 가지게 함

② 사회 유지 및 통합에 기여: 전통문화는 한 사회가 단절되지 않고 지속되게 하며, 구성원 간의 유대를 강화하여 사회 통합에 기여함

③ 세계 문화의 다양성 증진: 각 사회의 전통문화는 세계의 문화를 더욱 다채롭고 풍요롭게 만들어 줌

(3) 우리나라의 전통문화

① 한글: 과학적 원리와 편리성 및 실용성으로 세계적으로 그 우수성을 인정받고 있음

② 상부상조 정신과 효(孝)와 예(禮) 사상

③ 의식주(한복, 한식, 한옥), 한지, 고려청자, 사물놀이, 탈춤, 판소리 등

> 우리나라는 과거 벼농사 중심의 농경 사회였다. 벼농사에는 모내기를 하거나 곡식을 수확할 때 많은 노동력이 집중적으로 필요하였는데, 마을 주민들은 두레, 품앗이와 같은 공동체 조직을 만들어 농사일이나 마을 공동의 일을 해결하였다. 그 과정에서 협동과 상부상조의 공동체 문화가 발달하였다. 또한 우리나라는 유교 문화의 영향을 받아 부모님을 공경하는 효와 사람과 사람 간의 관계에서 예를 중시하는 사상이 발달하였다.

우리나라의 전통문화는 한복, 한식, 한옥 등과 같은 다양한 물질문화 외에도 공동체 의식과 효와 예를 중시하는 관념 문화도 발달하였다. 이러한 가치와 태도 등은 한 사회를 유지하는 정신적 자산이 된다.

## ★ 2. 전통문화의 창조적 계승

(1) 전통문화의 우수성 발굴: 전통문화를 객관적으로 분석하여 우수성과 독창성을 찾아야 함

(2) 전통문화의 재해석: 전통문화를 현실적 여건에 맞게 재구성하여 현대 사회의 문화 요소와 조화를 이룰 수 있도록 해야 함

• 외래문화의 무분별한 수용은 자기 문화의 정체성을 상실하는 문화 동화 현상을 불러올 수 있다.

(3) 외래문화의 비판적 수용: 다른 나라로부터 유입된 문화 요소의 장단점을 분석하여 비판적으로 받아들여야 함

> 퓨전 국악 뮤지컬 「판타스틱」은 실시간 국악 연주 공연에 3개국의 언어를 동시에 출력하고 다양한 영상을 구현하는 사물 인터넷 기술을 적용하였다. 이에 따라 배우의 공연 장면을 말풍선 화면을 통해 다국어와 다양한 영상으로 표현할 수 있는데, 이는 외국인 관광객이 「판타스틱」의 객석 점유율을 80% 이상 차지하는 데 크게 기여한 요소이다.

제시된 사례는 다양한 영상 기술을 활용하여 국악이 익숙하지 않은 젊은 세대나 외국인도 한국의 전통 음악을 쉽게 즐기도록 한 모습을 보여 준다. 이는 한국의 전통 음악인 국악을 현실에 맞게 창조적으로 계승한 것이다.

# 1단계 개념 짚어 보기

정답과 해설 30쪽

**01** 문화 변동의 요인에는 내재적 요인인 (㉠ ), 발견과 외재적 요인인 (㉡ )가 있다.

**02** 다음 괄호 안의 내용 중 알맞은 말에 ○표를 하시오.

(1) (발명, 발견)이란 기존에 존재하지 않았던 새로운 문화 요소를 만들어 내는 것이다.

(2) 다른 사회의 문화 요소에서 아이디어를 얻어 새로운 문화 요소를 발명하는 것을 (간접 전파, 자극 전파)라고 한다.

(3) 서로 다른 사회의 문화 요소가 결합하여 두 문화와는 다른 새로운 문화가 만들어지는 현상을 (문화 병존, 문화 융합)이라고 한다.

**03** 다음 사례에 해당하는 문화 변동 양상을 〈보기〉에서 골라 기호를 쓰시오.

> 보기
> ㄱ. 문화 동화　ㄴ. 문화 융합　ㄷ. 문화 병존

(1) 서양의 침대 문화와 우리나라의 온돌 문화가 결합한 돌침대가 등장하였다. ( )

(2) 아메리카 대륙의 원주민들은 유럽의 식민 지배를 거치면서 고유의 문화를 상실하였다. ( )

(3) 인천 차이나타운에 거주하는 중국인들은 한국의 생활 양식을 받아들이면서도 중국의 고유문화를 유지하면서 생활하고 있다. ( )

**04** ( )는 한 사회에서 오랜 기간 동안 이어져 내려오면서 그 사회의 고유한 가치로 인정받는 문화이다.

**05** 다음 설명이 맞으면 ○표, 틀리면 ×표를 하시오.

(1) 전통문화는 사회 구성원 간 유대를 강화하고, 사회를 통합하는 데 기여한다. ( )

(2) 우리나라의 전통문화에는 농경 문화에서 비롯된 협동과 상부상조의 정신 등이 있다. ( )

(3) 세계화 시대에 전통문화를 계승한다는 것은 고유한 전통문화를 원형 그대로 보존하는 것을 의미한다. ( )

## A 문화 변동의 의미와 양상

**01** 문화 변동에 대한 설명으로 옳지 않은 것은?

① 문화 전파에는 직접 전파, 간접 전파, 자극 전파가 있다.
② 오늘날에는 발명과 발견이 문화 변동의 가장 큰 요인이 되고 있다.
③ 내재적 요인으로는 발명과 발견, 외재적 요인으로는 문화 전파가 있다.
④ 새로운 문화 요소의 등장이나 다른 사회와의 접촉으로 문화가 변화하는 현상을 말한다.
⑤ 두 사회의 문화가 장기간에 걸쳐 전면적인 접촉을 하면서 일어나는 변동을 문화 접변이라고 한다.

**02** (가)~(다)에 들어갈 문화 변동의 요인을 각각 쓰시오.

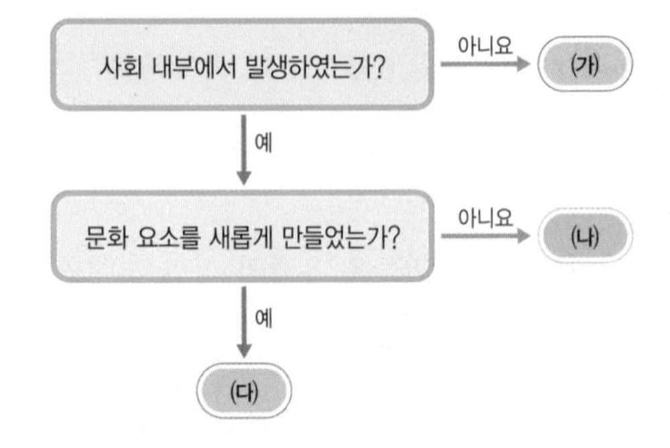


**03** ㉠, ㉡에 들어갈 개념의 사례를 옳게 연결한 것은?

> 문화 변동의 내재적 요인으로는 새로운 문화 요소를 만들어 내는 ( ㉠ )와/과 알려지지 않았던 문화 요소를 찾아내는 ( ㉡ )이/가 있다.

| | ㉠ | ㉡ |
|---|---|---|
| ① | 한글 창제 | 불교 전파 |
| ② | 신항로 개척 | 인터넷 발명 |
| ③ | 한자의 전래 | 방송 콘텐츠 제작 |
| ④ | 전기 자동차 개발 | 유전자 배열 해독 |
| ⑤ | 지구형 행성 발견 | 전자 투표제 창안 |

출제가능성 90%

**04** 그림은 문화 변동의 요인을 구분한 것이다. ㉠~㉤에 해당하는 사례로 옳지 않은 것은?

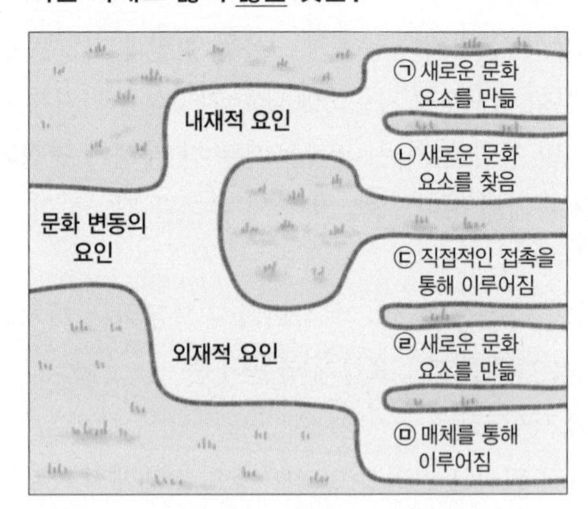


① ㉠ – 에디슨이 축음기를 만든 것
② ㉡ – 라부아지에가 물의 성분을 밝혀 낸 것
③ ㉢ – 페니키아 상인들이 그리스에 알파벳을 전달한 것
④ ㉣ – 신라의 설총이 중국에서 들어온 한자에서 착안하여 이두를 만든 것
⑤ ㉤ – 휴대 전화에 컴퓨터 기능을 결합하여 스마트폰을 개발한 것

**05** 다음은 수업 시간의 한 장면이다. 교사의 질문에 옳게 답변한 학생을 고른 것은?

① 갑, 을 ② 갑, 병 ③ 을, 병
④ 을, 정 ⑤ 병, 정

**06** 다음 내용에 나타난 문화 변동의 요인으로 가장 적절한 것은?

> 근대 이전의 대표적인 동서 교역로인 비단길을 통해 비단뿐만 아니라 종이, 화약, 나침반 등이 중국에서 유럽으로 전해졌다. 또한 불교, 이슬람교와 같은 종교도 이 길을 따라 세계 곳곳으로 퍼져 나갔다.

① 발명 ② 발견 ③ 직접 전파
④ 간접 전파 ⑤ 자극 전파

**07** 밑줄 친 내용에 해당하는 사례로 가장 적절한 것은?

> 한 사회에 다른 사회의 문화가 전파되면 <u>각 문화가 고유한 성질을 간직한 채로 공존하는 경우도 있고</u>, 문화가 합쳐지면서 새로운 문화가 만들어질 수도 있다. 반면에 자기의 고유한 문화를 잃어버리고 다른 문화에 흡수되기도 한다.

① 청바지의 대중화
② 생활 한복의 제작
③ 불고기 버거의 등장
④ 한글과 한자의 혼용
⑤ 김치 스파게티의 출시

**08** 밑줄 친 ㉠~㉣에 대한 옳은 설명을 <보기>에서 고른 것은?

> ㉠ <u>이탈리아 사람들은 밀가루 반죽 위에 토마토 소스, 치즈 등을 얹어서 구워 먹는 피자를 만들었다.</u> ㉡ <u>제2차 세계 대전 이후 이탈리아인이 미국으로 건너가 피자 가게를 차리면서 미국에 피자가 전해지게 되었다.</u> ㉢ <u>그리고 시간이 지나면서 전형적인 이탈리아 피자와는 달리 피자 도우가 두껍고 토핑이 다양한 미국식 피자가 탄생하였다.</u> ㉣ <u>이러한 미국식 피자는 다시 유럽에 전해졌고 유럽에서도 미국식 피자가 인기를 얻고 있다.</u>

보기
ㄱ. ㉠ – 외재적 요인에 의한 문화 변동이다.
ㄴ. ㉡ – 직접 전파가 나타났다.
ㄷ. ㉢ – 문화 융합의 사례에 해당한다.
ㄹ. ㉣ – 유럽의 음식 문화에서 문화 동화가 일어났다.

① ㄱ, ㄴ ② ㄱ, ㄷ ③ ㄴ, ㄷ
④ ㄴ, ㄹ ⑤ ㄷ, ㄹ

**09** 표는 문화 접변의 결과 A, B를 비교한 것이다. 이에 대한 설명으로 옳은 것은?

| 구분 | A | B |
|---|---|---|
| 의미 | (가) | 외래문화 요소와 전통문화 요소가 결합하여 새로운 문화 요소가 만들어지는 현상 |
| 사례 | 필리핀 사람들이 미국에서 전파된 영어와 자국의 필리핀어를 공용어로 사용하는 것 | (나) |
| 공통점 | (다) | |

보기
ㄱ. (가)에는 '한 사회의 문화가 다른 사회의 문화에 흡수되는 현상'이 들어갈 수 있다.
ㄴ. (나)에는 '우리의 소금 양치 문화에 외국의 치약이 들어와 죽염 치약이 만들어진 것'이 들어갈 수 있다.
ㄷ. (다)에는 '문화적 정체성이 남아 있음'이 들어갈 수 있다.
ㄹ. A와 B의 구분 기준은 '외래문화의 비판적 수용 여부'이다.

① ㄱ, ㄴ ② ㄱ, ㄷ ③ ㄴ, ㄷ
④ ㄴ, ㄹ ⑤ ㄷ, ㄹ

출제가능성 90%

**10** (가)~(다)는 문화 접변의 결과에 따라 나타날 수 있는 변화이다. 이에 대한 설명으로 옳지 <u>않은</u> 것은?

(가) Ⓐ + B ➡ Ⓐ

(나) Ⓐ + B ➡ Ⓐ B

(다) Ⓐ + B ➡ △C

* Ⓐ, B, △는 문화 요소, +는 접촉 ➡는 결과를 의미함

① (가)의 사례로 서양 의복 문화가 전래되어 우리나라 사람들이 한복을 거의 입지 않게 된 것을 들 수 있다.
② (다)로 인해 문화의 다양성이 확대될 수 있다.
③ (나)는 문화 병존, (다)는 문화 융합에 해당한다.
④ (가)는 (나), (다)와 달리 직접적인 접촉에 의해 나타난다.
⑤ (가)~(다)는 모두 외재적 요인에 의한 문화 변동이다.

## B 전통문화의 의의와 창조적 계승 방안

**11** 다음 내용에 해당하는 문화에 대한 설명으로 가장 적절한 것은?

> 한 사회에서 오랜 기간 동안 이어져 내려오면서 그 사회의 고유한 가치로 인정받는 문화를 말한다.

① 경제적으로 발전한 나라만이 공유할 수 있다.
② 현실적 여건에 맞게 재창조될 때 더욱 발전할 수 있다.
③ 외래문화의 영향을 받으면 고유성과 정체성이 사라진다.
④ 시간이 지나도 절대 변하지 않는 그 사회 구성원들만의 풍습이다.
⑤ 이전 세대로부터 전승된 생활 양식 중에서 우수한 문화만을 선별한 것이다.

**12** 다음 글에 나타난 우리나라 전통문화의 특징으로 가장 적절한 것은?

> 우리 민족은 두레나 품앗이 등을 통해 서로 돕는 풍습이 있었다. 농번기에 농사일을 공동으로 하기 위하여 마을 단위로 두레를 만들고 일손이 필요한 힘든 일이 있을 때 서로 도와주었다.

① 공동체 의식이 강하다.
② 인간관계에서 예를 가장 중시한다.
③ 자연과의 조화를 중요하게 여긴다.
④ 유교 문화의 영향을 강하게 받았다.
⑤ 불교에 바탕을 둔 문화 유적이 풍부하다.

**13** 전통문화의 올바른 계승 방안을 〈보기〉에서 고른 것은?

> 보기
> ㄱ. 경제적 가치가 큰 전통문화만 선별하여 보호한다.
> ㄴ. 전통문화를 객관적으로 분석하여 우수성을 찾는다.
> ㄷ. 선진국의 문화는 무조건 수용하여 전통문화에 적용한다.
> ㄹ. 전통문화를 현대적 감각으로 재해석하여 새롭게 창조한다.

① ㄱ, ㄴ　② ㄱ, ㄷ　③ ㄴ, ㄷ
④ ㄴ, ㄹ　⑤ ㄷ, ㄹ

출제가능성 90%

**14** 다음 글을 통해 추론할 수 있는 전통문화의 발전 방안으로 가장 적절한 것은?

> • 고려 시대에 중국에서 전해 온 도자기 기술에 새로운 기법을 더하여 세계적인 품질의 고려청자를 만들었다.
> • 조선 시대에 서양의 베스트(vest)를 도입하여 주머니가 없는 전통 한복의 불편함을 개선한 배자를 만들어 입었다.

① 우수한 전통문화를 선별하여 세계에 널리 알려야 한다.
② 낡고 오래된 문화는 다른 나라의 우수한 문화로 대체해야 한다.
③ 자기 문화의 정체성을 바탕으로 외래문화를 비판적으로 수용해야 한다.
④ 전통문화를 고유한 모습 그대로의 형태로 보존하려는 노력이 필요하다.
⑤ 발견이나 발명보다는 문화 전파를 통해 전통문화를 발전시키려는 태도가 요구된다.

**15** 다음과 같은 축제를 통해 기대할 수 있는 효과를 〈보기〉에서 고른 것은?

> **지구촌 한마음 축제**
> 내국인과 외국인 거주민이 더불어 살아갈 수 있는 환경 조성을 위해 제정한 세계인의 날을 기념하고자 '지구촌 한마음 축제'를 개최하오니 많은 참석 바랍니다.
> • 일시(장소): 2018년 5월 20일 13:00~17:00(△△광장)
> – 진행 순서 –
> 1부: 국립 국악단 공연, 세계 각국의 전통 음악 공연
> 2부: 한복 전시회, 세계 전통 의상 패션쇼
> 3부: 한식 요리 강좌, 세계 먹거리 장터 개최

> 보기
> ㄱ. 문화 향유 대상과 범위를 확대하는 기회를 제공할 수 있다.
> ㄴ. 문화에 대한 개방적이고 관용적인 태도를 함양할 수 있다.
> ㄷ. 외래문화에 비해 우수한 우리나라 전통문화를 홍보할 수 있다.
> ㄹ. 외국인 거주민의 문화를 우리나라의 문화에 동화시킬 수 있다.

① ㄱ, ㄴ　② ㄱ, ㄷ　③ ㄴ, ㄷ
④ ㄴ, ㄹ　⑤ ㄷ, ㄹ

**01** 그림은 문화 변동의 요인을 구분한 것이다. ㉠~㉤에 해당하는 사례로 옳지 않은 것은?

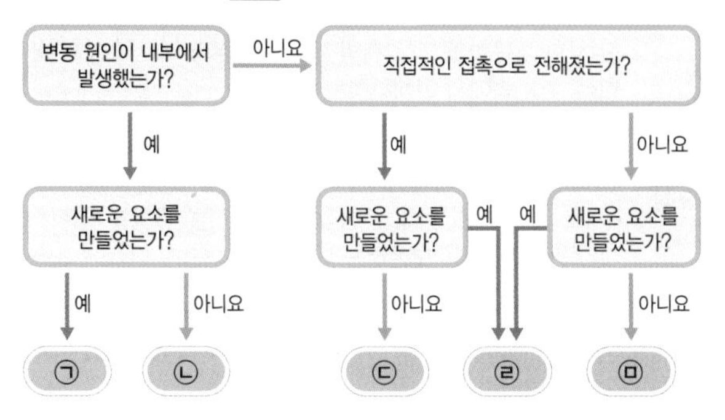


① ㉠ – 정약용이 거중기를 발명한 것
② ㉡ – 뉴턴이 만유인력의 법칙을 알아낸 것
③ ㉢ – 중국에서 우리나라로 유교가 전파된 것
④ ㉣ – 활의 원리를 이용하여 현악기를 만든 것
⑤ ㉤ – 한국의 드라마와 노래가 인터넷을 통해 전 세계로 퍼진 것

최고난도

**02** 다음 자료에 대한 옳은 분석을 〈보기〉에서 고른 것은?

〈자료 1〉 문화 변동의 요인

| 질문 \ 문화 변동 요인 | ㉠ | ㉡ | ㉢ |
|---|---|---|---|
| 문화 변동의 내재적 요인인가? | 예 | 아니요 | 아니요 |
| 직접적인 교류를 통해 문화를 전파하였는가? | 아니요 | 아니요 | 예 |

* 단, ㉠~㉢은 각각 발명, 직접 전파, 간접 전파 중 하나임

〈자료 2〉 문화 변동의 사례

| | |
|---|---|
| (가) | 1800년대 후반 미국에서 천막용 천을 활용하여 만든 작업복이 청바지의 기원이 된다. 이에 따라 광부들은 실용적인 작업복을 입고 편리하게 작업하게 되었다. |
| (나) | 1930년대에 미국 서부 영화의 주인공이 청바지를 입고 나오면서 세계인들도 청바지를 즐겨 입게 되었다. |
| (다) | 1950년대에 우리나라에도 한국 전쟁에 참전했던 미군을 통해 청바지가 소개되었고, 이후 남녀노소에게 큰 인기를 끌었다. |

보기

ㄱ. (가)에는 ㉠에 의한 변동이 나타나 있다.
ㄴ. (나)에는 ㉡에 의한 문화 동화가 나타나 있다.
ㄷ. (다)에는 ㉢에 의한 문화 접변이 나타나 있다.
ㄹ. (가)는 (나), (다)와 달리 외재적 변동에 해당한다.

① ㄱ, ㄴ ② ㄱ, ㄷ ③ ㄴ, ㄷ
④ ㄴ, ㄹ ⑤ ㄷ, ㄹ

2017 수능 응용

**03** 다음 자료에 나타난 문화 변동에 대한 옳은 설명을 〈보기〉에서 고른 것은?

A국과 B국은 장기간에 걸쳐 전면적인 문화 교류를 하였고, 그 결과 아래와 같은 변동이 일어났다.

| 구분 | A국 | B국 |
|---|---|---|
| 변동 전 | ○ □ △ | ● ■ ▲ |
| 변동 후 | ○ □ ■ △ | ○ ▣ ▲ |

* ○, ●은 의복 문화, □, ■는 음식 문화, △, ▲는 주거 문화임
** ▣는 □와 ■가 혼합되어 나타난 새로운 음식 문화임

보기

ㄱ. A국의 의복 문화에서 문화 병존이 나타났다.
ㄴ. B국의 음식 문화에서 문화 융합이 나타났다.
ㄷ. A국에서는 B국과 달리 주거 문화가 변동하였다.
ㄹ. B국에서는 A국과 달리 의복 문화에서 문화 동화가 나타났다.

① ㄱ, ㄴ ② ㄱ, ㄷ ③ ㄴ, ㄷ
④ ㄴ, ㄹ ⑤ ㄷ, ㄹ

## 서술형 문제

**04** 그림은 문화 접변으로 인한 문화 변동 양상을 나타낸다. 물음에 답하시오.

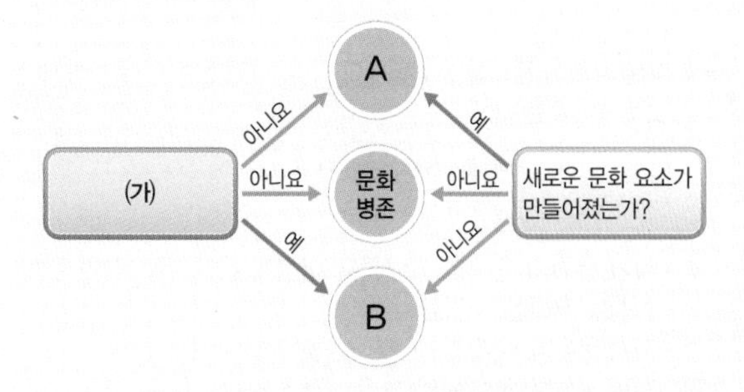


(1) A, B에 들어갈 문화 변동의 양상을 각각 쓰시오.

(2) (가)에 들어갈 적절한 질문을 두 가지만 서술하시오.

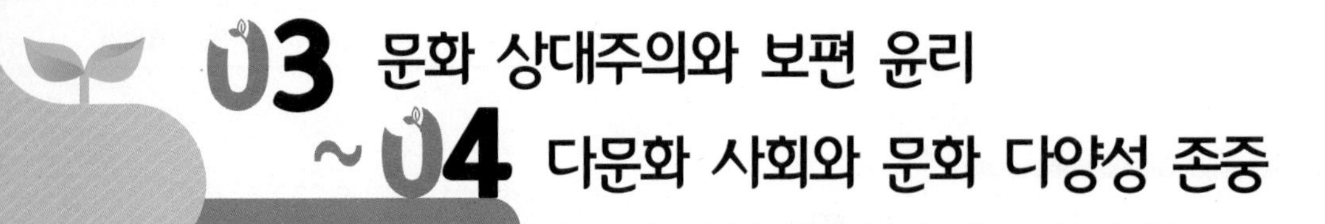

# 03 문화 상대주의와 보편 윤리 ~04 다문화 사회와 문화 다양성 존중

## A 문화 상대주의와 보편 윤리

### 1. 문화 다양성의 의미와 필요성

(1) 문화 다양성: 세계의 문화가 각 사회나 시대적 흐름에 따라 서로 다른 모습으로 나타나는 것

(2) 문화 다양성이 나타나는 이유: 인간은 서로 다른 자연환경과 상황에 적응하면서 나름의 독특한 생활 방식을 형성해 왔으며, 사회 구성원이 공유하는 역사, 종교 등 인문 환경에도 차이가 있기 때문 — 의식주 문화, 언어, 예절 등과 같은 문화는 모든 사회에서 보편적으로 존재하지만, 그 구체적인 모습은 다르게 나타난다.

(3) 문화 다양성 보장의 필요성

- 각 사회의 문화는 그 사회에 속한 사람들이 만든 소중한 자산임
- 다양한 문화를 경험하는 것은 삶을 더욱 풍부하게 함

⬇

현재 세대와 미래 세대의 더 나은 삶을 위해 각 사회가 가진 문화의 특수성과 고유성을 보호해야 함

### ★ 2. 문화를 이해하는 태도

(1) 자문화 중심주의

| | |
|---|---|
| 의미 | 자기 문화를 가장 우수하다고 여기고 다른 사회의 문화를 열등하다고 생각하는 태도 |
| 장점 | 자기 문화에 대한 자부심을 갖게 해 주어 사회 통합에 기여할 수 있음 — 문화의 주체성과 정체성 유지에 유리 |
| 문제점 | • 다른 문화를 배척하여 다른 사회와의 갈등을 초래할 수 있음<br>• 국수주의로 이어져 자기 문화의 발전 가능성을 저해할 우려가 있음 — 다른 민족이나 국가의 문화를 열등하다고 여겨 자기 민족이나 국가의 문화만 고수하려는 태도<br>• 극단적인 경우 다른 민족에 대한 차별이나 제국주의 침략을 정당화할 수 있음 |

(2) 문화 사대주의 — 자문화 중심주의와 문화 사대주의는 문화를 평가하는 절대적인 기준이 있기 때문에 문화 간 우열을 가릴 수 있다고 본다.

| | |
|---|---|
| 의미 | 다른 사회의 문화를 우월하다고 여겨 자기 문화를 무시하거나 낮게 평가하는 태도 |
| 장점 | 다른 사회의 문화를 수용하여 자기 사회의 문화를 개선하는 데 기여할 수 있음 |
| 문제점 | • 자기 문화의 존속이나 발전을 어렵게 하고, 주체적인 문화 형성을 저해할 수 있음<br>• 자기 문화의 주체성과 자부심을 상실할 우려가 있음<br>• 사회 구성원의 소속감이나 일체감을 약화시킬 수 있음 |

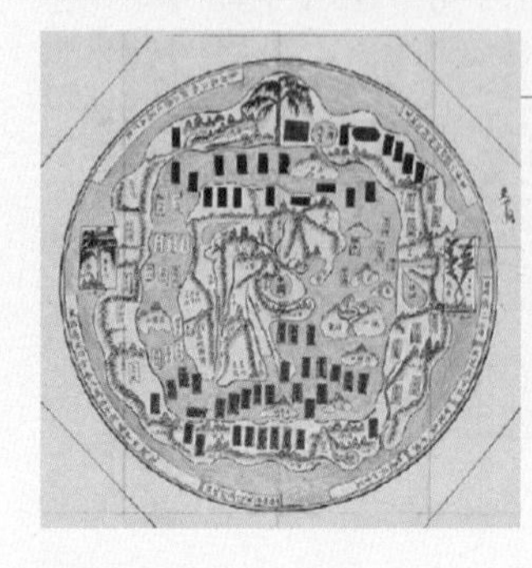

— 중국이 세계의 중심이라는 중화사상이 반영되어 있다.

⊙ **천하도** | 조선 중기 이후에 제작된 천하도는 상상으로 나타낸 세계 지도이다. 천하도에서는 세계를 하나의 원으로 표현하고, 지도의 중심에 중국을 배치하였다. 이는 과거 우리나라 조상들이 중국에 대해 문화 사대주의적 태도를 가지고 있었다는 것을 보여준다.

(3) 문화 상대주의

| | |
|---|---|
| 의미 | 한 사회의 문화를 그 사회의 특수한 환경과 역사적 상황 및 사회적 맥락 속에서 이해하려는 태도 |
| 필요성 | • 다양한 문화를 편견 없이 객관적으로 이해할 수 있도록 도와줌<br>• 문화를 평가의 대상이 아닌 이해의 대상으로 인식함<br>• 서로 다른 사회 간의 문화적 차이에 따른 갈등을 방지하고, 문화의 다양성을 보존하는 데 기여함 |
| 한계 | 모든 문화를 문화 상대주의 관점에서 바라보면 어떤 문화든 무조건 인정하고 존중해야 한다는 극단적 문화 상대주의에 빠질 우려가 있음 |

### ★ 3. 보편 윤리와 문화 성찰

(1) 극단적 문화 상대주의 — 문화의 특수성과 상대성을 지나치게 강조한 나머지 보편적으로 받아들이기 어려운 문화까지도 인정해야 한다고 본다.

① 의미: 모든 문화가 해당 사회에서 고유한 의미와 가치를 갖는다는 생각을 극단적으로 적용하는 태도

② 문제점: 인간 존엄성, 생명 존중, 자유와 평등과 같은 인류의 보편적 가치 훼손, 자문화와 타 문화의 문제점을 비판하거나 개선할 수 없어 문화의 질적 발전 저해

③ 사례: 여자아이의 발을 묶어 자라지 못하게 하는 전족 문화를 인정하는 태도, 가족이나 공동체의 명예를 더럽혔다는 이유로 부족 구성원이 여성을 직접 살해하는 명예 살인 관습을 인정하는 태도

(2) 보편 윤리의 의미와 필요성

① 보편 윤리: 시대와 장소를 초월하여 모든 사람이 존중하고 따라야 할 행위의 원칙 — 예 인간의 존엄성 및 생명 존중, 자유와 평등과 같은 기본적 권리를 존중하는 것 등

② 보편 윤리의 필요성: 극단적 문화 상대주의에 빠지는 것을 방지할 수 있음, 윤리 상대주의를 경계할 수 있음 — 윤리가 문화마다 다양하고 상대적이어서 옳고 그름에 관한 보편적 기준은 존재하지 않는다는 관점

(3) 보편 윤리에 근거한 문화 성찰 태도

① 문화의 상대성과 다양성을 인정하면서도 보편 윤리의 관점에서 자문화와 타 문화를 비판적으로 성찰해야 함

② 보편 윤리의 기준에서 바람직하지 않은 문화의 문제점을 개선하여 문화가 질적으로 발전할 수 있도록 노력해야 함

**황금률에 담긴 보편 윤리**

- "남이 너에게 해 주기를 바라는 대로 너도 다른 사람을 대하라." – 『성경』
- "네가 원하지 않는 바를 남에게 행하지 마라." – 『논어』
- "네가 고통받은 방식으로 남에게 상처를 주지 마라." – 『우다나바르가』
- "나를 위하는 만큼 남을 위하지 않는 사람은 신앙인이 아니다." – 『쿠란』
- "너에게 해로운 일을 이웃에게 행하지 마라." – 『탈무드』

황금률은 '남이 너에게 해 주었으면 하는 행위를 남에게 하라'는 원칙으로, 많은 종교와 철학에서 황금률에 담긴 보편 윤리를 찾아볼 수 있다.

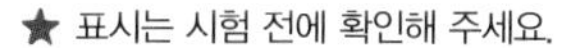
★ 표시는 시험 전에 확인해 주세요.

## B 다문화 사회와 문화 다양성 존중

### ★ 1. 다문화 사회의 의미와 영향

(1) 다문화 사회: 한 사회 안에서 서로 다른 문화를 가진 인종이나 민족 등이 함께 살고 있는 사회

(2) 다문화 사회의 형성 배경

① 교통·통신 수단의 발달: 교통수단 및 정보 통신 기술의 발달에 따른 세계화로 인해 국가 간 이동이 활발해짐

② 외국인 이주민의 유입: 취업, 학업, 결혼 등을 이유로 이주해 오는 외국인 이주민이 증가함

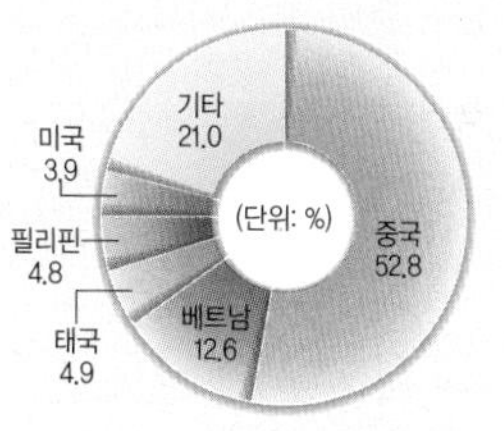

(행정 자치부, 2016)

⊙ 국내 거주 외국인의 국적별 분포

기타 23.6
유학생 4.8
혼인 귀화자 5.4
결혼 이민자 8.5
외국인 주민 자녀 11.6
외국 국적 동포 12.6
외국인 근로자 33.5
(단위: %)
(행정 자치부, 2016)

⊙ 국내 거주 외국인의 유형별 분포

(3) 다문화 사회의 영향

| | |
|---|---|
| 긍정적 측면 | • 다양한 문화를 경험하고 더욱 풍요로운 문화를 형성함<br>• 다른 문화에 대한 편견이나 고정 관념을 약화하는 데 기여함<br>• 저출산·고령화에 따른 노동력 부족 문제를 해소할 수 있음<br>• 국제결혼 이민자의 유입으로 농어촌 지역에 활력이 생김 |
| 부정적 측면 | • 이주민은 문화적 차이와 의사소통의 어려움으로 사회 적응에 어려움을 겪음<br>• 이주민에 대한 편견이 사회적 차별로 이어져 인권 침해 문제가 발생할 수 있음<br>• 다양한 문화의 유입으로 문화 간에 충돌이 일어나기도 함<br>• 외국인과 내국인 간의 일자리 경쟁 심화, 외국인 범죄 증가, 외국인 지원을 위한 사회적 비용 증가 등 |

→ 외국인과 내국인 간에 갈등이 발생하는 원인이 된다.

### 2. 다문화 사회의 갈등 해결 방안

(1) 다문화 사회의 갈등 해결을 위한 노력

| | |
|---|---|
| 개인적 차원 | • 다른 문화에 관하여 편견이나 차별적인 태도를 버리고 문화적 다양성을 인정하는 관용의 태도를 가져야 함<br>• 다른 문화를 이해하고 존중하는 문화 상대주의적 태도와 세계 시민 의식을 함양해야 함 |
| 사회적 차원 | • 이주민들의 사회 적응을 위한 언어 교육, 서로 다른 문화를 이해할 수 있는 체험 행사 등의 다문화 교육을 강화함<br>• 이주민의 권리를 보장하고 편견과 차별로부터 보호받을 수 있는 법을 정비하고 제도적 지원을 확대함 |

세계 시민 의식: 지구촌 구성원을 이웃으로 생각하고, 세계의 다양한 문제를 함께 해결해야 할 공동의 문제로 인식하는 태도

(2) 다문화 정책

① 용광로 정책: 다양한 문화를 융합하여 하나의 정체성을 갖는 국가를 만들고자 함

② 샐러드 볼 정책: 서로 다른 문화가 각각의 정체성을 유지하면서 조화를 이루는 국가를 만들고자 함

정답과 해설 32쪽

**01** 다음 설명에 해당하는 문화 이해 태도를 〈보기〉에에서 골라 기호를 쓰시오.

> 보기
> ㄱ. 문화 사대주의　　ㄴ. 문화 상대주의
> ㄷ. 자문화 중심주의

(1) 자기 문화를 기준으로 다른 사회의 문화를 낮게 평가한다. (　　)

(2) 자기 문화의 발전을 저해하고 주체성과 자부심을 상실할 우려가 있다. (　　)

(3) 오늘날 세계화에 따라 문화가 교류가 활발해지면서 그 필요성이 더욱 커지고 있다. (　　)

**02** 다음 빈칸에 들어갈 내용을 쓰시오.

(1) 시대와 사회를 초월하여 모든 인간과 사회에 타당한 객관적이고 일반적인 도덕 원리를 (　　　　)라고 한다.

(2) 모든 문화를 문화 상대주의적 관점에서 바라보면 인류가 보편적으로 받아들이기 어려운 문화 현상까지도 인정하는 (　　　　)에 빠질 우려가 있다.

**03** 빈칸에 공통으로 들어갈 말을 쓰시오.

> 오늘날 우리 사회는 다양한 인종, 민족, 종교, 문화를 가진 사람들이 함께 어우러져 살아가는 (　　　　)로 변화하고 있다. 이러한 (　　　　)가 나타난 데에는 교통수단의 발달과 정보 통신 기술의 발전이 큰 영향을 미쳤다.

**04** 다음 설명이 맞으면 ○표, 틀리면 ×표를 하시오.

(1) 살인이나 폭력 등과 같은 문화도 그 나름대로의 의미와 가치를 존중해 주어야 한다. (　　)

(2) 다문화 사회의 갈등을 해결하기 위해서는 이주민의 문화를 주류 사회의 문화로 일방적으로 통합시켜야 한다. (　　)

(3) 우리나라에 거주하는 외국인 근로자들은 저출산·고령화에 따른 노동력 부족 문제를 해소하는 데 기여하였다. (　　)

(4) 다문화 사회로의 변화에 따라 외국인 범죄 증가, 외국인 지원을 위한 사회적 비용 증가 등의 문제가 발생할 수 있다. (　　)

## A 문화 상대주의와 보편 윤리

**01** 다음은 여러 사회의 인사법을 나타낸 것이다. 이에 대한 설명으로 옳지 않은 것은?

- 미국의 인사법은 악수이다. 과거 미국에서는 낯선 사람을 만나면 상대를 의심하여 무기에 손을 대고 경계를 하며 살피다가, 서로 싸울 뜻이 없음을 확인하면 무기를 쓰는 오른손을 들어 악수했다고 한다.
- 뉴질랜드 마오리족에게는 이마와 코를 맞대고 같이 숨을 쉬는 독특한 인사법이 있다. 같은 숨결을 나눔으로써 당신과 내가 하나라는 의미를 담고 있다.
- 동아프리카의 키쿠유족은 상대의 손바닥에 침을 뱉어 반가움을 표현하였다. 물이 귀한 아프리카에서 수분을 함께 나눈다는 뜻이다.

① 사회마다 다양한 인사 문화가 존재한다.
② 인사법에도 각 사회의 고유한 문화가 반영되어 있다.
③ 인사법은 그 사회의 특수한 환경에 따라 형성되었다.
④ 인사 문화의 구체적인 모습은 사회마다 다르게 나타난다.
⑤ 미국의 인사 문화가 뉴질랜드 마오리족의 인사 문화보다 우수하다.

[02~03] 다음 글을 읽고 물음에 답하시오.

- 중국의 한족은 자신들의 국가가 세상의 중심에 있으며, 가장 발달된 문화를 가지고 있다고 생각했다.
- 남아메리카를 침략했던 서구인들은 잉카 문명이나 마야 문명을 야만적이고 열등한 것으로 여겨 파괴했다.

**02** 위 사례에 공통으로 나타나는 문화 이해 태도를 쓰시오.

**03** 위 사례에 나타난 문화 이해 태도의 문제점으로 가장 적절한 것은?

① 국수주의로 이어질 수 있다.
② 자기 문화의 고유성을 잃을 수 있다.
③ 사회 구성원의 소속감을 약화할 수 있다.
④ 무분별한 외래문화 수용으로 문화적 정체성을 상실할 수 있다.
⑤ 문화의 상대성을 지나치게 존중한 나머지 생명을 경시할 우려가 있다.

**04** 다음과 같은 문화 이해 태도의 문제점을 <보기>에서 고른 것은?

자신의 문화를 열등하다고 평가하고 특정 사회의 문화를 우수한 것으로 여기는 태도이다.

보기
ㄱ. 국제적 고립에 빠질 우려가 있다.
ㄴ. 선진 문물을 수용하는 데 방해가 된다.
ㄷ. 자기 문화의 창조 능력을 과소평가한다.
ㄹ. 문화의 고유성과 주체성을 상실할 수 있다.

① ㄱ, ㄴ ② ㄱ, ㄷ ③ ㄴ, ㄷ
④ ㄴ, ㄹ ⑤ ㄷ, ㄹ

**05** 자문화 중심주의와 문화 사대주의의 공통점으로 적절하지 않은 것은?

① 문화 간에 우열이 있다고 본다.
② 자기 사회의 문화를 낮게 평가한다.
③ 문화의 상대성과 다양성을 인정하지 않는다.
④ 세계화 시대에 피해야 할 문화 이해 태도이다.
⑤ 문화를 평가하는 절대적인 기준이 있다고 생각한다.

출제가능성 90%

**06** (가), (나)의 문화 이해 태도에 대한 설명으로 옳은 것은?

(가) 오늘날 우리 사회에서 일부 사람들은 아직도 외국의 명품이라면 무조건 선호하면서 국산품을 낮게 평가하고 있다.
(나) 서양의 일부 국가에서는 이슬람 사회에서 여성들이 종교적 이유에서 착용하는 히잡이 시대에 뒤떨어지는 미개한 문화라며 비난하고 있다.

① (가)는 자문화 중심주의이다.
② (가)는 문화 제국주의로 발전할 가능성이 크다.
③ (나)는 자기 문화의 고유성과 주체성을 상실할 우려가 있다.
④ (나)는 국가 간의 이해와 협력을 방해하여 갈등을 초래할 수 있다.
⑤ (가)와 (나) 모두 문화의 다양성을 증진하는 데 도움이 되는 태도이다.

출제가능성 90%

## 07 세 사람의 문화 이해 태도에 대한 설명으로 옳은 것은?

수저를 사용하는 우리나라와 달리 손을 사용해서 음식을 먹는 인도의 음식 문화는 정말 불결한 것 같아요.

갑

인도 사람들은 그릇이나 도구보다는 자신의 손을 사용하여 음식을 먹는 것이 가장 깨끗하다고 생각해요.

을

포크나 나이프로 음식을 먹는 문화가 더 고급스러워요. 수저를 사용하는 우리나라의 음식 문화는 촌스러워요.

병

각 사회의 음식 문화는 그 나름의 의미와 가치를 가지고 있어요. 우리나라는 다양한 반찬과 국을 많이 먹기 때문에 수저를 사용하는 것이에요.

을

① 갑은 자기 문화에 대한 자부심과 주체성이 부족하다.
② 을은 문화를 평가의 대상이 아닌 이해의 대상으로 인식한다.
③ 병은 자기 문화를 기준으로 삼아 다른 문화를 낮게 평가한다.
④ 갑과 을은 각 사회의 음식 문화의 우열을 가릴 수 있다고 생각한다.
⑤ 을의 태도는 갑, 병과 달리 타 문화와의 접촉 과정에서 문화적 갈등을 겪을 가능성이 크다.

## 08 문화 이해의 태도 A~C에 대한 옳은 설명을 〈보기〉에서 고른 것은? (단, A~C는 각각 문화 사대주의, 문화 상대주의, 자문화 중심주의 중 하나이다.)

타 문화를 받아들이는 데 있어 A는 B에 비해 수용적이지만, 자기 문화의 정체성을 보존하는 데는 B가 A보다 유리하다. 한편, 문화의 다양성을 증진하기 위해서는 A, B보다 C가 필요하다.

보기

ㄱ. A는 국수주의로 이어져 자기 문화의 발전 가능성을 저해할 우려가 있다.
ㄴ. B의 사례로 연장자에게 악수를 청하는 외국인을 무례하다고 비난하는 것을 들 수 있다.
ㄷ. C가 극단적일 경우 생명 존중과 같은 보편 윤리적 가치를 훼손할 수 있다는 비판을 받는다.
ㄹ. A는 자기 문화를 기준으로, B는 다른 사회의 문화를 기준으로 각 사회의 문화를 평가한다.

① ㄱ, ㄴ ② ㄱ, ㄷ ③ ㄴ, ㄷ
④ ㄴ, ㄹ ⑤ ㄷ, ㄹ

## 09 두 사람에게 공통으로 필요한 문화 이해 태도로 옳은 것은?

난 김치찌개보다 스테이크가 훨씬 훌륭한 음식이라고 생각해.

우리나라 음식이 최고지! 다른 나라 음식은 개운하지가 않아.

① 윤리의 상대성을 인정해야 한다.
② 문화를 평가의 대상으로 바라보아야 한다.
③ 특정한 가치를 기준으로 문화를 평가해야 한다.
④ 자기 문화를 기준으로 다른 문화를 수용해야 한다.
⑤ 다양한 문화의 고유한 의미와 가치를 존중해야 한다.

## 10 다음 글에 나타난 개념에 대한 설명으로 옳지 않은 것은?

"무고한 사람을 죽이지 마라.", "물건을 훔치거나 남을 속이지 마라."와 같이 모든 인간과 사회에 타당한 객관적이고 일반적인 도덕 원리를 말한다.

① 윤리 상대주의를 가질 수 있게 도와준다.
② 자문화와 타 문화를 성찰하는 기준이 된다.
③ 인간 존엄성, 생명 등을 존중해야 한다는 원칙이다.
④ 모든 문화를 맹목적으로 인정하는 태도를 방지해 준다.
⑤ 시대와 장소를 초월하여 모든 사람이 존중하고 따라야 할 가치이다.

## 11 다음과 같은 문화 이해 태도가 가지는 문제점으로 옳은 것은?

과거에 신분이 높은 사람이나 남편이 죽었을 때 신하나 아내를 살아있는 채로 함께 매장하는 순장이라는 장례 문화가 있었다. 순장은 그 사회의 독특한 환경과 역사적 배경에서 형성된 것이므로 그 가치를 인정하고 존중해야 한다.

① 순장을 부정적으로 평가하고 있다.
② 생명 존중의 가치를 훼손하고 있다.
③ 문화의 특수성을 인정하지 않고 있다.
④ 순장이 형성된 배경을 고려하지 않고 있다.
⑤ 문화를 절대적인 기준에 따라 평가하고 있다.

## B 다문화 사회와 문화 다양성 존중

**12** 그래프를 통해 추론할 수 있는 우리 사회의 변화에 대한 설명으로 적절하지 않은 것은?

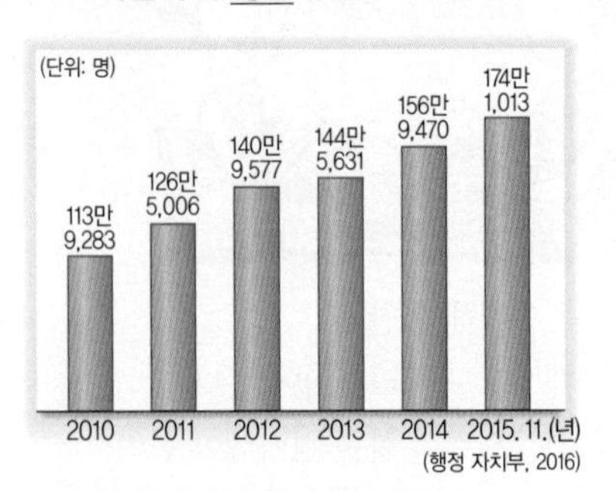


▲ 국내 거주 외국인 주민 수의 변화

① 문화 상대주의적 태도의 필요성이 커지고 있다.
② 서로 다른 문화권의 사람들 간 교류가 확대되고 있다.
③ 다양한 문화적 경험을 할 수 있는 선택의 폭이 좁아지고 있다.
④ 취업이나 결혼 등을 목적으로 유입된 외국인이 증가하고 있다.
⑤ 우리 사회 안에서 서로 다른 인종과 다양한 문화가 공존하고 있다.

출제가능성 90%

**13** 밑줄 친 부분에 해당하는 내용을 〈보기〉에서 고른 것은?

> 우리나라는 세계화의 영향으로 서로 다른 문화권에 속한 사람들 간의 접촉이 빈번해지면서 빠르게 다문화 사회로 진입하고 있다. 이러한 다문화 사회로의 변화는 우리 사회에 <u>다양한 문제</u>를 발생시킬 수 있다.

보기
ㄱ. 노동력 부족 문제를 심화한다.
ㄴ. 우리나라 총인구의 감소 시기를 앞당긴다.
ㄷ. 이주민 지원에 필요한 사회적 비용이 증가한다.
ㄹ. 내국인과 이주민 간에 문화 차이에 따른 갈등이 발생한다.

① ㄱ, ㄴ ② ㄱ, ㄷ ③ ㄴ, ㄷ
④ ㄴ, ㄹ ⑤ ㄷ, ㄹ

**14** 그래프는 우리나라에 거주하는 외국인의 현황을 나타낸다. 이에 대한 옳은 분석 및 추론을 〈보기〉에서 고른 것은?

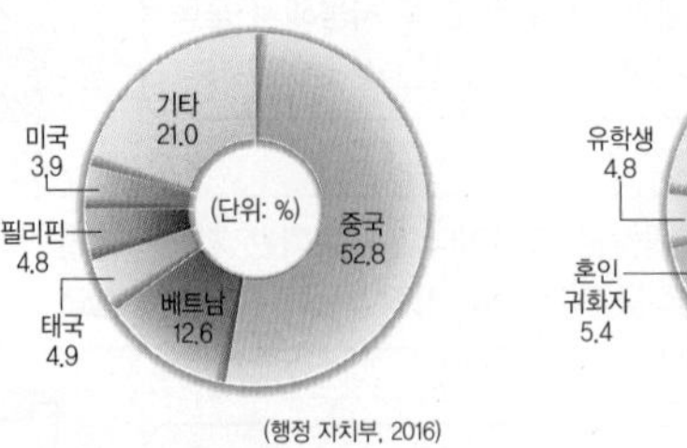


▲ 국내 거주 외국인의 국적별 분포

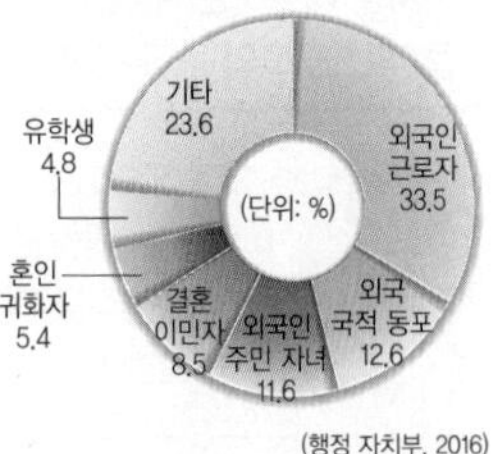


▲ 국내 거주 외국인의 유형별 분포

보기
ㄱ. 아시아 지역 출신의 외국인이 대부분을 차지한다.
ㄴ. 국제결혼을 목적으로 국내로 들어온 외국인의 비중이 가장 높다.
ㄷ. 외국인 근로자의 유입으로 우리나라의 노동력 부족 문제가 완화될 것이다.
ㄹ. 다문화 사회로의 변화에 대응하기 위해서는 국수주의 정책을 강화해야 한다.

① ㄱ, ㄴ ② ㄱ, ㄷ ③ ㄴ, ㄷ
④ ㄴ, ㄹ ⑤ ㄷ, ㄹ

**15** 다음 신문 기사에서 다루고 있는 문제들을 해결하기 위한 방안으로 적절하지 않은 것은?

① 다문화 가정에 대한 복지 정책을 확대한다.
② 체계적인 다문화 교육 프로그램을 마련한다.
③ 외국인에 대한 차별을 금지하는 법을 제정한다.
④ 이주민이 우리 문화에 동화될 수 있도록 돕는다.
⑤ 각 사회가 가진 문화를 존중하고 인정하는 태도를 가진다.

2013 수능 응용

**01** 다음 자료에 대한 설명으로 옳은 것은? (단, (가)~(다)는 각각 문화 사대주의, 문화 상대주의, 자문화 중심주의 중 하나이다.)

| 질문 \ 문화 이해 태도 | (가) | (나) | (다) |
|---|---|---|---|
| 문화를 평가하는 절대적 기준이 있다고 여기는가? | 예 | 예 | 아니요 |
| 다른 사회에 자기 문화를 강요할 가능성이 높은가? | 예 | 아니요 | 아니요 |
| ㉠ | 아니요 | 아니요 | 예 |

① (가)는 자기 문화의 주체성을 상실할 가능성이 크다.
② (나)는 자기 문화를 기준으로 다른 사회의 문화를 낮게 평가한다.
③ (다)가 극단적일 경우 문화 제국주의가 나타날 우려가 있다.
④ (가)는 (나), (다)와 달리 문화의 다양성과 상대성을 부정한다.
⑤ ㉠에는 '각 사회가 지닌 문화의 고유한 의미와 가치를 인정하는가?'가 들어갈 수 있다.

**02** 다문화 사회를 바라보는 갑, 을의 입장에 대한 옳은 설명을 〈보기〉에서 고른 것은?

- 갑: 우리 사회의 문화 다양성을 높이기 위해서는 내국인뿐만 아니라 외국인 이주민들도 자기 문화의 고유성을 지킬 수 있도록 해야 합니다.
- 을: 이주민들이 증가하면서 우리 문화의 정체성이 훼손될 수 있습니다. 따라서 이주민들이 자신의 전통문화 대신 우리 고유의 문화를 수용할 수 있도록 유도해야 합니다.

보기
ㄱ. 갑은 문화 발전을 위해 우리 문화의 우수성을 세계에 알려야 한다고 생각한다.
ㄴ. 을은 우리 사회로 이주해 온 이주민의 문화를 우리 문화에 동화시켜야 한다고 주장한다.
ㄷ. 갑은 을과 달리 우리나라 문화와 외국인 이주민 문화의 병존을 중시하고 있다.
ㄹ. 을은 갑과 달리 우리 전통문화의 창조적 계승이 필요하다고 여긴다.

① ㄱ, ㄴ ② ㄱ, ㄷ ③ ㄴ, ㄷ
④ ㄴ, ㄹ ⑤ ㄷ, ㄹ

최고난도

**03** 다음 자료에 대한 설명으로 옳은 것은?

갑은 A국, 을은 B국, 병은 C국의 구성원이며, a는 A국의 문화, b는 B국의 문화, c는 C국의 문화이다. 갑, 을, 병은 문화 사대주의와 자문화 중심주의 중 하나의 문화 이해 태도를 가지고 있다. 이들은 모두 우수한 문화는 원 안에 있고, 열등한 문화는 원 밖에 있다고 여긴다. 갑, 을, 병의 문화에 대한 평가에 따른 a, b, c의 위치는 다음과 같다.

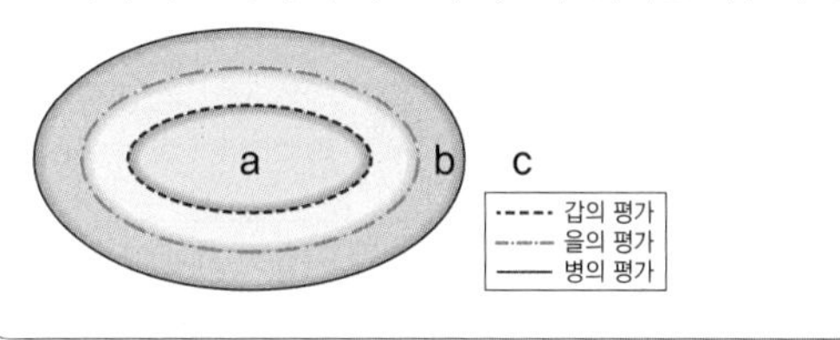


① 갑의 문화 이해 태도는 문화적 정체성을 상실하게 할 수 있다.
② 을은 A국의 문화가 가장 우수하다고 생각한다.
③ 병은 a는 우수한 문화, b와 c는 열등한 문화라고 여긴다.
④ 을은 갑과 달리 다른 사회의 문화를 수용하는 데 부정적이다.
⑤ 병은 을과 달리 문화 사대주의적 태도를 지니고 있다.

## 서술형 문제

**04** 다음 자료는 훈민정음 반포에 대한 백성들의 반응을 가상의 댓글로 나타낸 것이다. 물음에 답하시오.

경축! 세종대왕님께서 백성들을 위해 창제한 훈민정음이 드디어 반포되었습니다.

ㄴ 갑: 중국의 문물을 따라야 나라가 발전할텐데…
ㄴ 을: 한문을 사용하지 않으면 문화적으로 뒤처질 거예요.
ㄴ 병: 중국 사람들이 훈민정음을 보고 비웃을 생각을 하니 너무 부끄러워요.

(1) 위 자료의 댓글에 공통으로 나타난 문화 이해 태도를 쓰시오.

(2) (1)과 같은 문화 이해 태도의 의미와 문제점을 서술하시오.

# 01 세계화의 양상과 문제의 해결

## A 세계화와 지역화

### ★1. 세계화

| | |
|---|---|
| 의미 | 삶의 공간이 개별 국가의 국경을 넘어 전 지구로 확대되고, 전 세계가 통합되어 가는 현상 |
| 등장 배경 | 교통·통신의 발달로 상품, 사람, 정보 등의 교류와 이동 활발 → 국가 간·지역 간 상호 의존성 증대, 세계 무역 기구(WTO) 출범 및 자유 무역의 확대 |

세계 무역 기구(WTO): 국제 무역 확대, 회원국 간 무역 분쟁 조정과 세계 교역에 관한 연구 등을 위해 1995년에 설립된 국제기구이다.

### 2. 지역화

| | |
|---|---|
| 의미 | 특정 지역의 독특한 사회적·문화적 특성이 세계적인 차원에서 가치를 지니게 되는 현상 |
| 등장 배경 | 세계화로 인해 각 지역이 세계의 다른 지역과 관계를 맺는 범위가 넓어지며 국가 단위가 아닌 지역 단위의 경쟁력이 중요해짐 |
| 전략 | • 지리적 표시제: 상품의 품질에 지역의 지리적 특성이 반영된 경우 지역의 이름을 표시하는 제도<br>• 장소 마케팅: 특정 장소를 상품으로 인식하고 개발하여 지역의 가치를 상승시키는 전략 |

**3. 세계화와 지역화의 관계** 한 지역의 고유한 문화가 세계적으로 확산하고, 동시에 세계 속에서 정체성과 경쟁력을 갖추게 됨 → 세계화와 지역화가 동시에 이루어짐

## B 다양한 측면에서 전개되는 세계화

### ★1. 다국적 기업의 활동

(1) 다국적 기업: 세계 여러 국가에 자회사, 지점, 생산 공장 등을 두고 생산과 판매 활동을 하는 기업

(2) 다국적 기업의 공간적 분업

| | |
|---|---|
| 본사 | 자본과 우수 인력 확보가 용이한 본국의 대도시에 주로 입지 |
| 연구소 | 연구 시설이 밀집하고 전문 인력이 풍부한 선진국에 주로 입지 |
| 생산 공장 | 저임금 노동력이 풍부한 개발 도상국에 주로 입지 |

생산 공장: 무역 장벽 극복을 위해 선진국에 생산 공장을 세우기도 한다.

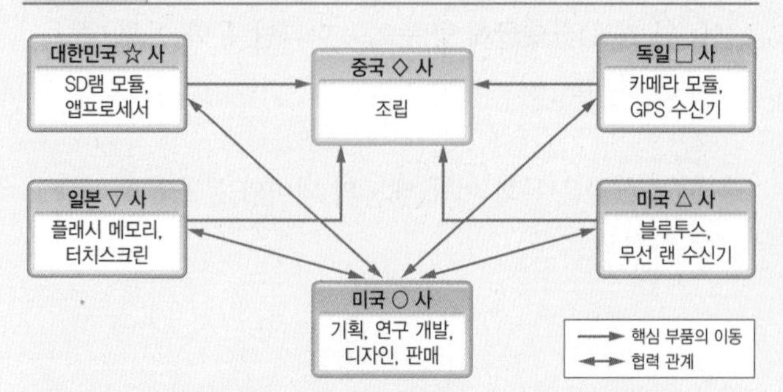


**⊙ 미국 ○ 사의 제품 생산 연계망** | 다국적 기업은 생산비를 절감하고 원료 및 현지 시장을 확보하기 위해 기업의 시설과 기능을 공간적으로 분리한다. 대표적 사례인 미국 ○ 사는 본국에서 제품을 설계하여 전 세계의 부품 회사에 외주를 주고, 그 부품을 중국의 공장에서 조립하여 제품을 완성한다.

(3) 다국적 기업이 지역에 미치는 영향

| | |
|---|---|
| 투자국 (본국) | • 긍정적 영향: 생산비 절감, 고급 인력에 대한 수요 증가<br>• 부정적 영향: 생산 공장의 해외 이전으로 실업률 증가 |
| 투자 유치국 | • 긍정적 영향: 일자리 창출, 선진국의 기술 습득<br>• 부정적 영향: 투자국에 대한 경제적 의존도 증가, 경쟁력이 약한 소규모 기업 쇠퇴, 산업 시설 신설에 따른 환경 오염 발생 |

### 2. 세계 도시의 형성

(1) 세계 도시: 정치·경제·정보 등 다양한 측면에서 세계의 중심지 역할을 수행하는 도시 예 뉴욕, 런던, 도쿄 등

(2) 세계 도시의 기능

① 회계·법률·광고 등 전문화된 생산자 서비스업 발달, 다국적 기업의 본사 및 대형 금융 기관 밀집 → 전 세계의 자본과 정보 집중

생산자 서비스업: 상품의 생산 및 유통 과정에 필요한 서비스로 금융, 보험, 부동산업, 회계 서비스, 연구 개발 등이 이에 해당한다.

② 다양한 국제기구의 본부 입지, 국제회의 및 행사 개최 → 인적·물적 교류 활발

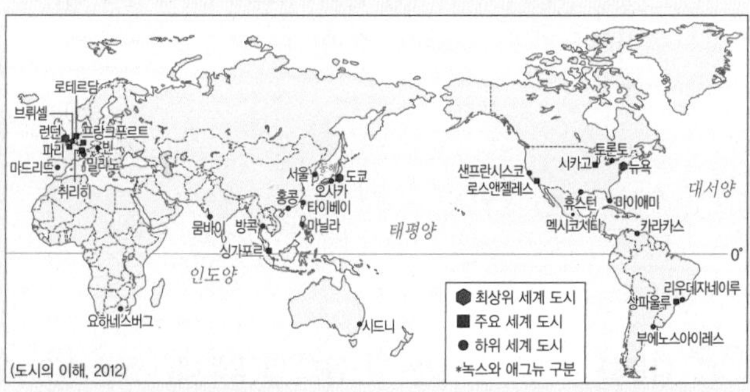


**⊙ 세계 도시 체계** | 세계 도시는 도시의 규모와 기능 및 영향력에 따라 다양한 계층으로 구분한다. 세계 도시들은 기능적으로 상호 유기적 관계를 맺고 있어 특정 세계 도시에서 일어나는 변화는 연쇄적으로 다른 세계 도시에 영향을 준다.

### 3. 활발한 문화 교류

(1) 배경: 세계화에 따른 국가 간 교류 증가

(2) 양상: 사람들의 국가 간 이동으로 문화 이동 활발, 문화 교류 기회 확대, 다문화 사회로 진입

## C 세계화에 따른 문제와 해결 방안

### ★1. 국가 간 빈부 격차 심화

(1) 배경: 자유 무역이 확대되면서 전 세계적으로 증대된 부(富)가 일부 국가에 집중 → 선진국과 개발 도상국 간 소득 격차 확대

(2) 양상: 높은 기술력과 충분한 자본을 지닌 선진국 및 다국적 기업은 이윤을 극대화하는 반면 상대적으로 경쟁력이 약한 개발 도상국이나 기업은 쇠퇴함

선진국: 첨단 산업과 금융 서비스 발달

개발 도상국: 제조업, 농업 중심

(3) 해결 방안

① 분배 정의 실현: 국제기구와 선진국이 공적 개발 원조·기술 이전 등을 통해 개발 도상국 지원

② 개발 도상국의 경제적 자립을 돕는 공정 무역, 공정 여행 등의 윤리적 소비 확대

• 소비에 따른 편익은 물론 인권, 정의 등의 보편적 가치도 고려하며 소비하는 것을 말한다.

**공정 무역** | 공정 무역은 생산자의 경제적 자립과 지속 가능한 발전을 위해 생산자에게 더 많은 이익이 돌아갈 수 있도록 유통 구조를 단순화한 무역 형태를 의미한다. 공정 무역의 주요 제품으로는 개발 도상국에서 생산하는 커피, 초콜릿, 설탕, 수공예품 등이 있다.

### ★ 2. 문화의 획일화

(1) 의미: 국가 간 문화 교류가 활발해지면서 서로에게 미치는 영향력이 증가하여 전 세계의 문화가 비슷해져 가는 현상

(2) 양상: 선진국의 제도나 생활 양식 확산, 문화의 상품화 과정에서 선진국이 유리한 위치 차지 → 각국의 고유한 문화가 정체성을 상실하거나 사라질 수도 있음

• 영어 사용이 확산되면서 다른 언어들이 사라질 수 있으며, 미국의 할리우드 영화로 인해 다른 국가 영화의 입지가 좁아질 수 있다.

(3) 해결 방안

① 자국 문화의 정체성을 유지하면서 외래 문화를 능동적으로 수용하는 자세가 필요함

② 문화의 고유성과 다양성을 보존하기 위한 국제적 노력의 필요 → 유네스코의 세계 문화 다양성 선언 채택(2001)

### 3. 보편 윤리와 특수 윤리 간 갈등

(1) 배경

| | |
|---|---|
| **인구의 국제 이동 증가** | 다양한 문화적 배경을 가진 사람들이 어울려 생활하면서 문화적 차이로 인한 갈등이 발생함 |
| **국가 간 상호 의존성 증가** | 빈곤국에 대한 원조, 난민을 포함한 국가 간 이민자 문제 등 국제적 차원에서 협력하여 해결해야 할 문제가 증가 |

(2) 양상

| | |
|---|---|
| **보편 윤리의 입장** | 세계 시민으로서 인간 존엄성, 자유와 평등 같은 인류의 보편적 가치를 중시함 |
| **특수 윤리의 입장** | 특정 사회에서만 공유하는 규범이나 국가의 주권 등을 보편적 가치의 실현보다 우선시함 |

(3) 해결 방안

① 세계 시민 의식 함양: 지구 공동체의 구성원으로서 다른 국가의 입장을 존중하고, 지구촌 문제에 관심을 가져야 함

② 보편 윤리를 존중하는 가운데 각 사회의 특수 윤리를 성찰하는 태도가 필요함

## 1단계 개념 짚어 보기

정답과 해설 34쪽

**01** 다음 설명이 맞으면 ○표, 틀리면 ×표를 하시오.

(1) 세계 무역 기구(WTO)의 등장은 보호 무역의 확산을 가져왔다. ( )

(2) 지역적인 것이 세계적인 차원에서 가치를 갖는 현상을 지역화라고 한다. ( )

(3) 삶의 공간이 개별 국가의 국경을 넘어서서 전 지구로 확대되어 가는 현상을 세계화라고 한다. ( )

**02** 다음 설명에 해당하는 국가군을 〈보기〉에서 골라 기호를 쓰시오.

보기
ㄱ. 선진국　　ㄴ. 개발 도상국

(1) 다국적 기업의 생산 공장이 입지 ( )

(2) 다국적 기업의 본사, 연구소 등이 입지 ( )

**03** 다음 빈칸에 들어갈 용어를 쓰시오.

세계화에 따라 지역 간 교류와 협력이 강화되면서 뉴욕, 런던, 도쿄 등과 같이 전 세계적으로 중심지 역할을 하는 ( )들이 등장하였다.

**04** 다음 괄호 안의 내용 중 알맞은 말에 ○표를 하시오.

(1) 세계 도시는 (생산자, 소비자) 서비스업이 발달해 있어 전 세계 자본과 정보가 집중해 있다.

(2) 세계화로 문화의 (다양화, 획일화) 현상이 나타나면서 각 지역 고유문화의 정체성이 약화되기도 한다.

**05** 세계화의 문제와 해결 방안을 옳게 연결하시오.

(1) 문화의 획일화 •　　• ㉠ 공적 개발 원조

(2) 국가 간 빈부 격차 •　　• ㉡ 세계 시민 의식 함양

(3) 보편 윤리와 특수 윤리 간 갈등 •　　• ㉢ 세계 문화 다양성 선언

**06** 무역을 통해 발생한 이익이 개발 도상국의 기업과 생산자에게 정당하게 돌아가도록 하는 무역 형태를 ( )이라고 한다.

## A 세계화와 지역화

출제가능성 90%

**01** 다음은 세계화에 대한 설명이다. 이러한 현상이 나타나게 된 배경으로 옳은 것을 <보기>에서 고른 것은?

> 세계화란 지역 간의 상호 의존성이 높아지고 전 세계가 단일한 생활권을 형성해 나가는 세계적인 흐름과 추세를 말한다. 세계화가 진행되면 국경의 의미가 약해져 전 지구적 규모로 협력이 나타나는 한편 경쟁이 더욱 치열해진다.

보기
ㄱ. 국가 간 보호 무역이 확대되었다.
ㄴ. 다국적 기업의 활동이 쇠퇴하였다.
ㄷ. 교통수단 및 정보 통신 기술이 발달하였다.
ㄹ. 국제적 협력이 필요한 사회 문제가 발생하였다.

① ㄱ, ㄴ ② ㄱ, ㄷ ③ ㄴ, ㄷ
④ ㄴ, ㄹ ⑤ ㄷ, ㄹ

**02** 지역화에 대한 설명으로 옳지 않은 것은?

① 지역화를 통해 지역 경제가 활성화될 수 있다.
② 세계화와 지역화는 동시에 이루어지기도 한다.
③ 지역의 정체성과 경쟁력을 확보하기 위한 노력이다.
④ 세계화에 따라 지역화의 필요성은 점차 줄어들고 있다.
⑤ 지역적인 것이 세계적인 차원에서 가치를 갖는 현상이다.

**03** 밑줄 친 ㉠에 해당하는 사례를 <보기>에서 고른 것은?

> 세계화로 인해 각 지역이 세계의 다른 지역과 관계를 맺는 범위가 넓어지며 국가 단위가 아닌 지역 단위의 경쟁력이 중요해졌다. 따라서 오늘날에는 다른 지역과 차별화할 수 있는 ㉠ 지역화 전략의 필요성이 더욱 커지고 있다.

보기
ㄱ. 공정 여행 ㄴ. 장소 마케팅
ㄷ. 공간적 분업 ㄹ. 지리적 표시제

① ㄱ, ㄴ ② ㄱ, ㄷ ③ ㄴ, ㄷ
④ ㄴ, ㄹ ⑤ ㄷ, ㄹ

## B 다양한 측면에서 전개되는 세계화

**04** 다음은 학생이 정리한 노트의 일부이다. ㉠~㉢에 들어갈 내용을 옳게 연결한 것은?

> 다국적 기업
> 1. 의미: 세계 각지에 자회사, 지점, 생산 공장 등을 운영하며 상품을 생산하고 판매하는 기업
> 2. 등장 배경: 세계화에 따른 국가 간 ( ㉠ ) 무역 확대
> 3. 다국적 기업의 공간적 분업
> (1) 본사와 연구소는 대체로 ( ㉡ )에 입지함
> (2) 생산 공장은 대체로 ( ㉢ )에 입지함

| | ㉠ | ㉡ | ㉢ |
|---|---|---|---|
| ① | 보호 | 선진국 | 개발 도상국 |
| ② | 보호 | 개발 도상국 | 선진국 |
| ③ | 자유 | 선진국 | 개발 도상국 |
| ④ | 자유 | 개발 도상국 | 선진국 |
| ⑤ | 평등 | 선진국 | 개발 도상국 |

출제가능성 90%

**05** 지도는 어떤 기업의 기능별 입지 분포를 나타낸 것이다. 이에 대한 분석으로 적절하지 않은 것은?

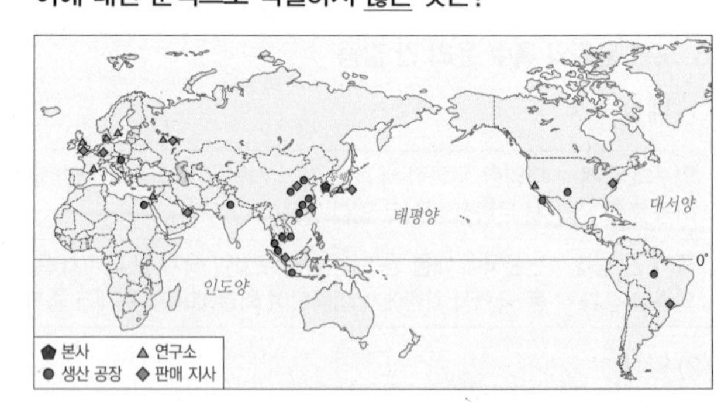


① 교통과 통신의 발달이 기업 활동에 영향을 주었다.
② 생산 공장은 저렴한 노동력이 풍부한 지역에 주로 입지한다.
③ 기업의 시설과 기능이 공간적으로 분리되는 현상이 나타난다.
④ 연구소와 생산 공장은 협업이 필요해 서로 인접하여 위치한다.
⑤ 세계 여러 국가에서 생산과 판매 활동을 하는 다국적 기업이다.

**06** 밑줄 친 ㉠의 이유로 가장 적절한 것은?

> 세계의 공장이라고 불리던 중국의 위상이 비틀거리고 있다. 여러 다국적 기업이 잇달아 중국을 떠나고 있기 때문이다. ㉠ <u>미국의 소프트웨어 기업인 M 사는 중국 광저우와 베이징에 있는 공장을 폐쇄하고 생산 설비를 베트남으로 옮기기로 결정하였다.</u> 이러한 추세가 계속되면서 베트남이나 인도네시아 등 동남아시아 국가에 다국적 기업의 생산 공장이 많이 들어서고 있다. -「이데일리」, 2015. 2. 26.

① 무역 장벽을 극복할 수 있기 때문이다.
② 저임금 노동력 확보에 유리하기 때문이다.
③ 자본 유통 및 정보 수집이 용이하기 때문이다.
④ 연구 개발을 위한 전문 기술 인력 확보가 쉽기 때문이다.
⑤ 본사가 위치한 국가에 대한 경제적 의존도를 낮출 수 있기 때문이다.

**07** 다음은 다국적 기업이 지역에 미치는 영향에 대한 두 사람의 대화이다. (가)에 들어갈 적절한 내용을 <보기>에서 고른 것은?

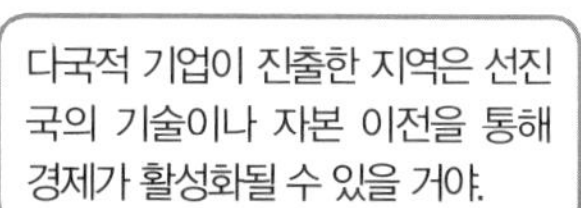


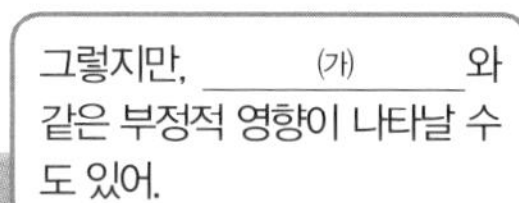

보기

ㄱ. 일자리 감소에 따른 실업자 증가
ㄴ. 인구 감소로 인한 지역 경제 침체
ㄷ. 경쟁력이 약한 소규모 기업의 쇠퇴
ㄹ. 산업 시설 신설로 발생한 환경 오염 문제 방치

① ㄱ, ㄴ ② ㄱ, ㄷ ③ ㄴ, ㄷ
④ ㄴ, ㄹ ⑤ ㄷ, ㄹ

**08** 다음 글의 제목으로 가장 적절한 것은?

> 뉴욕의 월가(街)는 초국가적 금융 중심지로 이곳에 있는 증권 거래소의 상황은 전 세계 경제에 큰 영향을 미친다. 또한 뉴욕에는 국제 연합(UN) 본부가 있어 국제 사회에서 발생하는 주요 문제에 대한 논의가 이루어진다. 이밖에도 뉴욕은 패션의 중심지로 뉴욕 패션쇼에 등장하는 옷과 소품들은 전 세계 유행에 큰 영향을 미친다.

① 뉴욕의 지역화 전략
② 세계 도시로 발전한 뉴욕
③ 획일화되는 미국 문화의 문제점
④ 국가 간 빈부 격차의 발생 원인
⑤ 전 세계로 뻗어 나간 뉴욕의 기업들

**09** 지도에 표시된 도시들의 공통적인 특징으로 옳지 <u>않은</u> 것은?

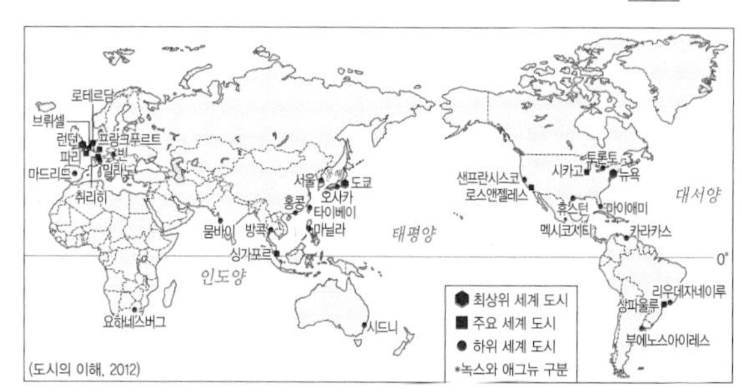

(도시의 이해, 2012)

① 각 도시들은 기능적으로 유기적인 관계를 맺고 있다.
② 회계, 법률, 광고 등 생산자 서비스업이 발달해 있다.
③ 많은 국제 행사가 개최되어 인적·물적 교류가 활발하다.
④ 다국적 기업의 생산 공장이 밀집해 있어 세계 자본의 흐름을 주도한다.
⑤ 세계의 경제, 문화, 정치의 중심지 역할을 수행하며 전 세계에 영향력을 행사한다.

**10** 표는 다양한 측면에서 전개되는 세계화의 사례를 정리한 것이다. (가)에 들어갈 내용으로 적절하지 <u>않은</u> 것은?

| 구분 | 사례 |
|---|---|
| 다국적 기업의 활동 | 동남아시아에 생산 공장을 건설한 우리나라의 △△ 기업 |
| 세계 도시의 형성 | 세계 정치, 경제, 문화의 중심지 뉴욕 |
| 활발한 문화 교류 | (가) |

① 전 세계에서 시청하는 영국 드라마
② 우리나라에서 개최되는 국제 영화제
③ 각국의 대표 선수가 참가하는 올림픽
④ 세계 각국을 대표하는 음식 문화의 확산
⑤ 일본의 주가 변동에 영향을 미치는 뉴욕 증권 시장

## C 세계화에 따른 문제와 해결 방안

**11** 다음 형성 평가에서 학생이 얻을 점수로 옳은 것은?

**형성 평가**

다음 설명이 맞으면 ○표, 틀리면 ×표를 하시오.

| 번호 | 문항 | 답안 |
|---|---|---|
| (1) | 세계화가 진행되면서 국가 간 빈부 격차가 심해지고 있다. | ○ |
| (2) | 세계 각국은 자기들의 문화를 상품화하여 수출하고 있다. | × |
| (3) | 세계화로 인해 선진국의 문화가 보편화하는 현상이 나타나고 있다. | ○ |
| (4) | 국가 간 분업이 이루어지면서 전 지구적으로 상호 의존도가 감소하였다. | ○ |
| (5) | 국제 사회는 보편 윤리를 지키지 않는 국가에 대해 제재를 가하기도 한다. | ○ |

(문항당 2점)

① 2점 ② 4점 ③ 6점 ④ 8점 ⑤ 10점

**12** 밑줄 친 ㉠의 문제를 해결하기 위한 방안으로 가장 적절한 것은?

독일에서 일하는 도르플러 씨는 세계 곳곳으로 자주 출장을 다닌다. 그는 오스트레일리아에서 친구를 만나 불평을 늘어놓았다. "어디서나 똑같은 음식을 만나게 되다니 정말 끔찍하군. 부자 나라든 가난한 나라든 이제 세계 어디를 가건 상점마다 핫도그와 치즈 버거를 팔고 있어. ㉠ 모든 것이 다 비슷비슷해져 버렸다고! 예전에는 그렇지 않았어." – 게르트 슈나이더, 『왜 세계화가 문제일까?』

① 선진국의 문화만을 적극적으로 흡수하여 상품화해야 한다.
② 절대적 기준에 근거하여 다른 사회의 문화를 평가해야 한다.
③ 자기 지역의 문화가 지닌 고유성과 다양성을 포기해야 한다.
④ 지구촌 분배 정의를 실현하여 선진국의 영향력을 감소시켜야 한다.
⑤ 자국 문화의 정체성을 유지하면서 능동적으로 외래 문화를 수용해야 한다.

출제가능성 90%

**13** 다음은 수업 시간의 한 장면이다. 교사의 질문에 옳게 답변한 학생만을 있는 대로 고른 것은?

① 갑, 병 ② 갑, 정 ③ 을, 병
④ 갑, 을, 정 ⑤ 을, 병, 정

**14** (가)에 들어갈 신문 기사의 제목으로 가장 적절한 것은?

(가)

싱가포르는 공공 시설물 파손을 엄격하게 처벌하는 것으로 유명하다. 싱가포르 정부는 지난 1994년 미국의 10대 소년인 마이클 페이에게 자동차와 공공 자산을 파손한 혐의로 태형 6대를 집행하였다. 당시 미국의 대통령은 싱가포르 정부에 선처를 호소하였고, 여러 인권 단체가 태형이 인간 존엄성을 훼손하는 처벌 방법이라고 항의하였다. 그러나 싱가포르는 법원의 명령에 따라 태형을 집행하여 국제적 논란이 일어났다. – 「뉴스1」, 2015. 3. 5.

① 강대국이 내세우는 힘의 논리
② 보편 윤리와 특수 윤리의 충돌
③ 지역화로 인해 나타나는 부작용
④ 세계 문화 획일화 현상의 문제점
⑤ 국가 간 빈부 격차 문제의 해결 사례

**01** ㉠, ㉡에 대한 설명으로 옳지 않은 것은?

> 교통·통신의 발달로 국가 간·지역 간에 교류와 이동이 활발해지면서, 생활권의 범위가 국가의 경계를 넘어 전 지구로 확대되고 세계가 하나로 통합되어 가는 ( ㉠ ) 이/가 진행되었다. 이러한 흐름 속에서 특정 지역의 독특한 사회적·문화적 특성이 세계적인 차원에서 독자적 가치를 지니게 되는 ( ㉡ )도 나타나고 있다.

① ㉠은 국제 사회의 상호 의존성이 증대되면서 나타난 현상이다.
② ㉠은 세계 무역 기구(WTO)의 등장으로 자유 무역이 확산되면서 더욱 빠르게 진행되고 있다.
③ ㉡으로 인해 국가 간 문화 교류가 활발해지면서 문화의 획일화 현상이 나타나고 있다.
④ ㉡을 바탕으로 지역 축제의 개최, 지역 브랜드 개발 등이 이루어지면 지역 경제가 활성화되기도 한다.
⑤ ㉠과 ㉡은 동시에 이루어짐으로써 상호 보완적인 관계를 맺는 경우가 많다.

2016 수능 응용 최고난도

**02** 자료는 △△ 기업의 청바지 생산에 관한 것이다. 이에 대한 옳은 설명을 〈보기〉에서 고른 것은?

> • A 지역: 영국에 위치한 세계 도시이며, 이곳의 본사에서 브랜드 및 디자인을 개발하고, 생산 전략을 수립한다.
> • B 지역: 파키스탄의 목화 산지이며, 이곳의 공장에서 청바지의 소재가 되는 면직물을 생산한다.
> • C 지역: 탄자니아의 중소 도시이며, 이곳의 봉제 공장에서 단순 생산직 노동자가 완제품을 생산한다.

보기
ㄱ. △△ 기업은 이윤을 극대화하기 위해 공간적 분업을 하고 있다.
ㄴ. A 지역은 B 지역보다 전체 산업 종사자의 평균 임금이 낮다.
ㄷ. A 지역은 C 지역보다 생산자 서비스 기능이 발달해 있다.
ㄹ. B 지역과 C 지역의 산업 시설은 생산비 절감을 위해 A 지역으로 이전될 가능성이 높다.

① ㄱ, ㄴ ② ㄱ, ㄷ ③ ㄴ, ㄷ
④ ㄴ, ㄹ ⑤ ㄷ, ㄹ

2017 평가원 응용

**03** 표는 두 도시를 비교한 것이다. ㉠에 대한 ㉡의 상대적 특성을 그림의 A~E에서 고른 것은?

| | |
|---|---|
| ㉠ | 인도 북부에 위치한 도시로 19세기까지 전통 왕조의 수도였지만, 현재는 이 도시 남쪽에 새롭게 건설된 뉴델리가 인도의 수도이다. 도시의 외곽 지역에는 일자리를 찾아 이주한 사람들의 주거지가 있는데, 이곳의 주거 환경은 열악한 편이다. |
| ㉡ | 미국의 경제 및 문화의 중심지로, 세계 경제 수도라 불리는 월가(街)와 각종 문화 공연 극장이 밀집해 있는 타임스 스퀘어가 자리하고 있다. 이 도시는 세계 도시로서의 위상을 갖고 있지만 잦은 범죄의 발생으로 인해 어려움도 겪고 있다. |

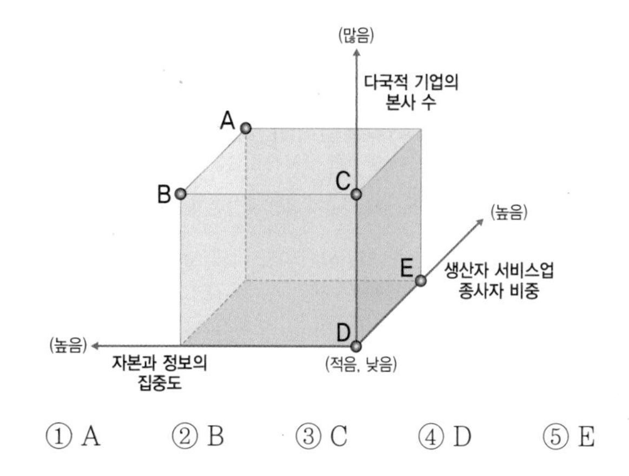


① A ② B ③ C ④ D ⑤ E

## 서술형 문제

**04** 다음을 읽고 물음에 답하시오.

> 세계화에 따라 인구의 국제 이동이 빠르게 증가하면서, 다른 지역에서 온 이주민이 많은 지역에서는 서로 다른 문화를 가진 사람들 간의 갈등이 나타나기도 한다. 이와 함께 특정 사회에서만 인정하는 가치를 지닌 ( ㉠ ) 윤리와 인간 존엄성, 생명 존중 등의 가치를 중시하는 ( ㉡ ) 윤리 간의 갈등이 증가하고 있다.

(1) ㉠, ㉡에 들어갈 말을 각각 쓰시오.

(2) ㉠ 윤리와 ㉡ 윤리 사이의 갈등을 해결하기 위한 방안을 서술하시오.

# 02 국제 사회의 모습과 평화의 중요성 ~03 동아시아의 갈등과 국제 평화

## A 국제 사회 행위 주체의 역할

### 1. 국제 사회의 갈등과 협력

(1) 국제 갈등의 원인: 자원, 영토, 민족, 종교 등을 둘러싼 이해관계의 대립, 자국의 이익을 우선적으로 추구하는 경향 등

(2) 국제 갈등의 특징: 여러 가지 원인이 얽혀 발생함, 특정 지역의 갈등이 전 지구적으로 영향을 끼침

(3) 국제 갈등의 해결 방안: 갈등 당사자 간의 대화와 타협을 통한 평화적 해결, 국제기구나 국제 비정부 기구를 통한 갈등 조정, 국가 간 협약 또는 국제법 등을 통한 해결 등

(4) 국제 협력의 필요성 증가: 국가 간 상호 의존성이 심화되어 한 국가의 노력만으로는 해결하기 어려운 문제가 증가함

- ㉠ 국가 원수 간의 정상 회담, 국제 스포츠 대회를 통한 상호 교류, 기아·빈곤·질병에 대한 협조 체제, 재난과 테러, 환경 문제에 대한 공동 대응 등

### ★ 2. 국제 사회의 행위 주체

| | |
|---|---|
| 국가 | • 의미: 독립된 주권을 행사하는 국제 사회의 가장 기본적이고 대표적인 행위 주체<br>• 역할: 자국의 이익과 자국민의 보호를 위한 외교 활동을 최우선으로 함 |
| 정부 간 국제기구 | • 의미: 각국의 정부를 회원으로 하는 행위 주체<br>• 역할: 국가 간 이해관계를 조정하고 국제 규범을 정립함<br>㉠ 국제 연합(UN), 유럽 연합(EU), 세계 보건 기구(WHO) 등 |
| 국제 비정부 기구 | • 의미: 개인이나 민간단체를 회원으로 하는 행위 주체<br>• 역할: 국제적인 연대 활동을 통해 지구촌 공통의 문제를 제기하고 공동의 노력을 끌어냄 (→ 환경 보호, 인권 보장, 보건 등과 관련한 문제)<br>㉠ 그린피스, 국제 사면 위원회, 국경 없는 의사회 등 |
| 그 밖의 행위 주체 | 국가 내부적 행위체, 다국적 기업, 국제적으로 영향력이 있는 개인 등 |

- 한 국가에 속해 있지만 독자적인 영역에서 활동함 ㉠ 개별 국가 내의 지방 정부

## B 평화의 의미와 중요성

### 1. 평화의 의미

| | |
|---|---|
| 소극적 평화 | • 의미: 전쟁, 범죄, 테러 등의 직접적·물리적 폭력이 없는 상태<br>• 한계: 직접적 폭력의 원인이 근본적으로 해결된 것은 아님 |
| 적극적 평화 | • 의미: 직접적 폭력뿐만 아니라 빈곤, 기아, 각종 억압과 차별 및 불평등과 같은 구조적·문화적 폭력까지 제거된 상태<br>• 의의: 모든 사람이 인간의 존엄성을 보장받으며 안전하고 행복한 삶을 살아갈 수 있는 상태 |

- 구조적 폭력: 빈곤, 경제적 착취, 사회적 차별과 소외 등 사회 구조 자체가 가하는 폭력
- 문화적 폭력: 종교, 사상, 예술 등의 문화적 영역이 폭력을 정당화하는 데 이용되는 것

### 2. 평화의 중요성

| | |
|---|---|
| 인류의 생존과 안전 보장 | 생존의 위협, 고통과 공포에서 벗어나 인류가 안전하게 살아갈 수 있는 환경을 조성함 |
| 인류의 삶의 질 향상 | 빈곤과 기아, 각종 차별과 불평등을 해소하여 인류가 행복, 복지, 번영을 누리는 상태로 발전하게 함 |
| 인류의 축적된 지혜와 가치 보존 | 자연환경과 문화유산을 보존하여 물질적 풍요와 정신적 문화의 가치를 미래 세대에 전수함 |

## C 통일이 필요한 이유

### ★ 1. 남북 분단의 배경

| | |
|---|---|
| 국제적 배경 | • 냉전 체제 심화: 제2차 세계 대전 이후 자유주의 진영과 공산주의 진영 간의 대결과 이념적 갈등 심화<br>• 한반도의 지정학적 위치의 중요성: 유라시아 대륙과 태평양을 연결하는 지정학적 요충지에 위치함 |
| 국내적 배경 | • 민족 내부의 응집력 부족: 광복 후 신탁 통치에 대한 찬반 논쟁과 민족 내부의 이념적 갈등 발생<br>• 6·25 전쟁 발발: 오늘날까지 남북 분단을 고착화시킴 |

### 2. 남북 분단의 과정

| | |
|---|---|
| 8·15 광복 (1945) | • 우리 민족의 지속적인 독립 운동<br>• 제2차 세계 대전에서 일본의 패전 선언 및 연합국의 승리 |
| 국토 분단 | • 미국과 소련은 북위 38도선을 경계로 한반도의 남과 북에 각각 군대를 주둔시킴<br>• 국제 연합(UN)이 총선거에 의한 통일 정부 구성 방안 마련 → 소련과 북한 측의 거부로 남한만의 5·10 총선거가 실시되고 대한민국 정부 수립(1948) |
| 분단의 고착화 | • 북한의 남침으로 6·25전쟁 발발(1950) → 휴전 협정 체결(1953)<br>• 수많은 이산가족 발생 및 각종 산업 시설 파괴 → 전쟁으로 입은 피해와 이념 대립 등으로 남북 간 적대감 심화 |

### ★ 3. 통일의 필요성

(1) 한반도의 평화 정착

① 남북 간 전쟁의 위협을 제거하여 군사적 긴장을 해소함 (→ 소극적 평화의 실현)

② 이산가족의 슬픔과 고통을 해소하고 빈곤으로 고통받는 북한 주민의 인권을 개선하여 세계 평화에 기여함 (→ 적극적 평화의 실현)

(2) 민족의 동질성 회복

① 굴절된 역사를 바로잡고 민족 공동체 역량을 극대화함

② 인적·물적 교류가 활발해져 분단이 빚어낸 이념, 지역, 세대 간의 갈등을 해소할 수 있음

(3) 민족의 경제적 발전과 번영

① 남한의 자본 및 기술력, 북한의 노동력 및 천연자원의 결합에 따른 국가 경쟁력 향상

② 대립과 갈등으로 발생하는 소모적인 분단 비용을 절감하여 경제 발전과 복지 사회 건설을 위해 사용 가능

- 분단 비용: 남북이 분단되어 있는 동안 지불해야 하는 기회비용 ㉠ 방위비, 체제 경쟁을 위한 외교비 등

③ 남북의 단일 시장 형성에 따른 국내 경제 활성화

(4) 생활 공간의 확장

① 국토의 일체성을 회복하여 대륙으로 진출 가능

② 유라시아 대륙과 태평양을 연결하는 지정학적 요충지로서 동아시아 지역의 번영을 이끌 수 있음

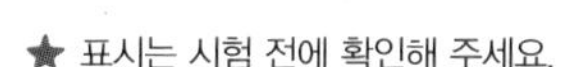
★ 표시는 시험 전에 확인해 주세요.

| 통일 비용과 통일 편익 | |
|---|---|
| 통일 비용 | 남북의 다른 체제와 제도 등을 통합하는 과정에서 드는 비용 예 통일 후 경제 개발을 위한 비용 등 |
| 통일 편익 | 통일로 얻을 수 있는 경제적·비경제적 편익 예 분단 비용의 소멸, 이산가족 문제의 해결 등 |

통일 비용은 소모적인 분단 비용과 달리 투자의 성격을 가진다. 또한 통일은 통일 비용뿐만 아니라 통일에 따른 편익을 가져온다.

## D 동아시아의 역사 갈등과 국제 평화

### ★ 1. 동아시아의 역사 갈등과 해결 방안

(1) 동아시아의 역사 갈등

독도는 신라 때부터 영유한 우리나라 고유의 영토로서 역사적, 지리적, 국제법적으로 명백한 우리나라의 영토이다.

| 구분 | 내용 |
|---|---|
| 일본의 역사 교과서 왜곡 | 일제 강점기 징용·징병의 강제성을 감추고 식민지 지배와 침략 전쟁을 정당화하는 교과서를 편찬함 |
| 일본의 독도 영유권 주장 | 일본은 1905년 러일 전쟁 중 시마네현의 고시로 독도가 일본의 영토로 편입되었다고 왜곡된 주장을 함 |
| 일본군 '위안부' 문제 | 일본 정부는 침략 전쟁 과정에서 조선, 타이완, 중국, 필리핀 등의 여성들을 일본군 '위안부'로 강제 동원하였으나 오늘날까지 이에 대한 강제성을 부정함 |
| 일본의 야스쿠니 신사 참배 | 일본의 주요 보수 정치인들이 제2차 세계 대전의 전범을 안치한 야스쿠니 신사를 참배함 |
| 중국의 동북 공정 | • 내용: 고조선, 부여, 고구려, 발해 등 우리나라의 역사를 중국의 지방사라고 주장하며 역사를 왜곡함<br>• 목적: 중국 영토 내의 소수 민족을 통합하여 이들의 분리 독립을 막고 국경 지역을 안정시키기 위함 |

(2) 동아시아 역사 갈등의 해결 방안

| 구분 | 내용 |
|---|---|
| 정부 차원 | • 역사 왜곡에 대한 외교적인 대처 및 관계 법령 정비<br>• 역사 왜곡에 대응하는 연구 지원 |
| 민간 차원 | • 공동 역사 연구를 통한 역사 인식의 차이 극복<br>• 국제 연대와 교류 확대를 통한 상호 간의 이해 확대 |

2005년 한·중·일의 학자, 교사, 시민들이 공동으로 동아시아 최초의 공동 역사 교재인 『미래를 여는 역사』를 발행하였다.

### 2. 국제 사회의 평화에 기여하는 대한민국

(1) 세계 속의 우리나라

① 유라시아 대륙과 태평양을 연결하는 지리적 요충지에 위치함

② 1960년대 이후 정부 주도의 개발 정책으로 경제 발전을 이룸

③ 경제 협력 개발 기구(OECD), 아시아·태평양 경제 협력체(APEC) 등 각종 국제기구에 가입하여 주도적으로 활동함

(2) 국제 평화를 위한 우리의 노력

| 구분 | 내용 |
|---|---|
| 국가 차원 | • 국제 연합 평화 유지 활동(PKO) 파병<br>• 개발 도상국에 공적 개발 원조 확대 |
| 개인·민간 차원 | • 세계 시민 의식을 갖고 초국가적인 문제 해결을 위해 노력<br>• 국제 비정부 기구의 반전 및 평화 운동에 참여 |

우리나라의 석굴암, 불국사 등이 유네스코 세계 문화유산에 등재되었고, 대중문화도 한류를 통해 세계로 확산되고 있다.

정답과 해설 36쪽

**01** 다음 괄호 안의 내용 중 알맞은 말에 ○표를 하시오.

(1) 국제 사회의 갈등은 일반적으로 (단일한, 다양한) 원인에 의해 나타난다.

(2) 국가 간 상호 의존성이 심화되어 한 국가만의 노력으로 해결할 수 없는 문제가 (증가, 감소)하고 있다.

**02** 다음에서 설명하는 국제 사회의 행위 주체를 〈보기〉에서 골라 기호를 쓰시오.

> 보기
> ㄱ. 국가 ㄴ. 정부 간 국제기구 ㄷ. 국제 비정부 기구

(1) 각국의 정부를 회원으로 하는 행위 주체이다. (　　　)

(2) 개인이나 민간단체를 회원으로 하는 행위 주체이다. (　　　)

(3) 독립된 주권을 행사하는 국제 사회의 가장 기본적인 행위 주체이다. (　　　)

**03** ㉠, ㉡에 들어갈 내용을 각각 쓰시오.

> 전쟁, 범죄, 테러와 같은 직접적·물리적 폭력이 없는 상태를 (㉠　　　) 평화라고 한다. 한편, 직접적 폭력뿐만 아니라 빈곤, 기아, 각종 억압과 차별 및 불평등과 같은 (㉡　　　)·문화적 폭력까지 해소된 상태를 적극적 평화라고 한다.

**04** 다음 설명이 맞으면 ○표, 틀리면 ×표를 하시오.

(1) 제2차 세계 대전 이후 냉전 체제가 완화되었다. (　　　)

(2) 우리나라는 대륙과 해양을 연결하는 지정학적 요충지에 위치하고 있다. (　　　)

(3) 통일을 통해 북한 주민의 인권을 개선하여 적극적 평화 실현에 기여할 수 있다. (　　　)

**05** 다음 빈칸에 들어갈 말을 쓰시오.

(1) 일본은 시마네현의 고시를 근거로 독도에 대한 (　　　　)을 주장하고 있다.

(2) 중국은 고조선, 부여, 고구려, 발해 등 우리나라의 역사를 중국의 지방사라고 주장하는 (　　　　)을 추진하고 있다.

## A 국제 사회 행위 주체의 역할

**01** 국제 사회의 갈등과 협력에 대한 설명으로 옳지 않은 것은?

① 국제 갈등은 일반적으로 여러 가지 원인에 의해 나타난다.
② 국가 간의 분쟁은 국제기구의 개입을 통해서만 해결이 가능하다.
③ 국가 간 상호 의존성이 심화됨에 따라 국제 협력도 증가하고 있다.
④ 특정 지역에서 발생한 국제 갈등은 전 지구적으로 영향을 끼치기도 한다.
⑤ 국제 사회의 국가들은 자국의 이익을 우선적으로 추구하는 경향이 있다.

**02** 밑줄 친 단체에 대한 옳은 설명만을 〈보기〉에서 있는 대로 고른 것은?

> 국제 사면 위원회는 터키 정부가 쿠데타 진압 이후 고위 장교들을 포함해 수백 명을 임의로 붙잡고 있다고 밝혔다. 또한 수감된 이들이 변호인을 선임하지 못한 채 구금되어 있으며, 유치장 안에서 고문이 벌어지고 있다고 밝힘으로써 전 세계인의 관심을 불러일으켰다.

보기
ㄱ. 개인이나 민간단체를 회원으로 한다.
ㄴ. 시민 사회의 영향력이 강화되면서 그 역할이 확대되고 있다.
ㄷ. 세계 여러 국가에서 경제 활동을 하며 국제 사회에서 영향력을 행사한다.
ㄹ. 환경 보호, 인권 보장, 보건과 같은 국제 사회의 보편적 가치를 중시한다.

① ㄱ, ㄴ ② ㄱ, ㄷ ③ ㄴ, ㄷ
④ ㄱ, ㄴ, ㄹ ⑤ ㄴ, ㄷ, ㄹ

**03** 다음 글의 주제로 가장 적절한 것은?

> 포르투갈로부터 독립한 동티모르는 1976년 인도네시아의 일부로 강제 편입되었다. 그 후 동티모르와 인도네시아는 20여 년간 분쟁을 겪었다. 동티모르 주민들이 독립을 위해 노력한 결과 국제 연합(UN)의 주관으로 동티모르의 독립과 자치를 결정하는 주민 투표가 실시되었고 그 결과 동티모르는 2002년에 독립 국가로 공식 선언되었다.

① 국제 비정부 기구의 인도적 활동
② 정부 간 국제기구의 평화 유지 활동
③ 국제적 영향력을 발휘하는 개인의 노력
④ 세계화를 주도하는 다국적 기업의 역할
⑤ 국가 간 합의를 통한 갈등의 평화적 해결

출제가능성 90%

**04** 밑줄 친 ㉠~㉢에 대한 설명으로 옳지 않은 것은?

> • ㉠ 세계 보건 기구(WHO)는 황열병이 창궐 중인 ㉡ 콩고 민주 공화국의 수도 킨샤사를 비롯한 국경 지역에 긴급 백신 접종 캠페인을 계획 중이라고 밝혔다.
> • ㉢ 지미 카터(Carter, J.) 전 미국 대통령은 퇴임 후 더욱 활발하게 활동하고 있다. 집이 없는 사람에게 무료로 집을 지어 주는 '해비탯 운동'을 전 세계에서 펼쳤고, 대북 특사를 자청하여 한반도의 전쟁 위기를 막아내는 등 국제 분쟁과 인권 신장을 위한 다양한 활동을 전개하고 있다.

① ㉠ – 한 국가에 속해 있지만 독자적인 활동으로 국제적 영향력을 행사한다.
② ㉠ – 국가의 행위를 규율하는 국제 규범을 정립함으로써 국제 관계에 영향을 미친다.
③ ㉡ – 영토의 크기와 관계없이 독립된 주권을 행사한다.
④ ㉡ – 외교를 통한 자국의 이익 실현을 최우선으로 생각한다.
⑤ ㉢ – 국제 비정부 기구의 회원으로 활동할 수 있다.

## B 평화의 의미와 중요성

[05~06] 다음 글을 읽고 물음에 답하시오.

평화학 연구자인 갈퉁(Galtung, J.)은 평화의 개념을 소극적 평화와 ( ㉠ )(으)로 구분하였다. 또한 ( ㉠ ) 을/를 실현하기 위해서는 빈곤, 기아, 각종 억압과 차별 및 불평등과 같은 구조적·문화적 폭력을 제거해야 한다고 주장하였다.

**05** ㉠에 들어갈 내용을 쓰시오.

**06** ㉠에 대한 옳은 설명을 〈보기〉에서 고른 것은?

보기
ㄱ. 인권 침해가 발생하지 않는 상태이다.
ㄴ. 종교와 사상 등으로 인한 고통을 간과할 수 있다.
ㄷ. 물리적 폭력이 제거된 상태를 진정한 평화라고 본다.
ㄹ. 직접적 폭력뿐만 아니라 간접적 폭력까지 제거된 상태이다.

① ㄱ, ㄴ ② ㄱ, ㄹ ③ ㄴ, ㄷ
④ ㄴ, ㄹ ⑤ ㄷ, ㄹ

**07** 다음 인터넷 게시판의 질문에 옳지 않은 답변을 한 학생은?

▶ 지식 Q&A

평화가 중요한 이유는 무엇일까요? 평화의 중요성에 대해 알려주세요.

▶ 답변하기

↳ 갑: 평화는 힘의 논리를 실현시켜 국제 사회의 안정을 도모합니다.
↳ 을: 평화를 통해 지금까지 인류가 축적한 문화유산을 보존할 수 있습니다.
↳ 병: 평화를 실현함으로써 인류는 물질적 풍요와 정신적 가치를 함께 누릴 수 있습니다.
↳ 정: 평화는 인류가 생존의 위협에서 벗어나 안전하게 살아갈 수 있는 환경을 조성합니다.
↳ 무: 평화는 빈곤과 기아 및 차별 등의 문제를 해결하여 인류가 번영을 누리는 토대가 됩니다.

① 갑 ② 을 ③ 병 ④ 정 ⑤ 무

## C 통일이 필요한 이유

출제 가능성 90%

**08** 다음 글을 쓴 사람의 입장에 대한 옳은 분석 및 추론만을 〈보기〉에서 있는 대로 고른 것은?

제2차 세계 대전 이후 세계는 미국을 중심으로 한 자본주의 진영과 소련을 중심으로 한 사회주의 진영 간의 이념적 갈등 상태에 놓이게 되었다. 이러한 상황에서 한반도에는 북위 38도선을 경계로 미국과 소련의 군대가 남과 북에 각각 주둔하게 되었다.

보기
ㄱ. 냉전 체제가 남북 분단에 영향을 초래했다고 본다.
ㄴ. 남북 분단의 국제적 배경에 대해 이야기하고 있다.
ㄷ. 민족 내부의 이념적 갈등이 한반도의 분단을 초래했다고 본다.
ㄹ. 한반도의 지정학적 위치가 남북 분단에 영향을 끼쳤다고 본다.

① ㄱ, ㄴ ② ㄱ, ㄷ ③ ㄴ, ㄷ
④ ㄱ, ㄴ, ㄹ ⑤ ㄴ, ㄷ, ㄹ

**09** 다음은 남북 분단의 과정을 나타낸 것이다. (가)~(다)에 해당하는 내용으로 옳지 않은 것은?

(가) 8·15 광복
⬇
(나) 국토 분단
⬇
(다) 분단의 고착화

① (가) – 일본의 패전 선언으로 제2차 세계 대전이 종식되었다.
② (가) – 우리 민족의 지속적인 독립 운동으로 광복을 맞이하였다.
③ (나) – 국제 연합(UN)의 주도로 남한과 북한에서 동시에 총선거가 실시되었다.
④ (나) – 북위 38도선을 경계로 미국과 소련의 군대가 남과 북에 각각 주둔하였다.
⑤ (다) – 북한의 남침으로 6·25 전쟁이 발발하였다.

**10** 다음은 남북통일의 필요성에 대해 정리한 보고서이다. (가), (나)에 들어갈 항목을 옳게 연결한 것은?

> **남북통일의 필요성**
> 1. 정치적 차원
> (1) ____________(가)____________
> (2) 이산가족의 슬픔과 고통 해소 및 북한 주민의 인권 개선
> 2. 경제적 차원
> (1) ____________(나)____________
> (2) 남한의 자본 및 기술력, 북한의 노동력 및 천연자원의 결합으로 국가 경쟁력 강화

보기
ㄱ. 남북 간 전쟁의 위협 제거
ㄴ. 인적·물적 교류를 확대하여 지역 간 갈등 해소
ㄷ. 국토의 일체성을 회복하여 대륙으로 진출 가능
ㄹ. 남북의 단일 시장 형성에 따른 국내 경제 활성화

| | (가) | (나) |
|---|---|---|
| ① | ㄱ | ㄴ |
| ② | ㄱ | ㄹ |
| ③ | ㄷ | ㄱ |
| ④ | ㄷ | ㄴ |
| ⑤ | ㄹ | ㄱ |

## D 동아시아의 역사 갈등과 국제 평화

**11** 동아시아의 역사 갈등에 대한 설명으로 옳지 않은 것은?
① 일본의 보수 정치인들은 야스쿠니 신사 참배를 비판하고 있다.
② 일본은 시마네현 고시를 근거로 독도가 일본의 영토로 편입되었다고 주장하고 있다.
③ 일본의 일부 우익 세력은 식민 지배와 침략 전쟁을 정당화하는 왜곡된 역사 교과서를 펴냈다.
④ 중국은 동북 공정을 통해 중국 영토 내 소수 민족의 분리 독립을 막아 국경을 안정시키고자 한다.
⑤ 일본은 제2차 세계 대전 당시 침략 전쟁 과정에서 조선, 타이완, 중국, 필리핀 등의 여성을 일본군 '위안부'로 강제 동원하였다.

출제가능성 90%

**12** 다음 사례가 역사 갈등 해결에 시사하는 바로 적절한 것을 〈보기〉에서 고른 것은?

> 동아시아의 역사 갈등 문제는 동아시아 각국의 상호 불신, 대립, 경쟁을 심화하여 국가 간 교류와 협력에 장애가 될 뿐만 아니라 동아시아 지역 내 불안정성을 키우고 있다. 이러한 상황 속에서도 지난 2005년에는 한·중·일의 학자, 교사, 시민들이 상호 교류하여 동아시아의 근현대사 공동 교재를 발행하는 성과를 거두었다.

보기
ㄱ. 자국의 이해관계를 강조하는 역사 교육이 필요하다.
ㄴ. 각국은 주관적 관점에서 역사 교과서를 편찬해야 한다.
ㄷ. 각국 학교, 시민 단체 등 민간단체의 교류 확대가 필요하다.
ㄹ. 공동 역사 연구를 통해 상호 간의 역사 인식의 차이를 극복해야 한다.

① ㄱ, ㄴ ② ㄱ, ㄷ ③ ㄴ, ㄷ
④ ㄴ, ㄹ ⑤ ㄷ, ㄹ

**13** 밑줄 친 ㉠~㉤에 대한 설명으로 옳지 않은 것은?

> 우리나라는 ㉠ 동아시아의 전략적 관문에 위치하고 있으며, ㉡ 1960년대 이후부터 고도의 경제 발전을 이루어 오늘날 세계 10위권의 경제 대국으로 성장하였다. 또한 우리나라는 ㉢ 여러 국제기구에 가입하여 국제 평화를 위해 활동하고 있다. 최근에는 세계화에 따라 우리나라의 ㉣ 대중문화를 한류 열풍을 타고 세계로 확산시키는 한편, ㉤ 전통문화의 우수성도 인정받고 있다.

① ㉠ - 유라시아 대륙과 태평양을 연결하는 지리적 요충지이다.
② ㉡ - 우리나라의 경제 개발 정책은 민간 주도하에 이루어졌다.
③ ㉢ - 국제 연합 평화 유지 활동(PKO)에 참여하고 있다.
④ ㉣ - 해외에서 우리나라 드라마와 케이팝(K-Pop) 등의 인기가 확산되고 있다.
⑤ ㉤ - 우리나라의 석굴암과 불국사는 유네스코 세계 문화유산으로 등재되어 있다.

정답과 해설 37쪽

**01** 밑줄 친 ㉠~㉤에 대한 설명에 모두 옳게 대답한 학생은?

> 2010년 ㉠ 아이티에서 일어난 대지진으로 5만 명이 희생되고 100만 명의 이재민이 발생하였다. 이에 ㉡ 한국 정부가 1,000만 달러를 지원하고, ㉢ 국제 연합(UN)이 경찰력과 평화 유지군을 지원하는 등 국제 사회가 지원에 나섰다. 또한 ㉣ 빌 클린턴(Clinton, B.) 전 미국 대통령도 아이티 현지를 방문해 구호 지원에 나섰으며, ㉤ 국경 없는 의사회 등 1,700여 명에 이르는 구조팀이 구호 대열에 동참하여 아이티 재건에 힘썼다.

| 질문 \ 학생 | 갑 | 을 | 병 | 정 | 무 |
|---|---|---|---|---|---|
| (1) ㉠은 일정한 영역과 국민을 바탕으로 독립된 주권을 행사한다. | ○ | × | ○ | ○ | × |
| (2) ㉡은 ㉢의 구성원으로 활동할 수 있다. | ○ | ○ | ○ | ○ | ○ |
| (3) ㉣은 국제 사회의 가장 기본적이고 대표적인 행위 주체이다. | × | × | ○ | × | ○ |
| (4) ㉤은 인류의 보편적 가치 실현을 위해 활동한다. | ○ | ○ | × | × | ○ |

① 갑　② 을　③ 병　④ 정　⑤ 무

최고난도

**02** (가)의 평화에 관한 갑, 을의 입장을 (나) 그림으로 탐구할 때, A~C에 들어갈 질문으로 옳지 않은 것은?

(가)
- 갑: 전쟁이 없는 상태를 넘어 모든 종류의 폭력이 없거나 감소한 상태가 평화이다.
- 을: 국가 간 무력 충돌이 없고 각 나라의 주권이 외부의 간섭을 받지 않는 상태가 평화이다.

(나)

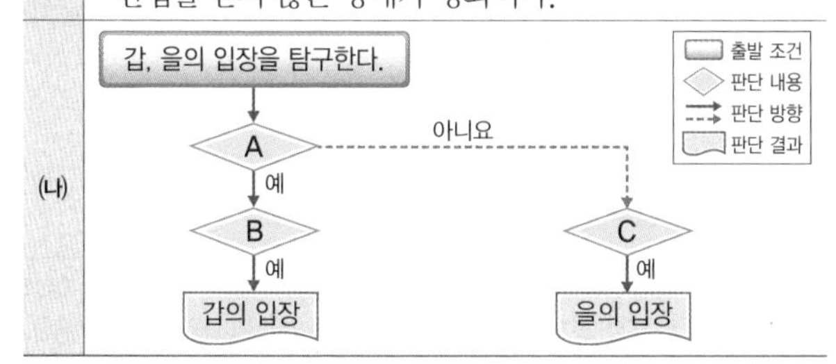


① A: 언어와 사상이 폭력으로 행사될 수 있다고 보는가?
② B: 모든 사람이 인간의 존엄성을 보장받는 상태인가?
③ B: 인종 차별과 같은 사회적 차별을 폭력이라고 보는가?
④ C: 직접적 폭력의 원인이 근본적으로 해결된 상태인가?
⑤ C: 국내외적으로 전쟁이 일어나지 않는 상태가 평화인가?

2014 교육청 응용

**03** 다음 글을 쓴 사람의 입장으로 적절한 것을 〈보기〉에서 고른 것은?

> 통일이 되지 않으면 분단 비용이 지속적으로 발생하고 통일에 따르는 편익을 누릴 수 없게 된다. 반면, 통일이 되면 분단 비용이 없어지고 통일에 따르는 막대한 편익이 생기게 된다. 통일 이후의 경제적·인도적·정치적·사회적 편익을 고려한다면 통일 비용은 충분히 보상될 수 있으며 그 이후에도 지속적으로 편익이 증가하게 된다.

보기
ㄱ. 통일이 이루어져야 한다고 본다.
ㄴ. 통일 비용은 분단 비용에 비해 소모적이라고 본다.
ㄷ. 통일이 늦어질수록 분단 비용은 감소할 것이라고 본다.
ㄹ. 장기적 관점에서 통일에 따른 편익이 통일 비용보다 클 것이라고 본다.

① ㄱ, ㄴ　② ㄱ, ㄹ　③ ㄴ, ㄷ
④ ㄴ, ㄹ　⑤ ㄷ, ㄹ

## 서술형 문제

**04** 다음과 같은 역사 갈등을 해결하기 위해 이루어지고 있는 노력을 정부·민간 차원에서 각각 서술하시오.

> 야스쿠니 신사는 천황을 위해 싸우다 전사한 군인을 신격화하여 제사를 지내는 곳이다. 이곳에는 도조 히데키 등 침략 전쟁을 수행한 A급 전범이 합사되어 있다. 일본 우익은 고위 정치인이 야스쿠니 신사를 참배하는 것을 신앙의 자유라고 주장하고 있다. 그러나 침략 전쟁의 피해를 본 입장에서 야스쿠니 신사 참배 행위는 그러한 전쟁을 미화하는 것이고, 언제든 전쟁을 다시 되풀이할 수 있다는 다짐으로 비칠 뿐이다.

# 01 세계의 인구와 인구 문제

## A 세계의 인구 성장과 인구 분포

### 1. 세계의 인구 성장

(1) 인구 성장 배경: 산업 혁명 이후 의료 기술의 발달, 경제 성장 및 생활 수준의 향상 → 사망률 감소, 평균 수명 연장, 인구 급증

(2) 선진국과 개발 도상국의 인구 성장

아프리카, 아시아, 라틴 아메리카 등의 개발 도상국이 세계의 인구 성장을 주도하고 있다.

| | |
|---|---|
| 선진국 | 산업화가 일찍 시작되어 20세기 초까지 인구 급성장, 최근 출생률 감소로 인구 증가율 정체 또는 감소 |
| 개발 도상국 | 20세기 중반 이후 산업화의 진행으로 인구 급성장, 높은 출생률과 낮아진 사망률로 인구 증가율 높음 |

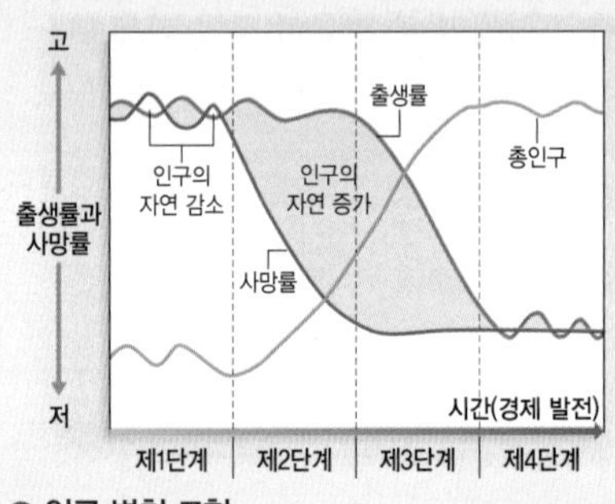


⊙ 인구 변천 모형

- 제1단계: 출생률과 사망률 높음 → 인구 정체
- 제2단계: 출생률이 높고 사망률이 급격히 감소 → 인구 증가
- 제3단계: 출생률이 급격히 감소하고 사망률이 완만히 감소 → 인구 증가
- 제4단계: 출생률과 사망률 낮음 → 인구 정체

### ★ 2. 세계의 인구 분포

(1) 인구 분포 요인

세계 인구의 90% 이상이 거주한다.

| | |
|---|---|
| 자연적 요인 | 기후, 지형, 식생, 토양 등 → 북반구 중위도의 냉·온대 기후 지역, 해발 고도가 낮은 하천 주변의 평야 및 해안 지역에 인구 밀집 |
| 사회적·경제적 요인 | 산업, 교통, 문화, 교육 등 → 교통이 발달하고 일자리가 많은 대도시에 인구 집중 |

(2) 세계의 인구 밀집 지역

① 계절풍 기후의 영향으로 벼농사가 발달한 동부 아시아와 동남 및 남부 아시아

② 일찍부터 공업이 발달한 서부 유럽과 미국 북동부

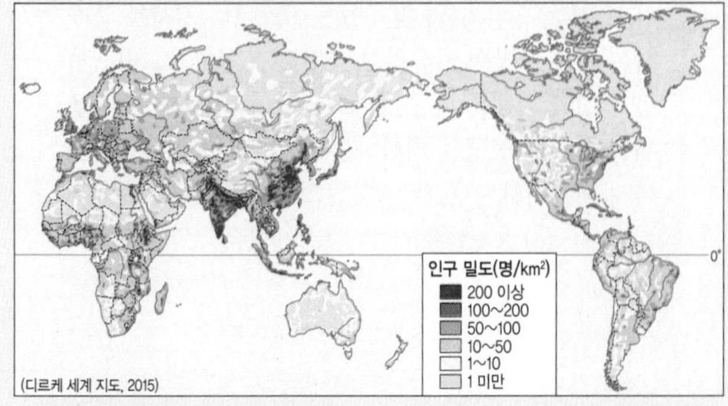


⊙ 세계의 인구 밀도 | 세계의 인구는 북반구 중위도의 냉·온대 기후 지역과 해발 고도가 낮은 하천 주변의 평야 지역이나 해안 지역에 밀집해 있다. 반면 건조·한대 기후 지역, 험준한 산지와 고원, 사막과 초원은 인구가 희박하다.

## B 세계의 인구 이동과 인구 구조

### 1. 세계의 인구 이동

(1) 인구 이동의 요인: 정치, 경제, 문화, 종교, 환경 등 → 오늘날 교통·통신의 발달에 따른 세계화로 인구 이동 활발

(2) 인구 이동의 유형

| | |
|---|---|
| 경제적 이동 | 노동자들이 일자리를 찾아 개발 도상국에서 선진국으로 이동 |
| 정치적 이동 | 정치적 탄압, 불안한 정세, 내전의 발발로 인한 난민 형태의 인구 이동 |
| 환경적 이동 | 지구 온난화, 이상 기후, 사막화 등에 따른 환경 재앙을 피하기 위한 인구 이동 |

### ★ 2. 세계의 인구 구조

연령별 인구 구조를 통해 그 지역의 사회적·경제적 상황을 분석하거나 예측할 수 있다.

(1) 인구 구조: 인구 집단의 연령별·성별·산업별 인구 구성 상태 → 국가의 경제 수준과 사회적 특성에 따라 다름

(2) 선진국과 개발 도상국의 인구 구조

| | |
|---|---|
| 선진국 | • 개발 도상국보다 출생률이 낮고 평균 기대 수명이 길 → 유소년층의 비중이 낮고 노년층의 비중이 높음<br>• 방추형 및 종형 인구 구조 → 중위 연령이 높음 |
| 개발 도상국 | • 선진국보다 출생률이 높고 평균 기대 수명이 짧음 → 유소년층의 비중이 높고 노년층의 비중이 낮음<br>• 피라미드형 인구 구조 → 중위 연령이 낮음 |

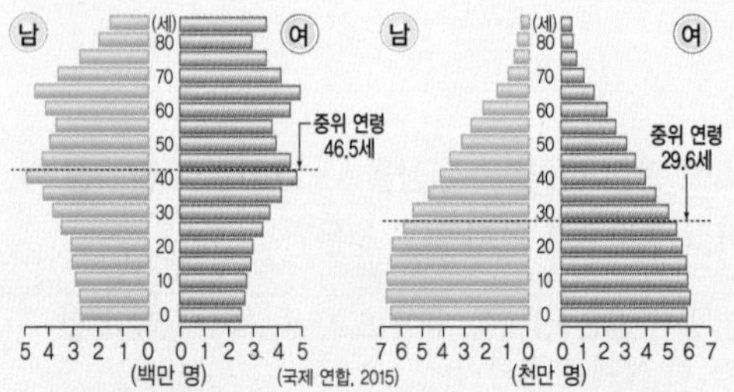


특정 지역이나 국가의 전체 인구를 연령 순서대로 세웠을 때 그 중앙에 위치한 사람의 연령이다.

⊙ 일본(좌)과 인도(우)의 인구 구조

## C 세계의 인구 문제

### ★ 1. 선진국의 인구 문제

| | |
|---|---|
| 저출산 문제 | • 원인: 결혼 연령의 상승, 출산과 양육에 대한 부담 증가, 여성의 사회적·경제적 지위 향상, 자녀와 가족에 대한 가치관 변화 등에 따른 합계 출산율 감소 (한 여성이 가임 기간 동안 낳는 평균 자녀 수)<br>• 문제점: 인구의 정체 및 감소, 생산 가능 인구의 감소, 경제 성장 둔화 및 장기적 침체 등 |
| 고령화 문제 | • 원인: 의료 기술의 발달, 생활 수준의 향상 등에 따른 사망률 감소 → 평균 수명의 연장<br>• 문제점: 노년층 비중 증가로 노년 부양비 증가, 국가의 재정 악화, 청장년층의 경제적 부담 증가로 인한 세대 간 갈등 발생 |

★ 표시는 시험 전에 확인해 주세요.

### 2. 개발 도상국의 인구 문제

| | |
|---|---|
| 인구 과잉 문제 | • 원인: 높은 출생률과 사망률 감소로 인한 인구 급증<br>• 문제점: 식량 및 자원 부족, 기반 시설 부족, 기아 및 빈곤, 실업 등의 문제 발생 |
| 대도시 과밀 문제 | • 원인: 급속한 산업화로 인한 대도시로의 인구 집중<br>• 문제점: 지역 간 불균형 심화, 주택 및 일자리 부족, 교통 혼잡, 환경 오염 등의 도시 문제 발생 |

### 3. 인구 이동에 따른 인구 문제

최근 유럽으로 유입되고 있는 서남아시아와 북부 아프리카의 난민 수용 여부를 둘러싼 갈등이 나타나고 있다.

(1) **인구 유입국**: 원주민과 이주민 간의 문화 갈등, 이주민에 대한 사회·경제적 불평등한 대우 등

(2) **인구 유출국**: 청장년층 유출에 따른 경제 활동 인구 감소, 지역 경제 및 사회적 분위기 침체

## D 인구 문제 해결을 위한 노력

### ★ 1. 선진국의 인구 문제 해결 노력

| | |
|---|---|
| 저출산 대책 | • 출산 장려 정책 시행: 자녀 수에 따른 세제 혜택, 출산 장려금 지원, 보육 시설 확충, 유급 출산 휴가 기간 연장<br>• 결혼 기반 지원 대책 마련: 신혼부부 주택 특별 공급, 청년 일자리 확충<br>• 여성에 대한 처우 개선: 성별 임금 격차 해소, 유연 근무제 확대 |
| 고령화 대책 | • 노년층 일자리 확대 및 정년 연장을 통한 노인의 경제적 자립 지원<br>• 노인 복지 시설 확충, 연금 제도 등 사회 보장 제도 강화 |

### 2. 개발 도상국의 인구 문제 해결 노력

(1) **인구 과잉의 대책**: 경제 발전과 식량 증산 노력, 가족계획을 통한 출산 억제 정책 시행

(2) **대도시 과밀의 대책**: 대도시 인구 집중 문제 해결을 위한 중소 도시 육성 정책, 촌락의 생활 환경 개선 사업 → 인구와 기능의 지방 분산 유도

### 3. 인구 문제 해결을 위한 가치관의 변화

(1) **가족 친화적 가치관 확립**: 결혼과 가족의 소중함, 자녀 양육을 통한 부모로서의 행복 추구

(2) **노인에 대한 인식 변화**: 부양의 대상을 넘어서 경험과 지혜를 나누는 사회 구성원으로 인식

(3) **양성평등 문화 확산**: 남녀 간 가사와 양육 분담, 일과 가족생활 간의 균형을 이룰 수 있는 사회적 인식 개선

(4) **세대 간 정의 실현**: 현재 세대와 미래 세대 간 형평성을 고려하여 자원, 일자리, 환경 등의 측면에서 미래 세대의 부담을 줄이기 위한 배려 필요

## 1단계 개념 짚어 보기

정답과 해설 38쪽

**01** 다음 설명이 맞으면 ○표, 틀리면 ×표를 하시오.

(1) 세계에서 인구가 가장 많은 대륙은 아프리카이다. (　　)

(2) 20세기 중반 이후 선진국이 세계의 인구 성장을 주도하고 있다. (　　)

(3) 최근 선진국은 인구 증가가 둔화되는 반면, 개발 도상국은 인구가 급격히 증가하고 있다. (　　)

**02** 다음 괄호 안의 내용 중 알맞은 말에 ○표를 하시오.

(1) 선진국은 개발 도상국보다 출생률이 (높고, 낮고), 평균 기대 수명이 (길다, 짧다).

(2) 인구 (유출, 유입) 지역에서는 원주민과 이주민 간 경제적·문화적 갈등이 발생하기도 한다.

(3) 세계 인구의 90% 이상이 (북반구, 남반구)에 거주하고, 주로 (건조, 온대) 기후 지역에 밀집한다.

**03** 인구 밀집 지역과 인구 희박 지역을 〈보기〉에서 골라 기호를 쓰시오.

보기
ㄱ. 서부 유럽　　ㄴ. 동남아시아　　ㄷ. 사하라 사막

(1) 인구 밀집 지역 (　　　)

(2) 인구 희박 지역 (　　　)

**04** 어느 인구 집단의 연령별·성별·산업별 인구 구성 상태를 (㉠　　　)라고 한다. 선진국은 주로 종형 또는 방추형 인구 구조가 나타나는 반면, 개발 도상국은 주로 (㉡　　　)형 인구 구조가 나타난다.

**05** 표는 인구 문제의 원인과 해결책을 정리한 것이다. ㉠~㉢에 들어갈 내용을 각각 쓰시오.

| 인구 문제 | 원인 | 해결책 |
|---|---|---|
| 저출산 | 결혼 연령의 상승, 미혼 인구의 증가, 가치관의 변화 등에 따른 출산율 감소 | 출산 및 육아 비용 지원, 공공 보육 시설 확충 등의 (㉠　　　) 정책 실시 |
| (㉡　　　) | 의료 기술 발달, 생활 수준 향상 등에 따른 사망률 감소 | 노인 연금 제도, 일자리 확대, 정년 연장 등의 방안 마련 |
| 인구 과잉 | 높은 (㉢　　　)과 사망률 감소로 인한 인구 급증 | 경제 발전, 식량 증산 노력, 가족계획을 통한 출산 억제 정책 등 |

## A 세계의 인구 성장과 인구 분포

출제가능성 90%

**01** 그래프는 세계의 인구 성장을 나타낸 것이다. A~C에 해당하는 대륙을 옳게 연결한 것은?

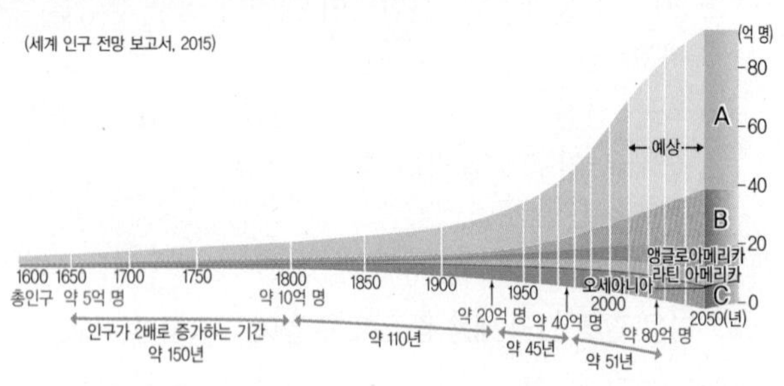


| | A | B | C |
|---|---|---|---|
| ① | 유럽 | 아시아 | 아프리카 |
| ② | 유럽 | 아프리카 | 아시아 |
| ③ | 아시아 | 유럽 | 아프리카 |
| ④ | 아시아 | 아프리카 | 유럽 |
| ⑤ | 아프리카 | 아시아 | 유럽 |

**02** 다음 수행 평가에서 학생이 옳게 답한 문항을 고른 것은?

> **수행 평가**
>
> 1학년 ○반 △△△
>
> 다음 글의 A~E에 들어갈 내용을 쓰시오.
>
> 인류가 지구상에 살기 시작한 이후 10억 명을 넘기까지 수백만 년이 걸렸지만, 10억 명이 70억 명이 되기까지는 약 200년밖에 걸리지 않았다. 구석기 시대에는 인구 변동이 거의 없었지만, 신석기 시대에는 ( A: *산업 혁명* ) 이/가 이루어짐에 따라 식량이 증산되면서 인구가 점차 증가하였다. 세계의 인구가 급격하게 변화한 것은 ( B: *농업 혁명* ) 이후 의료 기술이 발달하고, 생활 수준이 향상되어 ( C: *사망률* )이/가 낮아졌기 때문이다. 산업화가 일찍 시작된 ( D: *개발 도상국* )은/는 20세기 초까지 인구가 빠르게 성장하였으나 최근 인구가 정체하거나 감소하고 있다. 반면 ( E: *선진국* )은/는 제2차 세계 대전 이후 산업화가 진행되어 인구가 빠르게 증가하고 있다.

① A ② B ③ C ④ D ⑤ E

**03** 그래프는 인구 변천 모형을 나타낸 것이다. (가)~(라) 단계의 특징으로 옳은 것은?

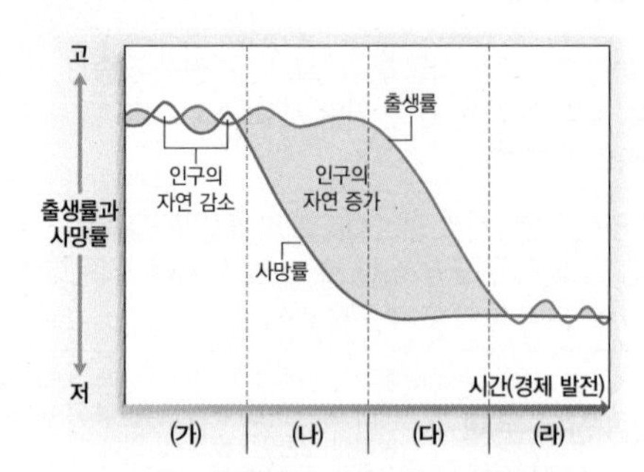


① (가)는 (나)보다 총 인구수가 많다.
② (가)는 (다)보다 인구 증가율이 높다.
③ (나)는 (라)보다 중위 연령이 높다.
④ (다)는 (라)보다 노년 부양비가 높다.
⑤ (라)는 출생률과 사망률이 모두 낮아 인구 증가가 정체한다.

**04** 지도는 세계의 인구 분포를 나타낸 것이다. A~D 지역에 대한 옳은 설명을 〈보기〉에서 고른 것은?

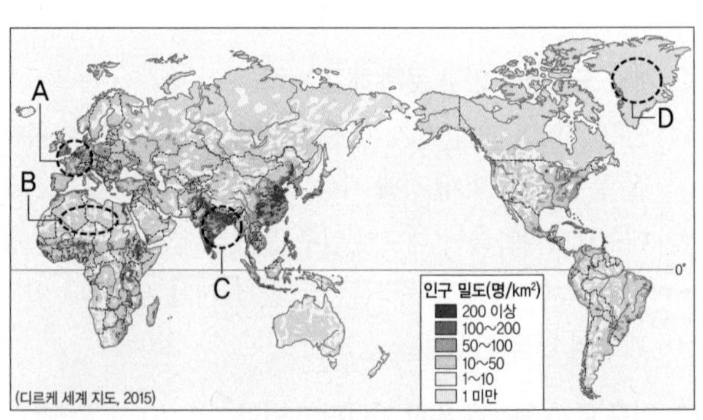


> **보기**
>
> ㄱ. A – 고온 다습한 기후와 비옥한 충적 평야가 나타나 벼농사가 발달하고 인구 밀도가 높다.
> ㄴ. B – 강수량이 적은 건조 기후가 나타나 인간 거주에 불리하여 인구가 희박하다.
> ㄷ. C – 일찍부터 산업화·도시화가 이루어져 인구가 밀집하였다.
> ㄹ. D – 겨울이 매우 길고 춥기 때문에 인구 밀도가 낮다.

① ㄱ, ㄴ ② ㄱ, ㄷ ③ ㄴ, ㄷ
④ ㄴ, ㄹ ⑤ ㄷ, ㄹ

**05** 다음은 어떤 학생이 작성한 노트 필기의 일부이다. ㉠~㉤ 중 옳지 않은 것은?

**세계의 인구 분포**

- 인간은 거주하기 유리한 특정 지역에 집중하는 경향이 나타난다. ········· ㉠
- 인구 분포는 기후, 지형 등과 같은 자연적 요인의 영향을 받는다. ········· ㉡
- 전 세계의 인구는 기온이 높은 적도 부근에 집중적으로 분포하고 있다. ········· ㉢
- 지형적 조건이 인간 거주에 불리한 산지, 고원, 사막, 초원 등지에는 인구가 희박하다. ········· ㉣
- 미국 북동부 지역에 인구 밀도가 높은 것은 산업, 교통, 문화, 교육 등과 같은 사회적·경제적 조건이 유리하기 때문이다. ········· ㉤

① ㉠ ② ㉡ ③ ㉢ ④ ㉣ ⑤ ㉤

## B 세계의 인구 이동과 인구 구조

출제가능성 90%

**06** 지도와 같은 인구 이동이 나타나게 된 원인으로 가장 적절한 것은?

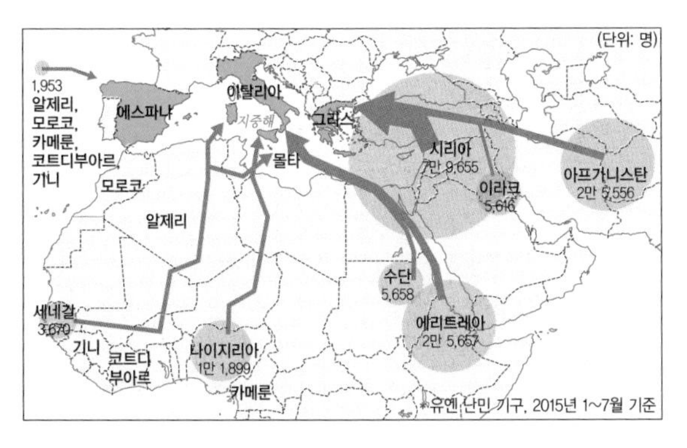

유엔 난민 기구, 2015년 1~7월 기준

① 더 나은 교육의 기회를 얻기 위해
② 경제적 목적의 일자리를 얻기 위해
③ 쾌적한 환경에서 여가를 즐기기 위해
④ 사막화로 인한 환경 재앙을 피하기 위해
⑤ 정치적 탄압, 내전으로 인한 혼란을 피하기 위해

**07** 다음 글에 나타난 인구 이동의 사례로 가장 적절한 것은?

> 오늘날 교통·통신의 발달에 따라 전 세계적으로 인구 이동이 빈번해지고 있다. 특히 경제적 요인에 의한 인구 이동이 많이 나타나는데, 대체로 개발 도상국에서 선진국으로 이동하는 경우가 대부분이다. 이는 선진국의 경제 수준이 높고 고용 기회가 많기 때문이다.

① 시리아의 난민들이 내전을 피하기 위해 유럽으로 이동하였다.
② 필리핀 출신의 입주 가사 도우미들이 일자리를 찾아 홍콩으로 떠났다.
③ 사우디아라비아 메카는 이슬람교의 성지로 수많은 사람들이 다녀갔다.
④ 과거 아프리카의 원주민들은 노예무역으로 유럽이나 아메리카에 끌려갔다.
⑤ 투발루 사람들은 해수면 상승으로 국토가 잠길 위기에 처하자 뉴질랜드로 이주하였다.

**08** 지도는 세계의 중위 연령을 나타낸 것이다. 이에 대한 옳은 설명을 <보기>에서 고른 것은?

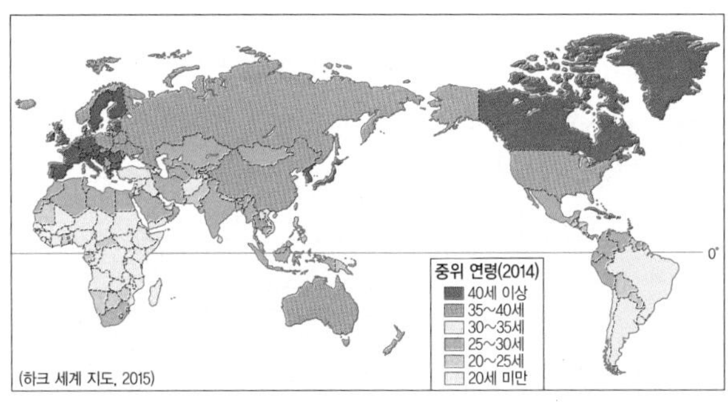

(하크 세계 지도, 2015)

**보기**

ㄱ. 중위 연령이 높은 지역일수록 평균 수명이 길다.
ㄴ. 합계 출산율이 높은 지역일수록 중위 연령이 높다.
ㄷ. 중위 연령이 높은 지역은 북반구보다 남반구에 넓게 분포한다.
ㄹ. 중위 연령이 높은 지역은 중위 연령이 낮은 지역에 비해 경제 수준이 높은 편이다.

① ㄱ, ㄴ ② ㄱ, ㄹ ③ ㄴ, ㄷ
④ ㄴ, ㄹ ⑤ ㄷ, ㄹ

## C 세계의 인구 문제

**09** (가), (나) 국가에 대한 옳은 추론을 <보기>에서 고른 것은?

- (가) 국가는 일찍 산업화가 진행되어 여성의 사회 진출이 활발하게 이루어지면서 저출산에 따른 노동력 부족 문제가 나타났다. 정부는 저출산 문제를 해결하기 위해 육아 휴직 수당을 지급하고, 보육 시설을 늘렸다. 또한 노동력 부족 문제를 해결하기 위해 외국인 근로자를 받아들였다.
- (나) 국가는 대가족을 선호하는 전통문화와 낙태를 금기시하는 가톨릭교의 관습으로 인구 증가율이 높은 편이다. 그러나 인구가 증가하면서 빈곤층이 증가하는 악순환이 발생하였다. 정부는 출산율을 낮추기 위해 인구 억제 정책을 펼치고 있다.

보기
ㄱ. (가)는 (나)보다 합계 출산율이 낮을 것이다.
ㄴ. (가)는 생산 가능 인구 감소로 경제 성장이 둔화될 수 있을 것이다.
ㄷ. (나)는 남아 선호 사상으로 인해 성비 불균형이 나타날 것이다.
ㄹ. 오늘날 우리나라의 인구 문제는 (가)보다 (나)와 비슷한 양상일 것이다.

① ㄱ, ㄴ ② ㄱ, ㄷ ③ ㄴ, ㄷ
④ ㄴ, ㄹ ⑤ ㄷ, ㄹ

**10** 그래프는 어떤 국가의 연령대별 인구 변화를 나타낸 것이다. 1950년에 비해 2000년에 나타난 변화에 대한 설명으로 옳지 않은 것은?

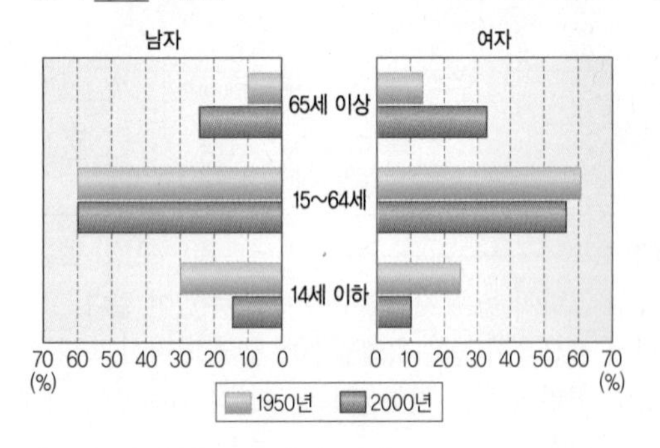


① 총 부양비는 증가하였다.
② 노년 부양비는 증가하였다.
③ 평균 기대 수명이 길어졌다.
④ 유소년층의 여초 현상이 심화되었다.
⑤ 생산 가능 인구의 비중이 감소하였다.

## D 인구 문제 해결을 위한 노력

**11** 다음과 같은 인구 정책을 시행하는 시기에 나타나는 사회 현상으로 가장 적절한 것은?

- 신혼부부 행복 주택 공급: 행복 주택 거주 중 자녀 출산 시 더 넓은 행복 주택 재청약 기회 부여
- 든든한 노후 소득 보장: 1인 1국민연금 시대, 주택 연금 가입자 대폭 확대
- 청년 고용 활성화로 결혼 기반 마련: 일자리 창출로 청년 고용 기반 확충
- 임신, 출산 의료비 본인 부담 감소: 산모 부담이 큰 비급여 항목에 대해 건강 보험 적용

① 경제 활동 인구의 비중이 빠르게 증가한다.
② 출생률이 낮아지고 고령화 속도가 빨라진다.
③ 인구 급증에 따른 식량 부족 문제가 나타난다.
④ 외국인의 유입으로 원주민과의 갈등이 심각해진다.
⑤ 청장년층의 고용 안정으로 세대 간 갈등이 사라진다.

**12** 다음 교사의 질문에 옳게 답한 학생을 고른 것은?

- 교사: 다음과 같은 인구 구조가 나타나는 국가에서는 인구 문제 해결을 위해 어떤 노력이 필요할까요?

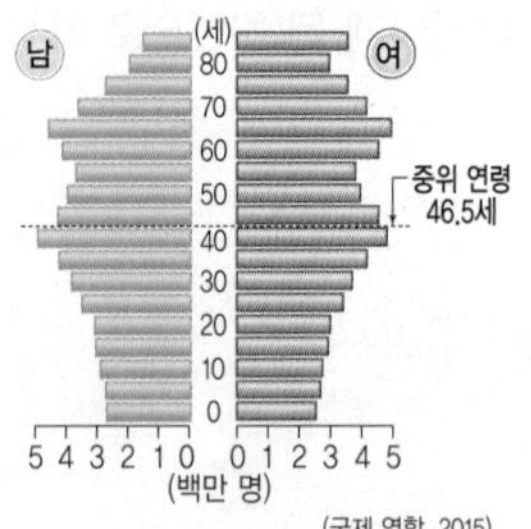

(국제 연합, 2015)

- 갑: 정년 연장과 노인들의 일자리 확대가 요구됩니다.
- 을: 공공 보육 시설을 늘리고 육아 휴직 수당을 지급해야 합니다.
- 병: 출산 억제 정책을 실시하고 경제 성장을 이루기 위해 노력해야 합니다.
- 정: 식량 증산 정책과 함께 급속한 이촌 향도 현상을 대비하여 도시 기반 시설을 늘려야 합니다.

① 갑, 을 ② 갑, 병 ③ 을, 병
④ 을, 정 ⑤ 병, 정

정답과 해설 39쪽

2018 평가원 응용

**01** 그래프는 (가)~(다) 국가의 사망률과 합계 출산율 변화를 나타낸 것이다. 이에 대한 설명으로 옳지 않은 것은?

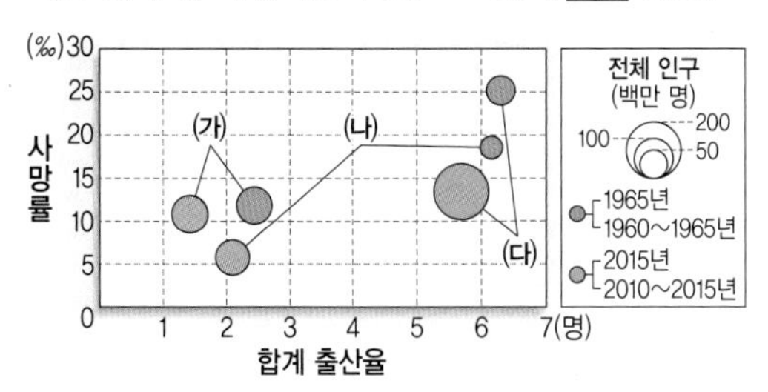


* 합계 출산율과 사망률은 원의 중심값임
** 전체 인구는 1965년과 2015년 기준이며, 합계 출산율과 사망률은 1960~1965년과 2010~2015년 기준임

① 사망률의 변화가 가장 작은 국가는 (가)이다.
② 합계 출산율의 변화가 가장 큰 국가는 (나)이다.
③ (가)는 인구 정체, (나)와 (다)는 인구 증가가 나타났다.
④ 전체 인구가 가장 많은 국가는 (가)에서 (다)로 바뀌었다.
⑤ 2015년 사망률이 가장 높은 국가는 전체 인구가 가장 적다.

2015 수능 응용 최고난도

**02** 다음 자료의 (가), (나) 국가에 대한 설명으로 옳은 것은?

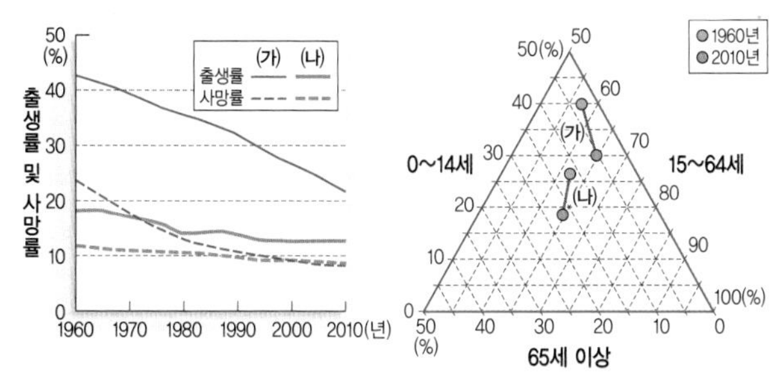


⊙ 출생률 및 사망률 변화 ⊙ 연령층별 인구 구성비 변화

① (가)의 유소년 부양비는 1960년보다 2010년에 증가하였다.
② (나)의 노년 부양비는 1960년보다 2010년에 감소하였다.
③ (가)는 (나)보다 청장년층 비중의 증가 폭이 크다.
④ (나)는 (가)보다 인구 증가율이 높다.
⑤ (가)는 저출산·고령화 문제가, (나)는 인구 과잉 문제가 나타날 수 있다.

**03** 지도는 노년 인구 비중을 기준으로 (가), (나) 국가군을 나타낸 것이다. A, B에 들어갈 지표를 옳게 연결한 것은? (단, (가), (나)는 노년 인구 비중 상위 15개국과 하위 15개국 중 하나이다.)

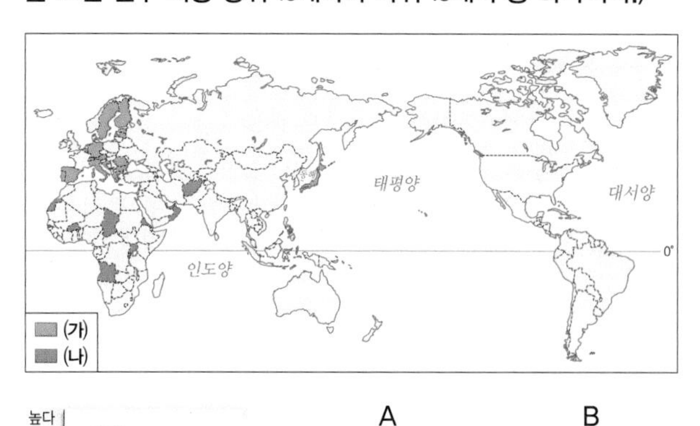


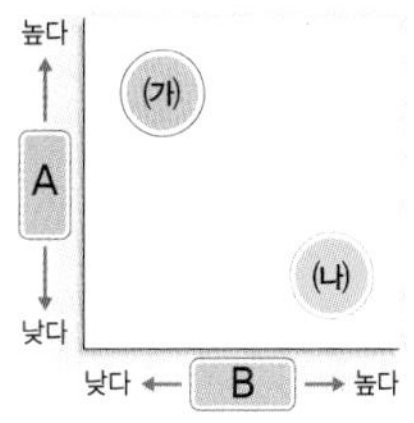


| | A | B |
|---|---|---|
| ① | 사망률 | 출생률 |
| ② | 출생률 | 기대 수명 |
| ③ | 기대 수명 | 중위 연령 |
| ④ | 중위 연령 | 유소년 부양비 |
| ⑤ | 유소년 부양비 | 사망률 |

## 서술형 문제

**04** 다음 자료를 보고 물음에 답하시오.

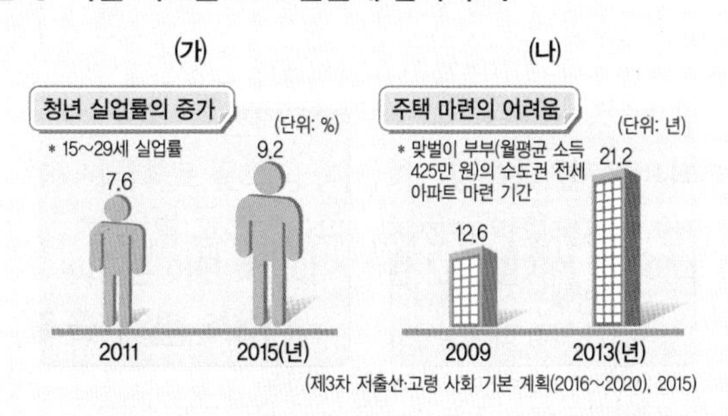


(제3차 저출산·고령 사회 기본 계획(2016~2020), 2015)

(1) (가)와 (나)로 인해 발생할 수 있는 인구 문제를 쓰시오.

(2) (1)의 인구 문제를 해결하기 위한 방안을 두 가지 이상 서술하시오.

# 02 세계의 자원과 지속 가능한 발전 ~03 미래 지구촌의 모습과 내 삶의 방향

## A 자원의 분포와 소비

### 1. 자원의 의미와 특성

(1) 자원: 자연에서 얻을 수 있는 것 중에서 인간에게 유용하면서 기술적·경제적으로 이용 가능한 것

(2) 자원의 특성

| | |
|---|---|
| 유한성 | 대부분의 자원은 매장량에 한계가 있으므로 가채 연수에 도달하면 고갈됨 (가채 연수: 앞으로 자원을 몇 년간 더 채굴할 수 있는지 나타낸다.) |
| 편재성 | 특정 자원은 지구상에 고르게 분포하지 않고 일부 지역에 편중되어 분포함 |
| 가변성 | 자원의 가치는 경제적 상황, 과학 기술의 발달과 사회적·문화적 배경에 따라 변화함 |

### 2. 에너지 자원의 분포와 소비

에너지 자원: 인간 생활에 필요한 동력을 얻을 수 있다.

(1) 세계 에너지 자원의 분포 및 소비 특성

① 분포 특성: 자원의 편재성이 있어 자원의 생산지와 소비지가 불일치하는 경우가 많음

② 소비 특성: 석유, 석탄, 천연가스 등 화석 연료의 소비 비중이 매우 높음

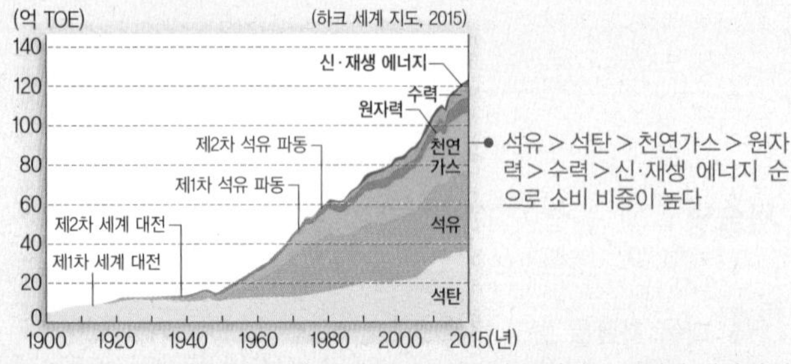


▲ **세계 에너지 소비량 변화** | 세계적으로 인구가 증가하고 산업이 발달하면서 에너지 자원의 소비량이 지속적으로 증가하고 있다. 특히 석탄, 석유, 천연가스의 소비 비중은 전체 에너지 소비의 약 86%를 차지하고 있다.

★ (2) 주요 에너지 자원의 특징

| | |
|---|---|
| 석탄 | • 주로 고생대 지층에 매장, 비교적 넓은 범위에 분포 → 석유에 비해 국제 이동량이 적음<br>• 산업 혁명 이후 상용화되어 주요 동력원으로 사용, 오늘날 공업용 연료와 화력 발전의 연료로 사용 |
| 석유 | • 신생대 제3기 배사 구조 지층에 매장, 서남아시아의 페르시아만에 집중 분포<br>• 수요가 많고 생산지와 소비지가 일치하지 않아 국제 이동량이 많음<br>• 자동차, 비행기 등 운송 수단의 연료, 각종 산업의 연료, 화학 공업 및 각종 생활용품의 원료 (자동차 보급의 확산으로 수요 급증) |
| 천연가스 | • 주로 석유와 함께 매장, 대기 오염 물질 배출량이 적은 청정 에너지<br>• 가정용·상업용 연료로 많이 사용, 운송용·산업용 연료 등으로 사용 범위 확대<br>• 냉동 액화 기술의 발달과 파이프라인의 건설 확대로 장거리 수송이 가능해져 국제 이동량 증가 |

냉동 액화: 냉동 액화된 천연가스는 부피가 크게 줄어들어 거리가 먼 지역까지도 운반이 가능해졌다.

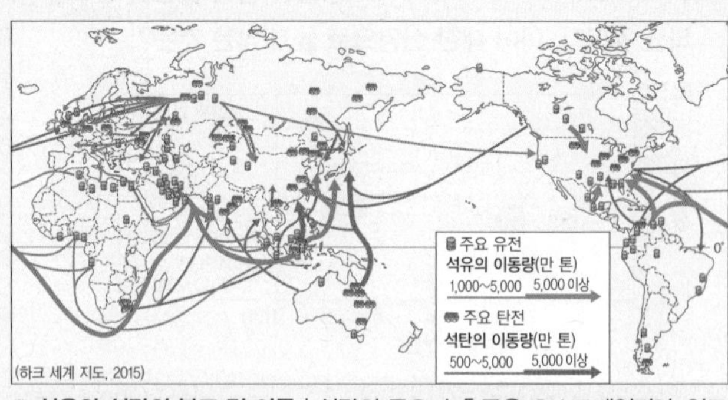


▲ **석유와 석탄의 분포 및 이동** | 석탄의 주요 수출국은 오스트레일리아, 인도네시아 등이며, 주요 수입국은 아시아의 공업 국가인 인도, 중국, 일본 등이다. 석유의 주요 수출국은 사우디아라비아, 러시아, 아랍 에미리트 등이며, 주요 수입국은 산업이 발달한 유럽, 미국, 아시아의 공업 국가들이다.

### ★ 3. 자원의 분포와 소비에 따른 문제

(1) 자원의 고갈 및 부족: 자원의 사용량이 증가하면서 자원의 부존량 감소

(2) 자원 갈등: 생산지와 소비지의 불일치, 채굴 조건의 악화, 불안정한 가격으로 국가 간 갈등 심화 → 자원 민족주의의 확산으로 영역 분쟁 발생

자원 민족주의: 자원을 보유한 국가가 자원을 전략적 무기로 이용하는 것이다.

(3) 환경 문제: 자원 채굴 과정에서 생태계 파괴, 화석 연료 사용 증가로 대기 오염 및 지구 온난화 심화

(4) 에너지 소비 격차 문제: 세계 에너지 소비 상위 10개국이 전체 화석 연료 소비량의 절반 이상 차지

### 4. 자원 문제의 해결 노력

신·재생 에너지 개발과 보급 확대, 에너지 고효율 기술 개발, 지속 가능한 자원 이용 등

신·재생 에너지 개발과 보급 확대: 풍력, 태양광, 지열, 조력 발전 등의 환경 친화적 에너지의 지속적 개발 및 보급

## B 지속 가능한 발전

### 1. 지속 가능한 발전의 의미와 특징

(1) 의미: 미래 세대가 사용할 자원을 낭비하거나 환경을 손상하지 않는 범위 내에서 현세대의 성장을 추구하는 발전

(2) 특징: 경제 성장, 환경 보전, 사회 안정 및 통합을 함께 이루는 발전

- 경제 성장: 환경적 가치를 고려한 경제 발전 추구
- 환경 보전: 인간과 자연의 조화와 균형 추구
- 사회 안정 및 통합: 세대 간의 평형성, 부의 공정한 분배 추구

### ★ 2. 지속 가능한 발전을 위한 노력

| | |
|---|---|
| 국제적·국가적 노력 | • 경제적 측면: 신·재생 에너지 개발 및 보급 확대, 공적 개발 원조(ODA) 실시<br>• 환경적 측면: 국제 환경 협약 체결, 온실가스 배출권 거래제 시행 (국제 환경 협약: 예) 지구 온난화 방지를 위한 기후 변화 협약 / 온실가스 배출권 거래제: 정부가 기업에게 온실가스 배출량을 정해 주고, 기업은 그 범위 내에서 온실가스를 감축하도록 하는 제도)<br>• 사회적 측면: 보건·식량·인권 분야에서 국제기구의 노력, 정부의 사회 취약 계층 지원 제도 실시 |
| 개인적 노력 | 자원 및 에너지 절약, 일상생활 속에서 환경친화적 생활 방식 및 윤리적 소비 실천, 사회 정의와 형평성을 위한 시민 의식 함양 (윤리적 소비: 인간과 동물, 환경에 해를 가하지 않고 윤리적으로 생산된 제품을 구매하는 활동으로, 대표적으로 로컬 푸드 및 공정 무역 제품 이용 등이 있다.) |

★ 표시는 시험 전에 확인해 주세요.

## C 미래 지구촌의 모습과 내 삶의 방향

### 1. 미래 사회 예측

(1) 미래 사회 예측의 필요성: 미래 사회에 대한 유연한 대처와 준비 → 개인과 국가의 안정적 발전 추구

(2) 미래 사회의 특징

① 미래 사회는 변화의 폭이 넓고 변화 속도가 빠름 → 미래 사회 예측에 대한 불확실성이 커짐

② 미래 사회에 대한 낙관적 견해와 비관적 견해의 대립 → 미래학의 발달로 과학적이고 체계적인 미래 예측 가능

미래학: 과거 또는 현재를 바탕으로 미래 사회의 모습을 예측하고, 그 모델을 제공하는 학문이다.

### ★ 2. 미래 지구촌의 모습

(1) 국가 간 협력과 갈등

| | |
|---|---|
| 국가 간 협력 강화 | • 정치적 협력: 핵 안보 문제 및 영토와 종교를 둘러싼 분쟁 조정, 난민·기아·빈곤 등의 지구촌 문제 해결 모색, 인간의 기본권과 민주주의의 이념 확산<br>• 경제적 교류: 전 세계 부의 증대로 생활 수준 향상, 지역 협력체의 영향력 강화 |
| 국가 간 갈등 심화 | 자유 무역의 확대로 경쟁 심화, 국가 간의 빈부 격차 확대, 전쟁과 테러의 위협 증가, 영토 및 자원 분쟁, 종교·문화적 갈등 증가 |

(2) 과학 기술의 발달에 따른 변화

| | |
|---|---|
| 긍정적 견해 | • 공간, 사물, 데이터 등이 인터넷으로 연결되는 초연결 사회 구축<br>• 새로운 운송 수단의 개발로 시공간적 제약 감소 → 인간의 활동 범위 확대<br>• 인공 지능 로봇의 개발로 인간의 노동 시간 감소 및 삶의 질 향상<br>• 생명 공학의 발달로 유전자 분석 및 개인 맞춤형 치료를 통한 인간 수명 연장, 식량 생산 증가 |
| 부정적 견해 | • 유전자 조작에 따른 윤리적 문제 발생<br>• 특정 직업의 일자리 감소로 인한 실업, 인간 소외 현상 발생<br>• 개인 정보 유출, 사생활 침해 등의 문제 발생 |

(3) 생태 환경의 변화: 신·재생 에너지 개발, 멸종 위기 생물종 복원, 도시 수직 농장의 활성화 등 → 자원 고갈 및 환경 문제 해결 노력

### 3. 미래 사회를 대비하는 자세

(1) 미래 사회에서의 삶의 방향: 올바른 인성과 가치관 정립, 비판적 사고력 증진, 공동체 의식 함양, 구성원 간 소통과 화합을 위한 개방적 태도와 관용의 자세

(2) 지구촌 구성원으로서의 태도: 세계 시민 의식을 바탕으로 자신의 일상 문제와 지구촌 문제의 연관성을 생각하는 삶의 자세, 공감과 연대 의식, 다양성을 존중하는 태도 함양 → 지구촌 문제 해결을 위한 책임 의식 필요

세계 시민 의식: 세계를 하나의 공동체로 인식하고 인류 공통의 가치를 실현하려는 의식

## 1단계 개념 짚어 보기

정답과 해설 40쪽

**01** 자연에서 얻을 수 있는 것 중에서 인간에게 유용하면서 기술적·경제적으로 이용 가능한 것을 (㉠ )이라고 하고, 그중에서도 인간 생활에 필요한 동력을 얻을 수 있는 것을 (㉡ )이라고 한다.

**02** 다음 설명이 맞으면 ○표, 틀리면 ×표를 하시오.

(1) 자원의 경제적·문화적 가치는 변하지 않는다. ( )

(2) 자원의 사용량이 증가할수록 가채 연수가 늘어난다. ( )

(3) 특정 자원이 일부 지역에 편중되어 분포하는 특성을 편재성이라고 한다. ( )

(4) 개발 도상국의 빈곤 문제 해결을 위해서는 공적 개발 원조(ODA)를 확대해야 한다. ( )

**03** 다음 설명에 해당하는 에너지 자원을 〈보기〉에서 골라 기호를 쓰시오.

보기
ㄱ. 석탄 ㄴ. 석유 ㄷ. 천연가스

(1) 세계에서 가장 소비량이 많은 에너지 자원이다. ( )

(2) 주로 고생대 지층에 매장되어 있는 화석 연료이다. ( )

(3) 냉동 액화 기술의 발달과 파이프라인의 건설 확대로 장거리 수송이 가능해졌다. ( )

**04** ( )은 미래 세대가 사용할 자원, 환경, 경제 등을 손상하지 않는 범위 내에서 현세대의 성장을 추구하는 발전을 의미한다.

**05** 표는 미래 지구촌의 모습을 정리한 것이다. ㉠~㉢에 들어갈 내용을 각각 쓰시오.

| | |
|---|---|
| 교통의 발달 | 새로운 교통수단이 등장하고 시공간의 제약이 감소함에 따라 인간의 활동 범위가 (㉠ )된다. |
| 정보 통신 기술의 발달 | 사람과 공간, 사물, 데이터 등이 모두 인터넷으로 연결되어 정보를 주고받을 수 있는 (㉡ ) 사회가 구축된다. |
| (㉢ )의 발달 | 유전자 분석을 통한 맞춤형 치료로 인간의 수명이 연장되고, 식량 생산이 증가한다. |

## A 자원의 분포와 소비

**01** 다음 내용을 통해 파악할 수 있는 자원의 특성을 〈보기〉에서 고른 것은?

> 석유 사용량이 증가함에 따라 석유의 가채 연수가 줄어들면서 오일 샌드가 주목받고 있다. 오일 샌드는 지하에서 생성된 석유가 지표면 근처까지 올라오면 수분이 증발되고 원유 성분만 남아 모래나 사암에 달라붙은 것이다. 과거에 오일 샌드는 채굴 및 생산 비용이 비싸서 사람들이 관심을 가지지 않았지만, 오일 샌드에서 원유를 추출하는 기술이 발전하면서 주목받게 되었다.

**보기**

ㄱ. 자원은 일부 지역에 집중하여 분포한다.
ㄴ. 자원은 매장량의 한계로 인해 언젠가는 고갈된다.
ㄷ. 자원은 과학 기술의 발달에 따라 그 가치가 변화한다.
ㄹ. 자원은 다양한 용도로 사용되므로 소비량이 증가하고 있다.

① ㄱ, ㄴ ② ㄱ, ㄷ ③ ㄴ, ㄷ
④ ㄴ, ㄹ ⑤ ㄷ, ㄹ

출제가능성 90%

**02** 그래프는 세계 에너지 소비량의 변화를 나타낸 것이다. A~D 에너지 자원에 대한 설명으로 옳은 것은?

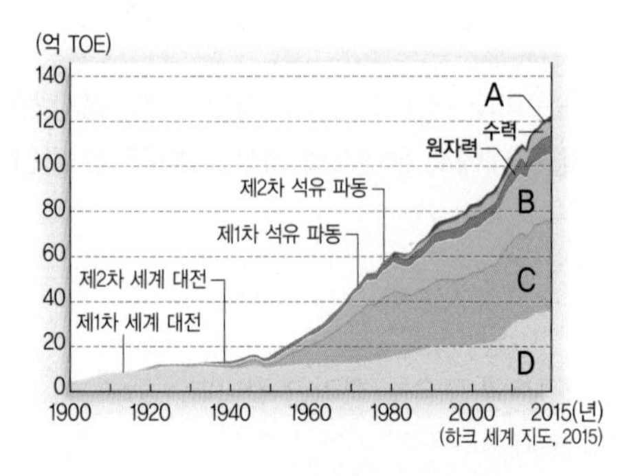

(하크 세계 지도, 2015)

① A는 화력 발전과 제철 공업의 연료로 많이 사용된다.
② B는 연소 시 대기 오염 물질이 가장 많이 배출된다.
③ C는 고갈되지 않는 재생 가능한 자원이다.
④ D는 주로 신생대 제3기 배사 구조 지층에 매장되어 있다.
⑤ C는 D보다 자원의 편재성이 커서 국제 이동량이 많다.

출제가능성 90%

**03** 지도는 에너지 자원의 분포와 이동을 나타낸 것이다. (가) 자원에 대한 (나) 자원의 상대적 특징을 그림의 A~E에서 고른 것은?

(가)

■ 자원의 분포
자원의 이동량(만 톤)
500~5,000 5,000 이상
0°
(하크 세계 지도, 2015)

(나)

● 자원의 분포
자원의 이동량(만 톤)
1,000~5,000 5,000 이상
0°
(하크 세계 지도, 2015)

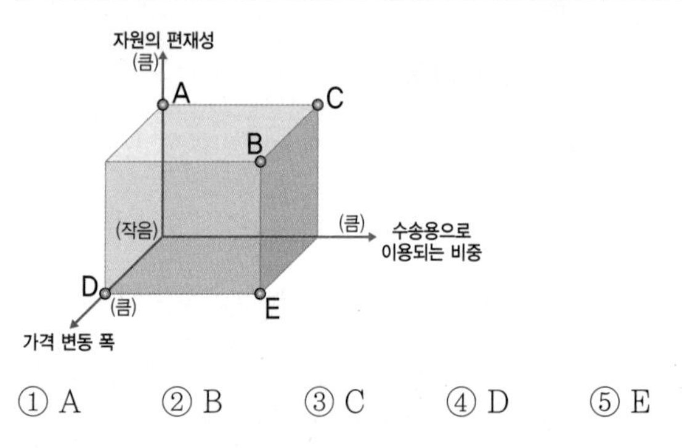


① A ② B ③ C ④ D ⑤ E

**04** 오늘날 자원의 분포와 소비에 따른 문제점에 대한 설명으로 옳지 않은 것은?

① 자원 채굴 과정에서 생태계가 파괴되어 생물종이 감소한다.
② 자원의 소비량이 증가하면서 자원 고갈 및 부족 등의 문제가 발생하고 있다.
③ 자원의 해외 의존도가 낮은 국가들은 자원의 가격 변동에 크게 영향을 받는다.
④ 화석 연료의 사용에 따라 온실가스 배출량이 증가하여 지구 온난화 현상이 심화한다.
⑤ 자원 분포의 편재성과 채굴 조건의 악화, 불안정한 가격 등으로 인해 자원을 둘러싼 갈등이 발생한다.

**05** 빈칸에 공통으로 들어갈 용어를 쓰시오.

> 최근 자원의 생산지와 소비지의 불일치로 인한 갈등이 커지고 있으며, 서남아시아의 산유국과 자원이 풍부한 중국, 러시아, 남아메리카 등지에서는 (　　　)이/가 확산되고 있다. (　　　)은/는 자원을 보유한 국가가 자원을 전략적 무기로 이용하는 것을 말한다.

## B 지속 가능한 발전

**06** 밑줄 친 현상이 나타나게 된 원인을 〈보기〉에서 고른 것은?

> 1972년 로마 클럽에서 발표한 '성장의 한계'라는 보고서에 지속 가능성의 개념이 처음 등장하면서 <u>사람들은 자원의 한계와 환경의 중요성을 인식하게 되었다</u>.

보기
ㄱ. 산업화와 도시화로 환경 오염이 발생하였기 때문이다.
ㄴ. 자원의 무분별한 개발과 소비가 이루어졌기 때문이다.
ㄷ. 생태계 수용 능력의 한계 내에서 경제 개발이 이루어졌기 때문이다.
ㄹ. 질적인 성장과 공정한 배분으로 사회 정의가 실현되었기 때문이다.

① ㄱ, ㄴ　② ㄱ, ㄷ　③ ㄴ, ㄷ
④ ㄴ, ㄹ　⑤ ㄷ, ㄹ

**07** 다음 설명에 해당하는 국제 환경 협약으로 옳은 것은?

> 세계 각 국가는 리우 선언과 그 실천 방안인 '의제 21'을 비롯하여, 교토 의정서, 파리 협정과 같은 국제 환경 협약을 체결하여 환경 보전 활동에 힘쓰고 있다. 이를 토대로 시행되고 있는 온실가스 배출권 거래제는 선진국을 중심으로 온실가스의 배출량 감축을 강제하는 제도적 방안이다. 이러한 국제 환경 협약은 국가와 지역 단위의 환경 정책과 정치적·경제적 실천 전략에 기본 지침이 되고 있다.

① 바젤 협약　② 람사르 협약
③ 기후 변화 협약　④ 몬트리올 의정서
⑤ 생물 다양성 협약

## C 미래 지구촌의 모습과 내 삶의 방향

**08** 다음과 같은 기술이 미래 사회의 환경에 주는 영향으로 적절한 것은?

> 이산화 탄소 포집 및 저장 기술(CCS)은 주요 온실가스인 이산화 탄소를 땅속 또는 바닷속에 저장하여 온실가스 배출량을 줄이는 기술이다. 발전소나 제철소와 같이 이산화 탄소를 많이 배출하는 곳에서 이산화 탄소를 모은 후, 압축하여 파이프라인이나 선박을 이용하여 내륙이나 해저의 깊은 지층 속으로 이산화 탄소를 옮겨 저장하는 것이다.

① 환경 오염 문제가 증가한다.
② 생물종의 개체 수가 감소한다.
③ 지구 온난화 현상이 심화된다.
④ 생태 환경의 안정성이 향상된다.
⑤ 대기 중 온실가스 농도가 증가한다.

**09** 다음 글을 읽고 미래 사회를 위해 준비해야 할 노력을 제시한 것으로 옳지 <u>않은</u> 것은?

> 지구촌의 평화와 지속 가능한 발전을 위해서는 갈등을 줄이고 국가 간에 긴밀하게 협력해야 하며, 개인적 차원에서 지구촌 공동체의 일원으로서 인류가 당면한 문제의 근본적 해결을 위해 책임감을 가지고 노력할 의무가 있다.

① 세계의 문제가 나와 관련이 있다는 삶의 자세를 가진다.
② 서로 다른 문화의 차이를 인정하고 문화적 다양성을 존중한다.
③ 사회 현상을 종합하여 합리적으로 문제를 해결할 수 있는 방식을 습득한다.
④ 과학 기술의 발달로 인한 부정적 측면을 극복하기 위해 과거의 생활 방식으로 회귀한다.
⑤ 국제 관계에서 자신의 이익을 위한 경쟁보다는 모두를 위한 협력을 중시하는 태도를 가진다.

# 3단계 등급 올리기

2016 수능 응용 최고난도

**01 그래프는 해당 국가의 에너지 소비 구조를 나타낸 것이다. A~C 에너지에 대한 설명으로 옳은 것은? (단 A~C는 석탄, 석유, 천연가스 중 하나이다.)**

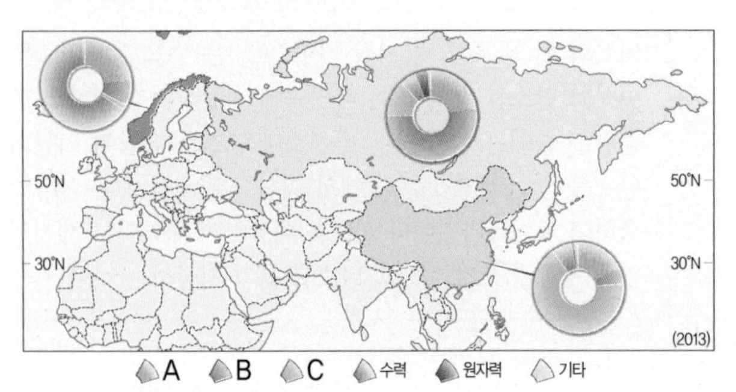


① A는 산업 혁명 시기의 중요한 화석 연료였다.
② B는 냉동 액화 기술의 발달로 국제 이동량이 증가하였다.
③ C는 서남아시아의 페르시아만 주변에서 많이 생산된다.
④ B는 C보다 대기 오염 물질 배출량이 많다.
⑤ C는 A보다 편재성이 커 국제 이동량이 많다.

**02 밑줄 친 국가들이 속한 지역을 지도에서 고른 것은?**

> 최근 기후 변화로 지구 온난화가 진행되면서 석유, 천연가스 등 막대한 심해 자원의 개발 가능성이 커졌다. '이 해역'은 지구 전체 원유 매장량의 13%, 천연가스 매장량의 30% 정도가 분포하고 있다고 한다. <u>'이 해역'을 둘러싼 주변 국가들</u>은 에너지 자원 개발을 위한 영유권 확보에 열을 올리고 있다.

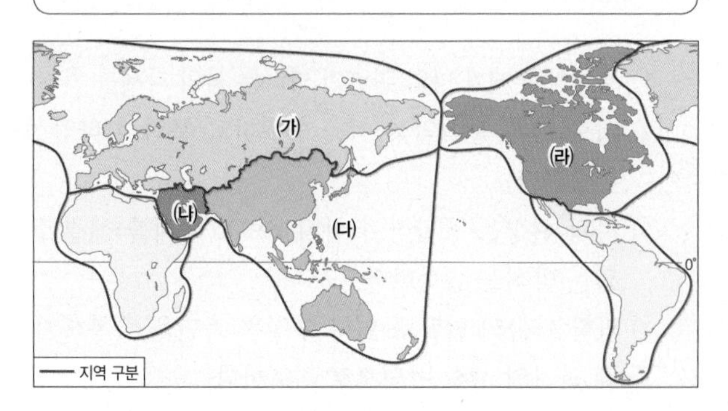


① (가), (나) ② (가), (다) ③ (가), (라)
④ (나), (다) ⑤ (다), (라)

**03 밑줄 친 내용에 부합하는 사례로 적절하지 <u>않은</u> 것은?**

> 우리가 매일 사용하는 재화는 자원과 기술, 유통 시스템과 인력이 합쳐진 결과물이다. 재화는 자원을 채취하고, 운반하며, 사용하는 과정에서 폐기물을 발생시키기 때문에 환경과 직접적인 관련이 있다. 원자재와 완성품을 사고파는 과정이 곧 경제활동이며, 이 과정에 참여하는 노동자와 기업가, 생산자와 판매자, 그리고 소비자의 관계는 사회적 관계이다. 결국 소비는 환경, 경제, 사회와 유기적으로 연결된다. 따라서 <u>환경, 경제, 사회의 균형적인 발전을 고려하는 실천 노력을 소비에서부터 시작할 수 있다</u>.

① 지구 환경에 미칠 영향을 고려하여 소비 활동을 한다.
② 장거리 운송을 거치지 않은 지역의 농산물을 구입한다.
③ 노동 착취가 없고 환경친화적인 방식으로 생산된 제품을 이용한다.
④ 수확량을 늘리기 위해 유전자 변형 농작물 종자를 구매하여 재배한다.
⑤ 인간과 동물, 환경에 해를 가하지 않고 윤리적으로 생산된 상품을 구매한다.

## 서술형 문제

**04 밑줄 친 ㉠, ㉡으로 인한 미래 지구촌의 변화 모습을 각각 한 가지씩 서술하시오.**

> 국가 간 교류가 증가하고 상호 의존도가 높아짐에 따라 경제적 측면에서도 많은 변화가 나타날 것으로 예상된다. ㉠ <u>국가 간 경제적 교류가 활발해지면 많은 국가에서 긍정적인 변화</u>가 나타날 수 있다. 그러나 ㉡ <u>자유 무역이 확대되는 과정에서 소수의 국가가 경제를 장악하게 되면 여러 가지 문제</u>가 발생할 수 있다.

# 내공 점검

# 내공 점검 Ⅰ. 인간, 사회, 환경과 행복

점수 /100점

**01** 다음 글에서 사회 현상을 이해하기 위해 강조하고 있는 관점은?

> 바르셀로나가 속한 카탈루냐 지방은 15세기에 마드리드 등이 포함된 에스파냐에 통합되었다. 20세기 초 독재자 프랑코가 카탈루냐 지방을 탄압하자 카탈루냐 주민들의 자치와 독립에 대한 욕구가 커졌다. 카탈루냐 주민들은 프랑코의 근거지였던 마드리드 지역에 대한 반감을 축구 경기로 표출하였고, 오늘날 두 지역을 대표하는 '레알 마드리드'와 'FC 바르셀로나' 간의 축구 경기는 격렬해지게 되었다.

① 공간적 관점 ② 사회적 관점
③ 시간적 관점 ④ 윤리적 관점
⑤ 통합적 관점

**02** 다음은 화장장 건설을 둘러싼 갈등을 탐구하는 모둠별 과제이다. (가)~(라)에 대한 설명으로 옳지 않은 것은?

| 탐구 관점 | 탐구 과제 |
|---|---|
| 시간적 관점 | (가) |
| (나) | 화장장 건설에 적합한 입지 조건 파악하기 |
| 사회적 관점 | (다) |
| 윤리적 관점 | (라) |

① (가)에는 우리나라 장례 문화의 역사적 변천 과정을 조사하는 과제가 제시될 수 있다.
② (나)는 자연환경과 인문 환경이 인간 생활에 미치는 영향을 탐구하는 입장이다.
③ (다)에는 화장장 건설과 관련된 사회 구조의 특징을 조사하는 과제가 제시될 수 있다.
④ (라)에는 '화장장 건설에 대한 사회적 합의를 이루기 위해 필요한 제도 조사하기'가 들어갈 수 있다.
⑤ (가)~(라)의 관점을 모두 고려하면 복잡한 사회 현상을 종합적으로 이해하는 것이 가능하다.

**03** 다음 사회 현상에 대한 탐구 관점이 나머지와 다른 하나는?

> 국민 대통합 위원회의 조사 결과에 따르면, 청소년들이 온라인에서 사용하는 표현의 약 30%가 은어로 이루어져 있다고 한다.

① 정보화에 따른 사회 구조의 변화에 의한 현상이다.
② 또래 집단에 대한 소속감을 형성하는 사회 현상이다.
③ 청소년들이 은어를 사용하는 빈도는 지역마다 다르게 나타난다.
④ 사회적 관계 속에서 일시적인 해방감을 느끼기 위해 하는 행위이다.
⑤ 입시 위주의 교육 제도에서 느끼는 스트레스를 해소하기 위한 행위이다.

**04** 다음 글에 대한 설명으로 가장 적절한 것은?

> 커피 생산자가 정당한 임금을 받을 수 있도록 공정 무역 커피를 소비해야 한다. 공정 무역이란 '생산자들이 생산 원가와 생계비를 보장받을 수 있도록 공정한 가격을 지불하는 무역'을 의미한다. 또한 생산 과정에서 노동력 착취 등의 인권 침해 문제가 없어야 한다.

① 시간적 관점에서 커피 생산 과정을 살펴보고 있다.
② 커피의 생산국과 수입국 분포를 공간적 관점에서 이해하고 있다.
③ 커피 생산에 대해 사실의 문제뿐만 아니라 가치의 문제에도 주목하고 있다.
④ 과거의 시대 상황과 역사적 사실을 찾아내어 현재와 관련지어 의미를 부여하고 있다.
⑤ 개인의 행위가 자신을 둘러싼 사회 구조나 사회 제도의 영향을 많이 받는다는 점을 고려하고 있다.

**05** 다음에서 공통으로 설명하는 개념으로 적절한 것은?

> • 석가모니: 괴로움을 벗어난 상태
> • 칸트: 자신의 복지와 처지에 관한 만족
> • 아리스토텔레스: 인간 존재의 목적이고 이유

① 경제 ② 윤리 ③ 환경
④ 행복 ⑤ 민주주의

**06** 다음 사례에서 강조하는 행복의 실현 조건에 대한 설명으로 가장 적절한 것은?

> 독일의 한 은행 현금 지급기 코너에서 노인이 갑자기 쓰러지는 사고가 발생하였다. 당시 노인 옆에는 4명의 남녀가 있었지만 쓰러진 노인을 보고도 신고조차 하지 않고 자리를 떠나 노인은 결국 사망하였다. 경찰은 현장에 있던 4명을 체포하였고, 이들은 독일 형법에 따라 처벌되었다.

① 국가는 지속적인 경제 성장을 추구해야 한다.
② 타인의 삶에 관심을 가지려는 노력이 필요하다.
③ 자연과 인간이 공존하는 환경을 만들어야 한다.
④ 시민이 정치적 의사를 자유롭게 표출할 수 있어야 한다.
⑤ 개인의 경제적 이익이나 욕망을 충족하기 위해 노력해야 한다.

**07** 다음 행복 지수에 대한 설명으로 옳지 않은 것은?

> **'더 나은 삶' 지수**
> • 내용: 경제 협력 개발 기구(OECD) 회원국을 포함한 전 세계 36개국을 대상으로 주거, 소득, 직업, 공동체, 교육, 환경, 건강, 시민 참여, 삶의 만족도, 안전, 삶과 일의 균형 11개 부문을 평가하여 삶의 질을 가늠하는 지표이다.
> • 순위(2014): 1위 – 오스트레일리아, 2위 – 노르웨이, 3위 – 스웨덴, 4위 – 덴마크, 5위 – 캐나다, …… 25위 – 대한민국

① 정치적 조건에 대한 평가가 반영되어 있다.
② 경제적 성장과 안정이 이루어져야 행복한 삶을 살 수 있다고 보고 있다.
③ 안전한 삶의 공간이 갖추어져야 인간다운 삶을 살 수 있다고 보고 있다.
④ 우리나라 국민들의 행복 지수가 다른 조사국들에 비해 매우 높은 수준임을 알 수 있다.
⑤ 물질적 풍요뿐만 아니라 삶과 일의 균형이 이루어지지 못하면 행복이 보장되기 어렵다는 것을 알 수 있다.

**08** 밑줄 친 ㉠~㉤ 중 옳지 않은 것은?

> ㉠ 사회 현상을 탐구할 때는 시간적, 공간적, 사회적, 윤리적 관점을 통합적으로 고려해야 한다. 통합적 관점이란 ㉡ 인간, 사회, 지구 공동체 및 환경을 개별 학문의 경계 안에서 이해하는 것이다. 사회 현상을 통합적으로 바라볼 때 ㉢ 사회 현상에 담긴 복잡하고 다면적인 의미를 제대로 이해할 수 있으며, ㉣ 문제에 대한 근본적인 해결책을 탐색할 수 있다. 또 다양한 측면에서 현상을 종합적으로 이해할 수 있기 때문에 ㉤ 인간과 사회에 대한 통찰력을 기를 수 있고, 인류의 삶을 더 나은 방향으로 개선할 수 있다.

① ㉠  ② ㉡  ③ ㉢  ④ ㉣  ⑤ ㉤

## 주관식+서술형 문제

**09** 밑줄 친 '이것'에 해당하는 개념을 쓰시오.

> 사람이 행복하기 위해서는 의식주나 경제력, 사회적 지위 등의 물질적 조건이 필요하다. 그러나 그것만으로 우리는 행복하다고 할 수 없다. 이와 함께 인간은 가족과의 사랑, 친구와의 우정, 자아실현의 추구 등과 같은 이것도 필요하다.

**10** 다음 글을 읽고 물음에 답하시오.

> 오늘날 민주주의 국가에서는 주권자인 시민의 의사를 반영하여 정책으로 실현하기 위한 ㉠ 민주적 제도를 갖추고 있으며, 시민들이 자신의 권리와 의무, 정치 공동체에 대해 이해하고, 적극적으로 정치에 참여하는 정치 문화가 형성되어 있다. 우리나라에서도 시민들은 ㉡ 국가의 정책과 활동에 대해 적극적으로 자신의 의사를 전달하고 있다.

(1) ㉠에 해당하는 제도를 쓰시오.

(2) ㉡에 해당하는 정치 참여 방법을 세 가지 이상 서술하시오.

# 내공 점검 Ⅱ. 자연환경과 인간

점수 ／100점

**01** 지도는 세계의 기후 지역을 나타낸 것이다. A~E 지역에 대한 옳은 설명을 〈보기〉에서 고른 것은?

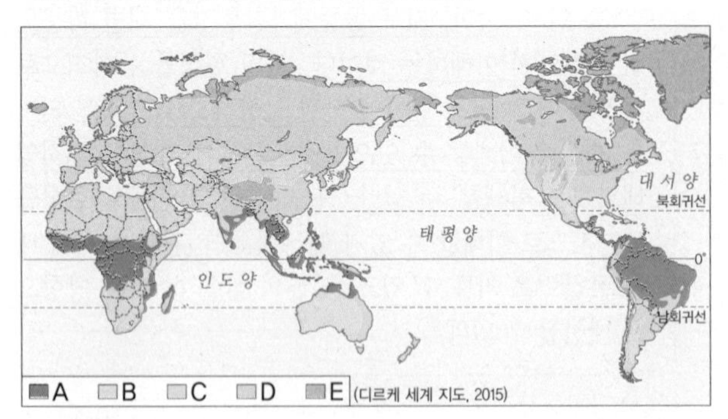

(디르케 세계 지도, 2015)

보기
ㄱ. A 지역은 폐쇄적 가옥 구조, B 지역은 개방적 가옥 구조가 나타난다.
ㄴ. A 지역은 D 지역에 비해 침엽수로 만든 통나무집을 많이 볼 수 있다.
ㄷ. B 지역과 E 지역은 농업에 불리한 기후가 나타나 유목이 발달하였다.
ㄹ. C 지역은 E 지역에 비해 벼농사가 활발하게 이루어지며 인구가 밀집해 있다.

① ㄱ, ㄴ ② ㄱ, ㄷ ③ ㄴ, ㄷ
④ ㄴ, ㄹ ⑤ ㄷ, ㄹ

**02** 다음 관광지 안내 책자의 ㉠, ㉡에 들어갈 용어를 옳게 연결한 것은?

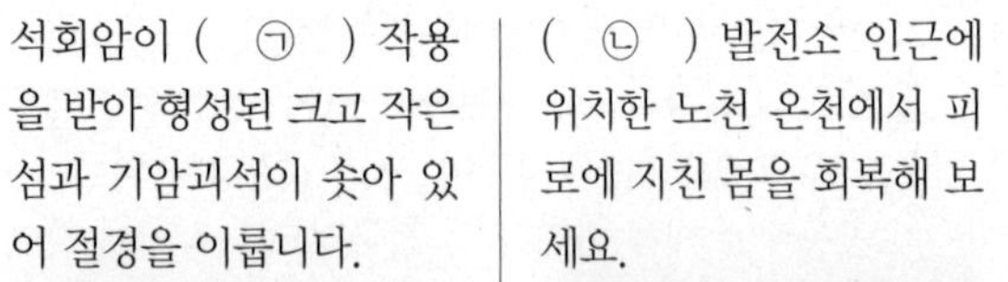
석회암이 ( ㉠ ) 작용을 받아 형성된 크고 작은 섬과 기암괴석이 솟아 있어 절경을 이룹니다.

( ㉡ ) 발전소 인근에 위치한 노천 온천에서 피로에 지친 몸을 회복해 보세요.

베트남의 탑 카르스트

아이슬란드의 화산 지대

| | ㉠ | ㉡ | | ㉠ | ㉡ |
|---|---|---|---|---|---|
| ① | 운반 | 수력 | ② | 운반 | 지열 |
| ③ | 용식 | 수력 | ④ | 용식 | 지열 |
| ⑤ | 퇴적 | 지열 | | | |

**03** 다음은 어느 학생의 형성 평가지이다. 이 학생이 받을 점수로 옳은 것은?

형성 평가

1학년 ○반 △△△

다음 설명이 맞으면 ○표, 틀리면 ×표를 하시오.

| 문항 | 답안 |
|---|---|
| (1) 지진 해일은 기후적 요인에 의해 발생하는 자연재해이다. | × |
| (2) 태풍은 강풍과 집중 호우를 동반하여 큰 피해를 주기도 한다. | ○ |
| (3) 폭설은 겨울철에 발생하며 비닐하우스, 축사 등의 시설물이 붕괴하는 피해가 나타난다. | ○ |
| (4) 지진은 지각판의 중앙부에서 주로 발생하며, 일본은 지진 활동이 매우 활발한 지역이다. | × |

(문항당 2점)

① 0점 ② 2점 ③ 4점 ④ 6점 ⑤ 8점

**04** (가), (나) 법 조항에 대한 옳은 설명만을 〈보기〉에서 있는 대로 고른 것은?

(가) **헌법 제35조** ① 모든 국민은 건강하고 쾌적한 환경에서 생활할 권리를 가지며, 국가와 국민은 환경 보전을 위하여 노력하여야 한다.
(나) **재난 및 안전관리기본법 제66조** ① 국가는 재난의 원활한 복구를 위하여 필요하면 대통령령으로 정하는 바에 따라 그 비용의 전부 또는 일부를 국고에서 부담하거나 지방 자치 단체, 그 밖의 재난 관리 책임자에게 보조할 수 있다.

보기
ㄱ. (가)는 (나)를 바탕으로 하고 있다.
ㄴ. (가)는 환경권 보장을 위해 국가뿐만 아니라 국민의 역할을 강조하고 있다.
ㄷ. (나)는 기상 현상에 의한 재해뿐만 아니라 지각 변동에 의한 재해에 대한 피해 보장도 규정하고 있다.
ㄹ. (가), (나)는 모두 국민의 생명과 재산을 보호하기 위해 만들어졌다.

① ㄱ, ㄴ ② ㄱ, ㄷ ③ ㄷ, ㄹ
④ ㄱ, ㄷ, ㄹ ⑤ ㄴ, ㄷ, ㄹ

**05** (가), (나)의 관점을 뒷받침하는 근거로 적절한 것을 〈보기〉에서 골라 옳게 연결한 것은?

미국 요세미티 국립 공원 내에 있는 헤츠헤치 계곡은 수려한 경관으로 유명하다. 이곳의 서쪽에 있는 샌프란시스코시는 건조한 지대에 있어서 일상적으로 물 부족 문제를 겪는 도시 중 하나였다. 1890년 「요세미티 국립 공원법」이 발표되면서 헤츠헤치 계곡을 비롯한 이 지역의 주변은 자연 보호 구역으로 지정되었으나 샌프란시스코의 관계자들은 헤츠헤치 지역에 댐을 만들어 용수를 공급하고 수력 발전을 해야 한다는 의견을 내놓았다. 이에 개발론자는 ____(가)____(라)고 보아 댐 건설에 찬성한 반면, 보존론자는 ____(나)____(라)며 댐 건설에 반대하였다.

보기
ㄱ. 인간과 자연은 상호 의존하는 생명 공동체이다.
ㄴ. 자연을 이용함으로써 인간의 삶이 윤택해 질 수 있다.
ㄷ. 인간의 이익을 위해 필요하다면 자연을 개발할 수 있다.
ㄹ. 인간의 이익에 급급해 자연의 고유한 가치를 파괴하면 안 된다.

| | (가) | (나) | | (가) | (나) |
|---|---|---|---|---|---|
| ① | ㄱ, ㄴ | ㄷ, ㄹ | ② | ㄱ, ㄷ | ㄴ, ㄹ |
| ③ | ㄴ, ㄷ | ㄱ, ㄹ | ④ | ㄴ, ㄹ | ㄱ, ㄷ |
| ⑤ | ㄷ, ㄹ | ㄱ, ㄴ | | | |

**06** 다음 글에 나타난 자연관에 해당하는 사례를 〈보기〉에서 고른 것은?

세계에서 가장 작은 펭귄인 '쇠푸른펭귄'의 서식지인 오스트레일리아의 필립섬에는 매년 수많은 관람객이 찾아온다. 하지만 관람객은 펭귄이 다니는 흙길이 아니라 나무 통로로 이동해야 한다. 그뿐만 아니라 의자에 앉아서 조용하게 펭귄을 바라보아야 하고, 펭귄은 작은 불빛에도 실명할 수 있어서 사진 촬영도 할 수 없다.

보기
ㄱ. ○○만 주변 해역을 해양 보호 구역으로 지정한다.
ㄴ. △△천을 콘크리트 구조물로 덮는 공사를 실시한다.
ㄷ. □□ 간척지의 폐염전 및 양식장을 갯벌로 복원한다.
ㄹ. ☆☆ 호수로 유입되는 강물을 밀 농사를 위한 농업용수로 사용한다.

① ㄱ, ㄴ ② ㄱ, ㄷ ③ ㄴ, ㄷ
④ ㄴ, ㄹ ⑤ ㄷ, ㄹ

**07** 밑줄 친 ㉠~㉤에 대한 설명으로 옳지 않은 것은?

오늘날 지구촌 곳곳에서 ㉠ 자연환경이 훼손되면서 인류의 생존을 위협하는 환경 문제가 발생하고 있다. 오존층 파괴, ㉡ 지구 온난화, 열대림의 감소, 사막화, ㉢ 산성비 피해, 동식물의 멸종 등은 전 세계적으로 발생하는 대표적인 환경 문제이다. 이러한 문제를 해결하기 위해 국제적인 협력과 규제가 강조되었고, ㉣ 국제기구를 통한 다양한 환경 협약이 체결되었다. 그뿐만 아니라 환경 문제 해결을 위해 ㉤ 시민 단체도 활발하게 활동하고 있다.

① ㉠ – '인구 증가', '자원 소비 증가' 등이 주요 원인이다.
② ㉡ – 열대림의 감소는 지구 온난화 현상을 심화시키는 원인 중 하나이다.
③ ㉢ – 환경 문제를 유발하는 오염 물질이 물과 대기의 순환 과정을 통해 다른 지역으로 이동하기도 한다.
④ ㉣ – 개발 도상국의 온실가스 감축 목표치를 규정한 교토 의정서가 대표적이다.
⑤ ㉤ – 환경 문제의 심각성을 알리고 환경 보전의 중요성을 홍보하는 등의 활동을 하고 있다.

## 주관식+서술형 문제

**08** 다음 글을 읽고 물음에 답하시오.

- 갑: 자연은 인간에게 있어 도구적이며 수단적인 가치를 지닐 뿐이다. 자연의 가치는 인간의 필요와 유용성을 기준으로 판단되어야 한다.
- 을: 바람직한 대지 이용을 오직 경제적 문제로만 생각하지 마라. 낱낱의 물음을 경제적으로 무엇이 유리한가 하는 관점뿐만 아니라 윤리적, 심미적으로 무엇이 옳은가의 관점에서도 검토하라. 생명 공동체의 통합성과 안정성, 그리고 아름다움의 보전에 이바지한다면, 그것은 옳다. 그렇지 않다면 그르다.

(1) 갑의 자연관이 초래한 문제점을 쓰시오.

(2) 을의 입장에서 갑에게 할 수 있는 조언으로 적절한 내용을 서술하시오.

# 내공 점검 Ⅲ. 생활 공간과 사회

점수 ／100점

**01** 다음은 어느 학생의 형성 평가지이다. 이 학생이 받을 점수로 옳은 것은?

형성 평가

1학년 ○반 △△△

다음 설명이 맞으면 ○표, 틀리면 ×표를 하시오.

| 문항 | 답안 |
|---|---|
| (1) 교통 발달에 따라 주거지와 직장의 거리가 멀어졌다. | × |
| (2) 대도시 주변의 근교 촌락은 농경지가 주거 및 공업 지역으로 변화하기도 한다. | ○ |
| (3) 도시 내부에서 외곽 지역은 도심보다 접근성이 높으며 상업 및 업무 기능이 발달한다. | × |
| (4) 도시의 영향력이 커지면서 대도시와 주변 지역은 기능적으로 밀접한 관계를 형성한다. | ○ |
| (5) 도시에서는 제한된 공간을 효율적으로 이용하기 위해 집약적인 토지 이용이 이루어진다. | ○ |

(문항당 2점)

① 2점 ② 4점 ③ 6점 ④ 8점 ⑤ 10점

**02** 다음 자료를 통해 파악할 수 있는 주민들의 생활 양식 변화에 대한 설명으로 옳지 않은 것은?

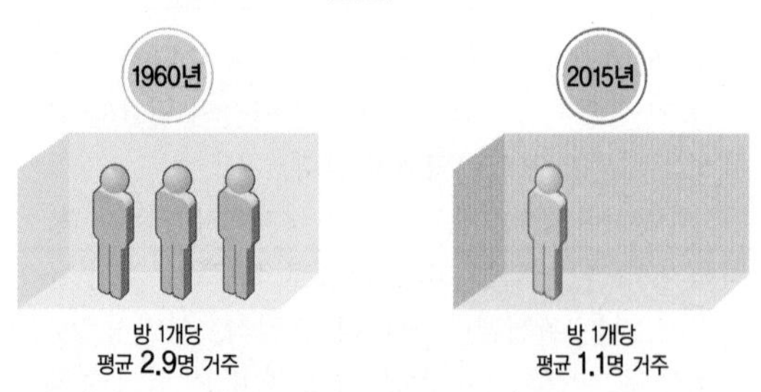


* 방 개수에는 부엌, 거실(마루) 제외, 2015년 방 '5개 이상'은 '5개'로 가정하여 계산함

(인구 주택 총조사, 각 연도)

▲ 서울특별시의 방 1개당 평균 거주 인구의 변화

① 산업화에 따라 가족의 형태가 핵가족화되었다.
② 개인의 가치와 성취를 중시하는 가치관이 확대되었다.
③ 사회관계에서 공동체의 의무보다 개인의 권리가 중요해졌다.
④ 혼자 밥을 먹거나 영화를 보는 등 여가를 즐기는 방식이 변화하였다.
⑤ 가족과 함께 보내는 시간이 증가하였으며 인간적인 유대감과 공동체 의식이 강화되었다.

**03** 다음에 제시된 사업으로 인해 나타날 변화로 옳은 것은?

서울시에서는 도시 농업을 적극 장려하는 정책을 펼치고 있다. 도시 농업이란 주택이나 학교, 회사 등의 내·외부, 옥상, 발코니 등을 활용하여 농작물을 생산하는 농업을 말한다. 서울의 도시 텃밭 면적은 2011년 29㏊에서 2016년 상반기 143㏊로 약 5배 증가하였다.

① 열섬 현상이 완화된다.
② 인간 소외 현상이 나타난다.
③ 열대야 발생 일수가 증가한다.
④ 도시 주민들의 주거 환경이 악화된다.
⑤ 도시 홍수가 발생할 위험이 증가한다.

**04** (가), (나)는 지역 간 교통 발달에 대한 사례이다. 이에 따른 변화에 대한 추론으로 옳지 않은 것은?

(가) 2015년 호남 고속 철도가 개통된 이후 용산역에서 광주 송정역까지의 운행 시간이 약 1시간 40분으로 단축되었다.
(나) 전라남도는 주민이 살고 있는 섬 273개를 교량으로 잇는 연륙·연도교 사업을 펼치고 있다. 2020년까지 103개의 연륙·연도교를 건설하면 전라남도의 섬 대부분은 육지와 연결된다.

① (가) – 서울에서 호남 지역으로 이동할 때 항공기를 이용하는 승객이 감소하였을 것이다.
② (가) – 호남 고속 철도가 정차하지 않는 지역보다 정차하는 지역의 상권이 확대될 것이다.
③ (나) – 섬과 육지를 연결하는 선박의 운행 횟수와 이용객이 증가할 것이다.
④ (나) – 섬 지역 주민들의 소득원이 이전보다 다양해지고 1차 산업의 비중이 감소할 것이다.
⑤ (가), (나) – 전라남도를 찾는 관광객이 늘어나 지역 경제가 활성화될 것이다.

**05** (가)에 들어갈 내용으로 가장 적절한 것은?

> • 주제: ( (가) )
> • 사례 1: 컴퓨터 시스템을 개발하는 기업에 근무하는 A 씨는 회사로 출근하는 대신 집에서 컴퓨터를 켠 채 근무한다. 자녀의 양육 문제로 일을 그만두려는 중, 회사에서 유아기 자녀를 둔 직원들을 대상으로 '재택근무'를 실시하였기 때문이다. 덕분에 A 씨는 일주일에 한 번만 회사에 출근하여 회의를 진행하고, 나머지 시간은 업무를 받아 집에서 일하고 있다.
> • 사례 2: 푸드 트럭을 운영하는 B 씨는 세종특별자치시에서 열린 푸드 트럭 축제에 참가하여 햄버거를 판매하였다. 내일은 강원특별자치도 횡성으로 가서 한우를 이용한 햄버거를 만들어 판매할 예정이다. B 씨가 언제 어디에서 푸드 트럭을 운영하는지는 블로그와 누리소통망(SNS)을 통해 고객들에게 실시간으로 알리고 있다.

① 원격 근무의 적극적인 도입
② 정보 통신 기업의 네트워크화
③ 지역 간 소득 격차를 줄이는 방법
④ 정보화 사회에서의 기업 및 도시의 전략
⑤ 정보 통신 기술의 발달에 따른 생활 양식 변화

**06** (가), (나)에 나타난 문제점을 해결하기 위한 방안을 <보기>에서 골라 옳게 연결한 것은?

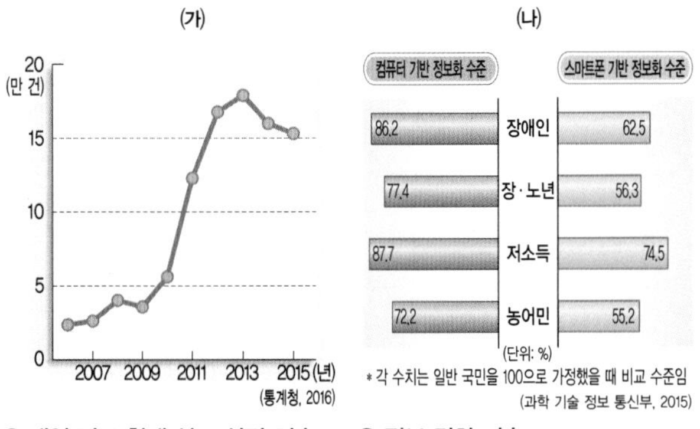


⊙ 개인 정보 침해 신고 상담 건수 ⊙ 정보 격차 지수

> **보기**
> ㄱ. 개인 정보 보호 수칙 준수
> ㄴ. 소외 계층에 정보 기기 보급
> ㄷ. 인터넷 중독 예방 교육 시행
> ㄹ. 폐회로 텔레비전(CCTV) 설치 확대

| | (가) | (나) | | (가) | (나) |
|---|---|---|---|---|---|
| ① | ㄱ | ㄴ | ② | ㄱ | ㄷ |
| ③ | ㄷ | ㄴ | ④ | ㄷ | ㄹ |
| ⑤ | ㄹ | ㄴ | | | |

**07** 다음은 어느 모둠의 지역 조사를 위한 대화이다. 밑줄 친 ㉠~㉣에 대한 설명으로 옳지 않은 것은?

① ㉠의 주요 원인은 교통량 증가에 따른 도로의 부족이다.
② ㉠과 같은 문제를 해결하기 위해서는 대중교통이나 자전거 이용 활성화 정책을 시행해야 한다.
③ ㉢을 조사하기 위해서 인터넷을 이용할 수 있다.
④ 지역 정보를 수집할 때 ㉡보다 ㉣을 먼저 실시한다.
⑤ ㉡, ㉣ 이후에는 수집한 지역 정보를 분석한다.

## 주관식+서술형 문제

**08** 다음 설명에 해당하는 공간 정보 기술을 쓰시오.

> 인공위성이 정해진 지구 궤도를 돌며 보내는 신호를 수신하여 사람과 사물의 위치를 파악하는 공간 정보 기술이다. 이를 활용하여 차량의 도착지까지 최단 경로와 예상 소요 시간을 파악할 수 있다.

**09** 지도는 고속 철도망 구축에 따른 주요 거점 간 이동 시간 변화를 나타낸 것이다. 이로 인해 나타날 생활 공간의 변화를 두 가지 서술하시오.

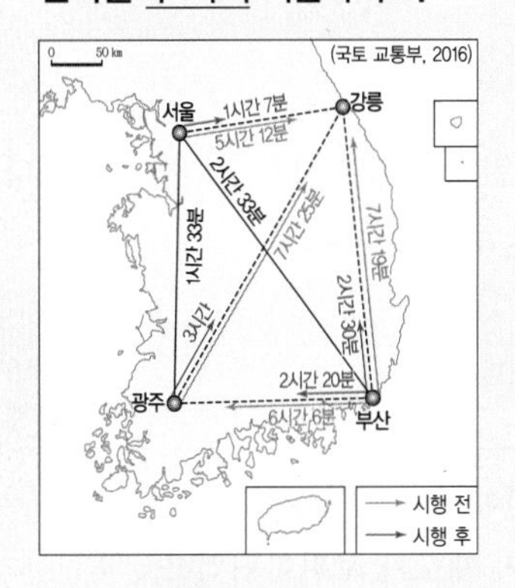

# 내공 점검 Ⅳ. 인권 보장과 헌법

점수
/100점

**01** 다음 교사의 질문에 틀린 답변을 한 학생은?

- 교사: 인간이라는 이유만으로 자신의 존엄성을 보호받으며 행복하게 살아갈 권리를 인권이라고 합니다. 그렇다면 인권의 특징에 대해 말해 볼까요?
- 갑: 누구나 갖는 보편적인 권리입니다.
- 을: 태어나면서부터 보장받는 권리입니다.
- 병: 국가가 존재해야만 인정되는 권리입니다.
- 정: 다른 사람에게 넘겨줄 수 없는 권리입니다.
- 무: 헌법에 규정이 없어도 보장받는 권리입니다.

① 갑 ② 을 ③ 병 ④ 정 ⑤ 무

**02** 다음 프랑스 인권 선언에 대한 설명으로 옳은 것은?

- **제1조** 인간은 태어나면서부터 자유롭고 평등하다.
- **제2조** 모든 정치적 결사의 목적은 인간의 자연적이고 소멸할 수 없는 제 권리를 보전함에 있다. 그 권리란 자유, 재산, 안전, 그리고 압제에의 저항 등이다.
- **제3조** 모든 주권의 원리는 본질적으로 국민에게 있다.
- **제16조** 권리의 보장이 확보되어 있지 않고 권력의 분립이 확정되어 있지 아니한 사회는 헌법을 갖고 있지 아니하다.

① 국가 권력의 집중을 통한 효율성 추구를 강조한다.
② 국가 권력은 국민의 동의에 의해 형성된다고 본다.
③ 정치권력에 대한 시민의 복종 의무를 명시하고 있다.
④ 사회적 약자에 대한 적극적인 배려를 주장하고 있다.
⑤ 지나친 정치 참여로 인한 중우 정치의 위험성을 경계한다.

**03** 표는 인권 확대와 관련된 시기별 사건을 나타낸 것이다. (가)~(마)에 대한 설명으로 옳지 않은 것은?

| 시기 | (가) | (나) | (다) | (라) | (마) |
|---|---|---|---|---|---|
| 주요 사건 | 시민 혁명 | 차티스트 운동 | 산업 혁명 | 제2차 세계 대전 | 유럽 난민 인권 문제 |

① (가) 시기에는 자유권이 강조되었다.
② (나) 시기에 보통 선거 제도가 보편화되었다.
③ (다) 시기를 거치면서 사회권이 강조되었다.
④ (라) 시기 직후에 세계 인권 선언이 발표되었다.
⑤ (마) 시기에는 연대권 또는 집단권이 중시되었다.

**04** 다음 대화에서 갑이 행사한 기본권에 대한 설명으로 옳은 것은?

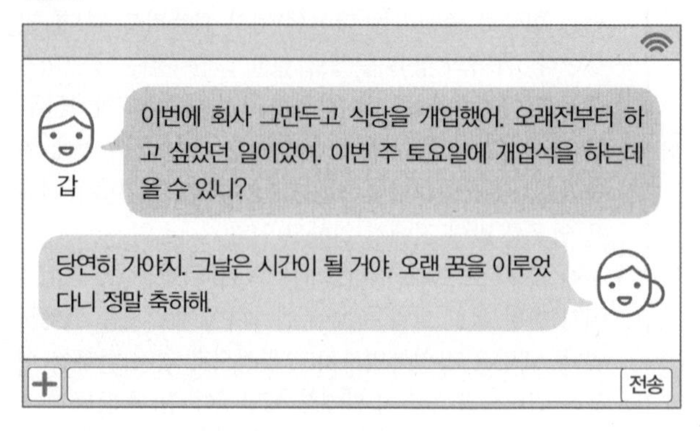


① 사회적 약자에게만 인정된다.
② 인간다운 생활의 보장과 관련된다.
③ 부당하게 차별을 받지 않을 권리이다.
④ 민족이나 집단 차원에서 누리는 권리이다.
⑤ 국가로부터의 불간섭을 요구하는 권리이다.

**05** 다음과 같은 제도가 시행되면 나타날 수 있는 효과로 적절하지 않은 것은?

**주민 참여 예산 위원회 위원 모집**

○○시 예산 편성에 함께 참여하실 시민을 찾습니다.

◎ 모집 기간: 20△△. 10. 19. ~ 20△△. 11. 17.
◎ 모집 인원: 159명
(시 소속 위원 39명 이내, 구 소속 위원 130명 이내)
◎ 주민 참여 예산 위원회의 주요 기능
- 예산 편성 과정에서의 주민들의 의견 수렴
- 예산에 대한 홍보와 교육 활동
- 주민 제안 사업에 대한 실효성 검토 및 우선순위 상의·조정
- 주요 투자 사업의 합리적인 추진 방향에 대한 의견 제시

◎ 신청 방법: 인터넷 접수

① 주민의 자치 역량이 강화될 것이다.
② 정치에 대한 주민의 관심이 증가할 것이다.
③ 정책 결정에서 중앙 정부의 영향력이 커질 것이다.
④ 지역 실정에 적합한 정책을 추진할 수 있을 것이다.
⑤ 지역 사회의 정치 과정에서 주민 참여가 확대될 것이다.

**06** 다음 시민운동이 정당성을 갖추기 위한 조건으로 옳지 않은 것은?

> 오늘 우리는 영국의 소금 제조 금지법에 도전하고 있습니다. 내일 우리는 다른 법들에 도전해야 합니다. 이런 식으로 우리가 비협력을 실행하면 결국 행정은 마비될 것입니다. 영국 정부에게 우리에게 규칙을 적용하고, 감옥에 보내라고 하십시오. 영국인들이 3억 명을 처벌하는 데 시간이 얼마나 걸릴지 계산해 보십시오.

① 사회 정의 실현을 목적으로 삼아야 한다.
② 법을 어김으로써 받는 처벌을 감수해야 한다.
③ 불의에 대한 저항 수단으로 폭력을 배제해야 한다.
④ 사회 질서 유지보다는 개인의 이익을 중시해야 한다.
⑤ 합법적인 모든 방법이 효과가 없을 때 최후의 수단으로 사용해야 한다.

**07** 다음 사례에 나타난 인권 문제에 대한 해결 방안으로 가장 적절한 것은?

> 저는 왼쪽 팔의 마비 증세로 지체 장애 3급입니다. 얼마 전 암 보험에 가입하려고 하다 장애가 있다는 이유로 가입을 거부당했습니다. 담당 직원은 별다른 근거 없이 장애 6급까지만 암 보험 가입이 가능하다고 하였습니다.

① 의식 개혁보다 제도 개선에 주력해야 한다.
② 사회적 소수자의 대상 범위를 줄여야 한다.
③ 사회적 소수자에 대한 편견을 버려야 한다.
④ 사회적 소수자를 주류 사회에 동화시켜야 한다.
⑤ 사회적 소수자 스스로 인권 의식을 높여야 한다.

**08** 청소년 노동권을 침해받은 사람만을 〈보기〉에서 있는 대로 고른 것은?

> 보기
> 갑: 미성년자이기 때문에 임금은 부모님께 지급하겠다고 했어요.
> 을: 하루에 7시간 근로하면서 성인과 동일한 최저 임금을 적용받았어요.
> 병: 부모님의 취업 동의서를 받아 오지 않으면 고용할 수 없다고 했어요.
> 정: 근로 계약은 부모님과 맺어야 한다며 근로 계약서에 부모님 날인을 받아오라고 했어요.

① 갑, 을　② 갑, 정　③ 을, 병
④ 갑, 을, 병　⑤ 을, 병, 정

**09** 밑줄 친 ㉠~㉢에 대한 옳은 설명을 〈보기〉에서 고른 것은?

> 인권 보장의 범위가 역사적으로 확대되었음에도 모든 인류가 충분히 인권을 보장받는 것은 아니다. 오늘날 세계 곳곳에서 발생하는 대표적인 인권 문제에는 ㉠ 빈곤 문제, ㉡ 여성 차별 및 학대 문제, ㉢ 체제 유지를 목적으로 국민의 기본권을 침해하는 문제 등이 있다.

> 보기
> ㄱ. ㉠은 최소한의 인간다운 삶을 어렵게 한다.
> ㄴ. ㉡은 주로 종교나 관습에 따른 편견으로 나타난다.
> ㄷ. ㉢은 주로 민주주의가 발달한 국가에서 나타난다.
> ㄹ. ㉠~㉢은 모두 개별 사회나 국가에서 해결해야 하는 문제이다.

① ㄱ, ㄴ　② ㄱ, ㄷ　③ ㄴ, ㄷ
④ ㄴ, ㄹ　⑤ ㄷ, ㄹ

## 주관식+서술형 문제

**10** 다음 글을 읽고 물음에 답하시오.

> 다수의 사람이 함께 살아가는 공동체에서 누군가가 권리를 무제한으로 누리려고 한다면 다른 사람의 권리를 침해할 수밖에 없다. 우리는 이러한 문제를 해결하기 위해 법에 개인의 자유와 권리를 규정하고, 법의 테두리 안에서 생활하도록 하고 있다. 그러나 법과 제도만 마련되어 있다고 해서 개인의 권리가 보장되고, 사회 질서가 유지되는 것은 아니다. 시민들이 ( ㉠ )을/를 가지고 국가 구성원 간의 약속인 법을 존중하고 그 절차를 준수해야 법이 본연의 기능을 발휘할 수 있다.

(1) ㉠에 들어갈 용어를 쓰시오.

(2) ㉠의 필요성을 두 가지 이상 서술하시오.

# 내공 점검 V. 시장 경제와 금융

점수 /100점

**01** (가)와 (나)에 해당하는 자본주의에 대한 설명으로 옳은 것은?

| 등장 배경 | | 자본주의 |
|---|---|---|
| 1929년 대공황이 발생하면서 많은 국가에서는 경기 침체, 기업 도산, 대량 실업 등의 문제가 발생하였다. | ➡ | (가) |
| 1970년대 석유 공급 감소로 국제 석유 가격이 폭등하여 경기 침체와 물가 상승이 동시에 나타나는 문제가 발생하였다. | ➡ | (나) |

① (가)는 노동 시장의 유연성 강화를 추구하였다.
② (가)는 자유방임주의를 근거로 작은 정부를 추구하였다.
③ (나)는 정부의 공공사업 시행을 지지하였다.
④ (나)는 민간의 자유로운 경제 활동을 강조하였다.
⑤ (가)와 (나) 모두 정부의 시장 개입을 부정적으로 보았다.

**02** 다음 사례에 대한 분석으로 적절하지 않은 것은?

> ○○ 기업은 신제품 A를 개발하고 있다. ○○ 기업은 A의 개발에 3년 동안 20억 원을 투자했고, 앞으로 1년 동안 10억 원을 투자하면 개발이 완료된다. 1년 후 A가 출시되면 100억 원의 이익을 얻을 수 있다. 그런데 얼마 전 경쟁 기업에서 비슷한 기능을 지닌 신제품을 출시하였고, 이로 인해 1년 후 A가 출시되었을 때 얻을 수 있는 이익은 50억 원으로 줄어들게 되었다. 반면 A의 개발을 포기하고 기존 제품의 생산량을 더 늘리면 20억 원의 이익을 얻을 수 있다. ○○ 기업은 고민 끝에 A의 개발을 계속하기로 하였다.

① ○○ 기업의 선택은 합리적이다.
② 이미 지출한 비용은 고려하지 않았다.
③ A의 개발에 따른 암묵적 비용은 없다.
④ A의 개발에 따른 명시적 비용은 10억 원이다.
⑤ A가 출시되었을 때 얻을 수 있는 이익이 20억 원이라면 ○○ 기업의 선택은 달라질 것이다.

**03** 교사의 질문에 대해 옳게 답변한 학생을 고른 것은?

① 갑, 을 ② 갑, 병 ③ 을, 병
④ 을, 정 ⑤ 병, 정

**04** 다음 사례에서 소비자들의 행위에 대한 분석으로 가장 적절한 것은?

> 1996년, 개발 도상국의 열두 살짜리 아동이 A 기업의 축구공을 만들고 있는 사진이 잡지에 실렸다. 소년은 공 하나를 만들기 위해 가죽 조각을 무려 1,620번이나 바느질해야 했지만, 소년이 받는 돈은 공 하나당 고작 100원에서 150원이었다. 아이들의 꿈과 희망이 되어야 할 축구공이 오히려 아동 착취의 중심에 있었다는 사실이 알려지자 미국의 시민 단체와 소비자들은 A 기업의 제품에 대한 불매 운동을 전개하였고, A 기업의 매출은 절반으로 떨어졌다. 결국 A 기업은 전 세계 공장의 작업 환경 개선에 나섰고 아동 노동 금지 규정을 선포하였다.

① 환경과 공동체를 고려하지 않았다.
② 윤리적 가치 판단에 따라 선택하였다.
③ 기업의 생산 방식에 영향을 주지 않았다.
④ 합리적 소비를 통해 최대 효용을 얻고 있다.
⑤ 원료의 재배 및 유통 과정을 고려하지 않았다.

**05** 다음 뉴스를 통해 추론할 수 있는 국제 무역 확대의 영향으로 가장 적절한 것은?

> 칠레와의 자유 무역 협정(FTA)의 체결로 값싼 포도가 국내로 쏟아져 들어오면서 포도 농사를 포기하는 가구가 늘고 있다. 대표적으로 국내 포도의 54%를 생산하는 경상북도에서 폐업한 포도 농가의 경작지는 경상북도 전체 경작지의 10%에 이른다. – 「KBS 뉴스」, 2016. 3. 11.

① 국내 기업의 경쟁력이 강화될 수 있다.
② 규모의 경제가 실현되어 생산비를 절감할 수 있다.
③ 개발 도상국에 경제 발전의 기회를 제공할 수 있다.
④ 정부의 독자적인 경제 정책 시행이 어려워질 수 있다.
⑤ 경쟁력을 갖추지 못한 국내 산업에 어려움을 줄 수 있다.

**06** 밑줄 친 ㉠~㉣에 대한 옳은 설명을 〈보기〉에서 고른 것은?

> 시간의 흐름에 따라 변해 가는 삶의 모습을 단계별로 나타낸 것을 생애 주기라고 한다. 생애 주기는 부모의 소득에 의존하여 소비를 하는 ㉠ 아동기, 취업을 통해 점차 본인의 소득에 따른 경제생활을 하는 ㉡ 청년기, 소득이 가장 많지만 지출 규모도 큰 ㉢ 중·장년기, 경제적 정년으로 소득보다 소비가 많은 ㉣ 노년기로 나눌 수 있다.

보기
ㄱ. ㉠ 시기는 소득보다 소비가 적은 편이다.
ㄴ. ㉡ 시기에는 결혼, 자녀 출산 등과 같은 과업이 요구된다.
ㄷ. ㉢ 시기는 수입보다 지출이 많은 편이다.
ㄹ. 최근 고령화 추세로 ㉣ 시기에 대한 대비가 중요해지고 있다.

① ㄱ, ㄴ ② ㄱ, ㄷ ③ ㄴ, ㄷ
④ ㄴ, ㄹ ⑤ ㄷ, ㄹ

**07** 금융 자산 (가), (나)에 대한 설명으로 옳은 것은?

> (가) 기업이 자금 조달을 위해 투자를 받고 투자한 사람에게 회사 소유권의 일부를 지급하는 증표
> (나) 국가나 공공 기관, 금융 기관, 기업 등이 직접 자금을 조달하기 위해 발행하는 일종의 차용 증서

① (가)는 예금자 보호 제도의 보호를 받는다.
② (나)는 배당을 통해 수익을 얻을 수 있다.
③ (가)는 (나)에 비해 원금의 손실 가능성이 낮은 편이다.
④ (나)는 (가)와 달리 이자 수익을 기대할 수 있다.
⑤ (가)와 (나) 모두 예금에 비해 안전성이 높은 편이다.

## 주관식+서술형 문제

**08** 다음 글을 읽고 물음에 답하시오.

> 18~19세기에 포르투갈은 영국보다 더 적은 노동력으로 와인과 옷을 생산할 수 있었다. 즉 포르투갈이 와인과 옷 생산 모두에서 ( ㉠ )을/를 가진 것이다. 그러나 포르투갈은 와인을, 영국은 옷을 상대적으로 더 저렴하게 생산할 수 있었다. 이때 포르투갈과 영국이 각각 ( ㉡ )을/를 가진 상품을 특화하여 교환함으로써 국가 간 무역이 발생하였다. 오늘날에는 자유 무역 협정(FTA)을 통한 국가 간 경제 협력이 증가하여 국제 무역이 더욱 활발해지고 있다.

(1) ㉠, ㉡에 들어갈 내용을 각각 쓰시오.

(2) 밑줄 친 부분과 같은 국제 무역의 확대가 미치는 영향을 긍정적·부정적 측면에서 각각 서술하시오.

# 내공 점검 Ⅵ. 사회 정의와 불평등

점수 /100점

**01** 갑, 을, 병이 강조하는 분배적 정의의 실질적 기준을 옳게 연결한 것은?

마을에서 공동으로 김장을 한 뒤에 김치를 어떤 기준으로 나누면 좋을까요?

갑: 각자 담근 양만큼 받아야 합니다.

을: 부양가족 수나 각자의 경제 형편을 고려하여 분배해야 합니다.

병: 경력이 많거나 자격증이 있는 사람이 더 많이 받아야 한다고 생각합니다.

| | 갑 | 을 | 병 |
|---|---|---|---|
| ① | 능력 | 업적 | 필요 |
| ② | 능력 | 필요 | 업적 |
| ③ | 업적 | 능력 | 필요 |
| ④ | 업적 | 필요 | 능력 |
| ⑤ | 필요 | 업적 | 능력 |

**02** 표는 정의의 실질적 기준을 구분한 것이다. (가)~(다)에 대한 설명으로 옳지 않은 것은? (단, (가)~(다)는 능력, 업적, 필요에 따른 분배 중 하나이다.)

| 구분 | (가) | (나) | (다) |
|---|---|---|---|
| 객관적인 평가 기준을 마련할 수 있는가? | 예 | 아니요 | 아니요 |
| 사회적 약자에게 자원을 우선적으로 배분하는가? | 아니요 | 예 | 아니요 |

① (가)는 과열 경쟁으로 구성원 간에 갈등이 발생할 수 있다.
② (나)는 개인의 기여도와 상관없이 분배가 이루어진다.
③ (다)는 타고난 재능이나 환경과 같은 우연적 요소가 개입할 수 있다.
④ (가)는 (나)와 달리 열심히 일하려는 동기를 약화할 수 있다.
⑤ (다)는 (나)와 달리 사회적·경제적 불평등을 심화할 수 있다.

**03** 갑은 긍정, 을은 부정의 대답을 할 질문으로 가장 적절한 것은?

- 갑: 인간은 자유롭고 평등한 존재이므로 어느 누구도 다른 사람의 생명, 자유, 그리고 소유물에 대한 권리를 침해할 수 없다.
- 을: 인간은 모두 누군가의 형제이고 사촌이며, 이 마을과 저 부족의 구성원이다. 이런 것들은 각자가 진정한 자아를 발견하고 정체성을 형성하기 위해 필요하며, 각자가 이행해야 할 의무와 책무를 규정해 준다.

① 개인선과 공동선이 공존할 수 있다고 보는가?
② 개인보다 공동체를 좋은 삶의 원천으로 보는가?
③ 공동선이 개인의 자유와 권리보다 우선하는 가치인가?
④ 공동체적 삶을 토대로 개인의 정체성이 형성된다고 보는가?
⑤ 공동체를 개인의 자유와 권리를 실현하기 위한 수단으로 보는가?

**04** 다음 토론에서 갑, 을의 입장을 〈보기〉에서 고른 것은?

- 사회자: 독일은 제2차 세계 대전 당시 저지른 유대인 학살에 관한 책임을 인정하고, 그 잘못을 현재 세대에서 책임지고 있는데요, '과거 세대의 잘못을 현재 세대가 책임져야 하는가?'라는 주제에 관하여 여러분은 어떻게 생각합니까?
- 갑: 인간의 자아는 그의 사회적·역사적 역할과 지위로부터 분리될 수 없습니다. 따라서 과거 독일인이 행한 잘못을 현재 세대가 책임지는 것이 바람직합니다.
- 을: 개인의 자유로운 선택만이 자신을 강제하는 도덕적 의무의 원천이 될 수 있습니다. 따라서 과거 세대가 행한 잘못을 책임질 것인가는 현재 세대의 선택이나 동의에 달려 있습니다.

보기

ㄱ. 갑: 개인의 삶의 방식에 대한 결정권은 공동체에 있다.
ㄴ. 갑: 공동체는 개인에게 특정한 가치를 권장할 수 없다.
ㄷ. 을: 개인의 가치관에 관해 국가는 가능한 중립을 유지해야 한다.
ㄹ. 을: 개인은 공동체와 전통으로부터 생겨난 도덕을 지킬 의무가 있다.

① ㄱ, ㄴ ② ㄱ, ㄷ ③ ㄴ, ㄷ
④ ㄴ, ㄹ ⑤ ㄷ, ㄹ

**05** 표는 갑국의 사회 계층 구성 비율의 변화를 나타낸 것이다. 이에 대한 분석으로 옳은 것은?

(단위: %)

| 구분 | 2008년 | 2018년 |
|---|---|---|
| 상층 | 20 | 45 |
| 중층 | 60 | 10 |
| 하층 | 20 | 45 |

① 상층과 하층의 소득 수준이 높아졌다.
② 사회 계층 구조의 안정성이 높아졌다.
③ 사회 계층의 양극화 현상이 나타났다.
④ 사회 계층의 대물림 현상이 완화되었다.
⑤ 사회 통합에 유리한 계층 구조가 나타났다.

**06** 밑줄 친 ㉠~㉢에 대한 옳은 설명을 〈보기〉에서 고른 것은?

> 경제적·신체적·지역적 차이로 인해 교육의 기회를 얻기 어려운 ㉠ 사회적 약자들을 배려하기 위해 마련된 대학 입학 전형들이 있다. 기초 생활 수급자 등 저소득층을 비롯해 농어촌 지역 주민, 장애인, 북한 이탈 주민 등을 대상으로 시행되는 대학 입학 전형들이 그 예이다. 이러한 대학 입학 전형은 정원 내에서 경쟁해야 하는 ㉡ 다른 학생들의 합격 기회를 침해하지 않으면서 고른 기회를 부여하기 위해 ㉢ 정원 외로 운영된다.

보기

ㄱ. ㉠은 개인의 능력이나 업적에 따라 적절한 보상을 해 주는 것이다.
ㄴ. ㉠은 과거의 차별에 대해 보상함으로써 정의로운 사회 실현에 기여할 수 있다.
ㄷ. ㉠은 ㉡에 대한 역차별 문제를 초래할 수 있다.
ㄹ. ㉢은 ㉡의 실질적인 평등을 보장하는 것을 목적으로 한다.

① ㄱ, ㄴ ② ㄱ, ㄷ ③ ㄴ, ㄷ
④ ㄴ, ㄹ ⑤ ㄷ, ㄹ

[07~08] 다음 글을 읽고 물음에 답하시오.

> 우리나라는 1960년대 이후 성장 가능성이 큰 수도권과 대도시 위주로 경제 개발을 추진하였다. 그 결과 수도권과 대도시에서는 인구가 늘고 경제가 성장하였지만, 그 외 지역에서는 인구가 유출되고 경제가 침체되는 등의 문제가 나타나게 되었다.

**07** 위 사례에 나타난 문제점으로 가장 적절한 것은?

① 사회 계층의 양극화
② 균형 개발에 따른 부작용
③ 사회적 약자에 대한 차별
④ 지역 격차에 따른 공간 불평등
⑤ 적극적 우대 조치에 따른 역기능

**08** 위 사례에 나타난 문제점을 해결하기 위한 방안으로 적절하지 않은 것은?

① 지역 브랜드 구축 사업을 추진한다.
② 수도권 규제를 완화하여 파급 효과를 극대화한다.
③ 수도권에 집중된 공공 기관을 지방으로 이전한다.
④ 수도권에서 지방으로 이전한 기업의 세금을 감면한다.
⑤ 관광 마을을 조성하거나 지역 축제와 같은 장소 마케팅을 추진한다.

## 주관식+서술형 문제

**09** 다음 글을 읽고 물음에 답하시오.

> ( ㉠ )은/는 출신 국가, 성별, 장애, 나이, 소득 수준, 거주 지역 등 다양한 측면에서 사회적으로 불리한 위치에 있는 사람들을 말한다. 이들은 사회적 주류 집단과 다르다는 비합리적인 이유로 차별과 불이익 등의 불평등을 겪는 경우가 많다.

(1) ㉠에 들어갈 내용을 쓰시오.

(2) ㉠에 대한 차별을 해결하기 위한 노력을 두 가지 이상 서술하시오.

# 내공 점검 Ⅶ. 문화와 다양성

점수 /100점

**01** 지도는 세계의 주식 문화권을 나타낸 것이다. 이에 대한 설명으로 옳은 것은?

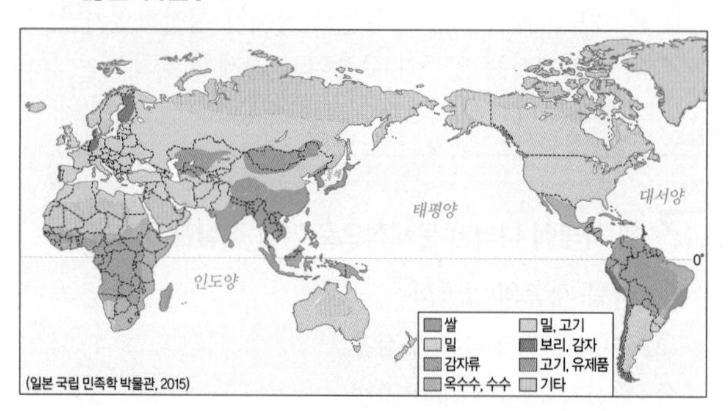

(일본 국립 민족학 박물관, 2015)

① 밀은 연 강수량이 많은 지역에서 재배된다.
② 열대 기후 지역은 대체로 밀을 주식으로 한다.
③ 고위도 지역에서 주로 벼농사가 이루어져 쌀이 재배된다.
④ 남아메리카의 고산 지역은 감자와 옥수수를 주식으로 한다.
⑤ 온대 계절풍 기후 지역에서는 주로 빵과 고기를 이용한 음식 문화가 발달하였다.

**02** 지도의 A 지역에 대한 옳은 설명을 〈보기〉에서 고른 것은?

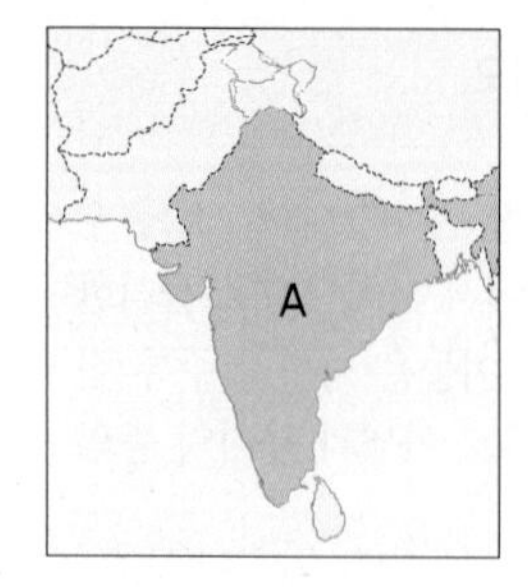


보기
ㄱ. 남부 아시아 문화권에 속한다.
ㄴ. 유일신을 믿는 사람들의 비율이 높다.
ㄷ. 갠지스강에서 목욕을 하는 종교 의식이 있다.
ㄹ. 보온을 위해 두꺼운 털옷을 입는 의복 문화가 발달하였다.

① ㄱ, ㄴ ② ㄱ, ㄷ ③ ㄴ, ㄷ
④ ㄴ, ㄹ ⑤ ㄷ, ㄹ

**03** 다음 낱말 카드에 제시된 문화 요소가 가장 뚜렷하게 나타나는 문화 지역을 지도에서 고른 것은?

| 이슬람교 | 아랍어 | 유목 |
|---|---|---|

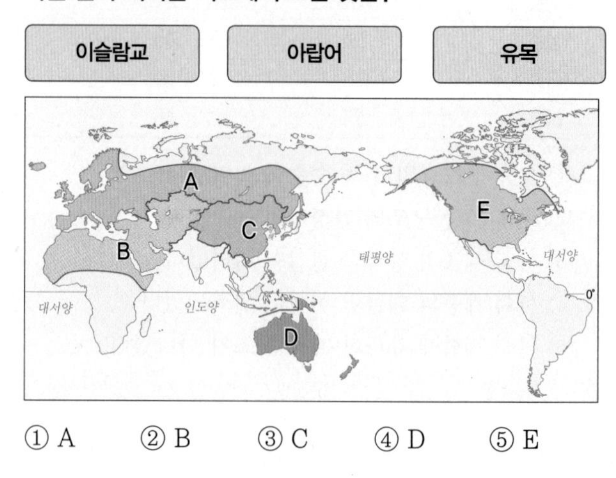


① A ② B ③ C ④ D ⑤ E

**04** 그림의 ㉠~㉢에 대한 설명으로 옳지 않은 것은?

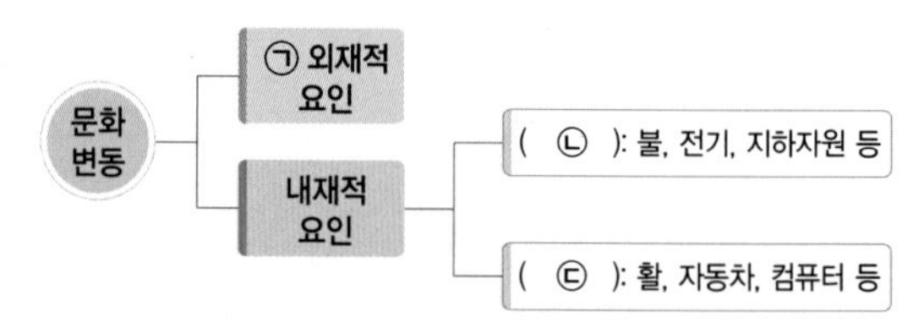


① ㉠은 문화 전파이다.
② ㉡은 기존에 존재했던 것을 찾아낸 것이다.
③ ㉢은 다른 사회와의 접촉을 통해 이루어진다.
④ ㉡과 ㉢은 모두 한 사회 내부에서 새로운 문화 요소가 등장하는 것이다.
⑤ 오늘날에는 ㉠이 ㉡과 ㉢보다 문화 변동의 주된 요인으로 작용한다.

**05** 다음 글에 대한 옳은 설명을 〈보기〉에서 고른 것은?

> 우리나라 전통 가옥에는 난방을 위해 온돌을 설치하였다. 그런데 서양의 침대 문화가 유입되면서 최근 온돌과 침대의 장점을 모두 수용한 온돌 침대가 개발되었다.

보기
ㄱ. 온돌 침대는 문화 융합의 사례에 해당한다.
ㄴ. 온돌은 외재적 요인에 따른 문화 변동의 사례이다.
ㄷ. 문화 전파에 따른 주거 문화의 변동이 나타나 있다.
ㄹ. 문화 변동의 결과 우리 문화의 정체성이 상실되었다.

① ㄱ, ㄴ ② ㄱ, ㄷ ③ ㄴ, ㄷ
④ ㄴ, ㄹ ⑤ ㄷ, ㄹ

**06** 그림은 A국에 이민 온 B국과 C국 사람들의 문화 변동 양상을 나타낸 것이다. 이에 대한 설명으로 옳지 않은 것은?

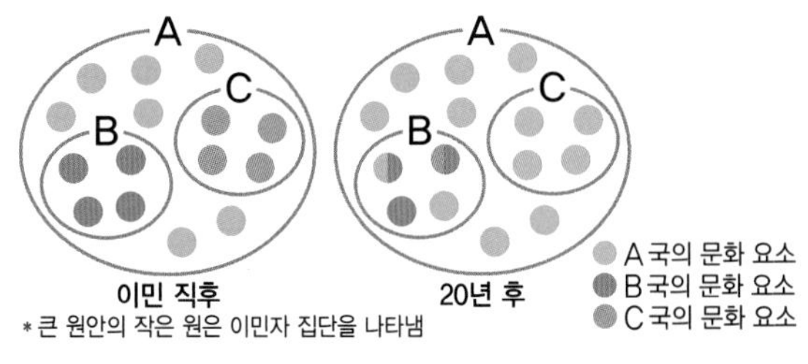


① A국은 다문화 사회이다.
② B국 이민자 집단에서는 문화 병존이 나타났다.
③ C국 이민자 집단은 고유한 문화를 상실하였다.
④ C국 이민자들은 B국 이민자들에 비해 자문화에 대한 정체성이 강하다.
⑤ A국과 B국 이민자 집단 및 C국 이민자 집단 사이에는 문화 접변이 이루어졌다.

**07** 밑줄 친 ㉠, ㉡에 대한 옳은 설명을 〈보기〉에서 고른 것은?

> 다문화 정책 중 ㉠ 용광로 정책은 다양한 문화를 융합하여 하나의 정체성을 갖는 국가를 만들고자 한다. 한편, ㉡ 샐러드 볼 정책은 다양한 문화를 최대한 보장함으로써 서로 다른 문화가 각각의 정체성을 유지하면서 조화를 이루는 국가를 만들고자 한다.

보기

ㄱ. ㉠은 이주민의 문화를 우리 문화에 동화시키려는 입장이다.
ㄴ. ㉡은 '로마에 가면 로마법을 따르라'는 속담과 관련이 깊다.
ㄷ. ㉠은 ㉡에 비해 문화 다양성을 중시한다.
ㄹ. 최근 우리나라 다문화 정책의 방향은 ㉠에서 ㉡으로 변화하고 있다.

① ㄱ, ㄴ ② ㄱ, ㄹ ③ ㄴ, ㄷ
④ ㄴ, ㄹ ⑤ ㄷ, ㄹ

**08** 갑이 가진 문화 이해 태도의 문제점으로 옳은 것은?

① 문화의 상대성과 다양성을 인정하지 않는다.
② 한 사회의 문화를 절대적인 기준으로 평가한다.
③ 인류의 보편적 가치를 경시하는 문화까지 존중한다.
④ 자기 문화의 관점에서 다른 사회의 문화를 바라본다.
⑤ 명예 살인이 형성된 특수한 환경을 고려하지 않는다.

## 주관식+서술형 문제

**09** 다음 내용에 해당하는 문화권의 명칭을 쓰시오.

> 유교와 불교의 영향을 많이 받았고, 한자를 사용한다는 공통점이 있다. 또한 벼농사가 활발하여 쌀을 주식으로 먹으며 젓가락을 사용한다.

**10** 그림에서 갑과 을의 주장을 뒷받침할 수 있는 내용을 각각 한 가지만 서술하시오.

# 내공 점검 Ⅷ. 세계화와 평화

점수 ／100점

**01** 다음 사례에 대한 옳은 분석을 〈보기〉에서 고른 것은?

> 브라질의 리우 카니발은 브라질의 상징이자 세계인이 즐기는 축제이다. 매년 2월 하순경에 열리는 이 축제는 원주민의 전통문화와 아프리카의 음악과 춤이 더해지면서 브라질을 대표하는 축제로 발전하였다. 축제 기간에는 100만 명에 이르는 해외 관광객이 이곳을 방문한다.

보기
ㄱ. 지역화를 통해 지역 경제가 활성화되고 있다.
ㄴ. 세계화와 지역화가 동시에 이루어진 사례이다.
ㄷ. 세계화에 따라 지역화의 필요성이 감소하고 있다.
ㄹ. 다른 지역의 문화를 적극적으로 수용하는 지역화 전략을 활용했다.

① ㄱ, ㄴ ② ㄱ, ㄷ ③ ㄴ, ㄷ
④ ㄴ, ㄹ ⑤ ㄷ, ㄹ

**02** 다국적 기업에 대한 설명으로 옳지 않은 것은?

① 교통·통신의 발달을 배경으로 성장하고 있다.
② 본사는 주로 생산 공장과 인접하여 위치한다.
③ 연구소는 기술 수준이 높은 선진국에 설립한다.
④ 경영의 효율성을 높이기 위해 공간적 분업을 한다.
⑤ 진출한 국가에 일자리를 창출하는 긍정적 영향을 준다.

**03** 밑줄 친 ㉠~㉤에 대한 설명으로 옳지 않은 것은?

> ㉠ 세계화에 따라 지역 간 교류와 협력이 강화되면서 ㉡ 세계 도시들이 등장하였다. 이들 세계 도시는 ㉢ 세계 자본의 흐름을 주도하며, ㉣ 국제 정치의 중심지 역할을 하고 있다. 또한 세계 도시는 기능적으로 ㉤ 유기적 관계를 맺고 있다.

① ㉠ – 생활권의 범위가 개별 국가의 국경을 넘어 전 지구로 확대되는 현상이다.
② ㉡ – 대표적인 세계 도시에는 뉴욕, 런던, 도쿄 등이 있다.
③ ㉢ – 저임금 노동력이 풍부하기 때문에 다국적 기업의 생산 공장이 밀집해 있다.
④ ㉣ – 다양한 국제회의 및 행사를 개최하여 인적·물적 교류가 활발하다.
⑤ ㉤ – 어느 한 세계 도시에서 일어나는 변화가 전 세계적으로 영향을 주기도 한다.

**04** 다음은 세계화에 따른 문제와 해결 방안에 대해 정리한 보고서이다. (가)~(다)에 대한 옳은 설명만을 〈보기〉에서 있는 대로 고른 것은?

세계화에 따른 문제와 해결 방안

| 문제 | 해결 방안 |
|---|---|
| (가) | 공정 무역 및 공정 여행 확대 |
| 문화의 획일화 | (나) |
| (다) | 보편 윤리를 존중하며 각 사회의 특수 윤리 성찰 |

보기
ㄱ. (가) – 보호 무역의 확산으로 점차 심화되고 있다.
ㄴ. (나) – 유네스코의 세계 문화 다양성 선언을 사례로 들 수 있다.
ㄷ. (다) – 세계 시민 의식 함양을 통해 해결할 수 있다.
ㄹ. (다) – 인구의 국제 이동이 활발해지면서 점차 증가하고 있다.

① ㄱ, ㄴ ② ㄱ, ㄷ ③ ㄴ, ㄷ
④ ㄱ, ㄴ, ㄹ ⑤ ㄴ, ㄷ, ㄹ

**05** 표는 국제 사회의 행위 주체를 구분한 것이다. ㉠~㉢에 대한 설명으로 옳지 않은 것은?

| 구분 | 사례 |
|---|---|
| ㉠ | 대한민국, 미국 등 |
| ㉡ | 국제 연합(UN), 유럽 연합(EU) 등 |
| ㉢ | 그린피스, 국경 없는 의사회 등 |

① ㉠은 국제 사회의 가장 기본적이고 대표적인 행위 주체이다.
② ㉡은 국가 간의 이해관계를 조정한다.
③ ㉢은 시민 사회의 영향력이 커짐에 따라 그 역할이 점차 축소되고 있다.
④ ㉡은 ㉠의 정부를 회원으로 하는 행위 주체이다.
⑤ ㉠~㉢ 모두 개별 국가의 정책에 영향력을 행사하기도 한다.

**06** 밑줄 친 부분에 대한 옳은 설명을 〈보기〉에서 고른 것은?

> 국제 사회의 여러 주체들이 평화를 실현하기 위해 노력하고 있지만, 지구촌 곳곳에서는 여전히 자원, 영토, 민족, 종교 등을 둘러싼 분쟁이 발생하고 있다. 이러한 상황에서 인류의 평화에 대한 열망과 요구는 점차 커지고, <u>소극적 평화</u>의 중요성이 강조되고 있다.

보기
ㄱ. 전쟁과 테러 등의 폭력이 없는 상태이다.
ㄴ. 빈곤, 기아, 각종 억압과 차별이 사라진 상태이다.
ㄷ. 사회 제도로 인해 발생하는 폭력을 간과할 수 있다.
ㄹ. 물리적 폭력뿐만 아니라 문화적 폭력까지 제거된 상태이다.

① ㄱ, ㄴ　② ㄱ, ㄷ　③ ㄴ, ㄷ
④ ㄴ, ㄹ　⑤ ㄷ, ㄹ

**07** 밑줄 친 ㉠~㉤ 중 옳지 <u>않은</u> 것은?

> ㉠ <u>제2차 세계 대전에서 일본의 패전 선언으로 우리나라는 광복을 맞이</u>하게 되었다. 그러나 ㉡ <u>광복 후 한반도에는 북위 38도선을 경계로 미국과 소련의 군대가 남과 북에 각각 주둔</u>하였으며, ㉢ <u>국내에서는 신탁 통치에 대한 찬반 논쟁이 일어났다</u>. 이러한 배경 속에서 ㉣ <u>미군과 남한 측의 거부로 북한만의 총선거가 실시되고 정부가 수립되었다</u>. 이후 ㉤ <u>1950년 북한의 남침으로 6·25 전쟁이 일어났고</u> 오늘날까지 남북 분단이 고착화되었다.

① ㉠　② ㉡　③ ㉢　④ ㉣　⑤ ㉤

**08** 다음과 같은 역사 갈등을 해결하기 위한 방안으로 적절하지 <u>않은</u> 것은?

> • 중국의 동북 공정　• 일본의 역사 교과서 왜곡

① 역사 왜곡에 대처하기 위해 관계 법령을 정비한다.
② 동아시아 공동 역사 연구를 통해 역사 인식을 공유한다.
③ 민족적 자부심 향상을 위해 자국 중심의 역사 교육을 한다.
④ 역사 왜곡에 대응하는 연구를 지원하여 역사적 사실을 규명한다.
⑤ 청소년·시민 단체의 민간 교류를 늘려 상호 간의 이해를 확대한다.

**09** 다음은 어떤 학생이 작성한 노트 필기의 일부이다. (가)에 들어갈 내용으로 적절한 것을 〈보기〉에서 고른 것은?

> **국제 사회의 평화에 기여하는 대한민국**
> 1. 세계 속의 우리나라
> (1) 지리적 측면: 유라시아 대륙과 태평양을 연결하는 지리적 요충지
> (2) 경제적 측면: 1960년대 이후 추진된 정부 주도의 개발 정책으로 고도의 경제 발전을 이룸
> 2. 국제 평화를 위한 우리의 노력
> (1) 국가 차원: 국제기구의 활동 참여, 개발 도상국에 공적 개발 원조 확대
> (2) 개인·민간 차원: ＿＿＿＿(가)＿＿＿＿

보기
ㄱ. 세계 시민 의식 함양
ㄴ. 국제 비정부 기구의 활동에 참여
ㄷ. 국제 연합 평화 유지 활동(PKO) 파병
ㄹ. 테러 확산 방지를 위한 국제 협약 체결

① ㄱ, ㄴ　② ㄱ, ㄷ　③ ㄴ, ㄷ
④ ㄴ, ㄹ　⑤ ㄷ, ㄹ

## 주관식+서술형 문제

**10** 다음 글을 읽고 물음에 답하시오.

> 중국은 ( ㉠ )을/를 통해 우리나라의 역사에 해당하는 고조선, 부여, 고구려, 발해의 역사가 중국의 지방사라고 주장하면서 역사를 왜곡하고 있다. 중국은 역사적 자료를 일방적으로 해석하여 만리장성의 동쪽 끝을 옛 고구려와 발해의 영역인 헤이룽장성까지 확장함으로써 이 지역이 중국의 고유 영토라는 주장을 강화하고 있다.

(1) ㉠에 들어갈 내용을 쓰시오.

(2) 중국이 ㉠을 추진하는 이유를 <u>두 가지</u> 이상 서술하시오.

# 내공 점검 Ⅸ. 미래와 지속 가능한 삶

점수 ／100점

**01** 밑줄 친 부분과 같은 현상이 나타난 이유로 옳지 않은 것은?

> 인류가 지구상에 살기 시작한 이후 세계 인구가 10억 명을 넘기까지 수백만 년이 걸렸지만, 18세기 후반부터 10억 명에서 70억 명이 되기까지 약 200년밖에 걸리지 않았다.

① 출산 장려 정책을 적극적으로 실시하였다.
② 의료 기술의 발달에 따라 평균 수명이 증가하였다.
③ 경제 수준이 높아짐에 따라 생활 수준이 향상되었다.
④ 유럽에서 시작된 산업 혁명이 전 세계로 전파되었다.
⑤ 농업 기술의 발달과 품종 개량을 통해 식량 증산이 이루어졌다.

**02** 다음 글에 나타난 인구 이동에 대한 설명으로 가장 적절한 것은?

> 불교 국가인 미얀마의 리카인주에 거주하는 로힝야족은 이슬람교를 신봉하는 소수 민족이다. 로힝야족 반군들이 관공서 테러를 일으키면서 미얀마 군이 마을에 폭격을 가했다. 수많은 로힝야족이 방글라데시로 탈출하고 있다.

① 경제적 요인에 의한 인구 이동이다.
② 세계화로 인해 나타나는 활발한 인구 이동이다.
③ 정치적 탄압을 피하기 위한 난민의 인구 이동이다.
④ 이상 기후가 발생하면서 환경 재앙을 피하기 위한 인구 이동이다.
⑤ 교리의 해석을 둘러싸고 발생한 종교적 갈등을 피하기 위한 인구 이동이다.

**03** (가), (나) 국가의 특징에 대한 추론으로 옳은 것은?

> • (가) 국가는 출산율을 낮추기 위해 인구 억제법을 만드는 등 산아 제한 정책을 강화하고 있다.
> • (나) 국가는 부모 모두 육아 휴직 기간을 충분히 보장하는 육아 휴직 제도를 시행하고 있다.

① (가)는 (나)보다 출생률이 낮을 것이다.
② (가)는 (나)보다 사망률이 낮을 것이다.
③ (가)는 (나)보다 중위 연령이 낮을 것이다.
④ (나)는 (가)보다 경제 발전 수준이 낮을 것이다.
⑤ (나)는 (가)보다 유소년 인구 비중이 높을 것이다.

**04** 다음 설명에 해당하는 에너지 자원으로 옳은 것은?

> 옛날 사람들에게 그저 끈적이는 검은 물에 지나지 않았기 때문에 '죽은 고래의 피'나 '악마의 배설물' 등으로 불렸다. 그러나 불을 밝히는 등불로 사용되고, 정제 기술이 발달함에 따라 세계에서 가장 많이 소비되고 있는 에너지 자원이 되었다.

① 석유 ② 석탄 ③ 수력
④ 원자력 ⑤ 천연가스

**05** 다음 지역에서 갈등이 나타나는 공통된 원인으로 옳은 것은?

> 북극해, 카스피해, 동중국해, 남중국해, 포클랜드 제도

① 종교의 차이로 인한 갈등이 발생하고 있다.
② 물 자원 확보를 둘러싼 갈등이 발생하고 있다.
③ 수산 자원 확보를 둘러싼 갈등이 발생하고 있다.
④ 에너지 자원 확보를 둘러싼 갈등이 발생하고 있다.
⑤ 오염 물질의 국가 간 이동으로 갈등이 발생하고 있다.

**06** 그래프는 어느 에너지 자원의 생산 및 수출입을 나타낸 것이다. 이에 대한 옳은 설명을 〈보기〉에서 고른 것은?

생산량(총 77.1억 톤, 2015년): 중국 45.8, 미국 10.5, 인도 9.0, 오스트레일리아 6.6, 인도네시아 6.1, 기타 22.0(%)

수출량(총 11.9억 톤, 2015년): 오스트레일리아 32.8, 인도네시아 30.6, 러시아 10.8, 기타 25.8(%)

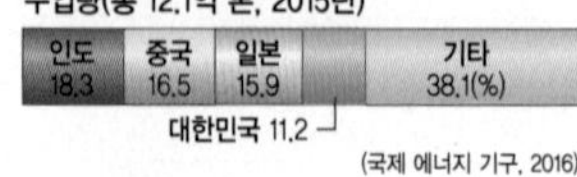


(국제 에너지 기구, 2016)

〈보기〉
ㄱ. 공업이 발달한 국가에서 주로 수입하고 있다.
ㄴ. 서남아시아에 있는 국가에서 많이 생산하고 있다.
ㄷ. 가장 많이 생산하는 국가에서 가장 많이 소비하고 있다.
ㄹ. 편재성이 매우 커서 국제 이동량이 가장 많은 에너지 자원이다.

① ㄱ, ㄴ ② ㄱ, ㄷ ③ ㄴ, ㄷ
④ ㄴ, ㄹ ⑤ ㄷ, ㄹ

**07** (가)에 들어갈 개념에 대한 설명으로 옳지 않은 것은?

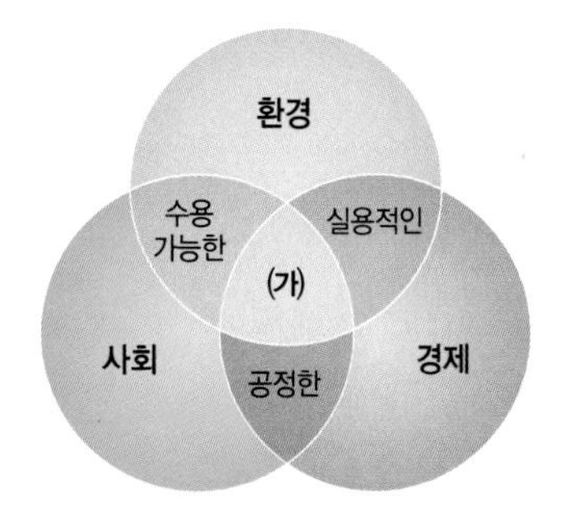


① 현세대와 미래 세대의 형평성을 고려한다.
② 생태계 수용 능력 한계 내에서 경제를 개발하고자 한다.
③ 경제 발전, 사회 안정과 통합, 환경 보전의 균형을 추구한다.
④ 현세대의 필요를 충족시키기 위한 성장 위주의 개발을 우선시한다.
⑤ 경제의 양적인 성장뿐만 아니라 공정한 배분을 통해 평등한 사회를 지향한다.

**08** (가)~(라)에 들어갈 옳은 내용을 〈보기〉에서 고른 것은?

**수행 평가**

지속 가능한 발전을 위한 노력을 경제적 측면, 환경적 측면, 사회적 측면, 개인적 측면에서 각각 서술하시오.
- 경제적 측면: ____(가)____
- 환경적 측면: ____(나)____
- 사회적 측면: ____(다)____
- 개인적 측면: ____(라)____

**보기**

ㄱ. (가) – 개발 도상국의 빈곤 문제 해결을 위한 공적 개발 원조 실시
ㄴ. (나) – 교토 의정서, 파리 기후 협약과 같은 국제 환경 협약 체결
ㄷ. (다) – 윤리적 소비 실천, 친환경 생활 방식 실천
ㄹ. (라) – 기초 생활 보장 제도 등 사회 취약 계층 지원 제도 실시

① ㄱ, ㄴ ② ㄱ, ㄷ ③ ㄴ, ㄷ
④ ㄴ, ㄹ ⑤ ㄷ, ㄹ

**09** 다음은 환경 문제 해결을 위해 시행하는 제도를 나타낸 것이다. 이에 대한 설명으로 옳은 것은?

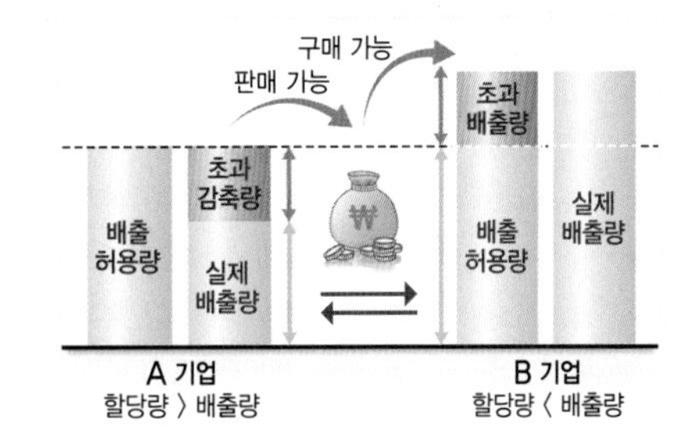


① 몬트리올 의정서에 따라 시행되고 있다.
② 온실가스 배출권을 사고팔 수 있는 제도이다.
③ 지속 가능한 발전을 위한 개인적 차원의 노력이다.
④ 개발 도상국의 빈곤 문제를 해결하기 위한 제도이다.
⑤ 개발 도상국을 중심으로 온실가스를 감축하도록 하고 있다.

## 주관식+서술형 문제

**10** 다음 글의 ㉠, ㉡에 들어갈 현상을 각각 쓰시오.

( ㉠ ) 현상이 지속되면 생산 가능 인구가 감소하여 노동력이 부족해지고, 출생률이 사망률보다 낮아져 총인구가 감소하게 된다. 이는 소비 활동과 기업의 생산 활동을 위축시켜 경제 성장에 부정적인 영향을 줄 수 있다.
( ㉡ ) 현상이 지속되면 국민연금과 국민 건강보험 등 사회 보장 비용이 증가하여 국가의 재정 부담이 커질 수 있다. 또한 노인 1인당 부양 인구가 감소하여 청장년층의 노인 부양 부담이 커질 것이다.

**11** 밑줄 친 부분에 해당하는 방안을 두 가지 이상 서술하시오.

미래에는 모든 것이 긴밀하게 연결되어 영향을 주고받게 되므로 나 자신이 지구촌의 한 구성원임을 자각해야 한다. 그리고 개인들은 세계 시민 의식을 가지고 <u>지구촌 문제에 관심을 가지며 지구촌 문제의 해결을 위해 적극 동참해야 한다</u>.

memo

내공의 힘

# 정답과 해설

## 통합사회

# 01 인간, 사회, 환경을 바라보는 시각

## 1단계 개념 짚어 보기

본문 9쪽

01 (1) ㄱ (2) ㄹ (3) ㄷ (4) ㄴ 02 (1) ○ (2) ○ (3) × (4) ×
03 (1) – ㉡ (2) – ㉣ (3) – ㉠ (4) – ㉢ 04 통합적

## 2단계 내신 다지기

본문 10~12쪽

| | | | | |
|---|---|---|---|---|
| 01 ① | 02 ④ | 03 ② | 04 ② | 05 ② |
| 06 ④ | 07 ④ | 08 ④ | 09 ② | 10 ③ |
| 11 ② | 12 ② | 13 ⑤ | | |

**01** 시간적 관점이란 시대적 배경과 맥락에 초점을 두고 사회 현상을 살펴보는 것이다. 우리가 접하는 사건이나 현상은 단독으로 존재하는 것이 아니라 과거의 역사적 사건과 인과 관계로 이루어져 있다. 따라서 과거의 사실, 사건, 제도, 가치 등을 살펴봄으로써 현재 나타나고 있는 현상이나 문제를 이해하고 바람직한 해결 방안을 찾는 데 도움을 준다.
바로 알기 ②는 공간적 관점, ③은 윤리적 관점, ④는 사회적 관점, ⑤는 통합적 관점이 필요한 이유이다.

**02** 시간적 관점에서 살펴보면 최근 우리나라의 지역 축제들은 축제의 전통적 가치를 잊고 상업적인 소비 활동에만 초점이 맞춰져 진행되고 있다는 문제점을 찾을 수 있다.
바로 알기 ①은 공간적 관점, ②, ⑤는 윤리적 관점, ③은 사회적 관점에서 살펴본 지역 축제의 문제점이다.

**03** 시간적 관점은 과거부터 현재의 모습이 있기까지의 변화 과정을 따라가면서 특정 사회 현상이 나타나게 된 시대적 배경과 맥락에 대한 이해를 바탕으로 사회 현상을 살펴본다. 주요 탐구 주제에는 "시간 속에서 인간과 사회는 어떻게 변화해 왔는가?", "우리가 사는 세계는 앞으로 어떻게 변할 것인가?" 등이 있다.
바로 알기 ㄴ은 윤리적 관점, ㄹ은 사회적 관점에서 제시할 주요 탐구 주제에 해당한다.

**04** 공간적 관점에서 보면 네덜란드는 유럽에서 해발 고도가 가장 낮은 국가이고, 스위스는 유럽에서 해발 고도가 가장 높은 국가이다. 네덜란드는 해발 고도가 낮으므로 해수면보다 낮은 땅과 갯벌에 발이 빠지지 않도록 나막신처럼 생긴 나무로 만든 전통 신발을 신어 왔다. 반면에 스위스는 유럽에서 해발 고도가 가장 높으므로 눈이나 얼음으로 덮인 길에서 미끄러지지 않고 걷기 위해 아이젠과 유사한 신발을 고안하여 신어 왔다. 이와 같이 두 나라의 전통 신발이 다른 이유는 위치에 따른 지형적 특성이 다르기 때문이다.

**05** 지구 온난화는 인간, 사회, 환경이 서로 얽혀 있는 복잡한 문제이다. 지구 온난화에 따른 지역별 영향은 지구 온난화 문제를 공간적 관점에서 탐구하기 위한 자료로 활용된다.

**극비 노트 다양한 관점으로 살펴보는 기후 변화**

| 관점 | 접근 방법 |
|---|---|
| 시간적 관점 | 기후 변화는 언제부터 나타났을까? |
| 공간적 관점 | 기후 변화가 환경과 인간 생활에 어떤 영향을 미쳤을까? |
| 사회적 관점 | 국제 사회는 기후 변화를 막기 위해 어떤 노력을 하고 있을까? |
| 윤리적 관점 | 기후 변화에 대한 책임은 누구에게 있을까? |

**06** ㉠ 관점은 사회적 관점에 해당한다. 사회적 관점은 특정한 사회 현상을 사회 제도 및 사회 구조와의 관련성 측면에서 살펴보는 것이다. 사회적 관점은 사회 현상이 발생한 원인을 이해하고 개인과 사회에 미치는 영향을 파악하여 사회 문제를 해결하고 정책 대안을 마련하는 데 도움을 준다.
바로 알기 ①은 윤리적 관점, ②, ⑤는 시간적 관점, ③은 공간적 관점에 대한 설명이다.

**07** 청소년의 은어 사용 현상을 사회적 관점에서 살펴보면 정보화에 따른 사회 구조의 변화와 의사소통 환경의 변화에 따른 것으로 볼 수 있다. 정보 통신 기술의 발달로 많은 학생들이 휴대 전화나 인터넷을 사용하는데 의사소통을 원활하고 신속하게 하려고 은어를 쓰는 경우가 많다. 또한 또래 집단과의 소속감을 형성하기 위해 은어를 사용하게 된다고 본다.
바로 알기 ㄱ. 시대별로 청소년의 은어 사용 현상을 살펴보는 것은 시간적 관점이다. ㄷ. 국가별로 청소년들이 사용하는 은어를 살펴보는 것은 공간적 관점이다.

**08** ㄱ. 인간의 욕구와 양심을 기준으로 사회 현상을 설명하는 관점은 윤리적 관점이다. ㄷ. 양심은 시간과 공간을 초월하여 보편적인 규범이 된다. ㄹ. 욕구는 인간과 동물이 모두 가지고 있지만, 인간은 동물과 달리 다른 사람의 욕구까지 고려해야 한다. 그렇게 행동하지 않으면 비도덕적이라는 사회적 비난을 받게 된다.
바로 알기 ㄴ. 어떤 행위의 옳고 그름, 선악을 판단하는 윤리적 기준은 양심이다.

**09** 윤리적 관점에서는 아동 노동 문제를 인간 존엄성과 관련된 문제로 본다. 따라서 사람은 누구나 인간다운 삶을 누릴 수 있도록 해야 한다는 도덕적 기준으로 평가한다.
바로 알기 ①은 공간적 관점, ③, ⑤는 사회적 관점, ④는 시간적 관점에 해당한다.

**10** ① 불면증이 시작된 과거의 시점을 묻는 질문으로 시간적 관점에 해당한다. ② 불면증의 원인을 공간적 맥락에서 살펴보고 있으므로 공간적 관점에서의 질문에 해당한다. ④ 어려움을 겪고 있는 환자에게 어떻게 하면 행복한 삶을 살아갈 수 있을지에 대해 윤리적 관점에서 조언하고 있다. ⑤ 다양한 관점에서 살펴본 내용을 통합적으로 고려하면 문제를 깊이 있게 이해하고 다각적인 측면에서 해결 방안을 찾을 수 있다.

바로 알기 ③ 취업 준비로 인한 스트레스는 개인의 심리적 문제일 수도 있지만 사회 제도와 구조에 영향을 받을 수도 있다. 따라서 사회적 관점에서 살펴보고 해결책을 모색해야 한다.

**11** ㄱ. 한옥의 역사를 살펴보는 것은 시간적 관점에 해당한다. ㄷ. 우리 사회에서 한옥이 지닌 의미를 살펴보는 것은 사회적 관점에 해당한다.
바로 알기 ㄴ. 전통 윤리가 한옥에 어떻게 반영되었는지 살펴보는 것은 윤리적 관점에 해당한다. ㄹ. 우리나라의 기후가 한옥의 구조에 미친 영향을 파악하는 것은 공간적 관점에 해당한다.

**12** 빨래터가 마을 아낙네들의 만남의 공간이었다는 것은 공간적 관점에서 살펴본 것이다. 기술의 발달로 세탁기가 가정마다 설치되어 빨래터가 점차 사라지는 것은 시간적 관점에서 살펴본 것이다.

**13** 제시된 글은 화장률의 변화에 따른 화장장 건설의 필요성과 이를 둘러싼 지역 갈등에 대해 다루고 있다. 이러한 사회 문제는 시간적·공간적·사회적·윤리적 관점에서 접근하여 통합적으로 바라보고 해결책을 찾아야 한다. ㄷ. 화장장 건설에 따른 문제를 해결하기 위한 법과 제도를 알아보는 것은 사회적 관점에 해당한다. ㄹ. 화장장 건설을 둘러싼 갈등을 해결하기 위해 시민으로서 지녀야 할 바람직한 자세를 알아보는 것은 윤리적 관점에 해당한다.
바로 알기 ㄱ. 시간적 관점을 통해 우리나라 장례 문화의 변화를 알아봄으로써 화장장 건설이 시급한 문제임을 파악할 수 있다. ㄴ. 공간적 관점을 통해 화장장 건설의 최적의 입지 조건을 파악할 수 있다.

**극비 노트** 화장장 건설을 둘러싼 갈등을 통합적 관점으로 바라보기

| | |
|---|---|
| 시간적 관점 | • 우리나라의 장례 문화는 역사적으로 어떻게 바뀌어 왔는가?<br>• 급속한 산업화와 유교 문화의 쇠퇴는 우리나라 장례 문화의 변화에 어떤 영향을 미쳤는가? |
| 공간적 관점 | • 화장장 건설에 적합한 최적의 입지 조건은 무엇인가?<br>• 화장장이 들어오면 지역의 공간 이용에 어떤 변화가 일어나는가? |
| 사회적 관점 | • 화장장 건설에 따른 사회적 문제를 해결하기 위해 어떤 법과 제도가 필요한가?<br>• 화장장 건설을 위해 어떤 방식으로 사회적 합의를 이루어야 하는가? |
| 윤리적 관점 | • 화장장 건설을 둘러싼 갈등을 해결하기 위해 시민으로서 지녀야 할 바람직한 태도는 무엇인가?<br>• 화장장 건설로 자연환경이 훼손될 경우 어떻게 하는 것이 바람직한가? |

## 3단계 등급 올리기

본문 13쪽

01 ① 02 ② 03 ① 04 (1) 공간적 (2) 해설 참조

**01** 제시된 글은 역사적 사실을 통해 독도가 대한민국의 영토임을 확인시켜 준다. 이는 사회 현상을 시간적 관점에서 살펴본 것이다. 시간적 관점의 탐구 방법은 주로 특정 현상과 관련된 과거의 자료를 수집하는 것이다. 우리가 접하는 사건이나 상황은 단독으로 존재하는 것이 아니라 과거의 역사적 사건과 인과 관계로 이루어져 있기 때문이다.
바로 알기 ②, ④는 공간적 관점, ③은 사회적 관점, ⑤는 윤리적 관점의 탐구 방법에 해당한다.

**02** (가)는 농촌과 도시의 고령 인구 비율의 변화를 나타내고 있다. 농촌 지역의 고령 인구 비율은 도시 지역보다 매우 높게 나타나고 있다. 이는 공간적 관점에서의 탐구에 필요한 자료이다. (나)는 노부모 부양에 대한 책임 의식의 변화를 나타내고 있다. 고령화가 진행되면서 노인 부양은 가족만의 책임이라는 가치관이 약화하고, 가족과 정부, 사회가 함께 노력해야 한다는 가치관이 널리 퍼지고 있다. 이는 윤리적 관점에 해당하는 탐구 자료이다. ㄱ. (가)는 공간적 관점에서 우리나라의 고령화 현상을 탐구할 때 필요한 자료이다. ㄹ. 사회 현상을 탐구할 때는 (가), (나) 등의 다양한 자료를 분석하여 통합적 관점에서 문제를 바라보고 해결해야 한다.
바로 알기 ㄴ. (나)는 윤리적 관점에 해당하는 자료로서 노년 부양비 추이를 파악할 수 없다. ㄷ. (가) 현상이 나타나는 근본적인 원인은 산업화로 인한 이촌향도 현상 때문이다.

**03** 그림의 학생들은 기후 변화 문제에 대해 시간적·공간적·사회적·윤리적 관점에서 살펴보고 있다. ㄱ, ㄴ. 다양한 관점을 통합적으로 고려하여 여러 학문 간의 유기적인 연구와 협조를 통해 기후 변화의 원인과 영향을 파악하면 특정 사회 현상을 정확히 이해할 수 있고 근본적인 해결책을 찾아낼 수 있다.
바로 알기 ㄷ. 현대 사회에서 사회 현상은 다양한 요인이 복잡하게 얽혀 있기 때문에 통합적 관점의 필요성이 커지고 있다. ㄹ. 한 가지 관점으로만 사회 현상을 보고 문제를 해결하는 것은 한계가 있으므로 개별적 관점의 경계를 넘어 통합적으로 살펴보는 자세가 필요하다.

### 서술형 문제

**04** (2) 예시 답안 자연환경 및 인문 환경이 인간의 삶에 미치는 영향을 탐구한다. 인간, 사회, 환경의 상호 작용 방식을 탐구한다.

| 채점 기준 | 배점 |
|---|---|
| 공간적 관점의 탐구 방법을 두 가지 모두 정확하게 서술한 경우 | 상 |
| 공간적 관점의 탐구 방법을 한 가지만 정확하게 서술한 경우 | 하 |

## 02 행복의 의미와 기준 ~ 03 행복한 삶을 실현하기 위한 조건

### 1단계 개념 짚어 보기
본문 15쪽

01 행복 02 ㉠ 물질적 ㉡ 정신적 03 (1) ○ (2) × (3) ○ (4) ×
04 (1) – ㉢ (2) – ㉡ (3) – ㉠ 05 (1) ㄱ (2) ㄹ (3) ㄷ (4) ㄴ

### 2단계 내신 다지기
본문 16~18쪽

| | | | | |
|---|---|---|---|---|
| 01 ④ | 02 ④ | 03 ③ | 04 ② | 05 ④ |
| 06 ④ | 07 ⑤ | 08 ⑤ | 09 ⑤ | 10 ⑤ |
| 11 ① | 12 ② | | | |

**01** ㉠은 행복에 해당한다. ㄴ. 사람이 행복하기 위해서는 의식주나 경제력 등의 물질적 조건과 함께 가족과의 사랑, 친구와의 우정, 자아실현의 추구 등과 같은 정신적 만족감도 필요하다. 행복은 이러한 물질적·정신적 가치를 조화롭게 추구할 때 얻을 수 있는 만족감과 즐거움을 의미한다. ㄹ. 행복을 추구할 때는 개인적·사회적 측면을 함께 고려해야 한다.
바로 알기 ㄱ. 삶의 질 향상에 대한 요구는 오늘날에 이르러 강조되고 있지만, 행복을 위해서는 생존을 위한 기본적인 물질적 조건도 필요하다. ㄷ. 사람들은 삶의 목적으로서 행복을 추구한다.

**02** 아리스티포스는 물질적으로 풍요로운 삶을 행복의 중요 요소로 여기고 디오게네스에게 자기처럼 살 것을 권하였지만 디오게네스는 경제적으로는 빈곤하더라도 자유로운 삶과 자기만족을 중시하였다. 이를 통해 자신이 만족할 수 있는 가치를 선택하고 이를 목표로 하여 살아갈 때 진정한 행복을 얻을 수 있음을 알 수 있다.
바로 알기 ① 물질적인 조건은 삶의 궁극적 목적인 행복을 추구하는 데 이바지하는 수단이다. ② 진정한 행복은 높은 지위에 오르는 등의 단기적인 성취에 있는 것이 아니라 목적적이고 본질적인 것이다. ③ 자신에 대해 바르게 성찰하면 자신이 가진 조건을 타인과 비교하여 행복을 판단하는 것은 어리석은 일임을 알게 된다. ⑤ 동시대를 살아가거나 비슷한 환경에 놓인 사람들은 행복의 기준을 공유하기도 하지만 모든 사람들의 행복의 기준이 같은 것은 아니다.

**03** (가)는 물이나 햇볕 등 환경의 결핍을 채우는 것이 행복의 중요한 기준이 되므로 지역의 자연환경적 여건이 행복에 영향을 미친 사례이다. (나)는 일제 식민 지배, 6·25 전쟁과 같은 역사적 사건이 행복의 기준에 영향을 미친 것으로 시대적 상황이 사회 구성원의 행복에 영향을 준 사례이다.

**04** 최근 부탄이나 코스타리카 등과 같이 행복의 기준을 국민 소득의 증가와 같은 경제적 측면에만 두지 않고, 공동체의 정치적 안정과 발전, 개발과 환경 보전의 조화, 구성원의 건강까지 고려하며 보다 포괄적·균형적으로 국민의 행복을 실현하기 위해 노력하는 국가들이 나타나고 있다.
바로 알기 ㄴ. 국민 소득의 증가뿐만 아니라 건강, 환경, 문화 등 다양한 행복의 기준을 제시하고 있다. ㄹ. 행복을 위해 정신적 만족감과 물질적 조건의 조화를 추구한다.

**05** 제시된 표를 보면 과거에는 객관적 기준을 행복 실현의 중요한 기준으로 꼽았으나 최근에는 삶의 만족도나 일상생활에서 느끼는 행복감 등 주관적 기준까지 고려하여 행복을 측정하고 있음을 알 수 있다. 따라서 진정한 행복을 실현하기 위해서는 객관적 기준뿐만 아니라 주관적 기준까지 충족되어야 한다.
바로 알기 ① 삶의 만족도는 행복의 주관적 기준에 해당한다. ② 주거, 소득, 고용, 수명 등은 행복의 객관적 기준에 해당한다. ③ 객관적 기준은 행복 실현의 중요한 기준이 된다. ⑤ '더 나은 삶 지수'나 '국민 삶의 질 지표' 등 최근의 행복 관련 지수들은 객관적 기준과 더불어 개인의 주관적 만족감까지 통합적으로 고려하여 행복을 측정하고 있다.

**06** 이중환의 『택리지』에는 '가거지(可居地)', 즉 사람이 살 만한 곳의 조건이 서술되어 있다. 주거를 선정하는 기준으로 풍수적으로 길지인지 보는 '지리', 경제 활동의 여건이 유리한지를 보는 '생리', 자연 경관이 아름다운지를 보는 '산수', 지역의 인심과 풍속이 좋은지를 보는 '인심'을 들고 있다. ④ 인심(人心)은 남과 더불어 살아가려는 도덕적 실천에 바탕을 두고 있다. 도덕적 실천은 개인뿐만 아니라 공동체 구성원 모두의 행복을 실현하기 위해 필요하다.
바로 알기 ① ㉠은 행복한 삶을 위한 경제적 조건에 해당한다. ② 시민들의 정치 참여는 민주주의의 실현을 위해 필요하다. ③ ㉡은 도덕적 실천과 관련이 있다. 안락한 보금자리 제공은 질 높은 정주 환경과 관련이 있다. ⑤ 생리(生利)와 인심이 모두 좋아야 살기 좋은 땅이며 행복을 실현할 수 있다.

**07** 우리나라의 연령별 행복도를 보면 노년층의 경우 아주 낮은 행복도를 보인다. 이것은 은퇴 후 노후를 위한 준비가 제대로 되어 있지 않고, 노년층을 위한 사회 복지 제도가 미흡하여 안정된 경제생활을 보장받지 못하고 있기 때문이다.
바로 알기 ① 청년층에서 중년층으로 갈수록 행복도 지수가 높아지지만 그 이후에는 지속적으로 낮아지고 있다. ② 우리나라의 경우 중년층의 행복도가 가장 높다. ③ 청년층은 입시와 취업 준비로 인해 비교적 행복도가 낮은 편이다. ④ 제시된 그래프를 보면 노년층의 행복도는 낮은 편이다.

**08** 맹자가 왕에게 말한 것은 경제적 안정의 중요성이다. 즉 백성들이 기본적인 생계를 유지하고 자신의 필요를 충족하여 삶의 질을 높인 후에 선이나 덕의 추구와 같은 자아실현을 할 수 있다고 주장한 것이다.

**09** 경제 성장으로 국민 소득이 향상되면 국민의 삶의 질이 높아진다. 그러나 국민 소득이 높다고 해서 국민의 삶의 질이 반드시 높은 것은 아니다. 제시된 그래프를 보면 국민 소득이 어느 정도 이상이 되면 사람들이 느끼는 행복감은 소득에 비례하여 증가하지는 않는다는 것을 알 수 있다. 따라서 국가는 지속적인 경제 성장

을 추구하면서도 실업 대책 마련, 사회 복지 제도 강화 등 국민의 경제적 안정을 확보하기 위해 노력해야 한다.

바로 알기 ① 소득이 일정 수준에 도달하면 소득이 증가해도 행복에는 큰 영향을 미치지 않는다. ② 국가는 빈부 격차 해소를 위해 다양한 복지 정책을 마련하는 등의 노력을 하고 있다. ③ 경제 성장 정책뿐만 아니라 분배 정책도 필요하다. ④ 국민의 행복 수준은 국가의 부 이외에도 다양한 요인에 의해 결정된다.

**10** 제시된 표를 보면 민주주의 지수 순위가 높은 나라들이 대체로 행복 지수에서도 높은 순위를 차지하고 있다. 민주 국가에서는 시민이 민주적 제도를 통해 자신의 정치적 의사를 자유롭게 표출하고, 이것이 정치 과정에 반영되어 정책으로 산출되므로 시민이 자신의 삶에 만족하고 행복감을 느낄 가능성이 높다.

바로 알기 ⑤ 민주주의가 발전하려면 민주적 제도를 잘 갖추는 것도 중요하지만, 시민들이 정치에 활발히 참여하여 자신의 의사를 적극적으로 표현할 수 있어야 한다.

**11** 제시된 사례에서는 시민들이 적극적인 정치 참여를 통해 민주주의를 실현함으로써 행복을 추구하고 있다.

바로 알기 ㄷ. 제시된 사례는 도덕적 실천과 관계없다. ㄹ. 제시된 사례를 통해 파악할 수 없다. 스위스는 연방 국가로 합의제 민주주의를 지속적으로 발전시켜 왔다.

**12** 도덕적 실천을 위해서는 자신과 이웃에 대해 이해하는 마음가짐을 가져야 한다. 승강기에서 인사를 나누는 것만으로도 이웃 간의 소통 부재와 층간 소음 등으로 인한 갈등이 해결될 수 있다.

바로 알기 ① 마을 공용 주차장을 확대하는 것은 질 높은 정주 환경을 실현하기 위한 정책 제안이다. ③, ⑤ 마을 대표를 뽑는 선거에 참여하거나 시민 단체의 활동에 참여하는 것은 민주주의를 실현하기 위한 정책 제안이다. ④ 실업자에게 직업 교육의 기회를 제공하는 것은 경제적 안정을 위한 정책 제안이다.

**극비 노트** 행복한 삶을 실현하기 위한 조건

| | |
|---|---|
| 질 높은 정주 환경 | • 자연환경: 깨끗한 물, 대기, 토양 등<br>• 인문 환경: 교통·통신 시설, 교육 시설, 공공시설 등 |
| 경제적 안정 | 일정 수준 이상의 소득 보장, 각종 복지 제도 마련 |
| 민주주의의 실현 | 민주적 제도 마련, 시민의 참여 활성화 |
| 도덕적 실천 | 도덕적 성찰의 자세, 역지사지의 태도, 사회적 약자 배려 |

## 3단계 등급 올리기

본문 19쪽

**01** ③ **02** ⑤ **03** ④ **04** (1) 도덕적 실천 (2) 해설 참조

**01** ㄴ. 사람이 행복하기 위해서는 의식주나 경제력, 사회적 지위 등의 물질적 조건과 정신적 만족감의 조화가 필요하다. ㄷ. 진정한 행복을 실현하기 위해서는 객관적 기준뿐만 아니라 삶의 만족도나 일상생활에서 느끼는 행복감 등 주관적 기준까지 충족되어야 한다.

바로 알기 ㄱ. 우리는 궁극적으로는 행복하게 살기 위해 노력한다. 삶의 목적으로서의 행복을 추구하는 것이다. ㄹ. 행복한 삶을 실현하기 위해서는 질 높은 정주 환경, 경제적 안정, 민주주의의 실현, 도덕적 실천 등 다양한 측면을 모두 고려해야 한다.

**02** 제시된 글을 보면 고대 그리스와 고대 중국의 행복관이 서로 다르다는 것을 알 수 있다. 고대 그리스에서는 개인의 자율성을 중요하게 생각했고, 고대 중국에서는 조화로운 인간관계를 중요하게 생각했다. 이와 같이 행복의 기준은 지역의 지배적인 문화에 따라 달라진다. ⑤ 고대 중국인은 주변 환경을 자신에 맞추어 바꾸기보다는 자신을 주변 환경에 맞추도록 수양하는 일을 중시하였다.

바로 알기 ① 그리스의 꽃병이나 술잔에는 전투나 육상 경기처럼 개인들이 경쟁하는 모습이 그려져 있다. 이에 비해 중국의 도자기나 화폭에는 가족의 일상이나 농촌의 한가로운 정경이 자주 등장한다. ② 고대 중국인은 어릴 때부터 자신이 어떤 집단의 구성원, 특히 가족의 구성원이라는 점을 가장 중요한 사실로 교육받았다. ③ 제시된 글을 통해 그리스인이 중국인보다 정신적 만족감 충족을 중요시했다고 볼 수는 없다. ④ 고대 중국은 농경에 적합한 자연환경이었고, 농경 사회에서는 많은 노동력이 필요하여 공동 작업이 필수적이었기 때문에 집단을 중요시하는 문화가 발생하였다.

**03** 인간다운 삶을 실현하기 위해서는 제도적인 차원의 방안과 의식적인 차원의 변화가 함께 이루어져야 한다. ㄱ. 의료 급여 제도 시행, ㄴ. 환경 영향 평가 실시, ㄷ. 교통 약자를 위한 이동 지원 센터 운영 등은 제도적 방안에 해당한다.

바로 알기 ㄹ. 나눔을 실천하는 기부 문화 확산을 위한 캠페인은 의식적 차원의 변화를 목적으로 하는 활동이다. 의식적 차원의 변화는 도덕적 실천과 성찰을 통해 이끌어낼 수 있다.

### 서술형 문제

**04** (2) 예시 답안 자신의 이익과 욕망을 위해 타인과 공동체에 피해를 입히고 있지 않은지 성찰하고 이기적인 행동을 자제한다. 다른 사람의 입장에서 상황을 바라볼 줄 아는 역지사지의 마음을 가진다. 사회적 약자의 고통에 공감하고 기부나 사회봉사를 실천한다.

| 채점 기준 | 배점 |
|---|---|
| 도덕적 실천을 위한 요건을 세 가지 모두 정확하게 서술한 경우 | 상 |
| 도덕적 실천을 위한 요건을 두 가지만 정확하게 서술한 경우 | 중 |
| 도덕적 실천을 위한 요건을 한 가지만 정확하게 서술한 경우 | 하 |

# 01 자연환경과 인간 생활

## 1단계 개념 짚어 보기

본문 21쪽

01 생활 양식 02 ㉠ 기온 ㉡ 냉대 기후 03 (1) ㄴ (2) ㄷ (3) ㄱ
04 (1) 고산 (2) 지열 05 (1) × (2) ○ (3) ○

## 2단계 내신 다지기

본문 22~24쪽

| | | | | |
|---|---|---|---|---|
| 01 ② | 02 ④ | 03 ④ | 04 ② | 05 ④ |
| 06 ③ | 07 ① | 08 ④ | 09 ④ | 10 ⑤ |
| 11 ② | 12 ③ | | | |

**01** 캐나다는 겨울이 춥고 길어 식량이 부족할 때를 대비하여 음식을 냉동, 훈제, 건조하여 보관한다. 몽골은 바다와 멀리 떨어진 내륙에 있어 강수량이 적고, 농업에 불리하여 생활에 필요한 의식주 재료를 대부분 가축에서 얻는다. 이처럼 자연환경은 인간의 거주 조건과 생활 양식에 큰 영향을 준다. 인간은 서로 다른 기후, 지형 등의 자연환경에 적응하면서 지역마다 고유한 생활 양식을 형성한다.

**02** A는 열대 기후, B는 건조 기후, C는 온대 기후, D는 냉대 기후, E는 한대 기후에 해당한다. ④ 냉대 기후 지역에서는 풍부한 침엽수(타이가)로 만든 통나무집을 많이 볼 수 있다.

**바로알기** ① 열대 기후 지역에서는 얇은 천으로 만든 간편한 옷을 입는다. ② 건조 기후 지역에서는 전통적으로 초원 지대에서 유목을 하거나 오아시스 주변에서 밀이나 대추야자를 재배한다. ③ 열량이 높은 육류 위주의 음식을 주로 먹고, 저장 음식 문화가 발달한 곳은 한대 기후 지역이다. ⑤ 지붕이 평평한 흙벽돌집은 건조 기후 지역에서 주로 볼 수 있다.

**극비 노트** 기후에 따른 생활 양식의 차이

| | |
|---|---|
| 열대 기후 | 높은 기온과 많은 강수량 → 얇고 가벼운 옷차림, 향신료를 사용한 음식 문화, 개방적 가옥 구조 |
| 건조 기후 | 적은 강수량과 큰 일교차 → 온몸을 감싸는 헐렁한 옷차림, 흙벽돌집과 이동식 천막, 관개 농업과 목축업 발달 |
| 온대 기후 | 인간 생활에 유리한 온화한 기후 → 계절 변화에 적응하는 생활 양식이 나타남 |
| 냉대 기후 | 매우 큰 연교차, 춥고 긴 겨울 → 침엽수림을 이용한 임업 발달 |
| 한대 기후 | 춥고 긴 겨울 → 두꺼운 옷차림, 육류 위주의 음식 발달, 순록 유목 |

**03** 인도네시아는 일 년 내내 고온 다습한 열대 기후가 나타나 벼농사가 많이 이루어지고 쌀을 이용한 음식 문화가 발달하였다. 또한 기온이 높은 열대 기후 지역에서는 음식물이 쉽게 상할 수 있어 기름에 볶거나 튀긴 요리가 발달하며 향신료를 많이 사용한다. ④ 일 년 내내 고온 다습한 열대 기후가 나타나는 지역의 주민들은 통풍이 잘되는 얇고 가벼운 옷을 입는다.

**04** (가)는 열대 기후 지역에서 주로 이루어지는 이동식 경작, (나)는 온대 계절풍 기후 지역에서 주로 이루어지는 벼농사에 대한 설명이다. 따라서 (가)는 열대 기후가 나타나는 A에서 주로 이루어지며, (나)는 온대 계절풍 기후가 나타나는 C에서 주로 이루어진다.

**바로알기** B는 건조 기후가 나타나는 지역으로 오아시스 농업 및 관개 농업, 유목이 주로 이루어진다. D는 냉대 기후가 나타나는 지역으로 농업에 불리하며 임업이 발달해 있다.

**05** (가)는 열대 기후 지역의 고상 가옥, (나)는 건조 기후 지역의 이동식 가옥이다. 적도에서부터 극지방으로 가면서 열대 기후, 건조 기후, 온대 기후, 냉대 기후, 한대 기후 순으로 나타나 (가)는 (나)보다 저위도 지역에서 주로 볼 수 있는 가옥 구조이다. 열대 기후 지역은 일 년 내내 기온이 높고 강수량이 많아 지표의 뜨거운 열기와 습기를 피하기 위해 가옥이 지면에서 띄워져 있다. 이동식 가옥은 조립과 분해가 쉬워 이동에 유리하기 때문에 전통적으로 유목 생활을 해 온 건조 초원 지역 사람들의 주거 양식이 되었다. 둥근 천막의 형태를 띠며, 몽골에서는 '게르'라고 부른다.

**바로알기** ㄹ. 열대 기후 지역에서는 바람이 잘 통하도록 창문을 크게 만들고 개방적인 가옥 구조가 나타나며, 건조 기후 지역에서는 한낮의 열기를 막기 위해 창문을 작게 만든다.

**06** 지구상에는 산지, 평야, 해안 등의 다양한 지형이 분포한다. 각 지역의 지형적 특성은 인간의 거주 공간과 생활 양식에 많은 영향을 미치고 있다. 갑. 산지는 해발 고도가 높고 평탄한 공간이 적어 교통로 건설과 농업에 불리하다. 을. 라인강처럼 계절에 따른 수위 변화가 작고 경사가 완만하며, 유량이 풍부한 하천은 과거부터 교통로로 이용되어 왔다. 정. 화산 지대에서는 지열 발전, 해안 지역에서는 조력 발전과 같이 지형의 특성을 이용한 에너지 생산이 이루어진다. 무. 히말라야산맥과 사하라 사막처럼 높은 산지나 넓은 사막은 교통의 장애가 된다.

**바로알기** 병. 육지와 바다가 만나는 해안 지역은 원료의 수입과 제품의 수출에 유리해 대규모 항구와 산업 단지를 조성하기에 유리하다.

**07** 건조 지역은 전통적으로 물을 구할 수 있는 오아시스와 외래 하천 주변에서 소규모 형태로 대추야자, 밀, 목화 등을 재배하는 오아시스 농업과 관개 농업이 발달하였다. 오늘날에는 현대식 스프링클러를 설치하여 지하수를 퍼 올려 대규모 관개 농업을 하는 곳이 많아지고 있다. 도시가 발달하고 국경이 설정되면서 전통적인 유목 생활은 점차 줄어들고 있다.

**바로알기** ① 건조 지역은 강수량이 매우 적어 자연 상태에서 농사를 짓기 어렵다.

**08** (가)는 아이슬란드의 화산 지형, (나)는 베트남의 카르스트 지형이다. ㄱ. 화산 지형에서는 땅속의 뜨거운 열에너지를 이용해 지열 발전이 이루어진다. ㄴ. 카르스트 지형은 석회암의 주성분인 탄산 칼슘이 이산화 탄소를 포함한 빗물이나 지하수에 녹아서 형성되었다. ㄹ. 화산 지형과 카르스트 지형이 나타나는 곳에서는 수려한 자연 경관을 이용한 관광 산업이 발달한다.

**09** 제시된 내용은 지진 발생 시 행동 요령을 나타낸 것이다. 지진은 지구 내부의 힘이 지표면에 전달되어 땅이 흔들리거나 갈라지는 현상이다.

**바로 알기** ① 폭설, ② 홍수, ③ 화산 활동, ⑤ 열대 저기압에 대한 설명이다.

**극비 노트 자연재해의 유형**

| | |
|---|---|
| 기상 현상에 의한 재해 | • 홍수: 일시에 많은 비가 내림 → 시가지, 농경지 등 침수<br>• 가뭄: 오랫동안 비가 내리지 않음 → 각종 용수 부족 등<br>• 폭설: 한꺼번에 많은 눈이 내림 → 시설물 붕괴 등<br>• 열대 저기압: 강풍과 호우를 동반 → 홍수 피해 발생 |
| 지각 변동에 의한 재해 | • 지진: 땅이 갈라지고 흔들림 → 건축물과 도로 붕괴 등<br>• 화산 활동: 용암, 화산재 등 분출 → 농작물 피해 등 |

**10** 자연재해는 언제, 어떻게 발생할지 정확히 예측하기가 어렵고, 발생한 경우 인명과 재산상 막대한 피해를 입힐 수 있다. 따라서 국가는 안전하고 쾌적한 환경 속에서 살아갈 시민의 권리를 보장해야 한다. 이를 위해 평상시 예보 활동과 대피 훈련 등을 통해 피해를 최소화하고, 재해 발생 시 신속하게 복구할 수 있는 대응 체계를 마련해야 한다.

**바로 알기** ⑤ 모든 국민은 건강하고 쾌적한 환경에서 생활할 권리를 가진다. 따라서 국가는 자연재해로부터 국민들을 보호할 의무가 있으며, 피해를 최소화하기 위해 적극적으로 개입해야 한다.

**11** 우리나라는 최근 지진 발생 횟수가 증가하여 더 이상 지진 안전지대로 볼 수 없기 때문에 지진에 대비하기 위해 일본의 사례를 참고하여 여러 가지 방안을 모색해야 한다.

**12** 모든 국민은 안전하고 쾌적한 환경에서 살아갈 권리를 지니고 있다. 이에 우리나라는 헌법 제34조와 제35조를 바탕으로 법률을 제정하여 국민의 생명과 재산의 보호를 법적으로 보장하고 있다.

## 3단계 등급 올리기

본문 25쪽

**01** ③ **02** ③ **03** ①
**04** (1) 허리케인(열대 저기압) (2) 해설 참조

**01** (가)는 열대 기후 지역의 가옥 구조, (나)는 건조 기후 지역의 가옥 구조이다. 건조 기후 지역은 열대 기후 지역보다 연 강수량이 적고, 식물의 성장에 불리해 식생 밀도가 낮으며, 일 최고 기온과 일 최저 기온의 차이인 기온의 일교차가 크다. 이는 그림의 C에 해당한다.

**02** 갑이 다녀온 곳은 뉴질랜드 북섬(C)이다. 뉴질랜드 북섬은 화산 활동이 활발하여 온천, 간헐천 등을 활용한 관광지가 많다. 을이 다녀온 곳은 에콰도르(D)이다. 에콰도르의 키토와 같이 적도 부근의 고산 지대에 있는 도시들은 일 년 내내 서늘한 기후가 나타나고, 지형 환경에 적응한 야마, 알파카 등의 가축을 사육하며 가축으로부터 먹을거리와 의복 등을 얻는다.

**바로 알기** A는 알프스산맥 일대, B는 베트남, E는 미국 북동부 해안에 해당한다.

**03** (가)는 태풍, (나)는 폭설에 대한 행동 요령이다. ㄱ. 강한 바람과 침수에 의한 피해를 유발하는 태풍은 주로 여름철에 발생한다. 단시간에 많은 눈이 집중해서 내리는 폭설은 주로 겨울철에 발생한다. ㄴ. 태풍은 강풍 및 호우, 해일을 동반한다.

**바로 알기** ㄷ. 폭설에 의한 피해는 교통 혼잡, 시설물 붕괴 등이 있으며 시간이 지날수록 눈이 쌓여 피해 규모가 커진다. ㄹ. 중국 내륙의 건조 지역에서 발원하는 자연재해는 황사이며, 열대 해상에서 발원하는 자연재해는 태풍이다.

### 서술형 문제

**04** (2) **예시 답안** 평상시에 예보 활동과 대피 훈련을 시행해야 한다. 발생 시에는 신속한 복구를 위한 대응 체계와 피해 지역에 대한 지원 대책을 마련해야 한다.

| 채점 기준 | 배점 |
|---|---|
| 평상시 대응 방안과 자연재해 발생 시 대응 방안을 정확히 서술한 경우 | 상 |
| 평상시 대응 방안과 자연재해 발생 시 대응 방안 중 한 가지만 서술한 경우 | 하 |

## 02 인간과 자연의 관계
## ~03 환경 문제의 해결을 위한 노력

### 1단계 개념 짚어 보기
본문 27쪽

01 (1) ○ (2) × (3) ○ 02 데카르트 03 ㄱ, ㄴ, ㄹ 04 ㉠ 온실 가스 ㉡ 오존층 파괴 ㉢ 산성비 05 (1) 시민 단체 (2) 환경 영향 평가

### 2단계 내신 다지기
본문 28~30쪽

| | | | | |
|---|---|---|---|---|
| 01 ④ | 02 ② | 03 ⑤ | 04 ① | 05 ⑤ |
| 06 ④ | 07 ⑤ | 08 ④ | 09 ② | 10 ② |
| 11 ④ | 12 ⑤ | | | |

**01** 제시된 내용은 인간 중심주의 자연관을 지닌 베이컨의 주장이다. 인간 중심주의 자연관은 인간과 자연을 분리하여 바라보는 이분법적 관점을 가진다. 이에 따르면 인간은 자연의 한 부분이 아니라 자연으로부터 독립된 존재이며 자연보다 우월한 존재이다. 그렇기 때문에 인간은 자연을 이용할 권리를 가지며, 자연을 인간의 이익이나 필요에 따라 평가한다.

바로 알기 ㄱ, ㄷ은 생태 중심주의 자연관에 대한 내용이다.

**02** 데카르트와 아리스토텔레스는 인간 중심주의 자연관을 지닌 사상가에 해당한다. 인간 중심주의 자연관에서는 이분법적 사고에 따라 자연은 정신 혹은 영혼이 없는 단순한 물질에 불과한 반면, 인간은 정신 혹은 영혼이 있다고 여긴다. 따라서 인간은 자연과 구별되는 우월한 존재이며, 자연은 인간의 도구이자 수단으로 인식한다.

바로 알기 자연은 그 자체로 본래의 가치를 지니고 있으며, 인간도 자연을 구성하는 일부라고 보는 관점은 생태 중심주의 자연관이다.

**극비 노트 이분법적 관점과 전일론적 관점**

| | |
|---|---|
| 이분법적 관점 | 인간과 자연을 분리하여 바라보며, 인간은 자연과 구별되는 우월한 존재라고 인식함 → 인간 중심주의 자연관 |
| 전일론적 관점 | 인간을 포함한 자연 전체를 하나로 바라보며, 모든 생명체는 자연의 일부라고 인식함 → 생태 중심주의 자연관 |

**03** 제시된 사례와 같은 정책은 인간의 개입이 자연의 균형을 깨뜨릴 수도 있다고 보고, 인간이 자연의 질서에 함부로 개입하지 않아야 한다는 생태 중심주의 자연관을 근거로 한다. 이는 인간을 포함한 자연 전체를 하나로 바라보며, 다양한 구성원이 유기적으로 연결되어 있음을 강조한다.

바로 알기 ①, ②, ③, ④는 인간 중심주의 자연관에 해당한다.

**04** (가)는 인간 중심주의 자연관을 엿볼 수 있는 사례이다. (나)는 레오폴드의 대지 윤리 사상으로 생태 중심주의 자연관의 견해이다. 열대림을 제거하고 팜유 농장을 만든 것은 자연을 인간의 이익을 위한 도구로 보았기 때문이다. 인간 중심주의 자연관에 따르면, 자연의 가치는 인간의 이익이나 필요에 이바지한 정도에 의해 평가된다. 인간 중심주의는 자연의 본래적 가치를 인정하지 않고, 자연의 도구적 가치만 인정하기 때문에 인간이 자연을 정복하고 지배하는 것이 정당화된다. 이로 인해 인간은 자연을 훼손하게 되었고 그 결과 환경 오염, 자원 고갈 등과 같은 환경 문제가 나타났다.

바로 알기 ㄷ, ㄹ. (나)의 입장을 지나치게 강조할 경우 나타날 수 있는 문제점이다.

**05** (가)는 인간 중심주의 자연관에 대한 내용, (나)는 생태 중심주의 자연관에 대한 내용이 들어가야 한다. 생태 중심주의 자연관에 따르면 자연은 그 자체로 본래의 가치를 가지므로 케이블카 설치를 통해 자연을 관광 수단으로 삼아서는 안 된다. 인간 중심주의 자연관에 따르면 자연은 인간의 욕구를 충족하는 도구에 해당한다. 자연을 감상하는 사람이 없다면 자연이 그 의미를 가지지 않으므로 개발이 이루어져야 한다는 것은 자연의 도구적·수단적 가치를 강조하는 인간 중심주의 자연관에 해당한다.

**06** 제시문은 인간과 자연이 생태계의 구성원으로 동등한 존재라는 것을 강조하고 있다. 인간과 자연은 유기적 관계를 맺고 있으므로 인간과 자연의 조화가 필요하다. 최근에는 인간의 기본적인 삶을 유지하면서 자연과 공존하려는 다양한 노력이 이루어지고 있다. 갯벌 복원 및 하천 생태계 복원 사업 시행, 생태 통로 건설, 생태 도시 지정이 대표적이다.

바로 알기 ①, ②, ③, ⑤는 인간 중심주의 자연관에 따라 자연을 인간의 욕구를 충족하는 도구로 이용하는 사례에 해당한다.

**07** 제시문과 같이 산업화를 거치면서 인간은 자연을 무분별하게 개발하였고, 이로 인해 자연환경이 파괴되었다. 오늘날 이러한 문제를 해결하기 위해 환경 보호와 경제 성장을 동시에 추구하며, 자연과 인간의 조화와 균형을 이루고자 하는 환경친화적인 자연관이 확산되고 있다.

**08** 제시문은 인간도 생태계의 일부로 다른 생명체 및 환경과 유기적 관계를 맺고 있음을 보여 준다. 즉, 인간이 무분별하게 자연을 개발하여 생태계의 안정을 깨뜨리면, 그 피해가 인간에게 고스란히 돌아올 수 있다. 이러한 문제를 해결하기 위해서는 인간이 자연과 공존하려는 노력이 이루어져야 한다.

**09** 제시문은 오늘날 무분별한 개발로 자연의 자정 능력을 초과하여 복구하기 어려운 수준으로 환경 문제가 발생하고 있음을 지적하고 있다.

**10** 헤어스프레이의 분사제, 냉장고나 에어컨의 냉매제 등으로 쓰이는 염화 플루오린화 탄소(CFCs)의 사용이 증가하면서 오존층 파괴 현상이 심화되었다. 오존층의 두께가 얇아지면 지표면에 도달하는 자외선의 양이 증가하여 피부 및 안구 질환 발생률이 증가한다. 또한 식물 성장에도 영향을 주어 농작물의 수확량이 감소하는 등의 문제가 나타난다.

바로 알기 ㄴ. 지구 온난화가 심각해지면 극지방과 고산 지대의 빙하가 감소한다. ㄷ. 산성비가 내리면 대리석을 포함한 건축물과 조각상이 부식된다.

극비 노트 **다양한 환경 문제의 영향**

| | |
|---|---|
| 지구 온난화 | 극지방 빙하 면적 감소, 해수면 상승으로 저지대 침수, 동식물 서식 환경 변화, 기상 이변 발생 |
| 오존층 파괴 | 자외선 증가로 피부 및 눈 질환 발생, 농작물 수확량 감소 |
| 산성비 | 삼림 및 농경지 파괴, 토양과 하천의 산성화, 건축물과 문화 유산 부식 |
| 사막화 | 사막 지역 확대, 식량 및 물 부족 문제 |
| 열대림 파괴 | 생물종 다양성 감소, 지구 온난화의 가속화 |

**11** 오늘날 발생하고 있는 다양한 환경 문제는 개인이나 개별 국가의 노력만으로 해결하기 어렵기 때문에 시민 단체, 기업 등이 다양한 노력에 동참해야 한다. 갑. 시민 단체는 정부의 환경 정책의 수립 및 시행 과정과 기업의 활동을 감시하고 비판하는 역할을 하고 있다. 을. 정부는 환경 문제를 해결하기 위해 환경 관련 법률을 제정하고, 에너지 절약 실천 방안 등에 관한 홍보 활동을 하고 있다. 병. 기업은 생산 과정에서 환경 오염을 일으킬 수 있으므로 사회적 책임 의식을 가지고, 이를 최소화하려는 기업 윤리를 가져야 한다.
바로 알기 정. 파리 기후 협약과 같은 국제 협약은 국가가 주체가 되어 주도적으로 이끌어 나가야 한다.

**12** 미래숲의 사막화 방지를 위한 나무 심기 운동과 그린피스의 마이크로비즈 사용 중단 및 규제 법안 제정 운동은 환경 문제 피해의 심각성을 알리고 환경 문제 대응 방안을 홍보하기 위한 시민 단체의 활동이다.

## 3단계 등급 올리기

본문 31쪽

**01** ② **02** ⑤ **03** ⑤ **04** (1) 산성비 (2) 해설 참조

**01** ㈎는 공동체의 범위를 식물, 동물, 토양, 물을 포함하는 대지로 확대시키자는 대지 윤리 사상으로 레오폴드가 주장하였다. ㈏는 1855년 미국의 대통령이 지금의 미국 워싱턴주 수쿠아미 지역에 살던 아메리칸 인디언에게 대표단을 보내 땅을 팔라고 요구하자, 아메리칸 인디언 추장이 그에 대한 대답으로 쓴 편지이다. 이 편지에는 생태 중심주의 자연관이 잘 드러나 있다. ㈎, ㈏ 모두 인간을 자연의 일부라고 보며, 자연 전체의 모든 존재들은 서로 연결되어 있다고 본다. 또한 그 자체로 본래의 가치를 지니고 있다는 자연의 내재적 가치를 강조하고 있다.

바로 알기 ㄴ. 인간 중심주의 자연관은 자연을 인간의 욕구를 충족하는 도구로 이용할 수 있다고 보면서 자연의 도구적·수단적 가치를 강조한다. ㄷ. 인간 중심주의 자연관은 인간과 자연을 분리하여 바라보며 자연은 정신 혹은 영혼이 없는 단순한 물질에 불과하다고 본다.

**02** 크리스털 워터스는 인간이 자연으로부터 독립된 존재가 아닌 인간과 자연의 공생을 위한 노력이 이루어지고 있는 생태 중심주의 자연관이 잘 나타난 사례이다.

**03** ㈎는 지구 온난화 현상을 나타낸다. 화석 에너지의 소비 증가로 이산화 탄소, 메탄 등의 온실가스 배출량이 늘어나면서 지구의 평균 기온이 점점 상승하여 극지방의 빙하 면적이 감소하고 있다. ㈏는 사막화 현상을 나타낸 것으로, 지나친 방목과 농경지 개간으로 물이 부족해져 아랄해 면적이 점차 좁아지고 있다.
바로 알기 ⑤ 바젤 협약은 유해 폐기물의 불법 이동을 제한하기 위한 협약이다. 사막화 문제를 해결하기 위한 협약으로는 사막화 방지 협약이 대표적이다.

## 서술형 문제

**04** (2) 예시 답안 화력 발전소와 공장, 자동차 등에서 배출되는 황산화물과 질소 산화물 등의 대기 오염 물질이 비와 섞여 빗물의 성질을 산성으로 바꾸기 때문이다.

| 채점 기준 | 배점 |
|---|---|
| 화력 발전소와 공장, 자동차 등에서 배출되는 대기 오염 물질이 비와 섞여 빗물의 성질을 산성으로 바꾼다고 정확히 서술한 경우 | 상 |
| 대기 오염 물질이 비와 섞여 내린다고만 서술한 경우 | 하 |

# 01 산업화와 도시화

## 1단계 개념 짚어 보기

본문 33쪽

01 ㉠ 산업화 ㉡ 도시화 02 ㄱ, ㄴ, ㄹ 03 (1) × (2) ○ 04 열섬 현상 05 ㉠ 신도시 ㉡ 교통 ㉢ 대중교통

## 2단계 내신 다지기

본문 34~36쪽

| | | | | |
|---|---|---|---|---|
| 01 ④ | 02 ⑤ | 03 ⑤ | 04 ③ | 05 ① |
| 06 ② | 07 ② | 08 ③ | 09 ④ | 10 ③ |
| 11 ② | 12 ④ | | | |

**01** 우리나라는 1960년대 이후 경제 개발 정책의 추진으로 각종 산업 단지를 조성하면서 산업화가 본격적으로 이루어졌다. 농림 어업(1차 산업)의 종사자 비중은 지속적으로 감소하고, 사회 간접 자본 및 서비스업(3차 산업) 종사자 비중은 꾸준히 증가하여 2015년 현재 75% 이상을 차지하고 있다.

바로 알기 ㄱ. 광공업(2차 산업) 종사자 비중은 1990년을 기점으로 감소 추세가 이어지고 있다. ㄷ. 우리나라의 산업 구조는 사회 간접 자본 및 서비스업 중심으로 변화하고 있다.

**02** 우리나라는 1960년대 이후 산업화와 더불어 빠른 속도로 도시화가 진행되었다. 1970년대에는 총인구의 절반 이상이 도시에 거주하는 도시화 시대로 접어들었다. 1990년대에 종착 단계에 접어들었으며, 오늘날에는 총인구 중 약 90%가 도시에 거주한다.

바로 알기 ⑤ 도시화율 그래프의 기울기가 점차 완만해지는 것으로 볼 때 촌락에서 도시로 이동하는 인구의 증가율이 감소하고 있다.

**03** 소설 『괭이부리말 아이들』의 배경이 된 곳은 인천 만석동의 한 마을로, 이곳은 원래 갯벌이 많은 바닷가였으나 일제 강점기에 간척이 이루어졌다. 이후 산업화가 진행되면서 일자리를 찾아 많은 사람들이 모여들게 되었다.

바로 알기 ⑤ 괭이부리말에 공장이 들어선 것으로 보아 2차 산업 종사자 비중이 증가하였을 것이다.

**04** (가)는 포항의 산업화·도시화 이전 모습, (나)는 포항의 산업화·도시화 이후 모습이다. (나) 시기는 (가) 시기에 비해 인구 밀도가 높고, 토지 이용의 집약도가 높으며 시가지 면적이 넓다. 이는 그림의 C에 해당한다.

**05** 산업화·도시화 이후 도시가 성장하면서 도시 내부는 상업·업무 지역, 주거 지역, 공업 지역 등으로 기능의 분화가 이루어진다. (가)는 도시의 외곽 지역으로, 많은 인구를 수용하기 위해 대규모의 주거 단지, 특히 아파트가 밀집해 있고 대형 마트와 학교가 많다. (나)는 도심으로, 접근성이 높고 교통이 편리하여 고층 건물이 밀집해 있다. 백화점, 금융 기관 등이 모여 있어 상업 및 업무 기능이 발달해 있다. 따라서 외곽 지역에 비해 도심에서 많이 나타나는 것은 대기업의 본사, 행정·금융 기관이다.

**극비 노트** 도심과 외곽 지역의 특징

| | |
|---|---|
| 도심 | 대체로 도시의 중심에 위치, 접근성이 높고 교통이 편리함, 행정·금융 기관, 백화점, 대기업의 본사 등이 모여 있음, 상업 및 업무 기능 발달 |
| 외곽 지역 | 많은 인구를 수용하기 위한 대규모 주거 단지 또는 넓은 부지를 필요로 하는 공업 단지 조성 |

**06** 산업화·도시화가 진행되면 농경지와 산림 등의 녹지 면적이 감소하고, 콘크리트 건물이나 아스팔트 도로 등의 포장 면적은 증가하는 변화가 나타난다. 인공 상태의 지표면은 빗물을 제대로 흡수하지 못하는데, 이러한 불투수 면적이 증가하면 짧은 시간 안에 빗물이 한꺼번에 하천으로 흘러들어 수위가 빠르게 상승하여 도시 홍수의 발생 위험이 증가한다.

**07** ㉠은 도시성이다. 산업화·도시화로 도시에 거주하는 사람들이 가지는 특징적인 사고 및 생활 양식인 도시성이 확산되었다. 이로 인해 사람들은 효율성과 합리성을 추구하며 익명성을 띠고 주로 형식적인 인간관계를 맺는다. 또한 자율성과 다양성이 존중되기도 하지만 촌락에 비해 개인주의 성향이 강한 편이다.

바로 알기 ② 도시성의 확산으로 도시에 거주하는 사람들은 촌락에 비해 사회적 유대감이 낮은 편이다.

**08** (가)는 산업화·도시화 이전의 모습, (나)는 산업화·도시화 이후의 모습이다. A에는 (가) 시기가 (나) 시기보다 높게 나타나는 항목인 평균 가구원 수, 주민 간의 유대감이 들어갈 수 있다. B에는 (나) 시기가 (가) 시기보다 높게 나타나는 항목인 1인 가구 비중이 들어갈 수 있다.

**09** 산업화·도시화로 도시에 거주하는 사람들은 효율성과 합리성을 추구하며, 속도 지향적인 삶을 살아가고 있다. 또한 인간을 기계의 부속품처럼 여기면서 노동에서 얻는 만족감이나 성취감이 약화되는 인간 소외 현상이 나타나고 있다. 동시에 공동체보다는 개인의 가치를 강조하는 경향이 커졌다.

바로 알기 ㄴ. 개인의 가치와 성취를 중시하여 개인 간 경쟁이 점차 치열해지고 있다.

**10** 그래프를 보면 전국 평균보다 대도시의 평균 열대야 일수가 많음을 알 수 있다. 도시 내부는 냉난방 시설과 자동차 등에서 인공 열이 많이 발생할 뿐만 아니라 콘크리트 구조물이나 아스팔트 도로가 흙으로 된 땅보다 더 많은 열을 흡수하고 서서히 열기를 뿜어내기 때문에 주변보다 기온이 높게 나타나는데, 이러한 현상을 열섬 현상이라고 한다. 아파트 단지가 바람길을 차단하여 열이 빠져나가지 못하게 하는 것도 열섬 현상의 원인이 된다.

**11** ㄱ. 공동 주거 프로젝트는 공동생활에 필요한 규약을 만드는 등 공동 주택 구성원들 사이의 대화 시간을 증대시켜 파편화된 인간관계를 회복할 수 있다. ㄷ. 공동 주거 프로젝트는 임대료 상승으로 살 곳을 찾기 어려운 청년들의 주거 문제를 해결하는 데 도움이 된다.

바로 알기 ㄴ. 공동 주거 프로젝트는 주택 문제를 해결하는 방안으로, 지역 간 공간 불평등 해결과는 직접적인 상관이 없다. ㄹ. 물질 만능주의와 대량 소비를 해결하기 위해서는 필요한 물품을 나누어 쓰는 공유 경제 활성화 등이 필요하다.

**12** 갑. 교통 문제를 해결하기 위해서는 대중교통 수단을 확충하는 노력이 필요하다. 을. 도시의 주택 문제를 해결하기 위해서는 대도시 주변에 신도시를 건설하거나 불량 주택 지역에 도시 재개발 사업을 추진해야 한다. 병. 계층 간 빈부 격차를 줄이기 위해서는 최저 임금제와 같은 저소득층의 생활 안정을 위한 제도가 확충되어야 한다. 무. 인간 소외 현상을 극복하기 위해서는 인간의 존엄성을 중시하고 타인을 존중하며, 지역 공동체를 회복하려는 노력이 필요하다.
바로 알기 정. 곡류하는 하천의 물길을 직선화하게 되면 하천의 유속이 빨라지면서 도시 홍수 피해가 커지게 된다.

**극비 노트** 산업화·도시화에 따른 문제의 해결 방안

| | |
|---|---|
| 환경 문제 | 환경친화적 도시 계획 수립, 녹지 공간 확대, 생태 하천 조성, 도시 농업 장려 등 |
| 주택 문제 | 대도시 주변에 신도시 건설, 불량 주택 지역에 도시 재개발 사업 추진 등 |
| 교통 문제 | 혼잡 통행료 부과, 대중교통 수단 확충 등 |
| 사회 문제 | 사회 복지 제도 확충, 최저 임금제와 비정규직 보호법 등의 제도 마련, 인간의 존엄성 중시, 배려와 협력의 자세 확립 등 |

## 3단계 등급 올리기

본문 37쪽

**01** ⑤ **02** ① **03** ① **04** (1) 인간 소외 현상 (2) 해설 참조

**01** 도시화는 도시에 거주하는 인구의 비율이 높아지거나 도시적 생활 양식이 확대되는 현상이다. 우리나라는 수도권과 남동 임해 지역을 중심으로 급격한 도시화가 이루어졌으며, 이들 대도시에서는 많은 사람과 기능이 집중하면서 제한된 공간을 효율적으로 이용하기 위하여 집약적 토지 이용이 나타난다. 대도시와 인접한 촌락에서는 농업 지역이 주거 지역이나 공업 지역으로 변화하고 있다.
바로 알기 ⑤ 산업화·도시화로 사람들의 주된 거주 공간이 촌락에서 도시로 바뀌었다. 이로 인해 도시 인구가 증가하고 교통이 발달하면서 대도시권의 범위가 확대되어 주거지와 직장의 거리가 멀어졌다.

**02** 산업화·도시화의 영향으로 가족의 형태는 핵가족화되었고, 1인 가구의 비율이 증가하고 있다. 이 과정에서 개인주의적 가치관이 확산되면서 익명성을 띤 2차적 인간관계가 증가한다. 산업화 이전에는 대부분의 사람들이 촌락에 거주하며 주로 1차 산업에 종사하였으나, 산업화 이후에는 도시화가 이루어지고 2·3차 산업이 발달하면서 직업이 분화되고 전문성이 증가하였다. 이에 따라 촌락보다 도시에 거주하는 사람들은 다양한 직업에 종사하고 있으며, 사람들 간의 이질성이 높게 나타나고 직업 간 소득 격차가 발생한다.
바로 알기 ① 개인의 가치와 성취가 중시되면서 사회적 유대감과 공동체 의식이 약화되고 있다.

**03** 도심 환경 개선 사업을 통해 녹지 면적이 증가하고 바람길이 조성되면 열섬 현상이 완화된다. 도심 지표의 투수성이 증가하게 되면 빗물이 지표로 유출되는 양은 감소한다. 또한 땅속으로 흡수되는 비중이 높아지고 흙이나 나무로부터 증발하는 수증기가 늘어나 도심의 상대 습도는 높아지게 된다.
바로 알기 병. 열섬 현상이 완화되면 일 최저 기온이 25℃ 이상인 날인 열대야 일수가 감소한다. 정. 열섬 현상이 완화되면서 도심과 주변 지역 간의 기온 차는 감소한다.

### 서술형 문제

**04** (2) 예시 답안 산업화로 생산 과정의 자동화가 이루어졌지만 이로 인해 인간을 마치 기계의 부속품처럼 여기게 되어 노동에서 얻는 성취감이나 만족감이 약화되었다. 이를 해결하기 위해서는 인간 존엄성을 중시하고 타인을 존중해야 한다.

| 채점 기준 | 배점 |
|---|---|
| 인간 소외 현상의 원인과 이를 해결하기 위한 방안을 모두 정확히 서술한 경우 | 상 |
| 인간 소외 현상의 원인과 이를 해결하기 위한 방안 중 한 가지만을 서술한 경우 | 하 |

## 02 교통 · 통신의 발달과 정보화 ~ 03 지역의 공간 변화

### 1단계 개념 짚어 보기

본문 39쪽

01 생활권 02 (1) × (2) ○ (3) × 03 ㉠ 접근성 ㉡ 빨대 효과 04 생태 통로 05 ㉠ 민주주의 ㉡ 전자 ㉢ 쌍방향 06 (1) – ㉢ (2) – ㉠ (3) – ㉡

### 2단계 내신 다지기

본문 40~42쪽

| | | | | |
|---|---|---|---|---|
| 01 ② | 02 ① | 03 ④ | 04 ④ | 05 ⑤ |
| 06 ⑤ | 07 ③ | 08 ③ | 09 사이버 범죄 | |
| 10 ⑤ | 11 ⑤ | 12 ④ | 13 ④ | |

**01** 2010년은 1980년에 비해 수도권의 광역 철도 노선이 확대되면서 경기도에서 서울로의 통근·통학자 비율이 높아지고, 통근·통학자의 평균 이동 거리가 길어졌다. 이처럼 교통의 발달로 대도시와 주변 지역 간의 접근성이 높아지면, 대도시의 인구와 기능이 주변 지역으로 확산되면서 생활 공간의 범위가 넓어진다. 이는 그림의 B에 해당한다.

**02** ㄱ. 서울 춘천 고속 국도를 이용해 춘천을 찾는 관광객이 증가하면서 춘천시의 음식점 및 숙박업의 매출액이 증가할 것이다. ㄴ. 교통의 발달로 대도시가 주변 중소 도시의 인구와 각종 기능을 흡수하는 빨대 효과로 인해 춘천의 쇼핑, 문화 등의 수요가 수도권으로 집중하는 현상이 심화될 수 있다.

바로알기 ㄷ. 서울과 춘천을 이동하는데 소요되는 시간이 감소하면서 춘천에서 서울의 대학교로 통학하는 학생의 수가 증가할 것이다. ㄹ. 서울 춘천 고속 국도의 이용 차량 수가 증가하고 있는 것으로 보아 고속 국도 주변의 지역 경제는 활성화될 것이다.

**03** 사례 1은 육상 교통의 발달로 부여의 교통 조건이 불리해지면서 지역 경제의 중심지가 변화한 것을 보여 준다. 사례 2는 고속 철도의 개통으로 고속 철도 정차역 주변은 경제가 활성화되고 기존 교통로 일대의 지역은 경제가 침체되는 것을 보여 준다. 따라서 두 사례를 통해 새로운 교통수단의 발달이 지역 경제에 영향을 미쳐 지역 변화를 가져왔음을 알 수 있다.

**04** (가)와 같이 교통수단을 통해 유입된 외래 생물종에 의해 생태계가 교란되는 문제를 해결하기 위해서는 선박 평형수 처리 장치를 의무적으로 설치하도록 해야 한다. (나)와 같이 야생 동물이 자동차에 치여 목숨을 잃는 '로드킬' 문제를 해결하기 위해서는 '야생 동물 주의' 표지판을 설치하고 생태 통로를 건설해야 한다.

바로알기 ㄱ, ㄴ. 자동차, 선박 등 교통수단에서 배출되는 오염 물질을 줄이기 위한 방안이다.

**05** 을. 정보화에 따라 행정 기관을 방문하지 않고도 인터넷으로 필요한 민원서류를 신청하고 발급받을 수 있다. 병. 정보화에 따라 개인의 정치 참여의 기회가 확대되고 있다. 인터넷을 통한 여론 수렴, 홍보 활동, 서명 운동 등이 활발해짐에 따라 개인의 정치적 입장을 직접 표현하는 전자 민주주의가 실현되고 있다. 정. 인터넷 뱅킹을 이용하여 은행 업무를 볼 수 있다.

바로알기 갑. 정보 사회에서는 가상 공간에서 비대면 접촉을 통해 정보를 교류하고 개인의 가치관을 공유하면서 새로운 인간관계를 형성하는 경우가 많아지고 있다.

**극비 노트** 정보화에 따른 생활 양식의 변화

| 분야 | 내용 |
|---|---|
| 정치·행정 분야 | 가상 공간을 통한 정치 참여 기회 확대, 인터넷을 이용한 민원 신청 및 행정 서류 발급 |
| 경제 분야 | 원격 근무 및 화상 회의를 통한 업무 활동의 효율성 증가, 온라인 금융 거래 및 전자 상거래 활성화 |
| 사회·문화 분야 | 원격 교육 및 원격 진료 서비스 확대, 다양한 정보 공유 및 문화 교류 확산, 수평적 인간관계로의 변화 |

**06** (가), (나)처럼 컴퓨터와 인터넷을 이용해 원격 근무나 화상 강의가 이루어지면서 쌍방향 의사소통이 증가하고 있다. 이처럼 정보화로 인해 가상 공간에서 비대면 접촉을 통해 타인과의 대화가 가능하다.

**07** 정보화가 진행되면서 사람들의 생활 공간이 가상 공간까지 확장되었다. 이에 따라 온라인 및 이동 통신 쇼핑을 통해 물건을 구매할 수 있게 되어 일상생활에서 시·공간적 제약이 감소하고 있다. ③ 소비자가 직접 상점을 방문하지 않아도 되므로 상품 구매를 위한 이동 거리는 감소한다.

바로알기 ①, ② 언제 어디서나 쉽게 물건을 구입할 수 있게 되므로 제품이 판매되는 시장의 범위는 넓어지고, 상점의 입지에 있어서 접근성의 중요성은 낮아진다. ④ 온라인 쇼핑의 증가로 택배 산업이 성장하고, 주요 고속 도로 주변에는 물류 센터가 늘어나고 있다. ⑤ 온라인 쇼핑의 경우 유통 단계가 기존 상거래 방식보다 단순하다.

**08** 잊힐 권리를 인정하는 사람들은 개인의 행복 추구권과 사생활 보호는 기본적인 권리이며, 개인 정보 유출에 따른 사이버 범죄가 발생할 수 있음을 강조한다.

바로알기 ㄴ, ㄷ. 국민의 알 권리를 보장해야 한다는 것과 개인의 자유보다 공익이 우선이라는 것은 잊힐 권리를 인정하지 않는 사람들이 내세울 수 있는 근거이다.

**09** 컴퓨터 등을 악용하여 가상 공간에서 이루어지는 모든 범죄를 사이버 범죄라고 한다. 인터넷 등의 가상 공간에서는 익명성을 이용하여 쉽게 범죄를 일으킬 수 있고, 확인되지 않은 정보가 빠른 속도로 전파될 수 있어서 심각한 문제가 되고 있다.

**10** 정보 격차란 사회적, 경제적, 지역적, 신체적 여건 등으로 인해 정보 통신 서비스에 접근하거나 이용할 수 있는 기회에 차이가 생기는 것을 말한다. 접근 지수는 컴퓨터와 인터넷 등 정보 통신

기기의 보유 정도와 성능을 나타내는 지표이며, 활용 지수는 컴퓨터와 인터넷 이용률, 사용 시간, 이용의 다양성 등을 나타내는 지표이다.

**바로알기** ⑤ 북한 이탈 주민의 접근 지수(94.6%)는 장노년층의 접근 지수(95.1%)보다 낮다. 그러나 북한 이탈 주민의 활용 지수(77.7%)는 장노년층의 활용 지수(64.1%)에 비해 높게 나타나고 있다.

**11** 그래프는 정보에 접근할 수 있는 제도와 환경의 차이로 인해 계층 간의 정보 격차가 발생하고 있음을 보여 준다. 이를 해결하기 위해서는 정보 소외 계층을 위한 정보 기기 지원, 정보화 교육 등 사회 복지 제도를 확충하는 제도적 노력이 필요하다.

**12** 제시된 산업 구조 그래프를 보면 ○○시의 산업 구조가 농림어업 등의 1차 산업 중심에서 제조업과 서비스업 등의 2·3차 산업 중심으로 바뀌었음을 파악할 수 있다. 이를 통해 산업화가 이루어졌음을 추론할 수 있다. ○○시는 산업화로 시가지의 면적과 각종 편의 시설이 증가하였을 것이다.

**바로알기** ㄴ. 산업화·도시화로 직업의 전문화와 분업화가 이루어지면서 주민들이 종사하고 있는 직업의 종류가 다양해졌을 것이다.

**13** (가)는 야외(현지) 조사, (나)는 지역 정보 정리 및 분석에 해당한다. (가) 단계에서는 현지를 방문하여 지역 주민과의 면담, 설문 조사, 촬영, 관찰, 실측 등을 통해 미리 파악한 정보를 확인하고 새로운 정보를 얻는다. (나) 단계에서는 수집이 완료된 자료를 정리한 후 그래프, 통계 지도, 도표 등으로 표현한다.

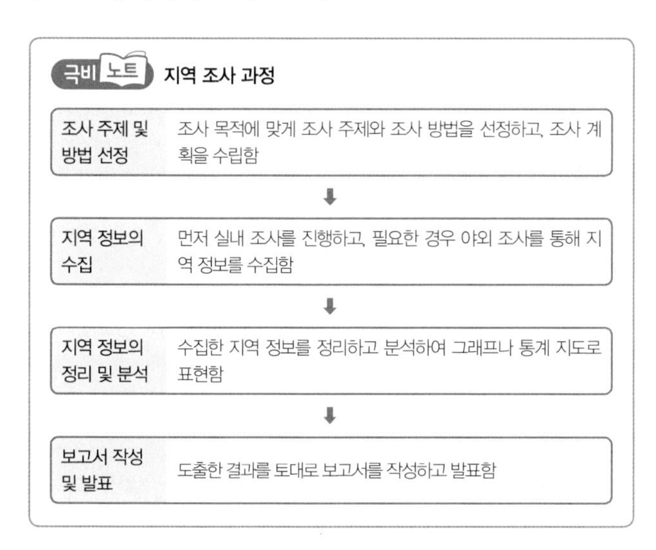

**01** '제3차 국가 철도망 구축 계획'은 철도 교통 서비스가 제공되지 않는 지역에 고속화 철도를 건설하고, 기존의 낙후된 일반 철도를 고속화하는 사업이다. 이러한 계획이 실행될 경우 지역 간 사람과 물자의 이동이 더욱 편리해지며, 특히 철도 교통을 이용하기 불리했던 동해안 지역의 접근성이 크게 향상될 것이다. 또한 철도를 이용하는 승객이 많아져 철도 교통의 여객 수송 분담률이 증가할 것으로 예상된다. 이로 인해 고속 국도의 통행량이 분산되어 교통 혼잡이 완화될 수 있다. 그리고 서울, 부산, 대구와 같은 대도시와 다른 지역과의 접근성이 향상되면서 대도시권의 통근권은 확대될 것이다.

**바로알기** ㄱ. 고속화 철도의 직접 영향권에 포함되는 지역이 증가하면서 지역 간의 상호 교류는 증가할 것이다.

**02** ① 재택근무는 공간적 제약을 완화하므로 직장을 선택할 때 통근 거리의 중요성은 감소한다. ② 인터넷을 이용한 온라인 및 이동 통신 쇼핑이 보편화되면서 소비자가 상점을 직접 찾지 않아도 물건을 구입할 수 있게 되었다. 또한 ④ 누리 소통망(SNS)을 통해 가상 공간에서 개인의 정치적 의견을 표현하거나 토론할 수 있게 되었다. 한편 ⑤ 정보화로 정보에 접근할 수 있는 제도와 환경의 차이로 인해 지역 간, 계층 간의 정보 격차가 발생하고 있다. 이는 소득이나 부의 불평등을 초래하여 경제적·사회적 격차를 심화시키기도 한다.

**바로알기** ③ 가상 공간에서는 익명성이 보장되어 자신의 신분을 숨길 수 있고, 타인과 대면하지 않고 인간관계를 형성하는 경우가 늘어난다.

**03** 갑은 정보 약자에 대한 정보 복지의 제공을 정보에 대한 접근과 수용 능력으로 정의하는 반면, 을은 정보에 대한 접근과 수용 능력은 물론 생산 능력까지 포함하여 정의하고 있다. ㄱ. 갑은 정보 약자에게 정보 접근 능력과 함께 수용 능력 또한 제공해야 한다고 보고 있다. ㄷ. 을은 정보 복지의 핵심 과제는 정보 생산 능력에서도 정보 약자가 소외되지 않는 것으로 보고 있다.

**바로알기** ㄴ. 정보 격차의 주된 원인을 정보 생산 능력의 차이에 있다고 보는 것은 을의 입장이다. ㄹ. 을은 정보 접근 능력과 수용 능력을 넘어 정보 생산 능력까지 보장하는 것을 정보 복지로 보고 있다. 따라서 정보 기기의 분배에 그치는 것이 아니라 정보 활용 교육 등도 함께 지원해야 한다는 입장이다.

## 서술형 문제

**04** **예시 답안** 도로를 건설하는 과정에서 삼림이 훼손되고 녹지 공간이 감소하게 된다. 이로 인해 생태 공간의 연속성이 단절되어 야생 동물의 서식지가 파괴되고 있다. 이를 해결하기 위해서는 생태 통로를 건설하는 등의 노력이 필요하다.

| 채점 기준 | 배점 |
|---|---|
| 도로 건설에 따른 생태 공간의 연속성 단절, 야생 동물의 서식지 파괴 등의 문제점과 생태 통로 건설 등의 해결 방안을 모두 정확히 서술한 경우 | 상 |
| 도로 건설에 따른 생태 공간의 연속성 단절, 야생 동물의 서식지 파괴 등의 문제점과 생태 통로 건설 등의 해결 방안 중 한 가지만 서술한 경우 | 하 |

# 01 인권의 의미와 변화 양상

## 1단계 개념 짚어 보기 본문 45쪽

01 ㉠ 보편성 ㉡ 천부성 02 (1) × (2) × (3) ○ (4) × 03 ㉠ 권리 장전 ㉡ 의회 ㉢ 미국 독립 선언 ㉣ 프랑스 혁명 04 (1) ㄴ, ㅁ (2) ㄱ, ㄹ (3) ㄷ, ㅂ 05 환경권

## 2단계 내신 다지기 본문 46~48쪽

| | | | | |
|---|---|---|---|---|
| 01 ② | 02 ② | 03 ③ | 04 ⑤ | 05 ④ |
| 06 ③ | 07 ① | 08 ③ | 09 ⑤ | 10 ① |
| 11 ② | 12 ① | | | |

**01** 제시된 글에서 인권은 성별, 나이, 피부색 등에 관계없이 인간이라면 누구나 갖는 보편적인 권리임을 강조하고 있다.

바로 알기 ① 인권은 사회적 약자만 갖는 권리가 아니라 누구에게나 보장되는 보편적인 권리이다. ③ 인권은 어떠한 경우에도 제한될 수 없다. ④ 인권은 헌법에 규정이 없어도 보장되는 권리이다. ⑤ 인권은 국제적인 연대를 통해서 보장받는 권리가 아니라 태어나면서부터 보장받는 권리이다.

**02** 근대 이전에는 대다수의 평민들이 엄격한 신분 제도에 가로막혀 왕과 소수의 귀족에게 부당한 대우를 받으며 생활하였다. 사람들은 점차 억압과 차별에 불만을 갖기 시작하였고, 근대에 접어들어 천부 인권 사상, 자연권 사상, 계몽사상, 사회 계약설 등의 인권 의식이 확산되면서 시민 혁명이 일어났다.

바로 알기 ② 봉건사상은 시대의 변화를 인정하지 않고 봉건 제도에서 비롯된 폐쇄적이고 인습적인 태도를 고집하는 사상을 말한다.

**03** 권리 장전은 영국의 명예혁명으로 승인되었으며, 의회가 국왕의 권력을 제한하는 내용을 규정하여 시민의 자유와 권리를 보장하였다.

바로 알기 ① 국왕의 권력 행사에 대해 최초로 제한을 둔 것은 대헌장이다. ② 권리 장전은 국왕의 권한을 의회가 견제함으로써 국민의 인권을 보장할 수 있었지만, 인권이 국민의 개인적인 권리로 인정되기 시작한 것은 아니다. ④ 인권의 국제적인 연대는 20세기 이후에 강조되었다. ⑤ 국민의 인간다운 생활을 보장하는 최초의 규정을 둔 것은 1919년 독일 바이마르 헌법이다.

**04** ①, ④ 제1조에는 인간은 태어나면서부터 자유롭고 평등하다고 했으므로 천부 인권 사상, 자유권과 평등권이 명시되어 있다. ② 제2조에는 '압제에의 저항'이 자연적이고 소멸될 수 없는 권리로 강조되고 있다. 즉 폭압적인 권력에 대한 국민의 저항권을 인정하였다. ③ 제3조에는 국민이 주권을 가진다고 했으므로 국가 권력은 국민의 지지와 동의에 기초한다는 것을 알 수 있다.

바로 알기 ⑤ 프랑스 인권 선언은 국가의 불필요한 간섭을 거부하는 자유권 중심의 인권을 강조하였다. 사회적 약자를 보호하기 위한 국가의 역할을 강조한 것은 사회권을 규정한 독일 바이마르 헌법이다.

**05** (가)는 프랑스 혁명, (나)는 미국 독립 혁명을 나타낸다. ㄴ. 시민 혁명 이전의 프랑스 사회는 불평등한 신분 제도에 기반을 두고 있었다. 사람들은 점차 불평등하고 비인간적인 대우에 부당함을 느끼게 되었고, 상공업의 발달로 성장한 시민 계급은 절대 왕정의 전제 정치와 봉건적 요소를 타파하고 자유로운 시민 사회를 건설하고자 하였다. ㄹ. 근대 시민 혁명은 계몽사상과 사회 계약설의 영향을 받았다.

바로 알기 ㄱ. 프랑스 혁명 이후에도 보통 선거 제도가 확립되지 못했다. 보통 선거 제도는 20세기에 들어와서 확립되었다. ㄷ. 영국의 명예혁명으로 발표된 권리 장전에는 국왕의 권력 행사에 의회의 동의를 받도록 규정하였다.

**06** ㄴ. 근대 시민 혁명으로 발표된 인권 선언에서는 인간의 자유와 평등을 강조하였다. 특히 국가의 억압으로부터 벗어나고자 하는 자유권을 중요한 가치로 간주했다. ㄷ. (나)에서는 사회권을 강조했는데, 사회권에는 환경권, 근로권, 교육권 등이 해당된다.

바로 알기 ㄱ. 시민 혁명으로 발표된 인권 선언은 영국의 권리 장전, 미국의 독립 선언, 프랑스 인권 선언이다. ㄹ. 산업 혁명 이후에 사회권이 등장하게 되었다. 연대권이 등장한 것은 두 차례의 세계 대전 이후이다.

**07** 차티스트 운동과 여성 참정권 운동은 근대 시민 혁명 이후에도 참정권을 얻지 못했던 노동자, 여성의 참정권 확대 운동이다. 참정권 확대 운동의 결과 20세기에 보통 선거 제도가 확립되어 거의 모든 사람의 참정권이 보장되었다.

바로 알기 ② 차티스트 운동과 여성 참정권 운동은 선거권 획득 운동으로, 직접 민주 정치의 계기가 된 것은 아니다. ③ 자유권과 평등권이 보장되는 계기가 된 것은 근대 시민 혁명이다. ④, ⑤ 산업화 과정에서 나타난 빈부 격차, 실업 증가 등의 문제를 해결하고, 국가에 대하여 인간다운 생활의 보장을 요구하게 된 것은 산업 혁명 이후이다.

**08** 미국 독립 선언과 프랑스 인권 선언은 절대 왕정에 반발하여 신분 제도 폐지와 자유를 요구하는 시민 혁명의 결과 발표된 문서들이다.

바로 알기 ① 참정권은 20세기에 들어서 거의 모든 사람이 보장받게 되었다. ② 영국은 명예혁명 이후 권리 장전에 의회가 국왕의 권력을 제한하는 내용을 규정하여 시민의 자유와 권리를 보장하였다. ④ 바이마르 헌법에서는 사회권 조항을 역사상 처음으로 헌법에 넣어 복지 국가의 법적 근거를 마련하였다. ⑤ 세계 인권 선언에서는 인권의 국제적 기준이 처음으로 제시되었고, 연대권의 개념이 확립되었다. 자유권과 평등권은 시민 혁명의 결과 각종 인권 관련 문서에서 처음으로 명시되었다.

**09** 을. '세계 여성의 날'은 1908년 미국의 여성 노동자들이 근로 여건 개선과 참정권 보장을 요구하며 시위를 벌인 것이 계기가 되었다. 따라서 여성의 인권 회복 운동과 관련이 깊다. 병. 근대 시민 혁명의 인권 관련 문서에는 인간의 존엄, 자유와 평등을 공통적으로 강조하고 있다. 정. 영국의 차티스트 운동은 노동자의 참정권 쟁취 운동으로서 노동자의 인권 회복 운동으로 볼 수 있다.

바로 알기 갑. 세계 대전 이후에 나타난 인권 보장을 위한 노력의 사례를 조사하는 것이 적절하다.

**10** 3세대 인권인 연대권은 인종 차별, 빈부 격차 등으로 인권을 보장받지 못하는 개인과 집단에 대한 반성으로부터 나왔다. 기후 변화 협약, 난민, 인권 탄압 국가의 국민 인권 문제, 빈곤 국가의 기아 문제 등은 모두 국제 사회가 연대하여 해결해야 보장된다.
바로 알기 ① 최저 임금제 시행은 근로자의 권리를 보호함으로써 사회권을 실현하기 위한 노력에 해당한다.

**11** ㄱ. (가)는 국가의 재해 방지 의무를 규정한 것이므로 국민의 안전권을 보장하려는 것이다. (나)는 국가의 주택 개발 정책을 규정한 것으로서 국민의 주거권을 보장하려는 것이다. ㄹ. 인구의 도시 집중으로 인해 주거 환경의 악화, 범죄의 증가, 안전사고의 위험 증가로 안전권과 주거권이 강조되었다.
바로 알기 ㄴ. 안전권과 주거권은 모두 사회권으로 분류될 수 있지만 최근에 등장한 기본권이다. ㄷ. 안전권과 주거권은 모두 현대 복지 국가에서 중시되고 있다.

극비 노트 **현대 사회에서 새롭게 요구되는 인권**

| | |
|---|---|
| 주거권 | 쾌적하고 안정적인 주거 환경에서 인간다운 주거 생활을 할 권리 |
| 안전권 | 각종 위험으로부터 안전을 보호받을 권리 |
| 환경권 | 건강하고 쾌적한 생활에 필요한 조건이 충족된 환경을 누릴 권리 |
| 문화권 | 공동체의 문화생활에 자유롭게 참여할 권리 |

**12** 제시된 사례의 ○○군 보건소가 운영하는 프로그램 내용을 보면 악기 공연, 가요 메들리, 율동, 웃음 치료 등 농촌 주민의 문화권 증진과 관련된다. 문화권은 개인이 자유롭게 공동체의 문화생활에 참여하고, 예술을 감상하며, 과학의 진전에 따른 혜택을 나눠 가질 권리이자, 문화생활에서 차별을 받지 않고 문화적 접근과 참여 활동을 보장받을 권리이다.

## 3단계 등급 올리기

본문 49쪽

**01** ② **02** ④ **03** ③ **04** (1) ㉠ 사회권 ㉡ 연대권 (2) 해설 참조

**01** ① 시민 혁명은 천부 인권 사상, 사회 계약설, 계몽사상에 사상적 근거를 두고 있다. ③ 미국의 독립 혁명은 영국으로부터 독립을 쟁취하기 위해 발생하였으며, 미국 독립 선언에는 국민 주권의 원리, 저항권 등의 내용이 담겨 있다. ④ 프랑스는 시민 혁명으로 인권 선언이 채택되면서 자유와 평등의 이념이 확산되었다. ⑤ 시민 혁명 이후에도 재산, 성별 등에 따른 참정권의 제한이 있었으며, 이를 극복하기 위해 차티스트 운동, 여성 참정권 운동 등의 노력이 이어졌다.
바로 알기 ② 영국에서는 명예혁명으로 의회가 헌법 등을 통해 왕의 권한을 제한하는 입헌 군주제가 확립되었고 의회 정치의 기반이 마련되었다.

**02** ④ 독일 바이마르 헌법에 사회권이 처음으로 규정되었다.
바로 알기 ① 인권 보장의 국제적 기준을 제시한 것은 세계 인권 선언이다. ② 사회권을 핵심 내용으로 하는 문서는 독일 바이마르 헌법이다. ③ 여성의 참정권 보장을 요구한 것은 여성 참정권 운동이다. 인민 헌장은 차티스트 운동의 요구를 구체화한 문서로 노동자의 선거권 확대, 비밀 투표 등의 항목이 제시되었다. ⑤ 저항권, 국민 주권주의를 최초로 명시한 것은 미국 독립 선언이다.

**03** 주거권은 쾌적하고 안정적인 주거 환경에서 인간다운 주거 생활을 할 권리로 사회권에 해당한다. 사회권은 국민이 국가에 인간다운 생활의 보장을 적극적으로 요구할 수 있는 권리이다.
바로 알기 ①은 자유권, ②는 청구권, ④는 참정권, ⑤는 자유권에 대한 설명이다.

### 서술형 문제

**04** (2) 예시 답안 1, 2세대 인권은 주로 국가와 개인의 관계에서 보장되는 권리이지만, 3세대 인권은 전 지구적인 차원의 권리이다. 3세대 인권은 인종 차별, 빈부 격차, 재난, 전쟁 등으로 인권을 누리지 못하는 개인과 집단의 인권 보호에 주목하여 전 지구적 차원에서 협력해야 보장될 수 있는 권리이다.

| 채점 기준 | 배점 |
|---|---|
| 3세대 인권의 특징을 1, 2세대 인권과 비교하여 정확하게 서술한 경우 | 상 |
| 3세대 인권의 특징을 정확하게 서술했으나 1, 2세대 인권과 비교하지 못했거나 그 내용이 미흡한 경우 | 하 |

## 02 헌법의 역할과 시민 참여 ~ 03 인권 문제의 양상과 해결

### 1단계 개념 짚어 보기

본문 52쪽

01 (1) 평등권 (2) 사회권 (3) 청구권 02 (1) ㄴ, ㄹ (2) ㄷ, ㅂ (3) ㄱ, ㅁ 03 ㉠ 시민 불복종 ㉡ 처벌 04 사회적 소수자 05 (1) ○ (2) × (3) ○

### 2단계 내신 다지기

본문 52~55쪽

| | | | | |
|---|---|---|---|---|
| 01 ④ | 02 ⑤ | 03 ② | 04 ③ | 05 ④ |
| 06 ④ | 07 ② | 08 ④ | 09 ④ | 10 ② |
| 11 ① | 12 ④ | 13 ③ | 14 ② | |

**01** 제시된 헌법 제10조는 인간의 존엄과 가치, 행복을 추구할 권리, 기본적 인권 보장 등을 내용으로 한다. 인간의 존엄과 가치, 행복을 추구할 권리는 모든 기본권이 궁극적으로 지향하는 근본적인 가치이다. 이 조항을 통해 국가가 국민의 기본적 인권을 보장할 의무가 있음을 알 수 있다.

바로알기 ㄱ. 평등권에 대한 설명이다. ㄷ. 참정권에 대한 설명이다.

**02** (가)는 자유권, (나)는 사회권에 해당한다. 자유권은 국가 권력이 행사되지 않음으로써 보장되는 소극적 성격의 권리이고, 천부 인권적 특징을 가지므로 헌법에 열거되지 않은 권리도 보장된다. 사회권은 국가에 대해 인간다운 생활을 요구할 수 있는 권리이므로 적극적 성격의 권리이며, 국가의 개입을 통해 보장되는 권리이다.

바로알기 ⑤ 현대 복지 국가에서 더 강조되는 권리는 사회권이다.

**03** 제시된 글은 형식적·획일적 평등이 아니라 누구에게나 실질적인 기회를 제공하는 기회의 평등, 실질적 평등을 강조한다. ① 일반적으로 여성은 남성에 비해 신체적 조건이 약하기 때문에 탄광 내 근로를 금지하고 있는데, 이는 성별에 따른 신체적 조건을 고려한 것이다. ③ 빈곤 계층의 학생은 교육을 받을 여건이 부족하므로 이들에게 인터넷 강의 무료 수강권을 주는 것은 실질적인 교육의 기회를 제공하는 것이다. ④ 장애인은 사회적 약자로서 취업이 어려운 것이 현실이므로 이를 고려하여 공공 기관과 민간 기업이 일정 비율의 장애인을 고용하도록 의무화하는 것은 장애인에게 실질적인 취업의 기회를 제공하는 것이다. ⑤ 장애인이 치르는 시험 또는 평가 과정을 개선하는 것은 실질적 평등의 이념에 부합한다.

바로알기 ② 회사의 경영 사정이 어렵다고 하여 업무 성과나 능력이 아닌 연령을 기준으로 해고 순위를 정하는 것은 불합리한 기준에 따른 차별 행위로서 기회의 평등에 어긋난다.

**04** 제시된 사례와 같이 형사 사건으로 구속되었다가 검사의 불기소 처분이나 무죄 확정 판결을 받고 풀려났을 경우에는 자신의 손해에 대해 국가에 보상을 청구할 수 있다. 이를 형사 보상 청구권이라고 한다.

바로알기 ① 해당 경찰관은 범인을 잡기 위한 목적으로 글쓴이를 긴급 체포한 것이므로 범죄가 성립하지 않는다. ② 국민 권익 위원회는 고충 민원을 처리하고 공직 사회의 부패를 예방하며 행정청의 위법·부당한 처분으로부터 국민의 권리를 보호하기 위한 국가 기관이다. ④ 위헌 법률 심판은 헌법에 위배되는 법률이 재판에서 문제가 되었을 때 판사가 청구하는 것이다. ⑤ 글쓴이는 검사의 불기소 처분으로 풀려난 것이므로 검사로부터 인권 침해를 당한 것은 아니다.

**05** 제시된 글은 인권 보장을 위한 제도적 장치 중 권력 분립 제도에 대한 것이다. 권력 분립 제도는 국가 권력을 나누어 각각 다른 기관에 분담시켜 상호 견제와 균형을 이루도록 하여 국가 권력의 남용을 막아 국민의 인권을 보장하는 것을 목적으로 한다.

바로알기 ㄷ. 국가 기관의 행정 전문성을 높이는 것과 권력 분립 제도는 관계없다.

**06** 국가는 국가 안전 보장, 질서 유지, 공공복리를 위하여 필요한 경우에 한해 법률로써 기본권을 제한할 수 있다. 조합장 선거에서 후보자 이외의 선거 운동을 금지하는 것은 선거 과정과 결과가 투명해야 한다는 공공성 때문이다. 이러한 공공의 이익을 위해 선거 운동의 자유라는 기본권을 제한한 것이다.

바로알기 ① 우리 헌법은 필요한 경우 국가가 개인의 권리 행사를 제한할 수 있도록 하였다. ②, ③, ⑤ 제시된 사례와 관련이 없다.

**07** 반려견에 의한 피해 사례가 잇따르자 시민들이 나서서 처벌 기준 강화나 입마개 의무화 찬성 의견을 내는 것은 시민의 적극적인 사회 참여에 해당한다. ㄱ. 대의 민주주의에서는 대표가 시민의 뜻을 모두 반영하기 어려우므로 적극적인 시민 참여는 대의 민주주의의 한계를 보완하는 역할을 한다. ㄷ. 적극적인 시민 참여는 사회의 공공선을 실현함으로써 모든 사회 구성원의 인간 존엄성이 보장되는 정의로운 사회 실현에 이바지한다.

바로알기 ㄴ. 시민이 적극적으로 공공의 일에 참여하면 대표자의 일방적인 권한 행사가 약화될 수 있다. ㄹ. 시민이 적극적으로 참여하면 정책 결정은 신속하기보다는 신중해진다.

**극비 노트 시민 참여**

| | |
|---|---|
| 의미 | 시민들이 참여 의식을 갖고 정치 과정이나 사회의 공공 문제에 적극적으로 개입하는 것 |
| 기능 | 정의로운 사회 실현, 대의 민주주의 보완 |
| 유형 | • 선거: 가장 기본적인 정치 참여 수단<br>• 이익 집단 활동: 자신이 속한 집단의 이익을 실현함<br>• 시민 단체 활동: 공동체의 삶을 개선하기 위함<br>• 의견 표현: 국가 기관이나 언론 및 인터넷 게시판에 자신의 의견을 표현함<br>• 자원봉사 활동: 자신의 여가 시간을 활용하여 봉사 활동을 함 |

**08** 제시된 글은 시민 불복종과 관련된 주장이다. 시민 불복종은 잘못된 법이나 정의롭지 못한 정책에 대하여 비폭력적 수단으로 복종을 거부하는 것을 말한다. 시민 불복종이 정당화되려면 사익이 아닌 공공의 이익이나 사회 정의를 위해서 수행되어야 한다

는 공익성의 조건을 갖추어야 한다. 시민 불복종은 제재와 불이익을 감수하면서도 잘못된 제도에 저항하는 행위이다. 즉 위법 행위에 대한 처벌을 기꺼이 감수해야 한다. 또한 시민 불복종은 다른 모든 합법적인 수단을 동원해도 해결되지 않을 때 마지막으로 행사하는 수단이다.

**바로 알기** ④ 자신의 이익 추구에 불리한 법률이나 정책에 저항하는 것은 시민 불복종의 공익성에 맞지 않는다. 시민 불복종은 공공의 이익이나 사회 정의를 위해 꼭 필요할 경우에만 인정된다.

**09** ㉠은 사회적 소수자에 해당한다. 사회적 소수자는 신체적·문화적 특징 때문에 다른 구성원에게 차별을 받으며, 스스로 차별받는 집단에 속해 있다는 의식을 가진 사람이다. 사회적 소수자는 성별, 인종, 장애, 국적 등 다양한 기준에 따라 규정되며, 시·공간적 상대성을 가지므로 상황이나 여건에 따라 사회적 소수자로 규정될 수도 있고, 그렇지 않을 수도 있다.

**바로 알기** ㄱ. 사회적 소수자는 집단에 속한 인원수의 많고 적음과는 상관없이 편견과 차별의 대상인지 아닌지의 여부에 따라 규정된다. ㄷ. 사회적 소수자는 정치적·사회적·경제적 권력에서 열위에 있다.

**10** 제시된 사례는 사회적 소수자에 대한 차별에 해당한다. 사회적 소수자에 대한 차별 문제를 해결하기 위해서 개인적 차원에서는 사회적 소수자에 대한 편견을 버리고, 배려심을 가져야 하며, 다양성을 존중하는 자세를 갖추어야 한다. 사회적 차원에서는 사회적 소수자에 대한 차별을 금지하는 법과 불평등을 해소하는 제도를 마련해야 하며, 인간 존엄성에 대한 교육과 지속적인 의식 개선 활동을 지원해야 한다.

**바로 알기** ② 사회적 소수자의 범위를 조정하는 것이 아니라 사회적 소수자에 대한 편견을 버리는 태도가 필요하다.

**11** 제시된 사례에는 청각 장애인인 A를 위해 같은 반 학생들이 수화를 배우고, 학업과 학교생활에 많은 도움을 주는 모습이 나타나 있다. 이것은 인간은 누구나 존엄한 존재라는 생각을 갖고 장애인에 대한 편견을 버려야 한다는 것을 실천한 경우이다.

**바로 알기** ② 장애인은 사회적 소수자에 해당한다. ③, ④, ⑤ 제시된 사례를 통해 얻을 수 있는 교훈으로 적절하지 않다.

**12** 갑은 17세로서 「근로 기준법」상 연소 근로자이다. ㄴ. 연소 근로자는 1일 7시간 이내의 근로가 가능하다. 모집 공고에 근무 시간이 8시간으로 되어 있지만 1시간의 휴게 시간이 포함된 것이므로 법정 근로 시간을 지키고 있다. 휴게 시간 1시간은 근로 시간 도중에 주어야 한다. ㄹ. 갑이 일하다가 다치면 갑의 사용자는 「산업 재해 보상 보험법」에 따라 치료해 주어야 한다. 아무리 갑의 실수로 다쳤더라도 갑의 임금에서 치료비를 공제해서는 안 된다.

**바로 알기** ㄱ. 갑의 부모가 갑을 대신하여 근로 계약을 체결해서는 안 된다. 근로 계약은 갑 자신이 체결해야 한다. ㄷ. 연소 근로자가 근로 계약을 체결할 경우에는 부모 등 보호자의 동의를 받아야 한다.

**13** ③ 기아 상태가 심각한 나라들은 예멘, 수단 등으로 대개 민주주의가 정착되지 못하고 정치적 위기나 잦은 내전을 겪은 나라들이다.

**바로 알기** ① 세계 기아 지수의 점수가 감소한 것은 굶주림에 시달리는 사람들이 줄었다는 의미이지, 빈곤에서 탈출하는 국가가 늘어났다는 것을 의미하는 것은 아니다. ② 빈곤 문제는 해당 국가나 국민 스스로의 노력만으로는 해결하기 어려우므로 국제적인 연대가 필요하다. ④ 아프리카의 빈곤 문제가 다국적 기업의 진출 때문이라는 근거가 없다. ⑤ 빈곤 국가의 지도자를 형사 처벌한다고 해서 국민의 기아 문제가 해결되는 것은 아니다.

**14** ① 세계 성 격차 지수에서 한국은 전체 145개국 중에서 115위이므로 남녀 차별이 심각한 상태라고 볼 수 있다. ③ 성 격차 지수에서 상위 순위는 양성평등이 실현된 국가들이다. 아이슬란드, 노르웨이, 핀란드, 스웨덴 등은 주로 북유럽에 속한다. ④ 세계 성 격차 지수에는 남성 대비 여성 임금 수준이 포함된다. 한국은 성 격차 지수가 낮으므로 남성 대비 여성의 임금 수준도 낮다고 볼 수 있다. ⑤ 성 격차 지수에서 남녀 차별이 심한 지역에 중동의 이슬람권 국가들이 포함되어 있는 것으로 보아 종교나 관습 등의 영향으로 여성에 대한 차별이 남아 있을 것이다.

**바로 알기** ② 르완다, 필리핀이 각각 6위와 7위를 차지하고 한국이 115위인 것으로 보아 빈곤 상태와 남녀 차별은 정(+)의 관계에 있지 않음을 알 수 있다.

## 3단계 등급 올리기

본문 56~57쪽

01 ① 02 ② 03 ② 04 ⑤ 05 ④
06 ② 07 (1) 시민 불복종 (2) 해설 참조
08 (1) 사회적 소수자 (2) 해설 참조

**01** ㉠은 참정권에 해당한다. ㄱ. 참정권은 국민이 정치 과정에 능동적으로 참여함으로써 국민 주권주의를 실현하는 수단이 된다. ㄴ. 참정권은 국가의 대표를 뽑는 선거권이나 국가의 대표로 출마할 수 있는 피선거권을 핵심 내용으로 한다. 따라서 국가의 존재를 전제로 인정되는 권리이다.

**바로 알기** ㄷ. 청구권에 대한 설명이다. ㄹ. 사회권에 대한 설명이다.

**02** 위험한 철도 건널목 개선이나 불량 식품 근절 등은 공공선의 실현을 목적으로 한다. 제시된 활동들은 공공선의 실현을 위해 시민들이 자발적으로 참여하여 활동한 사례에 해당한다.

**바로 알기** ① 특정한 분야에서 집단의 이익을 추구하는 것은 이익 집단이다. ③ 제시된 시민들의 활동은 부당한 정책에 대한 시민 불복종 운동이 아니다. ④ 시민 참여는 간접 민주주의의 문제점을 보완하는 역할을 한다. ⑤ 권력 분립은 제시된 시민들의 활동 사례와 관계없다.

**03** ㄱ. 행복 추구권은 헌법에 열거되지 않아도 보장되는 포괄적 권리이다. ㄷ. 좌석 안전띠 의무 규정은 교통사고 예방이라는 공공복리를 위해 국민의 기본권을 제한하는 것이다.

**바로 알기** ㄴ. 헌법재판소는 공익을 위해 기본권을 제한할 수 있다고 판단하였다. ㄹ. 갑이 청구한 헌법 소원 심판은 법률이나 공권력이 헌법에 보장된 국민의 기본적 인권을 침해하는지 여부를 심판하는 제도이다. 재판의 전제가 된 법률이 헌법에 위반되는지의 여부를 심판하는 제도는 위헌 법률 심판 제도이다.

**04** ① 야간 수사를 금지해야 한다는 여론이 높아진 것으로 보아 형사 절차에서의 인권 의식이 확산되고 있음을 알 수 있다. ② 제시된 표의 응답 비율의 변화를 보면 국민의 법 감정이 시대에 따라 변화하고 있음을 알 수 있다. ③ 금연 구역을 확대해야 한다는 여론이 높아진 것으로 보아 건강권에 대한 국민들의 인식이 높아지고 있음을 알 수 있다. ④ 비현실적인 법이 많다는 의견이 증가한 것으로 보아 법의 현실 적합성에 대한 회의가 증가하고 있음을 알 수 있다.

바로 알기 ⑤ 개발 제한 구역을 해제해야 한다는 의견이 증가한 것으로 보아 사유 재산의 공공복리성보다는 사유 재산의 자유로운 활용을 주장하는 여론이 높음을 알 수 있다.

**05** 제시된 글은 롤스의 주장이다. 롤스는 자신의 양심에 어긋나는 부정의한 법에 대해 비폭력적인 방법으로 저항하는 것이 시민 불복종이라고 했다.

바로 알기 ① 시민 불복종은 위법 행위로 인한 처벌을 감수해야 한다. ② 시민 불복종은 다수의 사람들에 의해 공개적으로 행해져야 한다. ③ 자신의 이익에 반하는 법이라고 하더라도 정의에 반하지 않는다면 불복종해서는 안 된다. ⑤ 시민 불복종은 정의에 어긋나는 법에 대해 저항하는 것이므로 법이 허용하는 범위를 넘어서는 행위이다.

**극비 노트 시민 불복종**

| | |
|---|---|
| 의미 | 정의롭지 못한 법이나 정책을 변혁시키려는 목적으로 행하는 의도적인 위법 행위 |
| 정당화 요건 | • 목적의 정당성: 개인의 사익이 아닌 사회 정의의 실현을 목표로 하는 양심적 행동이어야 함<br>• 비폭력성: 폭력적인 방법은 배제되어야 함<br>• 최후의 수단: 여러 가지 합법적인 방식을 시도했으나 실패했을 경우 최후의 수단으로 시도해야 함<br>• 처벌 감수: 위법 행위에 대한 처벌을 기꺼이 받아들임으로써 법을 존중하고 있음을 분명히 함 |
| 사례 | • 간디의 소금법 투쟁(1930년대)<br>• 몽고메리 버스 탑승 거부 운동(1955년)<br>• 홍콩의 우산 혁명(2014년) |

**06** ㄱ. 임금은 갑에게 직접 지급해야 한다. 갑의 부모에게 임금을 지급하기로 한 계약서의 4항은 「근로 기준법」 위반이므로 무효이다. ㄷ. 연소 근로자는 원칙적으로 야간이나 휴일에 근로할 수 없다.

바로 알기 ㄴ. 휴게 시간은 근로 시간 도중에 주어야 한다. 근로 시작 전이나 후에 휴게 시간을 주게 되면 근로자가 제대로 휴식을 취할 수 없으므로 허용되지 않는다. ㄹ. 갑의 법정 근로 시간은 7시간이다. 이 시간의 임금은 시간당 10,000원이다. 연소 근로자는 하루 1시간의 연장 근로가 가능한데 이 시간의 임금은 15,000원이다. 따라서 갑이 연장 근로를 1시간 한다면 갑의 하루치 임금은 85,000원이다.

## 서술형 문제

**07** (2) 예시 답안 시민 불복종이 정당성을 인정받기 위해서는 공공의 이익 증진을 위해 수행되어야 한다는 공익성의 조건을 갖추어야 한다. 또한 불법적인 행위에 따르는 처벌을 감수해야 하며, 폭력적인 수단이 배제되어야 한다는 비폭력성 등의 조건이 갖추어져야 한다. 또한 시민 불복종은 모든 합법적 수단을 사용하고 난 후 최후의 수단으로 활용해야 한다.

| 채점 기준 | 배점 |
|---|---|
| 네 가지 요건을 모두 정확하게 서술한 경우 | 상 |
| 네 가지 요건 중 세 가지 요건만 정확하게 서술한 경우 | 중 |
| 네 가지 요건 중 한두 가지 요건만 정확하게 서술한 경우 | 하 |

**08** (2) 예시 답안 사회적 소수자에 대한 편견을 버린다. 인간은 누구나 존엄한 존재라는 생각을 가지며 다양성을 존중하는 자세를 갖춘다.

| 채점 기준 | 배점 |
|---|---|
| 편견 제거, 인간 존엄성 또는 다양성 존중 등 개인적 차원의 대책을 정확하게 서술한 경우 | 상 |
| 편견 제거, 인간 존엄성 또는 다양성 존중 등의 단어가 제시되었으나 그 내용을 미흡하게 서술한 경우 | 하 |

# 01 자본주의와 합리적 선택 ~ 02 시장 경제와 시장 참여자의 역할

## 1단계 개념 짚어 보기

본문 60쪽

01 (1) 자본주의 (2) 정부 02 (1) ○ (2) × 03 (1) 시장 실패 (2) 적게 (3) 외부 경제 04 (1) – ㉠ (2) – ㉢ (3) – ㉡ (4) – ㉣ 05 ㉠ 사회적 책임 ㉡ 윤리적 소비

## 2단계 내신 다지기

본문 60~63쪽

| | | | | |
|---|---|---|---|---|
| 01 ② | 02 ① | 03 ① | 04 ② | 05 ④ |
| 06 ① | 07 ④ | 08 ③ | 09 시장 실패 | 10 ① |
| 11 ① | 12 ③ | 13 ② | 14 ① | 15 ⑤ |

**01** ① 자본주의에서는 개인이 재산을 자유롭게 획득하고 사용할 수 있는 사유 재산권이 법적으로 보장된다. ③, ⑤ 자본주의에서는 대부분의 경제 활동이 시장에서 이루어지며, 시장에서 결정된 가격에 따라 상품의 거래가 이루어진다. ④ 개별 경제 주체들은 경쟁을 통해 자신의 경제적 이익을 자유롭게 추구할 수 있다.

**바로 알기** ② 자본주의에서 개별 경제 주체들은 자신의 이익을 자유롭게 추구하므로 누구에게나 균등한 소득이 보장되지는 않는다.

**02** ㈎는 산업 자본주의, ㈏는 상업 자본주의, ㈐는 신자유주의, ㈑는 수정 자본주의의 등장 배경이다. ② 상업 자본주의는 유럽 절대 왕정이 중상주의 정책을 통해 상공업을 육성하고 대외 교역에 적극적으로 나서면서 발달하였다. ③ 신자유주의는 시장의 기능을 강조하므로 시장에서 정부의 역할을 제한해야 한다고 보았다. ④ 수정 자본주의를 받아들인 국가들은 각종 공공사업을 벌이거나 사회 보장 제도를 강화하는 등 다양한 정책을 통해 시장에 적극적으로 개입하는 큰 정부를 추구하였다. ⑤ 자본주의의 역사는 '㈏ 상업 자본주의 – ㈎ 산업 자본주의 – ㈑ 수정 자본주의 – ㈐ 신자유주의' 순으로 전개되었다.

**바로 알기** ① 산업 자본주의는 상품의 유통보다는 상품의 생산 과정에서 이윤을 추구하였다.

**극비 노트** 자본주의의 역사적 전개 과정

| | |
|---|---|
| 상업 자본주의 | 중상주의, 상품의 유통 과정에서 이윤을 추구 |
| ⬇ 산업 혁명 | |
| 산업 자본주의 | 자유방임주의, 작은 정부 추구 |
| ⬇ 대공황 | |
| 수정 자본주의 | 시장의 한계 보완, 큰 정부 추구 |
| ⬇ 석유 파동, 스태그플레이션 | |
| 신자유주의 | 정부의 역할 제한, 시장의 기능 강조 |

**03** ㈎는 케인스의 수정 자본주의, ㈏는 애덤 스미스의 자유방임주의이다. 케인스는 시장 경제의 문제점을 보완하려면 정부가 시장에 개입해야 한다는 수정 자본주의를 주장하였다. 애덤 스미스는 경제 활동의 자유를 최대한 보장할 때 사회 전체의 이익도 커지므로, 정부의 시장 개입을 최소화해야 한다는 자유방임주의를 주장하였다. 이를 근거로 산업 자본주의가 발전하였다. ① 수정 자본주의를 받아들인 국가들은 복지 정책 확대, 사회 보장 제도 강화 등 정부의 적극적인 시장 개입을 추구하였다.

**바로 알기** ② 수정 자본주의는 정부의 적극적인 시장 개입을 추구하므로 시장에 대한 규제 강화를 주장한다. ③, ⑤ 산업 자본주의는 민간의 자유로운 경제 활동 보장을 강조하므로 정부의 역할을 최소화하는 작은 정부를 추구한다. ④ 수정 자본주의는 원칙적으로 자본주의 체제를 유지하면서, 정부가 시장에 일정 부분 개입하는 것이다. 자본주의에서는 경제 활동의 자유가 보장되므로 개별 경제 주체들은 자신의 이익을 자유롭게 추구할 수 있다.

**04** ㈎에는 수정 자본주의의 특징에 해당하는 내용이 들어가야 한다. ㄱ, ㄷ. 수정 자본주의를 받아들인 국가들은 각종 공공사업을 벌이거나 사회 보장 제도를 강화하는 등 다양한 정책을 통해 정부가 시장에 적극적으로 개입하는 큰 정부를 추구하였다.

**바로 알기** ㄴ, ㄹ. 신자유주의의 특징에 해당하는 내용이다.

**05** 제시된 사례에 나타난 문제점을 해결하기 위해 신자유주의가 등장하였다. ㄴ, ㄹ. 신자유주의는 공기업 민영화, 복지 축소 등 정부 규제의 완화 및 철폐를 주장하였다. 그 결과 시장의 효율성은 살아났지만 빈부 격차가 심화하여 오늘날까지도 신자유주의에 대한 찬반 입장이 맞서고 있다.

**바로 알기** ㄱ. 신자유주의는 정부의 지나친 시장 개입을 비판하는 입장이다. ㄷ. 수정 자본주의에 대한 설명이다.

**06** ㉠은 산업 자본주의, ㉡은 수정 자본주의, ㉢은 신자유주의에 해당한다. ㄱ. 산업 자본주의를 받아들인 국가들은 자유방임주의를 근거로 정부의 시장 개입을 최소화하는 작은 정부를 추구하였다. ㄴ. 수정 자본주의에서는 독점 방지, 실업자 구제 등과 같은 정부의 적극적인 시장 개입을 강조하였다.

**바로 알기** ㄷ. 큰 정부를 추구하는 수정 자본주의에 비해 작은 정부를 추구하는 산업 자본주의에서 시장의 기능을 더 신뢰한다. ㄹ. 신자유주의는 시장의 기능과 민간의 자유로운 경제 활동을 강조한다.

**07** 갑이 A 음식점에서 계속 일할 경우 기회비용은 B 음식점을 개업했을 때 얻을 수 있는 이익인 3천만 원이다. 한편 갑이 B 음식점을 개업하여 1년간 운영할 경우 기회비용은 1억 6백만 원(← 명시적 비용 7천만 원 + 암묵적 비용 3천 6백만 원)이다. ④ 갑이 B 음식점을 개업하여 1년간 운영할 경우 암묵적 비용은 1년 동안 A 음식점에서 받게 될 임금 3천 6백만 원이다.

**바로 알기** ① 합리적인 선택을 하더라도 포기하는 것이 있으므로 기회비용은 발생한다. ②, ③ 갑이 A 음식점에서 계속 일할 경우 기회비용은 3천만 원이고, B 음식점을 개업할 경우 기회비용은 1억 6백만 원이다. 따라서 갑은 B 음식점을 개업하는 것보다 기회비용이 적은 A 음식점에서 일하는 것이 더 합리적이다. ⑤ 합리적 선택은 편익이 기회비용보다 큰 것을 선택하는 것이다. B 음식점을 개업할 때의 편익이 1억 원이라면, 기회비용인 1억 6백만 원보다 작으므로 갑은 A 음식점에서 계속 일하는 것이 합리적이다.

**08** 이미 지불한 영화 관람료가 아까워 영화를 계속 관람한 을의 선택은 합리적 선택이라고 볼 수 없다. ③ 영화 관람료는 이미 지급하고 난 뒤 회수할 수 없는 매몰 비용으로, 선택으로 발생하는 비용이 아니므로 고려하지 않는 것이 바람직하다.

바로 알기 ①, ②, ④ 합리적 선택을 위해 고려해야 할 사항이지만 제시된 사례와는 관련이 없다. ⑤ 합리적 선택을 위해서는 편익과 비용을 모두 고려해야 한다. 선택에 따른 편익이 같다면 비용이 가장 적게 드는 것으로, 선택에 따른 비용이 같다면 편익이 가장 큰 것으로 선택하는 것이 합리적이다.

**극비 노트 합리적 선택**

| 의미 | 최소의 비용으로 최대의 편익을 얻을 수 있도록 선택하는 것 |
|---|---|
| 고려 사항 | • 기회비용: 어떤 것을 선택함으로써 포기한 것들 중 가장 가치 있는 것<br>• 편익: 어떤 선택을 통해 얻어지는 만족이나 이익 |
| 원칙 | • 선택에 따른 편익이 기회비용보다 큰 것을 선택해야 함<br>• 선택함으로써 새롭게 발생하는 비용과 편익만 비교해야 함<br>→ 매몰 비용은 고려해서는 안 됨 |

**09** ㉠에 들어갈 개념은 시장 실패이다. 시장 실패란 불완전 경쟁, 공공재 공급 부족, 외부 효과 발생 등의 이유로 시장에서 자원이 효율적으로 배분되지 못하는 상태를 말한다.

**10** ② 도로나 항만 등과 같은 공공재는 무임승차 문제가 나타나기 쉽기 때문에 민간 기업에서 생산을 꺼릴 수밖에 없어 사회가 필요로 하는 만큼 공급되지 않는다. ③, ⑤ 다른 사람에게 의도하지 않은 혜택이나 손해를 주는데도 이에 대해 아무런 경제적 대가를 치르거나 받지 않는 외부 효과에 해당한다. ④ 독과점 시장에서는 시장 지배력을 가진 소수의 기업들이 담합하여 가격을 임의로 조정할 수 있어 시장에서의 자유로운 경쟁을 저해한다.

바로 알기 ① 공급 감소에 따른 상품의 가격 상승은 시장 경제에서 자연스러운 현상이다.

**극비 노트 시장 실패의 원인**

| 불완전 경쟁 | 하나 또는 소수의 기업이 지배하는 상품 시장에서 기업이 이윤 극대화를 위해 가격이나 생산량을 임의로 조정할 수 있음 |
|---|---|
| 공공재 공급 부족 | 공공재는 무임승차 문제가 나타나기 쉬움 → 시장 기능에만 맡겨둘 경우 필요한 양만큼 생산되지 않음 |
| 외부 효과 발생 | • 외부 경제: 다른 사람에게 혜택을 주지만 그에 대한 대가를 받지 않는 긍정적 외부 효과<br>• 외부 불경제: 다른 사람에게 손해를 끼치지만 그에 대한 보상을 하지 않는 부정적 외부 효과 |

**11** ㈎는 불완전 경쟁, ㈏는 공공재 공급 부족, ㈐는 외부 불경제의 사례로 시장 실패의 원인에 해당한다. ㄱ. 독과점 시장에서 기업이 이윤 극대화를 위해 가격이나 생산량을 임의로 조정하는 경우 시장에서의 자유로운 경쟁을 저해한다. ㄴ. 공원과 같은 공공재는 시장의 기능에만 맡겨둘 경우 필요한 양만큼 생산되지 않는다. 이를 해결하기 위해 정부의 시장 개입이 이루어진다.

바로 알기 ㄷ. 다른 사람에게 손해를 끼치지만 그에 대한 보상을 하지 않는 외부 불경제는 사회적으로 적정한 수준보다 많이 생산된다. ㄹ. ㈎~㈐는 모두 시장 실패의 원인으로, 자원의 비효율적인 배분을 초래한다.

**12** 제시된 내용은 불완전 경쟁에서 비롯한 시장 실패를 개선하기 위한 정부의 노력에 해당한다. ㄴ, ㄷ. 독과점 때문에 시장에서 경쟁이 제대로 이루어지지 않는 경우 정부는 법률을 적용하거나 공정 거래 위원회를 운영하는 등 기업 간 불공정 거래 행위를 규제하고, 자원이 효율적으로 배분되도록 돕는다.

바로 알기 ㄱ, ㄹ. 정부의 역할에 해당하지만, 제시된 내용과 관련이 적다.

**13** 갑은 기업의 이윤 극대화를, 을은 기업의 사회적 책임을 강조한다. ② 갑은 기업이 이윤 극대화를 위해 최소 비용으로 최대 생산을 이끌어내야 한다고 주장할 것이다.

바로 알기 ① 갑보다는 을이 기업이 윤리 경영, 공정한 경쟁 등 환경과 공동체 전체를 배려하는 사회적 책임을 실천해야 한다고 주장할 것이다. ③, ⑤ 을은 이윤 극대화를 위해 불확실성을 무릅쓰고 새로운 시장을 개척하는 기업가 정신보다 기업의 공공의 이익 실현 의무를 중시할 것이다. ④ 을은 기업의 사회적 책임을 강조하므로 기업의 생산비 절감을 위한 대규모 구조 조정에 반대할 것이다.

**14** 제시된 자료에서 갑은 단결권을 행사하여 근로 조건의 개선을 위해 노동조합을 설립하였고, 을은 노동조합을 통해 단체 교섭권을 행사하여 사용자와 근로 조건에 대해 협의하였다.

**15** 소비자가 인간, 동물, 환경을 착취하지 않거나 해를 끼치지 않는 윤리적인 상품을 구매하는 것을 윤리적 소비라고 한다. ①~④ 소비자는 재활용 소재를 활용한 옷, 공정 무역 초콜릿, 유기농 채소를 구매하고, 배기가스를 기준치 이상 발생시키는 자동차는 구매하지 않음으로써 기업이 노동자의 인권을 보장하고, 환경을 오염시키지 않는 상품을 생산하도록 할 수 있다.

바로 알기 ⑤ 소비자는 동물 실험을 하지 않는 화장품을 구매함으로써 동물이 실험 대상으로써 고통 받지 않도록 할 수 있다.

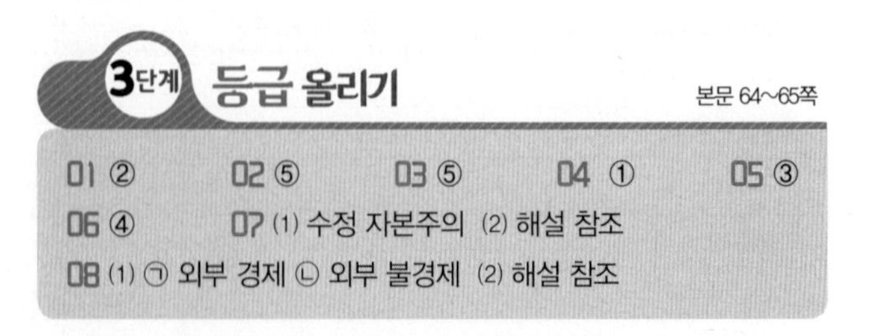


**01** 갑은 정부의 적극적인 시장 개입을, 을은 시장에서 정부의 역할 축소를 주장한다. ㄱ. 갑은 공공사업을 벌이거나 사회 보장 제도를 강화하는 등 다양한 정책을 통해 정부가 시장에 적극적으로 개입하는 것을 지지할 것이다. ㄹ. 을은 갑에 비해 시장의 기능과 자유로운 경제 활동을 더 강조할 것이다.

바로 알기 ㄴ. 을은 시장의 기능을 중시하므로 세율 인상 및 세금 부과에 반대할 것이다. ㄷ. 갑은 정부의 시장 개입을 강조하므로 규제의 폐지에 반대할 것이다.

**02** (가)는 기회비용, (나)는 매몰 비용이다. 합리적인 선택을 위해서는 선택에 따른 편익이 기회비용보다 큰 것을 선택해야 하며 매몰 비용은 고려해서는 안 된다.
바로 알기 ⑤ 이미 지급하고 난 뒤 회수할 수 없는 매몰 비용은 선택으로 발생하는 비용이 아니므로 포기한 대안들의 편익과는 관련이 없다.

**03** 등대는 공공재이다. ① 공공재 공급 부족은 시장 실패의 원인으로, 자원의 비효율적인 배분을 초래한다. ②~④ 공공재는 무임 승차 문제가 나타나기 쉬워 시장 기능에만 맡겨둘 경우 필요한 양만큼 생산되지 않는다. 이는 정부의 시장 개입 확대를 주장하는 근거가 된다.
바로 알기 ⑤ 공공재는 한 사람이 소비하더라도 다른 사람이 소비의 제한을 받지 않는다.

**04** A 지역 여행을 선택할 경우의 기회비용을 구하면, 평일에는 35만 원(← 명시적 비용 15만 원 + 암묵적 비용 20만 원)이고, 주말에는 55만 원(← 명시적 비용 25만 원 + 암묵적 비용 30만 원)이다. 이때 A 지역 여행을 선택할 경우의 순편익을 구하면, 평일에는 10만 원(← 편익 45만 원 − 기회비용 35만 원)이고, 주말에는 −20만 원(← 편익 35만 원 − 기회비용 55만 원)이다. 한편 B 지역 여행을 선택할 경우의 기회비용을 구하면, 평일에는 55만 원(← 명시적 비용 25만 원 + 암묵적 비용 30만 원)이고, 주말에는 50만 원(← 명시적 비용 20만 원 + 암묵적 비용 30만 원)이다. 이때 B 지역 여행을 선택할 경우의 순편익을 구하면, 평일에는 −25만 원(← 편익 30만 원 − 기회비용 55만 원)이고, 주말에는 −10만 원(← 편익 40만 원 − 기회비용 50만 원)이다. ㄴ. 편익에서 기회비용을 차감한 값인 순편익이 가장 큰 대안을 선택하는 것이 합리적이므로 갑은 여름휴가로 A 지역을 평일에 여행하는 것이 가장 합리적이다.
바로 알기 ㄷ. B 지역을 주말에 여행하는 데 따른 순편익은 −10만 원이다. ㄹ. B 지역을 평일에 여행하는 데 따른 기회비용인 55만 원은 A 지역을 주말에 여행할 경우 얻을 편익인 35만 원보다 크다.

**05** 제시된 글을 쓴 사람은 기업이 이윤 창출 외에도 기업 활동에서 지켜야 할 윤리를 준수해야 한다는 기업의 사회적 책임을 강조하고 있다. 즉 기업이 사회적 책임을 실천하는 것의 중요성을 묻는 질문인 ③에 긍정의 대답을 할 것이다.
바로 알기 ①, ②, ④, ⑤ 제시된 글을 쓴 사람은 기업은 이윤이 감소하더라도 인권, 환경 등에 대한 사회적 책임을 져야 한다고 보기 때문에 부정의 대답을 할 질문이다.

**06** 갑은 합리적 소비, 을은 윤리적 소비를 주장한다. ㄴ. 갑의 입장에서 소비자는 최소의 비용으로 최대의 효용을 얻을 수 있는 합리적인 선택을 위해 노력해야 한다. ㄹ. 을의 입장에서 소비자는 원료 재배, 생산, 유통 등의 전 과정이 소비와 연결되어 있다는 것을 인식하고 인간, 동물, 환경에 해를 끼치지 않는 윤리적인 상품을 구매해야 한다.
바로 알기 ㄱ. 윤리적 소비에 대한 설명이다. ㄷ. 합리적 소비에 대한 설명이다.

## 서술형 문제

**07** (2) 예시 답안 수정 자본주의에서는 시장의 한계를 보완하기 위해 정부의 역할을 강조하는 큰 정부를 추구한다. 수정 자본주의를 받아들인 국가들은 각종 공공사업을 벌이거나 사회 보장 제도를 강화하는 등 다양한 정책을 통해 시장에 적극적으로 개입한다.

| 채점 기준 | 배점 |
|---|---|
| 다양한 정책을 통해 시장에 개입하는 정부의 역할을 정확하게 서술한 경우 | 상 |
| 정부가 시장에 개입한다고만 서술한 경우 | 중 |
| 큰 정부를 추구한다고만 서술한 경우 | 하 |

**08** (2) 예시 답안 외부 경제에 대해서 정부는 보조금 지급, 세금 감면 등의 긍정적인 유인을 제공하여 생산이나 소비를 늘리도록 유도한다. 외부 불경제에 대해서 정부는 오염 물질 배출량 제한, 정화 장치 설치 의무화, 세금이나 벌금 부과 등의 부정적인 유인을 제공하여 생산이나 소비를 줄이도록 유도한다.

| 채점 기준 | 배점 |
|---|---|
| 외부 효과를 개선하기 위한 정부의 역할을 각각 정확하게 서술한 경우 | 상 |
| 외부 효과를 개선하기 위한 정부의 역할 중 한 가지만 서술한 경우 | 중 |
| 정부가 경제적 유인을 제공해야 한다고만 서술한 경우 | 하 |

## 03 국제 무역의 확대와 영향 ~ 04 자산 관리와 금융 생활

### 1단계 개념 짚어 보기

본문 67쪽

01 (1) × (2) ○ 02 (1) 절감 (2) 증가 03 (1) 안전성 (2) 수익성 (3) 유동성 04 (1) ㄱ (2) ㄷ (3) ㄴ 05 (1) - ㉠ (2) - ㉡ (3) - ㉣ (4) - ㉢

### 2단계 내신 다지기

본문 68~70쪽

| | | | | |
|---|---|---|---|---|
| 01 ① | 02 ② | 03 ④ | 04 ② | 05 ④ |
| 06 ⑤ | 07 ③ | 08 ① | 09 ④ | 10 ① |
| 11 ② | 12 ① | | | |

**01** 지역마다 기후, 지형 등과 같은 자연조건이 다르고 노동, 자본과 같은 생산 요소의 질과 양도 다르기 때문에 같은 종류의 상품을 만들더라도 국가 간 생산비의 차이가 발생한다. 이에 따라 각 국가는 각자의 특수한 환경에 가장 적합한 상품을 특화하여 생산하고 무역을 통해 다른 국가와 상품이나 서비스, 생산 요소 등을 교환하여 이익을 얻는다.

바로 알기 ① 무역으로 얻을 수 있는 이익은 국가별로 다르다.

**02** ㄱ. 제시된 사례에서 갑국은 높은 기술력을 바탕으로 카메라와 운동화를 을국보다 싸게 생산하고 있으므로 카메라와 운동화 생산 모두에 절대 우위를 갖는다. ㄷ. 그러나 상대적으로 갑국은 높은 기술력을 바탕으로 카메라 생산, 을국은 풍부한 노동력을 바탕으로 운동화 생산을 더 잘 할 수 있다. 따라서 갑국은 카메라 생산에, 을국은 운동화 생산에 각각 비교 우위를 갖는다.

바로 알기 ㄴ. 운동화 생산에 있어 더 뛰어난 생산력을 가진 갑국은 절대 우위를, 상대적으로 더 잘 생산할 수 있는 을국은 비교 우위를 갖는다. ㄹ. 갑국과 을국 모두 무역을 통해 이익을 얻을 수 있으나, 각국이 얻는 이익의 크기는 알 수 없다.

**03** 갑국과 을국의 쌀과 자동차 1단위 생산에 따른 기회비용은 다음과 같다.

| 구분 | 갑국 | 을국 |
|---|---|---|
| 쌀 | 자동차 1/2단위(← 100/200) | 자동차 2단위(← 600/300) |
| 자동차 | 쌀 2단위(← 200/100) | 쌀 1/2단위(← 300/600) |

① 갑국은 을국에 비해 더 적은 비용으로 자동차를 생산할 수 있으므로 자동차 생산에 절대 우위를 갖는다. ② 자동차 1단위 생산의 기회비용은 을국이 갑국보다 적으므로 을국은 자동차 생산에 비교 우위를 갖는다. ③ 쌀 1단위 생산의 기회비용은 갑국이 을국보다 적고, 자동차 1단위 생산의 기회비용은 을국이 갑국보다 적다. 따라서 갑국은 쌀, 을국은 자동차에 특화하는 것이 유리하다. ⑤ 자동차 1단위 생산의 기회비용은 갑국이 쌀 2단위, 을국이 쌀 1/2단위로 갑국이 을국의 4배이다.

바로 알기 ④ 쌀 생산의 상대적 생산비, 즉 기회비용은 갑국이 자동차 1/2단위(← 100/200), 을국이 자동차 2단위(← 600/300)이므로 갑국이 을국보다 적다.

**04** ㄱ. 세계 무역 기구(WTO)는 국제 거래 시 지켜야 할 규칙을 정하고 회원국 간의 무역 마찰을 조정하는 국제기구로서 자유 무역을 촉진하기 위해 등장하였다. ㄷ. 자유 무역 협정(FTA)은 국가 간 상품의 자유로운 이동을 위해 무역 장벽을 완화하거나 제거하는 협정으로, 협정을 체결한 당사국 간의 무역 규모가 증가하게 된다.

바로 알기 ㄴ. 세계 무역 기구(WTO)는 자유 무역의 확산을 목적으로 설립되었다. ㄹ. 자유 무역 협정(FTA)은 체결 당사국 간의 경제 협력을 증진시켜 경제적 상호 의존도를 높인다.

**05** ④ 제시된 자료를 통해 우리나라 경제에서 무역이 차지하는 비중이 늘어나고 있음을 알 수 있다. 국제 무역이 확대되면서 경쟁력을 갖추지 못한 국내 산업이나 기업이 위축되기도 한다.

**06** 국제 무역에 대해 갑은 긍정적 입장을, 을은 부정적 입장을 나타내고 있다. ① 갑은 무역 확대에 긍정적인 입장이므로 무역 장벽을 완화하거나 제거하는 자유 무역 협정(FTA)에 찬성할 것이다. ② 세계 무역 기구(WTO)의 설립 취지는 자유 무역의 확대로서 갑의 입장에 부합한다. ③, ④ 을은 무역 확대의 부정적 영향을 중시하므로 경쟁력이 낮은 국내 기업 및 산업 쇠퇴, 국가 간 상호 의존성 심화, 국가 간 빈부 격차 심화 등을 우려할 것이다.

바로 알기 ⑤ 국제 무역의 확대를 통한 국내 기업의 경쟁력 강화는 갑의 입장에 부합한다.

**극비 노트 국제 무역 확대의 영향**

| | |
|---|---|
| 긍정적 영향 | 소비 기회 확대, 규모의 경제 실현, 기업 경쟁력 강화, 새로운 기술 전파 |
| 부정적 영향 | 경쟁력 없는 기업 및 산업 쇠퇴, 국가 간 상호 의존성 심화, 국가 간 빈부 격차 심화 |

**07** ① 예금은 예금자 보호 제도의 대상이다. ② 은행 저축성 예금은 원금이 보장되므로 안전성이 높은 반면 주식은 원금 손실의 위험이 있어 안전성이 낮다. ④ 주식은 싼 값에 사서 비싼 값에 팔 수 있으므로 시세 차익을 기대할 수 있다. 또 해당 회사의 수익 창출로 배당금도 받을 수 있다. ⑤ 갑은 수익성이 높은 주식에 많은 투자를 하였다. 안전성이 높은 예금은 10% 정도만 투자하였다.

바로 알기 ③ 유동성은 현금으로 전환할 수 있는 정도이다. 요구불 예금은 언제든지 현금으로 바꿀 수 있지만 채권은 채권 시장에서 팔려야 하므로 요구불 예금보다는 유동성이 낮다.

**극비 노트 자산 관리의 원칙**

| | |
|---|---|
| 안전성 | 금융 자산의 원금과 이자가 보전될 수 있는 정도 |
| 수익성 | 금융 자산의 가격 상승이나 이자 수익을 기대할 수 있는 정도 |
| 유동성 | 보유하고 있는 자산을 쉽게 현금으로 전환할 수 있는 정도 |

**08** (가)는 채권, (나)는 주식에 해당한다. ㄱ. 채권은 원칙적으로 만기가 있는 상품이다. ㄴ. 주식은 예금자 보호 제도의 보호를 받지 못하며, 기업의 경영 실적이 나빠지거나 파산할 경우 투자한 원금을 모두 잃을 가능성이 있어 원금 손실의 위험이 큰 금융 상품이다.
**바로 알기** ㄷ. 채권과 주식은 모두 살 때보다 가격이 상승할 경우 시세 차익을 기대할 수 있다. ㄹ. 주식은 채권에 비해 안전성이 낮다.

**09** ㄱ. 갑은 예금, 채권, 보험에만 투자했지만, 을은 예금, 채권, 보험뿐만 아니라 펀드, 주식 등에도 투자하였다. 이를 통해 을이 갑에 비해 분산 투자 원칙에 더 충실함을 알 수 있다. ㄴ. 미래의 위험에 대비할 수 있는 금융 상품은 보험이다. 보험에 투자한 비중은 갑이 을보다 크다. ㄷ. 예금 금리가 낮아지면 예금에 절반 이상을 투자한 갑이 을보다 수익에 더 많은 영향을 받을 것이다.
**바로 알기** ㄹ. 갑은 안전성이 높은 예금에 절반 이상을 투자한 반면 을은 수익성이 높은 주식에 41%, 안전성이 높은 예금에 8%를 투자하였다. 이를 통해 을은 안전성보다 수익성을 중시함을 알 수 있다.

**10** 갑. 아동기는 교육과 성장의 시기로, 부모의 소득에 의존하여 소비 생활을 한다. 을. 청년기는 취업, 결혼, 자녀 출산 등 다양한 과업이 요구되는 시기이며, 취업을 통해 소득과 저축이 발생한다.
**바로 알기** 병. 중·장년기에는 소득이 증가하지만 가족 부양, 노후 준비 등의 과업을 갖게 되어 소비 또한 크게 증가한다. 정. 노년기는 경제적 정년 이후로 소득과 누적 저축액이 지속적으로 감소한다.

**11** (가)는 청년기, (나)는 중·장년기, (다)는 노년기에 해당한다. ㄱ. 청년기 이전은 부모의 소득에 의존하여 소비 생활을 하는 시기로서 저축이 발생하기 어렵다. ㄷ. 중·장년기는 소득과 소비 모두 크게 증가하지만 소득이 소비보다 많은 시기이다. 반면 노년기는 소득이 감소하는 반면 소비가 많은 시기이다. 따라서 중·장년기가 노년기에 비해 소득 대비 소비의 비중이 작다.
**바로 알기** ㄴ. 평균 수명의 연장으로 노년기는 점차 길어지고 있다. ㄹ. A 시기에 퇴직할 경우 저축할 여력이 줄어들기 때문에 안정된 노후 생활을 대비하기가 어려워진다.

**12** (가)는 재무 상태 분석, (나)는 재무 목표 설정, (다)는 대안 모색 및 계획 실행, (라)는 재무 실행 평가와 수정 단계에 해당한다. 재무 설계를 할 때는 먼저 결혼 자금, 노후 자금 등 구체적인 재무 목표를 설정하고, 수입과 지출 및 저축 등 자신의 재무 상태를 분석해야 한다. 이후 필요한 자금을 모으기 위한 계획을 수립하고 금융 자산의 특징을 고려하여 금융 상품에 투자해야 한다. 또한 실행 과정에서 중간 평가를 하고 계획을 수정하는 단계를 거쳐야 한다.
**바로 알기** ① 재무 목표 달성에 필요한 자금 규모 설정은 재무 목표 설정 단계에서 이루어져야 한다.

## 3단계 등급 올리기

본문 71쪽

**01** ④ **02** ① **03** ⑤
**04** (1) ㉠ 수익성 ㉡ 안전성 (2) 해설 참조

**01** 갑국과 을국의 X재와 Y재 1단위 생산에 따른 기회비용은 다음과 같다.

| 구분 | X재 기회비용 | Y재 기회비용 |
|---|---|---|
| 갑국 | Y재 3/2단위 | X재 2/3단위 |
| 을국 | Y재 3/10단위 | X재 10/3단위 |

ㄱ. 을국은 갑국에 비해 X재를 더 적은 비용으로 생산할 수 있으므로 X재 생산에 절대 우위를 갖는다. 또한 을국의 X재 1단위 생산의 기회비용은 갑국보다 적으므로 을국은 X재 생산에 비교 우위를 갖는다. ㄴ. X재 1단위 생산의 기회비용은 을국이 갑국보다 적고, Y재 1단위 생산의 기회비용은 갑국이 을국보다 적다. 따라서 갑국은 Y재, 을국은 X재에 특화하는 것이 유리하다. ㄷ. 무역을 하지 않았을 때는 갑국이 100원으로 X재 1단위, Y재 1단위를 생산했지만 무역을 하면 80원으로 Y재를 2단위 생산하여 을국에 1단위 주고 X재를 1단위 가져올 수 있으므로 20원의 이익이 발생한다.
**바로 알기** ㄹ. 무역을 하지 않았을 때는 을국이 130원으로 X재 1단위, Y재 1단위를 생산했지만 무역을 하면 60원으로 X재를 2단위 생산하여 갑국에 1단위 주고 Y재를 1단위 가져올 수 있으므로 70원의 이익이 발생한다.

**02** ① 채권의 수익률이 4%일 경우 갑이 얻을 수 있는 수익은 30만원(1,000만 원 × 3%), 병이 얻을 수 있는 수익은 35만원[(500만 원 × 4%) + (500만 원 × 3%)]이다. 따라서 병이 갑보다 큰 수익을 얻는다.
**바로 알기** ② 채권을 보유함으로써 얻는 이자는 채권을 매입을 선택함으로써 얻어지는 편익에 해당한다. ③ 갑, 을, 병은 모두 예금자 보호 제도의 적용을 받는 예금 상품에 가입하였다. ④ 이자 수입을 주된 목적으로 하는 예금 상품은 갑과 병이 가입한 정기 예금, 정기 적금과 같은 저축성 예금이다. ⑤ 주가 상승률이 8%일 경우 을이 얻을 수 있는 수익은 45만원[(500만 원 × 1%) + (500만 원 × 8%)], 갑이 얻을 수 있는 수익은 30만원이다. 따라서 을이 갑보다 큰 수익을 얻을 수 있다.

**03** ① A~B 기간에는 취업을 하고 소득이 발생하기 시작하는 시기이므로 소득이 소비보다 작다. ② B~D 기간에는 경력이 쌓이고 소득이 점차 높아지면서 누적 저축액이 지속적으로 증가한다. ③ 취업 시기가 늦어질수록 소득이 발생하는 기간이 늦어지므로 소득 곡선이 하향 이동하여 (가) 영역이 늘어날 것이다. ④ 연금 수혜 규모가 커질수록 소득이 상향 이동하여 (다) 영역이 줄어들 것이다.
**바로 알기** ⑤ 안정적인 금융 생활을 위해서는 (가)와 (다)의 합이 (나)보다 작도록 재무 설계를 해야 한다.

### 서술형 문제

**04** (2) **예시 답안** 자금의 65%를 주식과 같은 수익성 위주의 자산에 투자하고, 나머지 35%는 예금과 같은 안전성 위주의 자산에 투자할 것이다.

| 채점 기준 | 배점 |
|---|---|
| 구체적인 금융 자산의 사례를 들며 65%는 수익성 위주의 자산에, 35%는 안전성 위주의 자산에 투자해야 한다고 서술한 경우 | 상 |
| 65%는 수익성 위주의 자산에, 35%는 안전성 위주의 자산에 투자해야 한다고만 서술한 경우 | 하 |

# 01 ~ 02 정의의 의미와 실질적 기준 / 다양한 정의관의 특징과 적용

## 1단계 개념 짚어 보기

본문 73쪽

01 (1) × (2) × (3) ○ 02 (1) 능력 (2) 업적 (3) 필요 03 (1) 자 (2) 자 (3) 공 04 (1) 공동체주의 (2) 개인선 05 ㉠ 자유주의 ㉡ 공동체주의

## 2단계 내신 다지기

본문 74~76쪽

| | | | | |
|---|---|---|---|---|
| 01 ① | 02 ⑤ | 03 ② | 04 업적 | 05 ② |
| 06 ④ | 07 ④ | 08 ⑤ | 09 ⑤ | 10 ④ |
| 11 ① | 12 ② | 13 ① | | |

**01** 정의는 사회적 대우나 보상, 처벌 등에 있어 마땅히 받을 만한 몫을 공정하게 받는 것을 의미하며, 오늘날에는 공정한 절차에 따라 자유와 평등이 조화롭게 실현된 상태를 말하기도 한다.

바로 알기 병. 잘못한 만큼의 처벌을 받음으로써 정의가 실현될 수 있다. 정. 부와 권력 등과 같은 사회적 자원이 차등적으로 분배된 상태를 사회 불평등 현상이라고 하며, 사회 불평등이 심화하면 정의가 실현되기 어렵다.

**02** 제시된 법률에는 공무원에게 부정 청탁을 하거나 정해진 기준을 초과하는 금품을 받는 것을 금지하고, 이를 어길 경우 처벌을 받도록 하는 내용이 나타나 있다. ⑤ 정의는 어떤 행위가 옳고 그른지에 대한 판단 기준을 제시하여 사회 질서를 유지시키는 역할을 한다.

**03** 갑은 외국어 구사 실력과 같은 재능, 즉 능력을 분배 기준으로 제시하고 있다. 한편 을이 가정 형편이 어려워 해외 견학의 혜택이 절실히 필요한 학생에게 기회를 제공해야 한다고 주장한 것은 필요를 분배 기준으로 제시한 것이다.

**04** 성과 연봉제는 당사자들이 성취하고 이바지한 정도에 따라 분배하는 것으로, 업적에 따른 분배를 강조한 것이다.

**05** 업적에 따른 분배는 사회적 약자에 대한 배려가 부족해질 수 있다. 왜냐하면 질병이나 장애, 가난 등의 이유로 업적을 쌓기 어려운 사람들도 있기 때문이다. 또한 업적을 지나치게 강조하다 보면 업적을 쌓기 위한 과열 경쟁으로 구성원 간에 갈등이 발생할 수 있다.

바로 알기 ㄴ. 필요에 따른 분배의 단점이다. ㄹ. 능력에 따른 분배의 단점이다.

**06** 제시된 사례에서는 대학 수학 능력 시험에서의 성적과 같이 각자가 자신의 능력과 노력을 발휘하여 성취한 업적을 분배 기준으로 제시하고 있다. ④ 업적을 분배 기준으로 삼을 경우, 자신이 이룬 업적만큼 보상을 받기 때문에 생산성 및 효율성을 향상하려는 동기를 북돋을 수 있다.

**07** (가)에서는 필요를 분배 기준으로 삼고 있으며, (나)에서는 능력을 분배 기준으로 삼고 있다. ㄴ. 능력에 따른 분배는 개인이 지닌 잠재력을 실현할 기회를 제공한다는 장점이 있다. 즉 능력이 뛰어난 사람이 이를 마음껏 발휘하여 높은 업적을 쌓도록 할 수 있다. ㄹ. 능력에 따른 분배는 타고난 재능이나 환경 등과 같은 선천적 측면을 무시할 수 없기 때문에 사회적·경제적 불평등을 초래할 수 있다는 단점이 있다.

바로 알기 ㄱ. 업적에 따른 분배에 대한 설명이다. ㄷ. 필요에 따른 분배는 각 개인이 처한 현실적인 상황을 고려하여 분배하는 것이다.

**08** (가)에서 갑은 업적, 을은 필요, 병은 능력을 분배 기준으로 삼고 있다. A에는 갑만 긍정의 대답을 할 질문이 들어가야 하고, B와 C에는 을만 긍정의 대답을 할 질문이 들어가야 한다. 그리고 D에는 병만 긍정의 대답을 할 질문이 들어가야 한다. ⑤ 능력은 노력뿐만 아니라 선천적 자질이나 부모의 사회적·경제적 지위 등 우연적인 요소의 영향을 받아 형성될 수 있다.

바로 알기 ① 필요에 따른 분배를 중시하는 을이 긍정의 대답을 할 질문이다. ② 업적에 따른 분배를 강조하는 사람들은 사람들 간에는 타고난 신체적·사회적 조건이 달라서 업적을 쌓을 수 있는 기회에 차이가 있으므로, 다양한 사회적 제도를 통해 기회의 평등을 실현한 상태에서 개인들이 자유롭게 경쟁하여 그 성과를 분배받는 것이 정의롭다고 본다. 따라서 업적에 따른 분배를 중시하는 갑이 긍정의 대답을 할 질문이다. ③, ④ 업적에 따른 분배를 중시하는 갑이 긍정의 대답을 할 질문이다.

**극비 노트** 분배 기준의 장단점

| | |
|---|---|
| 능력 | • 장점: 개인의 잠재력 실현 기회 제공<br>• 단점: 능력 평가의 정확한 기준 마련이 어려움 |
| 업적 | • 장점: 객관적 평가 지표 마련, 성취동기 향상<br>• 단점: 과열 경쟁으로 사회적 갈등 초래 |
| 필요 | • 장점: 사회적 약자 보호<br>• 단점: 노동 의욕과 창의성 저하 |

**09** 제시된 자료는 자유주의적 정의관의 대표적 사상가인 노직의 주장이다. ⑤ 자유주의적 정의관에서는 개인만이 궁극적인 가치를 지니며, 공동체를 개인의 자유와 권리를 보호하는 수단에 불과하다고 본다.

바로 알기 ①~④ 공동체주의적 정의관의 입장이다.

**10** 제시된 자료는 공동체주의적 정의관의 대표적 사상가인 왈처의 주장이다. ㄴ, ㄹ. 공동체주의적 정의관에 따르면 개인은 자신이 속한 공동체의 영향 속에서 정체성을 형성하며, 자신이 속한 공동체가 올바로 유지되고 발전할 때 좋은 삶을 살아갈 수 있으므로 공동체의 발전을 위해 노력해야 할 의무를 지닌다.

바로 알기 ㄱ, ㄷ. 자유주의적 정의관의 입장이다.

**11** (가)는 자유주의적 정의관, (나)는 공동체주의적 정의관에 해당한다. ② 자유주의적 정의관에서는 개인이 자유로운 경쟁을 통해 공정하게 취득한 이익을 보장해 주는 것이 정의롭다고 여긴다.

③, ④ 공동체주의적 정의관에서는 공동체의 구성원들이 서로에 관한 유대감과 공동체에 대한 소속감을 바탕으로 각자의 역할과 의무를 다함으로써 좋은 삶을 살아갈 수 있다고 본다. ⑤ 자유주의적 정의관에서는 개인선의 실현을, 공동체주의적 정의관에서는 공동선의 실현을 중시한다.

바로 알기 ① 공동체주의적 정의관의 입장이다.

**극비 노트** 자유주의적 정의관과 공동체주의적 정의관

| 자유주의적 정의관 | 공동체주의적 정의관 |
|---|---|
| 개인의 자유와 권리를 최대한 보장하여 개인선을 실현하는 것이 정의롭다고 봄 | 개인이 속한 공동체의 공동선을 실현하는 것이 정의롭다고 봄 |

**12** 갑은 공동체주의적 정의관, 을은 자유주의적 정의관의 입장이다. ② 자유주의적 정의관에서는 개인은 어떤 삶이 좋은 삶인지 스스로 결정할 수 있기 때문에 국가나 공동체는 개인에게 특정한 가치나 삶의 방식 등을 강제해서는 안 된다고 본다.

바로 알기 ① 갑은 개인의 정체성이 공동체의 전통으로부터 도출된다고 본다. ③ 공동체주의적 정의관이 지나칠 경우 나타날 수 있는 문제점이다. ④ 갑은 공동선의 실현을 중시하므로 사회적 약자를 보호하기 위한 국가의 정책에 찬성할 것이다. ⑤ 공동체에 관한 소속감을 중시하는 것은 을이 아니라 갑이다.

**13** (가)는 자유주의적 정의관, (나)는 공동체주의적 정의관에 해당한다. 공동체주의적 정의관은 개인이 공동체의 가치와 목적을 내면화한다고 본다는 점에서 개인의 선택이나 가치관에 대한 국가의 중립 정도를 강조하는 정도가 자유주의적 정의관에 비해 낮다. 그리고 공동체주의적 정의관에서는 개인선이 공동체를 기반으로 형성된다고 보므로 공동체의 역사, 시민의 의무, 동료 등을 중시하는 정도가 자유주의적 정의관에 비해 높다.

## 3단계 등급 올리기

본문 77쪽

01 ④ 02 ② 03 ② 04 해설 참조

**01** 갑은 아리스토텔레스, 을은 롤스이다. ㄱ. 아리스토텔레스는 각자의 가치에 비례하는 몫의 분배를 추구하는 것을 분배적 정의로 보고, 권력과 명예, 재화가 각자의 가치에 따라 분배되어야 한다고 주장하였다. ㄴ. 아리스토텔레스와 롤스 모두 사회적·경제적 불평등을 허용해도 분배적 정의가 실현 가능하다고 보았다는 점에서 공통적이다. ㄷ. 롤스는 사회적·경제적 불평등은 모두에게 이익이 될 경우에, 특히 최소 수혜자에게 이익이 될 경우에 정당하다고 본다. 따라서 롤스의 입장에서 볼 때 경제적 불평등은 모두에게 이익이 될 경우 정당하다.

바로 알기 ㄹ. 아리스토텔레스와 롤스 모두 분배적 정의의 실현을 위한 공정한 원칙을 제시하고자 했으며, 이 원칙에 따라 정당한 몫의 분배가 이루어져야 한다고 본다는 점에서 공통적이다. 따라서 누구에게도 이익이 되지 않는 정당하지 못한 분배는 정의롭지 않다고 볼 것이다.

**02** 갑은 롤스, 을은 노직으로, 모두 자유주의적 정의관의 대표적 사상가이다. ㄱ. 롤스는 정의로운 사회에서도 경제적 불평등이 발생할 수 있다고 보고, 이를 해소하기 위해서는 어떤 직책이나 지위에 오를 기회가 모두에게 균등하게 개방되어야 한다고 주장하였다. ㄹ. 롤스와 노직 모두 개인의 자유와 권리를 보호하고 존중하는 것을 정의라고 보았다.

바로 알기 ㄴ. 롤스에 따르면 기본적 자유는 어떤 정치적 거래나 사회적 이익의 계산에도 좌우되지 않고 사회 복지와 같은 명목으로도 훼손될 수 없다. ㄷ. 롤스의 입장이다. 노직은 사회적·경제적 불평등을 해결하기 위한 국가의 정책이 개인의 자유와 권리를 침해한다고 보았다.

**03** 갑은 자유주의적 정의관, 을은 공동체주의적 정의관의 입장이다. A, B에는 갑이 긍정의 대답을 할 질문이 들어가야 하고, C에는 을이 긍정의 대답을 할 질문이 들어가야 한다. ② 자유주의적 정의관에서는 공동체를 개인의 자유와 권리를 실현하기 위한 수단에 불과하다고 본다.

바로 알기 ① 을이 긍정의 대답을 할 질문이다. ⑤ 갑이 긍정의 대답을 할 질문이다.

### 서술형 문제

**04** 예시 답안 능력. 능력을 분배 기준으로 삼을 경우, 능력이 뛰어난 사람이 이를 마음껏 발휘하여 높은 업적을 쌓도록 할 수 있는 반면, 타고난 재능이나 환경 등과 같은 우연적 요소가 개입할 수 있으며, 능력을 평가할 정확한 기준을 마련하기 어렵다는 단점이 있다.

| 채점 기준 | 배점 |
|---|---|
| 능력을 쓰고, 능력에 따른 분배의 장단점을 모두 서술한 경우 | 상 |
| 능력을 쓰고, 능력에 따른 분배의 장단점 중 한 가지만 서술한 경우 | 중 |
| 능력이라고만 쓴 경우 | 하 |

# 03 불평등의 해결과 정의의 실현

## 1단계 개념 짚어 보기

본문 79쪽

01 (1) × (2) × (3) ○ 02 (1) 사회적 약자 (2) 사회 복지 제도
03 (1) - ㉡ (2) - ㉠ (3) - ㉢ 04 ㉠ 사회 보험 ㉡ 공공 부조
05 (1) 사회 서비스 (2) 장애인 의무 고용 제도

## 2단계 내신 다지기

본문 80~82쪽

| | | | |
|---|---|---|---|
| 01 ⑤ | 02 사회 계층의 양극화 | 03 ④ | 04 ③ |
| 05 ② | 06 ② | 07 ⑤ | 08 ③ | 09 ② |
| 10 ③ | 11 ⑤ | 12 ① | 13 ② |

**01** ㉠에 들어갈 말은 사회 불평등이다. ① 사회 불평등은 모든 사회에서 공통으로 나타날 수 있지만, 국가나 시대마다 그 세부 양상에서는 차이가 난다. ② 전통 사회에서는 주로 신분에 따른 불평등이 나타났다. ③ 사회 불평등이 심화하면 사회 구성원들이 공정하게 대우받지 못하게 되어 구성원의 기본적 권리를 침해할 수 있으므로 정의로운 사회 실현을 저해할 수 있다. ④ 능력이나 업적에 따른 어느 정도의 불평등은 개인의 성취동기를 북돋워 사회를 발전시키는 긍정적 기능을 하기도 한다.
바로 알기 ⑤ 부, 권력, 사회적 지위 등과 같은 사회적 자원은 모든 사람이 원하는 만큼 나누어 가질 수 있을 만큼 충분하지 않으므로 사람들은 이를 얻기 위해 경쟁을 한다. 이 과정에서 사회적 자원이 일부 개인이나 집단에게 차등적으로 분배되어 사회 불평등이 나타난다.

**02** 제시된 그림은 우리나라에서 소득 수준 상위 10%와 하위 10%의 소득 격차가 심화하고 있음을 보여 준다. 이처럼 사회의 중간 계층이 점점 감소하면서 구성원들이 상층과 하층의 양 극단으로 쏠리는 현상을 사회 계층의 양극화라고 한다.

**03** 사회 계층의 양극화가 심화하면 계층 간 위화감이 조성되고 사회 발전의 동력이 줄어들 수 있다. 또한 경제적 격차는 교육 기회의 격차와 같은 다양한 격차로 이어져 부모의 계층이 자녀에게 대물림되는 결과를 낳기도 한다. 이처럼 사회 계층의 양극화는 정의로운 사회 실현을 저해할 수 있다.
바로 알기 ④ 사회 계층의 양극화가 심화하면 개인의 능력이나 업적에 의한 계층 이동을 막아 폐쇄적인 사회 구조를 형성할 수 있다.

**04** 제시된 그림은 우리나라의 암 환자 생존율이 남녀 모두에서 소득 수준이 높을수록 더 높아지고 있음을 보여 준다.
바로 알기 ㄱ. 소득 수준과 암 환자 생존율 간에 양(+)의 관계가 나타난다. ㄹ. 모든 소득 수준에서 여성 암 환자의 생존율이 남성 암 환자의 생존율보다 높다.

**05** 소상공인, 북한 이탈 주민은 경제 수준이나 사회적 지위 등에서 열악한 위치에 있어 사회적으로 배려와 보호의 대상이 되는 사회적 약자에 해당한다. 제시된 사례에서는 소상공인과 북한 이탈 주민, 즉 사회적 약자에 대한 차별이 나타나고 있다.

**06** 제시된 사례에서는 사회적 약자인 여성에 대한 차별이 나타나고 있음을 보여 준다. ㄱ. 유리 천장 지수를 통해 여성을 비롯한 사회적 약자에 대한 차별 정도를 파악할 수 있다. ㄹ. 여성과 남성의 경제 활동 참가율을 비교해 봄으로써 여성이 남성에 비해 경제 활동에서 차별받고 있는지 살펴볼 수 있다.
바로 알기 ㄴ은 공간 불평등, ㄷ은 사회 계층의 양극화를 살펴볼 수 있는 자료에 해당한다.

**07** 제시된 그림을 통해 우리나라 전체 인구의 절반 정도가 수도권에 밀집해 있으며 기업, 공공 기관 및 각종 교육·의료 시설 등도 수도권에 집중되어 있음을 알 수 있다. 수도권과 비수도권의 격차가 나타나는 것처럼 지역 간에 사회적 자원이 불균등하게 분배되는 현상을 공간 불평등이라고 한다.
바로 알기 ⑤ 우리나라에서는 경제 성장 과정에서 성장 거점을 중심으로 개발을 추진하면서 지역 격차가 심화하였다.

**08** 국민연금은 사회 보험, 기초 연금은 공공 부조에 해당한다. ③ 사회 보험과 공공 부조는 소득 재분배 효과가 있어 경제적 측면의 불평등 완화에 도움이 된다.
바로 알기 ①, ② 공공 부조에 대한 설명이다. ④, ⑤ 사회 보험에 대한 설명이다.

**극비 노트** 사회 보험과 공공 부조

| | |
|---|---|
| 사회 보험 | • 모든 국민 대상<br>• 개인, 정부, 기업의 보험료 분담 |
| 공공 부조 | • 빈곤층 대상<br>• 국가의 전액 비용 부담 |

**09** 제시된 사례에서 국민 건강 보험은 사회 보험에 해당한다. 사회 보험은 일정 수준의 소득이 있는 개인과 정부, 기업이 보험료를 분담하여 구성원의 사회적 위험에 대비하는 제도로, 금전적 지원을 원칙으로 한다.
바로 알기 ㄴ. 사회 보험은 일반적으로 모든 국민을 대상으로 한다. ㄹ. 사회 서비스에 대한 설명이다.

**10** 제시된 내용은 기회균등 전형, 장애인 의무 고용 제도에 관한 것으로, 사회적 약자에게 실질적인 평등을 보장하기 위해 직간접적인 혜택을 부여하는 적극적 우대 조치에 해당한다.
바로 알기 ① 적극적 우대 조치를 도입하면 사회적 약자를 우대하는 과정에서 오히려 사회적 약자가 아닌 사람들이 차별받는 역차별의 문제가 발생할 수도 있다. ② 공간 불평등을 해결하기 위한 노력이다. ④ 사회 복지 제도에 대한 설명이다. ⑤ 적극적 우대 조치는 개인이 이룬 업적보다는 사회적 약자에게 사회적 자원을 우선적으로 배분함으로써 그들이 처한 불리한 조건을 개선하는 것이다.

**11** 갑은 과거부터 차별받아 온 사회적 약자를 우대해야 한다고 주장하고 있으며, 을은 적극적 우대 조치가 역차별 문제를 유발하므로 부당하다고 주장하고 있다.

**바로 알기** ⑤ 을만의 입장에 해당한다.

**극비 노트** 적극적 우대 조치에 관한 찬반 입장

| | |
|---|---|
| 찬성 입장 | • 과거 차별에 따른 고통을 보상할 필요가 있음<br>• 사회적 약자에게 유리한 기회를 부여함으로써 분배적 정의를 실현할 수 있음 |
| 반대 입장 | • 사회적 약자를 우대하는 과정에서 다른 집단에 대한 역차별이 발생할 수 있음<br>• 능력과 업적을 고려하지 않는 보상은 부당함 |

**12** 제시된 정책은 지역 격차를 완화하기 위해 수도권의 기능을 지방으로 분산하는 것이다. 이를 통해 수도권 집중 현상이 완화되고, 낙후된 지역의 경제를 활성화할 수 있다.

**바로 알기** ㄷ. 지역 이기주의는 자기 지역만의 이익을 중시하는 것으로, 수도권 기능을 지방으로 분산하는 것이 지역 이기주의를 극복하려는 노력이라고 볼 수 없다. ㄹ. 지역의 균형 발전을 추구한다.

**13** 제시된 사례에서 통영과 보성은 해당 지역의 발전 잠재력을 적극적으로 발굴하고 지역의 특성을 살릴 수 있는 발전 전략을 추진하고 있다. 이는 지역 격차를 해소하기 위해 자립형 지역 발전 기반을 구축하려는 노력에 해당한다.

**바로 알기** 을. 공간 불평등을 해소하기 위한 노력이다. 병. 성장 잠재력이 큰 지역을 집중적으로 육성하면 지역 격차가 더욱 심화될 수 있다.

**극비 노트** 지역 격차 완화 정책

| | |
|---|---|
| 수도권 기능의 지방 분산 | 공공 기관의 지방 이전, 수도권에서 지방으로 이전하는 기업에 세금 감면 등 |
| 자립형 지역 발전 기반 구축 | 지역의 특성을 살릴 수 있는 발전 전략 추진 예 지역 브랜드 구축, 장소 마케팅 추진 등 |

## 3단계 등급 올리기

본문 83쪽

01 ④ 02 ② 03 ⑤ 04 (1) 공간 불평등 (2) 해설 참조

**01** 갑은 사회 불평등을 자연스러운 현상으로 보며, 을은 사회 불평등을 완화해야 할 현상으로 본다.

**바로 알기** ㄷ. 을은 더 불리한 사회적 지위에서 태어난 사람과 더 적은 천부적 재능을 가진 사람에게 더 많은 관심을 가져야 한다고 주장하므로, 불평등을 해소하기 위한 국가의 소득 재분배 정책이 필요하다고 볼 것이다.

**02** 갑이 찾은 제도는 노인 장기 요양 보험으로, 사회 보험에 해당한다. 을이 찾은 제도는 기초 연금으로 공공 부조에 해당한다. ② 사회 보험은 사전 예방적 성격이 강하고, 공공 부조는 사후 처방적 성격이 강하다.

**바로 알기** ① 민간 보험에 대한 설명이다. ③ 사회 보험에 대한 설명이다. ④ 사회 보험과 공공 부조 모두 소득 재분배 효과가 나타난다. ⑤ 사회 보험은 원칙적으로 전 국민을 대상으로 하며, 공공 부조는 빈곤층을 대상으로 한다. 따라서 사회 보험이 공공 부조보다 혜택을 받는 대상자의 범위가 넓다.

**03** 갑은 사회적 약자에게 우선적인 혜택을 제공하는 적극적 우대 조치가 필요하다고 보는 반면, 을은 적극적 우대 조치가 능력과 업적에 기초한 분배 원칙에 어긋난다고 본다. ⑤ 을은 적극적 우대 조치가 시행될 경우 사회적 약자가 아닌 사람이나 집단의 능력과 업적이 무시됨으로써 역차별이 발생할 수 있다고 본다.

### 서술형 문제

**04** (2) **예시 답안** 공간 불평등에 따른 문제점을 해결하려면 주요 공공 기관을 지방으로 이전하거나, 수도권에 있는 기업의 지방 이전을 유도하여 지방 도시의 성장을 도울 수 있는 균형 개발 정책을 펴야 한다. 그리고 지방 정부와 지역 주민이 중심이 되어 지역의 자연 및 인문 환경을 고려한 발전 전략을 세워 지역 경쟁력을 높임으로써 지역 격차를 줄여야 한다.

| 채점 기준 | 배점 |
|---|---|
| 공간 불평등을 해소하기 위한 노력을 두 가지 이상 정확하게 서술한 경우 | 상 |
| 공간 불평등을 해소하기 위한 노력을 한 가지만 서술한 경우 | 하 |

# 01 세계의 다양한 문화권

## 1단계 개념 짚어 보기

본문 85쪽

01 ㉠ 자연환경 ㉡ 인문 환경 02 (1) ○ (2) ○ (3) × (4) ×
03 (1) – ㉠ (2) – ㉢ (3) – ㉡ 04 (1) ㄴ, ㄹ (2) ㄷ, ㅂ (3) ㄱ, ㅁ
05 ㉠ 앵글로아메리카 ㉡ 미국 ㉢ 에스파냐어 ㉣ 가톨릭교

## 2단계 내신 다지기

본문 86~88쪽

| | | | | |
|---|---|---|---|---|
| 01 ④ | 02 ① | 03 ② | 04 ④ | 05 ② |
| 06 ② | 07 ④ | 08 ④ | 09 건조 문화권 | |
| 10 ⑤ | 11 ② | 12 ① | 13 ③ | 14 ③ |

**01** 문화권이란 문화적 특성이 유사하게 나타나 주변의 다른 지역과 구별되는 공간적 범위를 말한다. 문화권은 기후, 지형 등과 같은 자연환경과 산업, 종교 등과 같은 인문 환경의 영향을 받아 형성되며, 문화권과 문화권이 만나는 지역에는 두 문화권의 특성이 함께 나타나는 점이 지대가 존재한다.

**바로 알기** ④ 일반적으로 문화권의 경계는 산맥, 하천, 사막 등의 지형에 의해 정해진다.

**02** 기후, 지형과 같은 자연환경은 의식주와 같은 기본적인 생활 양식에 영향을 준다. 유럽에서는 밀농사와 목축업이 이루어져 빵과 고기를 이용한 음식 문화가 발달하였다. 아시아에서는 고온 다습한 계절풍 기후가 벼농사에 유리하여 쌀을 주식으로 하는 음식 문화가 발달하였다. 라틴 아메리카의 고산 지역에서는 냉량한 기후로 인해 감자와 옥수수를 이용한 음식 문화가 발달하였다.

**03** 사진은 건조 기후 지역에서 볼 수 있는 옷차림이다. 건조 기후 지역에서는 온몸을 감싸는 헐렁한 옷을 입는다. 여성이 쓰는 차도르나 남성이 쓰는 케피야는 낮에는 뜨거운 햇볕을 막아 주고, 밤에는 체온을 유지하는 데 쓰인다.

**04** 자료에서 '밀림', '바나나, 망고 같은 과일', '카사바' 등의 단어를 통해 이 학생이 열대 기후 지역을 여행 중이라는 것을 알 수 있다. 연중 고온 다습한 열대 기후 지역에서는 지면에서 올라오는 지열과 습기, 해충을 막기 위해 고상 가옥을 짓는다.

**바로 알기** ①은 지중해성 기후, ②는 건조 기후, ③은 냉대 기후, ⑤는 한대 기후 지역에서 볼 수 있는 전통 가옥이다.

**극비 노트** 기후와 전통 가옥

| | |
|---|---|
| 열대 기후 | 땅의 열기를 피하고 침수를 막기 위해 가옥을 지면에서 띄워 지음, 빗물이 빨리 흘러 내리도록 지붕의 경사가 급함 |
| 건조 기후 | 유목 생활에 적합한 이동식 가옥, 사막에서 구하기 쉬운 재료를 활용하여 흙벽돌집을 지으며 비가 거의 오지 않아 지붕이 평평함 |
| 한대 기후 | 땅이 얼었다 녹기를 반복하면서 가옥이 붕괴되는 것을 막기 위해 가옥을 지면에서 띄워 지음 |

**05** 인문 환경은 사람들이 만들어 낸 인위적인 환경으로, 특히 종교와 산업 등은 문화권을 구분하는 주요 지표로 활용된다. 종교는 교회, 성당, 모스크, 사찰 등과 같은 독특한 건축 양식이 다른 지역과 구분되는 문화 경관을 형성하며 주민들의 의식과 행동에 영향을 미친다. 산업은 인간 생활의 기반이 되는 경제 활동과 관련이 있기 때문에 농경, 유목, 상공업 등 어떤 산업이 발달하느냐에 따라 지역 주민들이 살아가는 방식이 달라져 문화권이 형성될 수 있다.

**06** A는 이슬람교에 해당한다. 이슬람교 문화권에서는 중앙에 둥근 지붕이 발달한 모스크를 볼 수 있다.

**바로 알기** ①, ⑤는 크리스트교, ③은 불교, ④는 힌두교 문화가 발달한 지역에서 볼 수 있는 건축물이다.

**07** 지도에서 A는 이슬람교, B는 힌두교, C는 크리스트교, D는 불교에 해당한다. 힌두교에서는 소를 신성시하여 소고기를 먹지 않으며, 불교에는 먹을 것을 얻으러 다니는 탁발이라는 수행 방법이 있다.

**바로 알기** ㄱ. 일요일에 예배를 하는 것은 크리스트교 문화권의 생활 모습이다. ㄷ. 라마단 시기에 금식하는 것은 이슬람교 문화권의 생활 모습이다.

**극비 노트** 세계의 종교 문화권

| | | |
|---|---|---|
| 크리스트교 | • 성경, 십자가, 교회, 성당<br>• 기도의 일상화 | 세계 3대 종교 |
| 이슬람교 | • 쿠란, 돔 양식의 모스크<br>• 라마단 시기의 단식, 성지 순례<br>• 돼지고기 금기, 할랄 산업 발달 | |
| 불교 | • 불경, 승려, 불상, 사찰, 탑 등<br>• 살생을 금하는 교리로 채식 위주의 식사<br>• 자비와 평등 | |
| 힌두교 | • 갠지스강에서의 목욕 의식<br>• 다신교, 윤회 사상<br>• 소를 신성시하여 먹지 않음 | 인도의 민족 종교 |

**08** 제시문은 동양 문화권 중 동아시아 문화권에 대한 설명이다. 동아시아 문화권은 우리나라, 중국, 일본을 포함하는 지역인 D에 해당한다.

**바로 알기** A는 유럽 문화권, B는 건조 문화권, C는 남부 아시아 문화권, E는 동남아시아 문화권에 해당한다.

**09** 제시문은 건조 문화권에 대한 설명이다. 건조 기후가 나타나는 북부 아프리카와 서남아시아, 중앙아시아 지역이 건조 문화권에 해당한다.

**10** 유럽 문화권은 산업 혁명의 발상지로 일찍 산업화를 이루었으며, 전 세계 산업 발달에 큰 영향을 주었다. 이 지역은 크리스트교 문화가 발달해 있는데, 유럽 문화권 중 북서 유럽은 개신교를 주로 믿으며, 남부 유럽은 가톨릭교를 주로 믿는다.

바로 알기 ⑤ 북서 유럽은 서안 해양성 기후의 영향을 받아 혼합 농업과 낙농업이 발달하였고, 남부 유럽은 지중해성 기후의 영향을 받아 수목 농업이 발달하였다.

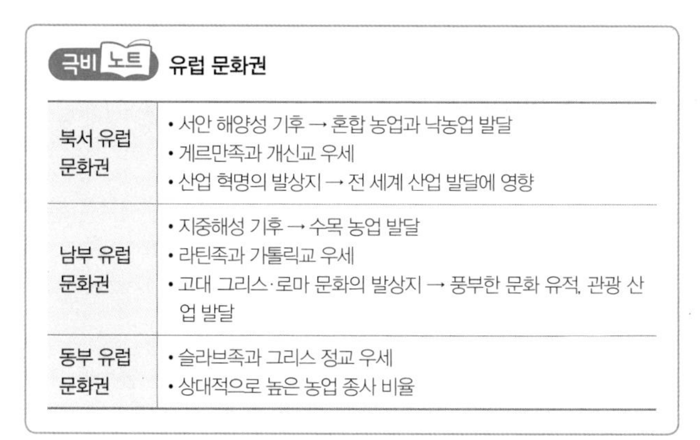

극비 노트 유럽 문화권

| | |
|---|---|
| 북서 유럽 문화권 | • 서안 해양성 기후 → 혼합 농업과 낙농업 발달<br>• 게르만족과 개신교 우세<br>• 산업 혁명의 발상지 → 전 세계 산업 발달에 영향 |
| 남부 유럽 문화권 | • 지중해성 기후 → 수목 농업 발달<br>• 라틴족과 가톨릭교 우세<br>• 고대 그리스·로마 문화의 발상지 → 풍부한 문화 유적, 관광 산업 발달 |
| 동부 유럽 문화권 | • 슬라브족과 그리스 정교 우세<br>• 상대적으로 높은 농업 종사 비율 |

**11** A는 앵글로아메리카, B와 C는 라틴 아메리카에 해당한다. 앵글로아메리카는 과거 북서 유럽의 식민 지배를 받은 영향으로 주로 영어를 사용한다. 반면, 과거 남부 유럽의 식민 지배를 받은 라틴 아메리카에서 브라질(C)은 포르투갈어를, 그 외의 지역은 에스파냐어를 사용한다.

**12** 지도에 표시된 지역은 북극해 연안 지역에 해당하는 북극 문화권이다. 북극 문화권은 한대 기후가 나타나 두꺼운 옷을 입으며, 순록을 유목하거나 수렵·어로 활동을 하며 생활한다.

바로 알기 ㄷ. 북극 문화권은 한대 기후가 나타나는 지역으로 기온이 매우 낮아 나무가 자라기 어렵다. 통나무집은 침엽수림이 발달한 냉대 기후 지역에서 볼 수 있다. ㄹ. 북극 문화권은 기온이 낮아 농경에 불리하다. 이동식 화전 농업은 열대 기후 지역에서 볼 수 있는 농업 방식이다.

**13** 제시된 지도의 A는 유럽 문화권, B는 건조 문화권, C는 동양 문화권 중 동아시아 문화권, D는 오세아니아 문화권을 나타낸 것이다.

바로 알기 ㄱ. 동남아시아 문화권에 대한 설명이다. ㄹ. 오세아니아 문화권은 영국의 식민 지배의 영향으로 영어를 사용하고 개신교를 믿는다.

**14** A는 아프리카 문화권, B는 건조 문화권, C는 남부 아시아 문화권, D는 오세아니아 문화권, E는 라틴 아메리카 문화권이다. ① 아프리카의 열대 사바나 초원에서는 야생 동물을 놓아 기르는 자연 공원에서 자동차를 타고 다니며 구경하는 사파리 관광을 할 수 있다. ② 건조 문화권은 사막이 발달하여 모래 언덕에서 샌드보딩을 즐길 수 있다. ④ 오세아니아 문화권 중 오스트레일리아와 뉴질랜드는 세계적으로 양을 많이 기르는 국가로, 양털 깎기 체험을 할 수 있다. ⑤ 라틴 아메리카 문화권의 아마존 열대 밀림에서는 원주민의 생활을 체험할 수 있다.

바로 알기 ③ 남부 아시아 문화권(C)은 힌두교, 이슬람교, 불교문화가 발달하였다. 성당은 크리스트교(가톨릭교 문화)가 발달한 남부 유럽 문화권이나 라틴 아메리카 문화권에서 주로 볼 수 있는 건축물이다.

## 3단계 등급 올리기

본문 89쪽

01 ③ 02 ③ 03 ④ 04 해설 참조

**01** A는 남부 아시아에서 가장 비중이 높은 힌두교, B는 동남아시아와 남부 아시아에서 공통적으로 비중이 높은 이슬람교, C는 동남아시아에서 상대적으로 높은 비중을 보이는 불교이다.

바로 알기 ㄱ. 모스크는 이슬람교의 대표적인 종교 경관이다. ㄹ. 힌두교는 인도에서 주로 믿는 민족 종교이며, 이슬람교와 불교는 세계 여러 국가에서 믿는 보편 종교에 해당한다.

**02** 지도의 A는 오세아니아 문화권이다. 오세아니아 문화권에 속하는 오스트레일리아와 뉴질랜드는 세계적인 목축업 국가이며, 청정한 환경을 바탕으로 관광 산업이 발달하였다.

바로 알기 ① 계절풍의 영향을 많이 받는 지역은 동양 문화권이다. ② 산업 혁명의 발상지는 유럽 문화권에 속한다. ④ 이누이트와 라프족은 북극 문화권에 거주하는 원주민이다. ⑤ 이슬람교에서는 돼지고기를, 힌두교에서는 소고기를 먹지 않는다. 또한 불교는 살생을 금하는 교리에 따라서 채식 위주의 식사를 한다.

**03** 지도에서 A는 유럽 문화권, B는 건조 문화권, C는 남부 및 동남아시아 문화권, D는 오세아니아 문화권, E는 라틴 아메리카 문화권에 해당한다. 아랍어 사용 인구 비중은 유럽 문화권보다 건조 문화권이 높다. 혼혈 인종 인구 비중은 건조 문화권보다 라틴아메리카 문화권이 높다. 쌀 재배 면적 비중은 라틴 아메리카 문화권보다 남부 및 동남아시아 문화권이 높다. 크리스트교 신자 비중은 남부 및 동남아시아 문화권보다 오세아니아 문화권이 높다.

### 서술형 문제

**04** 예시 답안 (가)는 열대 기후 지역의 전통 가옥으로, 열기와 습기를 피하고 해충의 침입을 막기 위해 바닥을 지면에서 띄운 고상 가옥을 짓는다. 그리고 강수량이 많아 빗물이 쉽게 흘러내리도록 지붕의 경사를 급하게 한다. (나)는 건조 기후 지역의 흙벽돌집으로, 일교차가 커 집의 벽을 두껍게 만들고 창을 작게 낸다. 그리고 비가 거의 오지 않아 지붕을 평평하게 한다.

| 채점 기준 | 배점 |
|---|---|
| (가), (나) 가옥의 특징을 모두 정확하게 서술한 경우 | 상 |
| (가), (나) 가옥의 특징 중 한 가지만 정확하게 서술한 경우 | 하 |

# 02 문화 변동과 전통문화의 창조적 계승

## 1단계 개념 짚어 보기

본문 91쪽

01 ㉠ 발명 ㉡ 문화 전파 02 (1) 발명 (2) 자극 전파 (3) 문화 융합
03 (1) ㄴ (2) ㄱ (3) ㄷ 04 전통문화 05 (1) ○ (2) ○ (3) ×

## 2단계 내신 다지기

본문 92~94쪽

01 ② 02 (가) 문화 전파, (나) 발견, (다) 발명 03 ④
04 ⑤ 05 ① 06 ③ 07 ④ 08 ③
09 ③ 10 ④ 11 ② 12 ① 13 ④
14 ③ 15 ①

**01** 문화 변동이란 새로운 문화 요소가 등장하거나 다른 사회와의 접촉을 통해 문화가 끊임없이 변화하는 현상을 말한다.
바로 알기 ② 오늘날에는 교통·통신 수단이 빠르게 발달하면서 문화 전파가 문화 변동의 주요 요인으로 작용하고 있다.

**02** 문화 변동의 요인은 내재적 요인과 외재적 요인으로 구분되며, 내재적 요인에는 발명과 발견, 외재적 요인에는 문화 전파가 있다.

극비 노트 문화 변동의 요인

| | | |
|---|---|---|
| 내재적 요인 | • 발명: 기존에 존재하지 않았던 새로운 문화 요소를 만드는 것<br>• 발견: 기존에 존재했지만 알려지지 않았던 문화 요소를 찾아내는 것 | |
| 외재적 요인 (문화 전파) | 의미 | 한 사회가 다른 사회와 교류 및 접촉하는 과정에서 새로운 문화 요소가 전달되어 정착하는 현상 |
| | 종류 | • 직접 전파: 다른 사회 구성원과 직접적인 교류를 통해 다른 사회의 문화가 전파되는 것<br>• 간접 전파: 인쇄물, 인터넷 등과 같은 간접적인 매개체를 통해 다른 사회의 문화가 전파되는 것<br>• 자극 전파: 다른 사회의 문화 요소에서 아이디어를 얻어 새로운 문화 요소를 발명하는 것 |

**03** ㉠, ㉡에 들어갈 개념은 각각 발명과 발견이다. 발명은 이전에 존재하지 않았던 것을 새롭게 만드는 것이며, 발견은 이전에 존재했지만 알려지지 않았던 것을 찾아내는 것이다.
바로 알기 한글 창제, 인터넷 발명, 방송 콘텐츠 제작, 전기 자동차 개발, 전자 투표제 창안 등은 발명에 해당하는 사례이며, 신항로 개척, 유전자 배열 해독, 지구형 행성 발견 등은 발견에 해당하는 사례이다. 불교 전파, 한자의 전래 등은 문화 전파에 해당하는 사례이다.

**04** 그림에서 ㉠은 발명, ㉡은 발견, ㉢은 직접 전파, ㉣은 자극 전파, ㉤은 간접 전파에 해당한다.
바로 알기 ⑤ 간접 전파는 인쇄물, 인터넷 등과 같은 간접적인 매개체를 통해 다른 사회의 문화가 전파되는 것이다. 간접 전파의 사례로는 인터넷을 통해 한국의 드라마와 노래가 세계로 퍼진 것을 들 수 있다. 스마트폰을 개발한 것은 발명의 사례이다.

**05** 체로키족이 알파벳의 영향을 받아 체로키 문자를 만든 것은 자극 전파에 따라 이루어진 문화 변동 사례이다. 자극 전파는 다른 사회의 문화 요소에서 아이디어를 얻어 새로운 문화 요소를 발명하는 것이다.
바로 알기 병. 체로키 문자는 기존에 존재하지 않았던 새로운 문화 요소를 만들어 낸 것이다. 정. 백인 문화의 영향을 받아 새로운 문화 요소를 만들었으므로 문화 동화 현상이 나타났다고 볼 수 없다.

**06** 제시문에는 비단길을 통한 두 문화 간 직접적인 접촉에 의해 문화가 전파되는 직접 전파의 사례가 나타나 있다.
바로 알기 ④ 간접 전파는 인쇄물, 인터넷 등의 매체를 통해 다른 사회의 문화가 전파되는 것이다. ⑤ 자극 전파는 다른 사회의 문화 요소에서 아이디어를 얻어 새로운 문화 요소를 발명하는 것이다.

**07** 제시문의 밑줄 친 내용은 문화 변동의 결과 중 문화 병존을 나타내고 있다. 우리나라에서 한글과 한자를 함께 사용하고, 온돌 중심의 좌식 문화와 서양의 입식 문화가 같이 존재하는 것은 한 사회에 두 문화가 그 고유한 성질을 간직한 채로 함께 존재하는 문화 병존 현상에 해당한다.
바로 알기 ① 문화 전파에 해당하는 사례이다. ②, ③, ⑤ 다른 문화가 들어와 우리 고유의 문화와 합쳐지면서 새로운 문화가 만들어진 대표적 사례들이다.

극비 노트 문화 접변으로 인한 문화 변동의 양상

| 구분 | 문화 병존 | 문화 융합 | 문화 동화 |
|---|---|---|---|
| 의미 | 두 사회의 고유한 문화가 함께 존재하는 현상 | 두 문화가 결합하여 제3의 문화가 만들어지는 현상 | 한 문화가 다른 문화에 흡수되거나 다른 문화로 대체되는 현상 |
| 사례 | 싱가포르가 영어, 중국어 등을 공용어로 인정하는 것 | 한국 음식 재료를 외국 요리 방식과 결합한 퓨전 요리 | 유럽 문화와 접촉한 아메리카 원주민이 고유 문화를 상실한 것 |

**08** ㄴ. ㉡은 이탈리아인에 의해 미국에 피자가 직접 전파된 사례이다. ㄷ. ㉢에서 이탈리아의 피자와 미국의 음식 문화가 결합하여 새로운 유형의 미국식 피자가 탄생하였으므로 문화 융합이 나타났다고 볼 수 있다.
바로 알기 ㄱ. ㉠은 피자의 발명으로 내재적 요인에 의한 문화 변동이다. ㄹ. ㉣은 미국식 피자가 유럽에 전파되었다는 내용이다.

**09** A는 문화 병존, B는 문화 융합에 해당한다. ㄴ. 죽염 치약은 문화 융합의 사례이며, ㄷ. 문화 병존과 문화 융합 모두 문화적 정체성이 보존된다는 공통점이 있다.
바로 알기 ㄱ. '한 사회의 문화가 다른 사회의 문화에 흡수되는 현상'은 문화 동화이다. ㄹ. 문화 병존과 문화 융합의 구분 기준은 '제3의 문화가 나타나는지의 여부'이다.

**10** ㈎는 문화 동화, ㈏는 문화 병존, ㈐는 문화 융합을 나타낸다. ① 서구 문화와의 접촉을 통해 우리나라의 의복 문화가 서구식으로 바뀐 것은 문화 동화의 사례이다. ② 문화 융합으로 인해 새로운 문화 요소가 형성되므로 문화적 다양성이 확대될 수 있다. ③ ㈏는 두 문화 요소가 함께 존재하므로 문화 병존, ㈐는 두 문화와는 다른 성격의 문화가 만들어졌으므로 문화 융합에 해당한다. ⑤ ㈎~㈐의 문화 접변은 외재적 요인에 의한 문화 변동에 해당한다.
**바로 알기** ④ 문화 접변은 직접적인 접촉뿐만 아니라 간접적인 매개체를 통해서도 나타날 수 있다.

**11** 제시문은 전통문화에 대한 설명이다. ② 전통문화는 이전 세대의 것을 그대로 보존하기보다 현실적 여건에 맞게 새롭게 창조될 때 더욱 발전할 가능성이 크다.
**바로 알기** ① 전통문화는 경제적 발전 정도에 상관없이 모든 사회에서 가지고 있는 문화이다. ③ 전통문화에는 그 사회에 뿌리 내려 정착한 외래문화까지도 포함된다. ④ 한 사회에서 전해 내려오는 고유한 문화라고 하더라도 그 사회의 구성원에 의하여 변할 수 있다. ⑤ 전통문화를 창조적으로 계승하기 위해서는 우수성과 독창성을 발굴하여 세계 문화와 교류하는 것이 바람직하다. 그러나 과거로부터 전승된 문화 중에서 우수한 것만을 선별한 것이 전통문화는 아니다.

**12** 제시문은 우리나라 전통문화의 특징인 공동체 문화에 대한 설명이다. 우리나라는 과거 벼농사 중심의 농경 사회였다. 벼농사에는 모내기를 하거나 곡식을 수확할 때 많은 노동력이 집중적으로 필요하였는데, 마을 주민들은 두레, 품앗이와 같은 공동체 조직을 만들어나 농사일이나 마을 공동의 일을 해결하였다. 이 과정에서 협동과 상부상조의 공동체 문화가 발달하였다.

**13** 전통문화를 창조적으로 계승하기 위해서는 전통문화를 객관적 입장에서 분석하고 현대의 상황에 맞게 재해석하여 새로운 문화 콘텐츠로 발전시켜야 한다.

**14** 제시문에 나타난 사례는 외래문화를 비판적으로 수용하여 자기 문화를 발전시킨 것이다. 전통문화의 정체성을 바탕으로 외래문화의 장단점을 분석하여 비판적으로 수용하면 자신이 속한 사회의 문화를 발전시킬 수 있다.
**바로 알기** ① 제시문은 전통문화를 창조적으로 계승하고 발전시켜야 한다는 내용이다. ② 낡고 오래된 문화라 하더라도 가치가 있는 것이면 계승하는 것이 바람직하다. ④ 전통문화가 현대의 생활 양식에 맞지 않는 것이라면 시대의 상황에 맞게 새롭게 재창조될 필요성이 있다.

**15** 제시된 축제의 진행 순서를 보면 우리나라의 전통문화를 비롯한 세계 각국의 전통문화를 소개하고 있다. 따라서 축제를 통해 내국인과 외국인이 세계 여러 나라의 문화를 향유할 수 있으며, 나아가 다양한 문화를 수용하는 개방적이고 관용적인 태도를 함양하는 계기가 될 수 있다.

## 3단계 등급 올리기

본문 95쪽

**01** ④ **02** ② **03** ④ **04** (1) A 문화 융합, B 문화 동화 (2) 해설 참조

**01** ㉠은 발명, ㉡은 발견, ㉢은 직접 전파, ㉣은 자극 전파, ㉤은 간접 전파에 해당한다.
**바로 알기** ④ 활의 원리를 이용하여 현악기를 만든 것은 발명의 사례이다.

**02** 〈자료 1〉에서 ㉠은 문화 변동의 내재적 요인이므로 발명, ㉢은 직접적인 교류를 통해 문화를 전파하였으므로 직접 전파에 해당하고, ㉡은 간접 전파에 해당한다. ㄱ. 미국에서 청바지가 만들어져 광부들의 작업복으로 활용된 것은 발명에 의한 내재적 변동에 해당한다. ㄷ. ㈐는 미군을 통해 청바지가 직접 소개된 사례이므로 직접 전파에 의한 문화 변동이 나타나 있다.
**바로 알기** ㄴ. 영화에 등장한 청바지가 세계로 전파된 것은 간접적인 매개체를 통해 다른 사회의 문화가 전파되는 간접 전파이다. ㄹ. ㈎는 내재적 변동, ㈏와 ㈐는 외재적 변동에 해당한다.

**03** A국과 B국 간에 이루어진 문화 접변으로 인해 A국은 음식 문화에서 문화 병존이 나타났고, B국은 의복 문화에서 문화 동화가, 음식 문화에서는 문화 융합이 나타났다.
**바로 알기** ㄱ. A국의 의복 문화에서는 문화 변동이 나타나지 않았다. ㄷ. A국과 B국 모두 주거 문화에서 문화 변동이 나타나지 않았다.

### 서술형 문제

**04** (2) **예시 답안** 한 사회의 문화가 다른 사회의 문화에 흡수되었는가?, 한 사회의 문화적 정체성이 상실되었는가? 등

| 채점 기준 | 배점 |
|---|---|
| ㈎에 들어갈 적절한 내용을 두 가지 모두 정확하게 서술한 경우 | 상 |
| ㈎에 들어갈 적절한 내용을 한 가지만 정확하게 서술한 경우 | 하 |

## 03 문화 상대주의와 보편 윤리 ~ 04 다문화 사회와 문화 다양성 존중

### 1단계 개념 짚어 보기

본문 97쪽

01 (1) ㄷ (2) ㄱ (3) ㄴ 02 (1) 보편 윤리 (2) 극단적 문화 상대주의
03 다문화 사회 04 (1) × (2) × (3) ○ (4) ○

### 2단계 내신 다지기

본문 98~100쪽

01 ⑤ 02 자문화 중심주의 03 ① 04 ⑤
05 ② 06 ④ 07 ② 08 ③ 09 ⑤
10 ① 11 ② 12 ③ 13 ⑤ 14 ②
15 ④

**01** 어느 시대, 어느 사회에서나 반가움이나 존경을 표현하는 인사 문화가 있다. 그러나 각 사회마다 구체적인 인사법은 각기 다르게 나타난다. 각 나라의 인사법은 그 사회의 환경이나 역사적 배경 등에 따라 독특하게 형성되고 발달되어 왔기 때문이다.
바로 알기 ⑤ 각 사회의 인사 문화는 그 나름대로 의미와 가치가 있기 때문에 우열을 가릴 수 없다.

**02** 제시문의 사례는 모두 자신의 문화만을 우수하다고 믿고 다른 문화를 배척하는 자문화 중심주의에 해당한다.

**03** 자문화 중심주의적 태도는 자기 문화만을 고수하려는 국수주의로 이어져 국가 간의 원만한 교류와 이해를 방해하고 국제적인 고립과 갈등을 초래할 수 있다.
바로 알기 ②, ③, ④ 문화 사대주의의 문제점에 해당한다. ⑤ 문화 상대주의를 극단적으로 적용했을 때 나타날 수 있는 문제점이다.

**04** 제시문은 문화 사대주의에 대한 설명이다. 문화 사대주의적 태도를 가지게 되면 자신의 문화에 대한 자부심과 정체성을 상실할 우려가 있다. 또한 자기 문화의 창조 능력을 과소평가하여 문화의 발전에 큰 장애가 된다.
바로 알기 ㄱ. 자문화 중심주의의 문제점에 해당한다. ㄴ. 문화 사대주의는 선진 문물을 수용하는 데 도움이 되기도 한다.

**05** 자문화 중심주의와 문화 사대주의는 절대적인 기준에서 문화의 우열을 가릴 수 있다고 보는 것은 공통적이지만, 우열의 기준을 어느 집단으로 삼느냐에 차이가 있다. ② 자기 사회의 문화를 낮게 평가하는 것은 문화 사대주의 태도이다.

**06** (가)는 외국의 명품만을 선호하는 문화 사대주의, (나)는 이슬람 사회의 문화를 비하하는 자문화 중심주의를 나타내고 있다.
바로 알기 ② (나)에 나타난 자문화 중심주의가 지나칠 경우 문화 제국주의로 발전할 가능성이 있다. ③ (가)에 나타난 문화 사대주의적 태도는 자신이 속한 고유한 문화를 주체적으로 발전시키는 데 장애가 된다. ⑤ 자문화 중심주의와 문화 사대주의는 문화의 상대성과 다양성을 부정하는 태도이다.

**극비 노트** 자문화 중심주의와 문화 사대주의

| 구분 | 자문화 중심주의 | 문화 사대주의 |
|---|---|---|
| 문제점 | • 타 문화 배척으로 다른 사회와의 갈등 초래<br>• 국수주의로 이어져 자기 문화의 발전 가능성 저해<br>• 극단적인 경우 제국주의로 발전 | • 주체적인 문화 형성 저해<br>• 자기 문화의 주체성과 자부심 상실<br>• 사회 구성원의 소속감이나 일체감 약화 |
| 공통점 | • 문화의 상대성과 다양성을 부정함<br>• 문화의 우열을 가릴 수 있는 평가 기준이 있다고 봄 | |

**07** 갑은 자문화 중심주의, 을은 문화 상대주의, 병은 문화 사대주의적 태도를 지니고 있다. ② 문화 상대주의는 각 사회의 문화를 그 사회의 입장에서 이해하려는 태도로, 문화를 평가의 대상이 아닌 이해의 대상으로 인식한다.
바로 알기 ①은 문화 사대주의(병), ③은 자문화 중심주의(갑)에 해당한다. ④ 문화의 우열을 가릴 수 있다고 보는 것은 갑과 병이다. ⑤ 타 문화와의 접촉 과정에서 문화적 갈등을 겪을 가능성이 큰 것은 갑의 태도이다.

**08** A는 문화 사대주의, B는 자문화 중심주의, C는 문화 상대주의에 해당한다. ㄴ. 연장자에게 악수를 청하는 외국인을 무례하다고 비난하는 것은 자문화 중심주의에 해당한다. ㄷ. 문화 상대주의를 극단적으로 적용할 경우 인류의 보편적 가치를 훼손하는 문화까지도 인정할 우려가 있다.
바로 알기 ㄱ. 국수주의로 흐를 위험이 있는 문화 이해 태도는 자문화 중심주의이다. ㄹ. 문화 사대주의는 다른 사회의 문화를 기준으로, 자문화 중심주의는 자기 문화를 기준으로 문화를 평가한다.

**09** 그림에서 남학생은 문화 사대주의, 여학생은 자문화 중심주의적 태도를 가지고 있다. 따라서 두 사람에게는 서로 다른 문화 간의 우열을 가리려는 태도를 경계하고, 다른 사회의 문화를 그 사회가 처한 환경이나 상황을 고려하여 그 사회의 입장에서 이해하는 문화 상대주의적 태도가 필요하다.
바로 알기 ① 윤리의 상대성을 인정한다는 것은 옳고 그름에 대한 보편적인 기준은 존재하지 않는다고 보는 것이다. 문화의 상대성을 인정한다고 하여 윤리의 상대성을 인정해야 하는 것은 아니다.

**10** 제시문은 보편 윤리에 대한 설명이다. 보편 윤리는 인간의 존엄성, 생명 존중 등과 같은 시대와 장소를 초월하여 모든 사람이 존중하고 따라야 할 가치이다.
바로 알기 ① 윤리 상대주의란 윤리가 문화마다 다양하고 상대적이어서 옳고 그름에 관한 보편적인 기준은 존재하지 않는다고 보는 관점이다. 보편 윤리의 관점에서 문화를 바라보게 되면 극단적 문화 상대주의에 빠지는 것을 방지하고 윤리 상대주의를 경계할 수 있다.

**11** 문화를 바르게 이해하기 위해 가져야 할 가장 바람직한 자세는 문화 상대주의이지만, 인류의 보편적 가치마저 무시하는 극단적인 태도는 경계해야 한다. 따라서 순장 풍습까지 존중하는 것은 생명 존중이라는 인류의 보편적 가치를 훼손할 수 있으므로 경계해야 한다.

**12** 그래프는 우리나라가 최근 다문화 사회로 변화하고 있음을 보여 준다. 다문화 사회란 다양한 인종, 민족, 종교, 문화를 가진 사람들이 함께 어우러져 살아가는 사회로, 우리나라는 외국인 근로자, 국제결혼 이민자, 유학생, 북한 이탈 주민 등이 증가하면서 빠르게 다문화 사회로 진입하고 있다. 이처럼 여러 문화적 배경을 가진 사람들과 어울려 살기 위해서는 문화 상대주의적 태도를 가지고 다른 문화를 이해하고 존중하며 소통하는 자세가 필요하다.
바로 알기 ③ 다문화 사회로의 변화는 다양한 문화적 경험을 할 수 있는 선택의 폭을 넓혀 생활을 더욱 풍요롭게 한다.

**13** 다문화 사회로의 변화에 따라 외국인과 내국인 간의 문화 차이에 따른 갈등이 발생할 수 있으며, 일자리 경쟁 심화, 외국인 지원을 위한 사회적 비용 증가 등의 문제가 나타날 수 있다.
바로 알기 ㄱ. 외국인 근로자는 저출산·고령화에 따른 노동력 부족 문제를 완화한다. ㄴ. 외국인 유입 인구가 증가하므로 총인구의 감소 시기를 늦추고 인구 고령화를 완화할 수 있다.

**극비 노트** 다문화 사회의 영향

| | |
|---|---|
| 긍정적 측면 | • 문화의 다양성 증진 및 풍요로운 문화 형성<br>• 저출산·고령화에 따른 노동력 부족 문제 해소<br>• 국제결혼 이민자의 유입으로 농어촌 지역에 활력 제공 |
| 부정적 측면 | • 이주민에 대한 인권 침해 발생<br>• 외국인과 내국인 간 일자리 경쟁 심화<br>• 외국인 지원을 위한 사회적 비용 증가 |

**14** 국내 거주 외국인의 국적별 분포를 보면, 중국 국적자의 비율이 절반 이상이며, 베트남, 태국, 필리핀 순으로 나타난다. 국내 거주 외국인의 유형별 분포를 보면, 외국인 근로자가 가장 높은 비율을 차지하고, 그 다음으로 외국 국적 동포, 외국인 주민 자녀, 국제결혼 이민자 순으로 나타난다.
바로 알기 ㄴ. 그래프를 보면 우리나라에 거주하는 외국인 구성에서 일자리를 찾아 들어온 외국인 근로자가 33.5%로 가장 높은 비율을 차지하는 것을 알 수 있다. ㄹ. 자기 민족의 문화만을 고수하면서 오랜 전통과 관념에 얽매여 다문화 사회로의 변화를 거부하는 것은 바람직하지 않다.

**15** 우리 사회가 다문화 사회로 평화롭게 정착하기 위해서는 이주민들을 동등한 사회 구성원으로 인정하고 문화적 차이를 존중하는 태도가 필요하다. 이러한 인식을 바탕으로 이주민이 우리 사회에 적응하여 살아갈 수 있도록 사회적으로 지원해야 한다.
바로 알기 ④ 이주민들이 자기 문화의 정체성을 지켜 나가면서 새로운 사회의 문화에 적응할 수 있도록 지원해야 한다.

## 3단계 등급 올리기

본문 101쪽

01 ⑤ 02 ③ 03 ② 04 (1) 문화 사대주의 (2) 해설 참조

**01** (가)는 자기 문화를 강요할 가능성이 높다고 했으므로 자문화 중심주의, (다)는 문화를 평가하는 절대적 기준이 없다고 했으므로 문화 상대주의에 해당한다. 따라서 (나)는 문화 사대주의이다. ⑤ 문화 상대주의는 각 사회가 지닌 문화의 고유한 의미와 가치를 인정하며, 문화를 평가의 대상이 아닌 이해의 대상으로 인식한다.
바로 알기 ① 자기 문화의 주체성을 상실할 가능성이 높은 문화 이해 태도는 문화 사대주의이다. ② 자기 문화를 기준으로 다른 문화를 낮게 평가하는 것은 자문화 중심주의이다. ③ 극단적일 경우 문화 제국주의가 나타나는 것은 자문화 중심주의이다. ④ 자문화 중심주의와 문화 사대주의는 문화 상대주의와는 달리 문화의 다양성과 상대성을 인정하지 않는다.

**02** 갑은 외국인 이주민도 자신들의 문화 정체성을 지키며 공존할 수 있도록 배려해야 한다고 본다. 반면, 을은 우리 문화의 정체성 보존을 위해 이주민의 문화를 우리 문화에 동화시켜야 한다고 본다.
바로 알기 ㄱ. 제시문의 내용만으로는 갑이 우리 문화를 세계에 전파시켜야 한다고 생각하는지 추론할 수 없다. ㄹ. 우리 전통문화를 창조적으로 계승하기 위해서는 외국인 이주민의 문화를 비판적으로 수용하는 태도가 필요하다.

**03** 갑은 자문화 중심주의, 을과 병은 문화 사대주의적 태도를 지니고 있다. 을의 입장에서는 A국의 문화만 우수한 문화이고, 나머지 국가의 문화는 열등한 문화이다. 따라서 을의 입장에서는 A국이 문화적으로 가장 선진국이다.
바로 알기 ① 문화 정체성을 상실할 수 있는 문화 이해 태도는 문화 사대주의이다. ③ 병의 평가에 의하면 a, b는 원 안에 있고, c는 원 밖에 있다. 따라서 a와 b는 우수한 문화, c는 열등한 문화라고 생각한다. ④ 을은 문화 사대주의적 태도를 가지고 있으므로 다른 사회의 문화를 수용하는 데 긍정적이다. ⑤ 을과 병은 모두 문화 사대주의적 태도를 가지고 있다.

### 서술형 문제

**04** (2) 예시 답안 문화 사대주의는 다른 사회의 문화를 우월하다고 여겨 자기 문화를 무시하거나 낮게 평가하는 태도이다. 문화 사대주의는 자기 문화의 주체성과 자부심을 상실하게 하고, 주체적인 문화 형성을 저해한다는 문제점이 있다.

| 채점 기준 | 배점 |
|---|---|
| 문화 사대주의의 의미와 문제점을 모두 바르게 서술한 경우 | 상 |
| 문화 사대주의의 의미와 문제점을 모두 서술하였으나, 내용이 미흡한 경우 | 중 |
| 문화 사대주의의 의미나 문제점 중 하나만 서술한 경우 | 하 |

## 01 세계화의 양상과 문제의 해결

### 1단계 개념 짚어 보기

본문 103쪽

01 (1) × (2) ○ (3) ○ 02 (1) ㄴ (2) ㄱ 03 세계 도시 04 (1) 생산자 (2) 획일화 05 (1) – ⓒ (2) – ㉠ (3) – ⓛ 06 공정 무역

### 2단계 내신 다지기

본문 104~106쪽

| | | | | |
|---|---|---|---|---|
| 01 ⑤ | 02 ④ | 03 ④ | 04 ③ | 05 ④ |
| 06 ② | 07 ⑤ | 08 ② | 09 ④ | 10 ⑤ |
| 11 ③ | 12 ⑤ | 13 ④ | 14 ② | |

**01** 세계화란 교통·통신 수단의 발달로 국제 교류가 활발해지면서 국가 간의 경계가 약화되고 세계가 통합되어 가는 현상을 말한다. 국제적으로 협력이 필요한 문제들이 발생하면서 국가 간 상호 협력의 필요성이 증대된 것도 세계화를 촉진시킨 요인이 되었다.

바로 알기 ㄱ, ㄴ. 세계 무역 기구(WTO)의 출범으로 국가 간 자유 무역이 확대되고, 다국적 기업의 성장으로 국가의 경계를 넘어선 기업 활동이 이루어지면서 세계화가 빠르게 진행되고 있다.

**02** 지역화란 특정 지역이 그 지역의 고유한 전통이나 특성을 살려 세계적인 경쟁력을 갖추려고 노력하는 과정을 의미한다. 세계화의 흐름 속에서 지역화를 통해 하나의 지역이 지닌 특수한 요소들이 지역 수준을 넘어 세계적 가치를 얻게 된다. 따라서 세계화와 지역화는 동시에 이루어지는 경우가 많으며, 다른 지역과 차별화할 수 있는 지역화 전략을 통해 지역 경제가 활성화되기도 한다.

바로 알기 ④ 오늘날에는 세계화로 지역 간 경쟁이 치열해짐에 따라 지역화의 필요성이 더욱 커지고 있다.

**03** 세계화 시대에 다른 지역과 차별화할 수 있는 지역화 전략의 사례로는 지역 축제, 장소 마케팅, 지리적 표시제 등을 들 수 있다. ㄴ. 장소 마케팅은 특정 장소를 상품으로 인식하고 개발하여 장소의 경제적 가치를 상승시키는 홍보 전략이다. ㄹ. 지리적 표시제는 상품의 품질에 지리적 특성이 반영된 경우 해당 지역에서 생산, 제조, 가공된 상품임을 증명하고 표시하는 제도이다.

바로 알기 ㄱ. 공정 여행은 여행을 통해 현지 주민의 경제적 자립을 돕고, 환경 보존을 추구하는 여행 형태를 말한다. ㄷ. 공간적 분업이란 다국적 기업이 경영의 효율성을 높이고 이윤을 극대화하기 위해 여러 기능을 공간적으로 분리하는 현상이다.

**04** 세계화로 국가 간 자유 무역이 확대되면서 다국적 기업의 활동과 영향력이 증대되었다. 다국적 기업의 본사와 연구·개발 기능을 수행하는 연구소는 주로 선진국에, 생산 공장은 저임금 노동력이 풍부한 개발 도상국에 주로 입지한다.

**05** 제시된 지도는 다국적 기업의 공간적 분업을 나타낸 것이다. 다국적 기업은 기획 및 관리 기능, 연구 기능, 생산 및 판매 기능 등에 따라 세계적인 범위에서 시설과 기능이 공간적으로 분리되어 입지한다. 지도를 통해 다국적 기업의 생산 공장은 인건비가 저렴한 아시아의 개발 도상국에 많이 분포하고 있음을 알 수 있다.

바로 알기 ④ 생산 공장이 인건비 절감을 위해 개발 도상국에 입지하는 것과 달리 연구 및 개발 기능을 담당하는 연구소는 대학과 연구 시설이 밀집하고 전문 인력이 풍부한 선진국에 입지하는 경우가 많다.

극비 노트 **다국적 기업의 공간적 분업**

| | |
|---|---|
| 본사 | 경영 기획 및 관리 기능 → 자본과 우수한 인력 확보가 용이한 본국의 대도시에 주로 입지 |
| 연구소 | 핵심 기술 및 디자인 개발 기능 → 대학 및 연구 시설이 밀집하고 전문 인력이 풍부한 선진국에 주로 입지 |
| 생산 공장 | 제품 생산 기능 → 임금 수준이 낮고 노동력이 풍부한 개발 도상국에 주로 입지 |

**06** 다국적 기업이 중국에서 베트남으로 생산 공장을 이전하는 가장 큰 이유는 베트남의 인건비가 중국보다 싸 저임금 노동력을 확보하는 데 유리하기 때문이다.

바로 알기 ① 선진국에 생산 공장을 세우는 이유이다. ③, ④ 다국적 기업의 본사나 연구소의 입지 조건에 해당한다.

**07** 다국적 기업의 공간적 분업은 산업 시설의 이전과 신설을 통해 세계 각 지역에 큰 영향을 끼친다. 다국적 기업의 산업 시설이 들어선 지역은 일자리가 늘어나 지역 경제가 활기를 띠지만, 경쟁력이 약한 지역 내 소규모 기업이 피해를 보기도 한다. 또한 다국적 기업들이 비용 절감과 대량 생산에만 관심을 기울이고, 산업 시설로 인해 발생한 환경 오염은 방치하여 문제가 되기도 한다.

바로 알기 ㄱ, ㄴ. 다국적 기업의 생산 공장이 빠져 나간 지역에서는 일자리 감소에 따른 실업률 증가, 인구 감소로 인한 지역 경제 침체 등의 문제가 나타난다.

**08** 뉴욕은 세계의 경제, 국제 정치, 문화의 중심지이다. 뉴욕과 같이 전 세계적으로 중심지 역할을 하는 도시를 세계 도시라고 한다. 세계 도시는 세계 경제의 의사를 결정하고, 세계 정보의 흐름을 주도하는 동시에 문화 활동과 국제 정치 활동 등에서 중심적인 역할을 수행하고 있다.

**09** 제시된 지도는 세계 도시 체계를 나타낸 것이다. 세계 도시는 최첨단 교통·통신 체계를 갖추고 있고, 전문화된 생산자 서비스업이 발달해 있어 전 세계의 자본과 정보가 집중해 있다. 또한 세계적인 다국적 기업의 본사, 대형 금융 기관 등이 밀집해 있고, 다양한 국제 행사가 개최되어 인적·물적 교류가 활발하게 이루어진다. 이러한 세계 도시들은 상호 유기적 관계를 맺고 있어 어느 한 도시에서 일어나는 변화는 연쇄적으로 다른 도시뿐만 아니라 전 세계에 영향을 미친다.

바로 알기 ④ 세계 도시에는 다국적 기업의 본사가 주로 입지한다. 다국적 기업의 생산 공장은 주로 임금 수준이 낮고 노동력이 풍부한 개발 도상국에 입지한다.

**10** 세계화를 통해 음식, 드라마, 영화, 스포츠 등의 문화 교류가 활발해지면서 세계의 다양한 문화를 직접 경험할 수 있게 되었다.
**바로 알기** ⑤ 뉴욕 증권 시장에서의 주가 변동이 다른 국가의 주가에 영향을 미치는 것은 세계 도시들이 경제적으로 상호 유기적 관계를 맺고 있는 사례로 볼 수 있다.

**11** 세계화에 따라 자유 무역이 확대되면서 경쟁에 유리한 선진국과 경쟁력을 갖추지 못한 개발 도상국 간 빈부 격차가 더욱 심해지고 있다. 또한 세계화가 가속화되면서 각국은 자국의 문화를 상품화하여 수출하고 있으며, 선진국 문화의 보편화로 문화의 획일화가 진행되고 있다.
**바로 알기** (4) 국가 간 분업이 이루어지면서 전 지구적으로 상호 의존도가 증가하였다.

**12** 제시된 사례를 통해 문화의 획일화 현상이 나타나고 있음을 알 수 있다. 문화의 획일화는 세계화로 인해 국가 간의 교류가 활발해지고 서로에게 미치는 영향력이 커지면서 전 세계의 문화가 비슷해져 가는 현상이다. ⑤ 문화의 획일화 문제를 해결하기 위해서는 자국 문화의 정체성을 유지하면서 외래문화를 능동적으로 수용하는 자세가 필요하다.
**바로 알기** ① 선진국의 문화가 보편화하고 문화를 상품화하는 과정에서 문화가 획일화되고 있다. ②, ③ 문화의 획일화를 경계하고 문화 다양성을 증진하기 위해서는 자기 지역의 고유한 문화가 지닌 특성을 보존하며, 다른 사회의 문화를 존중하는 문화 상대주의적 태도가 필요하다. ④ 지구촌 분배 정의를 실현하는 것은 국가 간 빈부 격차를 완화하기 위한 방안이다.

**13** 세계화에 따라 각국의 경쟁이 치열해지면서 자본과 기술이 풍부해 경쟁에 유리한 선진국과 상대적으로 경쟁력을 갖추지 못한 개발 도상국 간 소득 격차가 벌어지고 있다. 이러한 국가 간 빈부 격차 문제를 해결하기 위해서는 국제기구와 선진국이 공적 개발 원조 및 기술 이전 등을 통해 개발 도상국을 지원해야 한다. 또한 공정 무역이나 공정 여행은 개발 도상국의 생산자에게 정당한 대가가 돌아가도록 할 수 있다.
**바로 알기** 병. 자유 무역을 확대하면 선진국에 더욱 유리한 무역 환경이 조성된다.

**극비 노트** 세계화에 따른 문제점과 해결 방안

| | |
|---|---|
| 국가 간 빈부 격차 심화 | 선진국의 공적 개발 원조 및 공정 무역 확대 |
| 문화의 획일화 | 자국 문화의 정체성을 유지하면서 외래문화를 능동적으로 수용 |
| 보편 윤리와 특수 윤리의 갈등 | 보편 윤리를 존중하며 각 사회의 특수 윤리를 성찰하는 태도 필요 |

**14** 세계화가 진행되면서 국가 간 국제적 차원에서 협력하여 해결해야 할 문제가 늘어났다. 하지만 이러한 문제를 해결하는 과정에서 인권, 자유와 같은 보편적 가치를 중시해야 한다는 입장과 특정 국가의 시민으로서 해당 사회에서 준수하는 특수한 윤리를 우선해야 한다는 입장이 서로 충돌하고 있다. 제시문은 인간 존엄성 존중이라는 보편 윤리와 태형이라는 싱가포르 사회의 특수 윤리가 서로 충돌하는 사례이다.

## 3단계 등급 올리기

본문 107쪽

01 ③ 02 ② 03 ① 04 (1) ㉠ 특수 ㉡ 보편 (2) 해설 참조

**01** 제시문의 ㉠은 세계화, ㉡은 지역화이다. 교통수단과 정보 통신 기술의 발달은 공간이라는 물리적 장벽을 허물었으며, 세계 교역 증진을 목적으로 설립된 세계 무역 기구(WTO)의 등장은 자유 무역의 확산을 가져와 세계화에 기여하였다. 세계화에 따라 지역이 차별화된 경쟁력을 갖추기 위해 노력하는 지역화 현상도 나타났는데, 지역 축제 개최, 지역 브랜드 개발 등의 지역화 전략은 지역 경제의 활성화를 이끌기도 한다. 이처럼 한 지역의 고유한 문화가 세계적으로 확산하고, 동시에 세계 속에서 정체성과 경쟁력을 갖추는 등 세계화와 지역화는 동시에 이루어지는 경우가 많다.
**바로 알기** ③ 지역화 전략은 다른 지역과 차별화할 수 있는 지역의 고유한 전통에 세계의 보편적인 가치를 접목하여 경쟁력을 높이는 것으로 문화의 다양화를 이끌어 나간다.

**02** △△ 기업은 세계적으로 생산과 판매 활동을 하는 다국적 기업으로, 이윤을 극대화하기 위해 기업의 시설과 기능을 공간적으로 분리한다. A 지역은 세계 도시로 전 세계의 자본과 정보가 집중되고 생산자 서비스 기능이 발달해 있기 때문에 다국적 기업의 본사가 들어서기에 유리하다.
**바로 알기** ㄴ. A 지역은 다국적 기업의 본사가 위치한 곳으로 B 지역보다 전체 산업 종사자의 평균 임금이 높을 것이다. ㄹ. B와 C 지역의 생산 공장은 생산비 절감을 위해 저임금 노동력이 풍부한 개발 도상국에 입지한 것이므로, 본사가 위치한 세계 도시로 이전될 가능성이 낮다.

**03** ㉠은 인도의 델리, ㉡은 미국의 뉴욕에 해당한다. ① 미국의 뉴욕은 최상위 세계 도시에 속하는 곳으로 인도의 델리에 비해 세계적인 다국적 기업의 본사 수가 많고, 생산자 서비스업 종사자 비중 및 자본과 정보의 집중 정도가 높다.

### 서술형 문제

**04** (2) **예시 답안** 지구촌 구성원으로서 세계 시민 의식을 가지고 다른 사회의 문화를 편견 없이 바라보아야 하며, 더불어 인류의 보편적 가치를 존중하는 가운데 각 사회의 특수 윤리를 성찰하는 태도를 지녀야 한다.

| 채점 기준 | 배점 |
|---|---|
| 세계 시민 의식을 바탕으로 보편 윤리와 특수 윤리 간의 갈등 해결 방안에 대해 정확하게 서술한 경우 | 상 |
| 보편 윤리와 특수 윤리 간의 갈등 해결 방안에 대해 미흡하게 서술한 경우 | 하 |

## 02 국제 사회의 모습과 평화의 중요성 ~ 03 동아시아의 갈등과 국제 평화

### 1단계 개념 짚어 보기

본문 109쪽

01 (1) 다양한 (2) 증가 02 (1) ㄴ (2) ㄷ (3) ㄱ 03 ㉠ 소극적 ㉡ 구조적 04 (1) × (2) ○ (3) ○ 05 (1) 영유권 (2) 동북 공정

### 2단계 내신 다지기

본문 110~112쪽

01 ② 02 ④ 03 ② 04 ①
05 적극적 평화 06 ② 07 ① 08 ④
09 ③ 10 ② 11 ① 12 ⑤ 13 ②

**01** 국제 사회에서 각 국가는 자원, 영토 등을 둘러싸고 자국의 이익을 우선적으로 추구하며 갈등을 겪고 있다. 국제 사회의 갈등은 일반적으로 여러 가지 원인이 복잡하게 얽혀 나타나는 경우가 많으며, 특정 지역에서 발생한 갈등이 전 지구적으로 영향을 끼치기도 한다. 또한 세계화에 따라 국가 간 상호 의존성이 심화되고 한 국가의 노력만으로는 해결하기 어려운 문제가 증가하여 국제 협력도 증가하는 추세이다.
바로알기 ② 국가 간의 분쟁은 국제기구나 국제 비정부 기구를 통한 갈등 조정뿐만 아니라 갈등 당사자 간의 대화와 타협을 통해 평화적으로 해결되기도 한다.

**02** 국제 사면 위원회는 대표적인 국제 비정부 기구에 해당한다. 국제 비정부 기구는 개인이나 민간단체를 회원으로 하며 환경 보호, 인권 보장, 보건 등과 같은 국제 사회의 보편적 가치를 실현하기 위해 노력한다. 또한 오늘날 시민 사회의 영향력이 강화되면서 민간단체를 회원으로 하는 국제 비정부 기구의 역할은 더욱 확대되고 있다.
바로알기 ㄷ. 세계 여러 국가에서 경제 활동을 하며 국제 사회에 영향력을 행사하는 국제 사회의 행위 주체는 다국적 기업이다.

**03** 국제 연합(UN)은 정부 간 국제기구로 국가 간 이해관계를 조정하고 국제 규범을 정립할 뿐만 아니라 국제 분쟁 지역에서 평화 유지 활동(PKO) 및 분쟁 지역의 치안 및 재건 활동 등을 수행하고 있다.

**04** ② 세계 보건 기구(WHO)는 정부 간 국제기구로서 각국 정부를 회원으로 하여 국가 간 이해관계를 조정하고 국제 규범을 정립한다. ③, ④ 콩고 민주 공화국은 국가로서 영토의 크기와 관계없이 독립된 주권을 행사하는 국제 사회의 가장 기본적인 행위 주체이다. 각 국가는 자국의 이익과 자국민 보호를 위한 외교 활동을 최우선으로 추구한다. ⑤ 지미 카터(Carter, J.) 전 미국 대통령은 국제적으로 영향력이 있는 개인으로서 국제 비정부 기구에 가입하여 활동할 수 있다.
바로알기 ① 국가 내부적 행위체에 대한 설명이다.

**극비노트** 국제 사회의 행위 주체

| | |
|---|---|
| 국가 | • 독립적인 주권을 행사하는 행위 주체<br>• 자국의 이익 실현과 자국민 보호를 최우선으로 추구함 |
| 정부 간 국제기구 | • 각국의 정부를 회원으로 하는 행위 주체<br>• 국가 간 이해관계 조정 및 국제 규범 정립 |
| 국제 비정부 기구 | • 개인이나 민간단체를 회원으로 하는 행위 주체<br>• 국제적 연대를 통해 지구촌 공통의 문제를 제기하고 공동의 노력을 끌어냄 |
| 기타 | 국가 내부적 행위체, 다국적 기업, 국제적 영향력이 있는 개인 등 |

**05** 갈퉁(Galtung, J.)은 평화의 개념을 소극적 평화, 적극적 평화로 구분하였다. 소극적 평화는 전쟁, 범죄 등 물리적 폭력이 없는 상태이며, 적극적 평화는 직접적 폭력뿐만 아니라 빈곤, 기아, 각종 억압과 차별 및 불평등과 같은 구조적·문화적 폭력까지 제거된 상태이다.

**06** ㉠은 적극적 평화에 해당한다. 적극적 평화는 모든 사람이 인간의 존엄성을 보장받으며 안전하고 행복하게 살아갈 삶의 조건이 조성된 상태를 의미한다.
바로알기 ㄴ, ㄷ. 전쟁, 테러와 같은 직접적·물리적 폭력은 제거되었지만, 직접적 폭력의 원인이 되는 구조적·문화적 폭력이 남아 있는 소극적 평화에 해당하는 설명이다.

**07** 평화를 통해 인류의 생존과 안전 보장, 인류의 삶의 질 향상, 인류의 축적된 지혜와 문화유산 보존 등을 실현할 수 있다.
바로알기 ① 힘의 논리는 국가 간 경제적·정치적 힘의 차이로 나타나 국제 사회의 갈등을 유발할 수 있다.

**08** 제시문은 남북 분단의 국제적 배경에 대해 이야기하고 있다. 남북 분단의 국제적 배경으로는 국제 사회의 냉전 체제 심화, 한반도의 지정학적 위치의 중요성을 들 수 있다.
바로알기 ㄷ. 민족 내부의 이념적 갈등은 남북 분단의 국내적 배경에 해당한다.

**09** 1945년 우리 민족의 지속적인 독립 운동과 일본의 제2차 세계 대전 패전 선언으로 우리나라는 8·15 광복을 맞이하였다. 그러나 광복 이후 북위 38도선을 경계로 미국과 소련의 군대가 남과 북에 각각 주둔하고, 민족 내부적으로 신탁 통치에 대한 찬반 논쟁과 이념적 갈등이 발생하였다. 이러한 배경 속에서 남한만의 5·10 총선거가 실시되었고 대한민국 정부가 수립되었다. 이후 1950년 북한의 전면적인 남침으로 6·25 전쟁이 일어났으며, 현재까지 분단이 고착화되었다.
바로알기 ③ 국제 연합(UN)은 남북 총선거에 의한 통일 정부 구성 방안을 마련하였지만, 소련과 북한 측의 거부로 남한만의 총선거가 실시되었다.

**10** 정치적 차원에서는 통일을 통해 남북 간 전쟁의 위협을 제거하여 한반도의 평화를 실현할 수 있다. 또한 경제적 차원에서는 통일을 통해 남북의 단일 시장을 형성하여 국내 경제 활성화에 기여

하고, 대립과 갈등으로 발생하는 소모적인 비용을 절감하여 경제 발전과 주민들의 복지 향상을 위해 사용할 수 있다.

**11** ② 일본은 1905년 러일 전쟁 중 시마네현의 고시로 독도가 일본의 영토로 편입되었다는 왜곡된 주장을 펼치고 있다. ③ 일본의 일부 우익 단체는 징용·징병의 강제성을 감추고, 일본의 식민 지배와 침략 전쟁을 정당화하는 왜곡된 역사 교과서를 펴냈다. ④ 중국은 동북 공정을 통해 우리나라의 역사에 해당하는 고조선, 부여, 고구려, 발해 등의 역사를 중국의 지방사라고 주장하고 있다. 중국의 동북 공정은 중국 영토 내 소수 민족의 분리 독립을 막고 국경 지역을 안정시키는 것을 목적으로 한다. ⑤ 일본 정부는 침략 전쟁 과정에서 조선, 타이완, 중국, 필리핀 등의 여성을 일본군 '위안부'로 강제 동원하였으나 현재 일본 정부는 이에 대한 강제성을 부정하고 있다.

바로 알기 ① 제2차 세계 대전의 전쟁 범죄자들이 합사된 야스쿠니 신사에 일본의 주요 보수 정치인들이 참배하면서 국제 사회의 비판을 받고 있다.

**12** 역사 갈등은 여러 나라와 민족의 이해관계가 얽혀 있는 문제이다. 따라서 역사 갈등을 해결하기 위해서는 공동 역사 연구를 통해 공동의 역사 인식을 확립할 뿐만 아니라 각국 학교, 시민 단체 등 민간단체의 교류 확대를 통해 상호 이해의 폭을 확대해 나가야 한다.

바로 알기 ㄱ, ㄴ. 자국의 이해관계를 강조하는 역사 교육, 각국의 주관적 관점이 담긴 역사 교과서는 오히려 역사 갈등을 심화할 수 있다.

**13** ① 우리나라는 지리적으로 유라시아 대륙과 태평양을 연결하는 지리적 요충지에 위치하고 있다. ③ 우리나라는 각종 국제기구에 가입하여 주도적으로 활동하고 있으며, 국제 연합의 일원으로서 평화 유지 활동(PKO)에도 파병하고 있다. ④ 우리나라는 한류 열풍을 통해 드라마, 케이팝(K-Pop) 등이 세계로 확산되고 있다. ⑤ 우리나라는 석굴암과 불국사, 해인사 장경판전 등의 유네스코 세계 문화유산을 보유하고 있다.

바로 알기 ② 우리나라는 1960년대 이후부터 추진된 정부 주도의 경제 개발 정책에 따라 고도의 경제 발전을 이루었다.

## 3단계 등급 올리기

본문 113쪽

01 ① 02 ④ 03 ② 04 해설 참조

**01** ㉠은 국가, ㉡은 국가의 정부, ㉢은 정부 간 국제기구, ㉣은 국제적으로 영향력이 있는 개인, ㉤은 국제 비정부 기구에 해당한다. (1) 아이티는 국가로서 일정한 영역과 국민을 바탕으로 독립된 주권을 행사하는 국제 사회의 가장 기본적인 행위 주체이다. (2) 국제 연합(UN)은 대표적인 정부 간 국제기구로서 한국 정부와 같은 각국의 정부를 구성원으로 하는 국제 사회의 행위 주체이다. (4) 국경 없는 의사회는 국제 비정부 기구에 해당한다. 국제 비정부 기구는 환경 보호, 인권 보장, 보건 등 인류의 보편적 가치를 실현하기 위해 활동한다.

바로 알기 (3) 전직 국가 원수는 국제적으로 영향력이 있는 개인에 해당한다. 국제 사회의 가장 기본적이고 대표적인 행위 주체는 국가이다.

**02** 갑은 직접적 폭력뿐만 아니라 빈곤, 기아, 각종 억압과 차별 및 불평등과 같은 구조적·문화적 폭력까지 제거된 상태를 강조하는 적극적 평화의 입장이며, 을은 전쟁, 범죄, 테러와 같은 직접적·물리적 폭력이 없는 상태를 강조하는 소극적 평화의 입장이다. A에는 갑은 긍정, 을은 부정의 대답을 할 질문, B에는 갑이 긍정의 대답을 할 질문, C에는 을이 긍정의 대답을 할 질문이 들어가야 한다. ①, ③ 갑만 긍정의 대답을 할 질문에 해당한다. 종교, 예술, 사상, 언어 등으로 인해 나타나는 폭력은 문화적 폭력에 해당하며, 사회적 차별과 소외는 사회 구조가 가하는 구조적 폭력에 해당한다. 적극적 평화는 이러한 구조적·문화적 폭력을 경계한다. ② 갑만 긍정의 대답을 할 질문에 해당한다. 적극적 평화 상태는 모든 사람이 인간의 존엄성을 보장받으며 안전하고 행복한 삶을 살아갈 수 있는 상태이다. ⑤ 을만 긍정의 대답을 할 질문에 해당한다. 소극적 평화에서는 전쟁, 범죄, 테러와 같은 직접적·물리적 폭력이 없는 상태를 평화라고 본다.

바로 알기 ④ 을이 부정의 대답을 할 질문에 해당한다. 소극적 평화는 전쟁, 테러와 같은 직접적·물리적 폭력이 없는 상태로서 직접적 폭력의 원인이 되는 구조적·문화적 폭력이 남아 있는 상태이다.

**03** 분단 비용은 남북이 분단되어 있는 동안 지속적으로 지불해야 하는 기회비용이고, 통일 비용은 남북의 다른 체제와 제도 등을 통합하는 과정에서 드는 비용이다. 제시된 글을 쓴 사람은 통일이 될 경우 분단 비용이 사라지고 통일 비용을 넘어서는 통일에 따르는 편익이 발생할 것이라고 강조하고 있다.

바로 알기 ㄴ, ㄷ. 분단 비용은 남북한 사이의 갈등으로 인해 발생하는 비용으로 통일 비용에 비해 소모적인 비용이다. 또한 제시문에는 통일이 되지 않으면 분단 비용이 지속적으로 발생한다고 하였으므로 통일이 늦어질수록 분단 비용은 증가할 것이다.

### 서술형 문제

**04** 예시 답안 정부 차원에서는 역사 왜곡에 대해 외교적으로 대처하고 관계 법령을 정비하는 한편 역사 왜곡에 대응하는 연구를 지원하고 있다. 민간 차원에서는 공동 역사 연구를 통해 역사 인식의 차이를 극복하고자 하며, 국제 연대와 교류를 통해 상호 간의 이해를 확대하기 위해 노력하고 있다.

| 채점 기준 | 배점 |
|---|---|
| 정부와 민간 차원에서 이루어지고 있는 노력을 모두 정확하게 서술한 경우 | 상 |
| 정부와 민간 차원에서 이루어지고 있는 노력 중 한쪽의 노력만을 서술한 경우 | 하 |

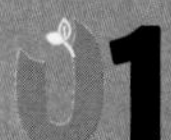

# 01 세계의 인구와 인구 문제

## 1단계 개념 짚어 보기

본문 115쪽

01 (1) × (2) × (3) ○ 02 (1) 낮고, 길다 (2) 유입 (3) 북반구, 온대 03 (1) ㄱ, ㄴ (2) ㄷ 04 ㉠ 인구 구조 ㉡ 피라미드 05 ㉠ 출산 장려 ㉡ 고령화 ㉢ 출생률

## 2단계 내신 다지기

본문 116~118쪽

01 ④ 02 ③ 03 ⑤ 04 ④ 05 ③
06 ⑤ 07 ② 08 ② 09 ① 10 ④
11 ② 12 ①

**01** 아시아는 세계에서 인구가 가장 많이 분포하는 대륙이며, 최근 아프리카의 인구도 빠르게 증가하고 있다. 앞으로의 인구 성장은 개발 도상국이 많은 아시아와 아프리카가 주도할 것으로 보인다. 반면에 유럽은 저출산 현상으로 인해 세계에서 차지하는 인구 비중이 줄어들 것으로 예측된다. 따라서 A는 아시아, B는 아프리카, C는 유럽이다.

**02** ③ 세계의 인구가 급격하게 증가한 것은 의료 기술의 발달로 인해 사망률이 낮아졌기 때문이다.
바로 알기 ① 신석기 시대의 농업 혁명 이후 식량 증산이 이루어지면서 점차 인구가 증가하기 시작하였다. ② 세계의 인구는 산업 혁명 이후 의료 기술이 발달하고 생활 수준이 향상되면서 급격하게 증가하였다. ④ 산업화가 일찍부터 시작된 선진국에서는 인구가 빠르게 성장하다가 최근 출산율이 감소하면서 인구가 정체하거나 감소하는 추세이다. ⑤ 개발 도상국은 제2차 세계 대전 이후 산업화가 진행되었고, 생활 수준의 향상과 의료 기술의 발달로 사망률이 감소함에 따라 인구가 빠르게 증가하고 있다.

**03** ⑤ (라)에서는 출생률과 사망률이 모두 낮아져 인구 증가율이 낮으며 인구 증가가 정체한다.
바로 알기 ① (가)는 출생률과 사망률이 모두 높고, (나)는 출생률은 높고 사망률이 감소한다. (나)에서는 의료 기술 발달, 생활 수준 향상 등으로 사망률이 빠르게 감소하면서 인구가 급증한다. 따라서 (나)는 (가)보다 총 인구수가 많다. ② (가)는 출생률과 사망률이 높아 인구 증가가 정체하고, (다)는 출생률이 사망률보다 높아 인구가 증가한다. ③ (라)는 (나)보다 사망률이 낮아 고령화가 심화됨에 따라 중위 연령이 높아진다. ④ (라)는 (다)보다 노년층의 비중이 높으므로 노년 부양비도 높다.

**04** A는 서부 유럽, B는 사하라 사막, C는 남부 아시아, D는 그린란드이다. ㄴ. 건조 기후가 나타나는 사하라 사막은 강수량이 매우 적고 물을 구하기 어려워 농경에 불리하므로 인구가 희박하다. ㄹ. 그린란드는 북극해 주변의 고위도에 위치하여 기온이 매우 낮은 한대 기후가 나타나므로 인구가 희박하다.
바로 알기 ㄱ. A는 산업 혁명 이후 공업이 발달하면서 사회·경제적 조건이 인간 거주에 유리하여 인구 밀도가 높다. ㄷ. C는 인구 밀집 지역으로 계절풍 기후가 나타나 벼농사에 유리하여 인구가 밀집하였다.

**극비 노트** 인구 밀집 지역과 인구 희박 지역

| | |
|---|---|
| 인구 밀집 지역 | • 자연적 요인이 유리한 곳: 북반구 중위도의 냉·온대 기후 지역, 해발 고도가 낮은 하천 주변의 평야 및 해안 지역<br>• 사회적·경제적 요인이 유리한 곳: 교통이 발달하고 일자리가 많은 대도시 |
| 인구 희박 지역 | 자연적 요인이 불리한 곳 → 건조 기후 및 한대 기후 지역, 험준한 산지와 고원, 사막과 초원 |

**05** 세계 인구는 북반구 중위도의 냉·온대 기후 지역, 하천 주변의 평야 및 해안 지역에 집중하여 분포하고 있다. 특히 동부 아시아와 동남 및 남부 아시아는 계절풍 지대로 일찍부터 벼농사가 발달하여 인구가 밀집해 있다. 서부 유럽과 미국 북동부 지역은 일찍부터 공업이 발달해 인구가 집중하였다.
바로 알기 ㉢ 적도 부근은 일 년 내내 고온 다습하여 인간 거주에 불리하다.

**06** 제시된 지도는 유럽으로 향하는 난민의 국제 이동 경로를 나타낸 것이다. 최근 아랍 지역의 민주화 운동으로 서남아시아와 북부 아프리카에서 많은 난민이 발생하였으며, 또한 시리아 내전으로 유럽행 난민의 수가 크게 증가하였다. 따라서 ⑤ 내전으로 인한 정치적 혼란을 피하기 위해 유럽으로 이동한 인구 이동 사례이다.

**극비 노트** 인구 이동의 유형

| | |
|---|---|
| 경제적 이동 | 노동자들이 일자리를 찾아 개발 도상국에서 선진국으로 이동 |
| 정치적 이동 | 정치적 탄압, 불안한 정세, 내전의 발발로 인한 난민 형태의 인구 이동 |
| 환경적 이동 | 사막화, 지구 온난화, 이상 기후 등에 따른 환경 재앙을 피하기 위한 인구 이동 |

**07** ② 상대적으로 임금 수준이 높은 홍콩으로 일자리를 찾아 떠난 필리핀 출신 가사 도우미의 사례는 경제적 요인에 의한 인구 이동에 해당한다.
바로 알기 ① 전쟁이나 분쟁으로 인한 인구 이동은 정치적 이동에 해당한다. ③ 성지 순례는 종교적 요인에 의한 일시적 인구 이동에 해당한다. ④ 과거 제국주의 열강들이 식민지 주민들을 강제로 이동시킨 사례에 해당한다. ⑤ 사막화, 해수면 상승 등 기후 변화에 따른 환경 재앙을 피해 이동하는 것은 환경적 이동에 해당한다.

**08** 중위 연령은 전체 인구를 연령 순서로 세웠을 때 그 중앙에 위치한 사람의 연령이다. ㄱ. 노년층의 비중이 많아 평균 수명이 길수록 중위 연령이 높게 나타난다. ㄹ. 선진국은 개발 도상국보다 중위 연령이 높게 나타나므로 중위 연령이 높은 지역일수록 경제 수준이 높은 편이다.

바로 알기 ㄴ. 합계 출산율이 높은 지역은 대부분 개발 도상국이므로 중위 연령이 낮은 편이다. ㄷ. 중위 연령이 높은 지역은 남반구보다 북반구에 더 넓게 분포한다.

극비 노트 국가 간 경제 수준에 따른 인구 구조

| 선진국 | 유소년층 비중이 적고, 노년층 비중이 많음 → 종형 또는 방추형 인구 구조 |
|---|---|
| 개발 도상국 | 유소년층 비중이 많고, 노년층 비중이 적음 → 피라미드형 인구 구조 |

**09** (가)는 독일, (나)는 필리핀에 해당한다. 선진국인 독일에서는 저출산·고령화 문제가 나타나는 반면, 개발 도상국인 필리핀에서는 인구 과잉 문제가 나타난다. ㄱ, ㄴ. 선진국은 개발 도상국에 비해 합계 출산율이 낮고 기대 수명이 길어 생산 가능 인구가 감소하고 경제 성장이 둔화되는 등의 문제가 발생한다.
바로 알기 ㄷ. 일부 아시아 국가에서는 남아 선호 사상이 나타나 유소년층에서 성비 불균형이 나타나기도 한다. 그러나 제시된 자료를 통해서 성비 불균형 문제가 나타나는지 파악할 수 없다. ㄹ. 오늘날 우리나라는 저출산·고령화 문제가 심각한 편이다.

**10** 1950년과 2000년의 인구 변화를 살펴보면 ① 청장년층 비중이 조금 감소하였고, 노년층 비중의 증가분이 유소년층 비중의 감소분보다 크므로 총 부양비는 증가하였다. ② 노년층 비중이 증가함에 따라 노년 부양비도 증가하였다. ③ 노년층 비중이 증가하였으므로 기대 수명이 길어졌을 것으로 예상할 수 있다. ⑤ 생산 가능 인구는 생산 활동을 할 수 있는 15~64세의 청장년층을 의미한다. 따라서 1950년에 비해 2000년에 청장년층의 비중은 감소하였다.
바로 알기 ④ 1950년과 2000년 모두 유소년층은 남자가 여자보다 많으므로 남초 현상이 나타난다고 볼 수 있다.

**11** 제시된 자료는 『제3차 저출산·고령 사회 기본 계획』 '브리지 플랜 2020'의 주요 내용을 나타낸 것이다. 이는 최근 우리나라에서 심각하게 나타나는 저출산·고령화 문제를 해결하기 위한 인구 정책을 담고 있다.
바로 알기 ① 저출산·고령화가 진행되면 경제 활동 인구의 비중은 점차 감소한다. ③ 저출산·고령화가 계속되면 인구가 정체하거나 감소한다. ④ 저출산·고령화 현상이 원주민과 외국인 간의 갈등으로 이어진다고 보기는 어렵다. ⑤ 고령화로 인해 노년층을 위한 사회적 비용이 증가하면 청장년층의 부담이 가중되어 세대 간 갈등이 발생할 수 있다.

**12** 제시된 그래프는 일본의 인구 구조를 보여 주고 있다. 일본은 저출산·고령화 현상이 심화되고 있어 출산율을 높이고 고령화를 대비하는 노력이 요구되고 있다. 따라서 출산, 육아, 보육 등의 정책을 강화하고, 노년 세대의 경제 생활을 위한 정년 연장 및 일자리 마련 등이 필요하다.
바로 알기 병과 정은 인구 과잉과 인구의 도시 집중이 나타나는 개발 도상국의 인구 문제 해결 노력에 해당한다.

## 3단계 등급 올리기

본문 119쪽

**01** ⑤ **02** ③ **03** ④ **04** (1) 저출산 문제 (2) 해설 참조

**01** ① (가)의 사망률은 1960~1965년에 약 12‰이었고, 2010~2015년에는 약 11‰로 1‰가량 감소하였다. 반면, (나)와 (다)의 사망률은 모두 10‰ 이상 감소하였다. ② (나)의 합계 출산율은 1960~1965년에 약 6명이었고, 2010~2015년에는 약 2명으로 4명 이상 감소하였다. 반면, (가)와 (다)의 합계 출산율은 모두 1명 내외로 감소하였다. ③ (가)는 인구수의 변화가 거의 없으며, (나)와 (다)는 인구가 증가하였다. ④ 1965년에는 (가)의 인구가 가장 많았지만, 2015년에는 (다)의 인구가 가장 많아졌다.
바로 알기 ⑤ 2015년 사망률이 가장 높은 국가는 (다)이다. 그러나 (다) 국가는 합계 출산율도 가장 높아 (가)~(다) 중에서 전체 인구가 가장 많다.

**02** ③ (가)의 청장년층 비중은 57%에서 65%로, (나)의 청장년층 비중은 62%에서 65%로 각각 증가하였다. 따라서 청장년층(15~64세) 비중의 증가 폭은 (가)가 (나)보다 크다.
바로 알기 ① (가)의 유소년 부양비는 1960년(40/57)보다 2010년(30/65)에 감소하였다. ② (나)의 노년 부양비는 1960년(12/62)보다 2010년(17/65)에 증가하였다. ④ 인구 증가율은 출생률에서 사망률을 뺀 값을 의미하므로, (나)는 (가)보다 인구 증가율이 낮았다. ⑤ (가)는 인구 증가율이 높으므로 인구 과잉 문제가, (나)는 인구 증가율이 낮으므로 저출산·고령화 문제가 나타날 수 있다.

**03** (가) 국가군은 대부분 유럽의 선진국에 해당하므로 노년 인구 비중이 높은 편이다. 반면, (나) 국가군은 대부분 아프리카의 개발 도상국에 해당하므로 노년 인구 비중이 낮은 편이다. 따라서 A에는 선진국에서 상대적으로 높게 나타나는 지표가, B에는 개발 도상국에서 상대적으로 높게 나타나는 지표가 들어가야 한다. 선진국은 개발 도상국에 비해 중위 연령, 기대 수명 등이 높게 나타난다. 개발 도상국은 선진국에 비해 출생률, 사망률, 유소년 부양비 등이 높게 나타난다.

### 서술형 문제

**04** (2) 예시 답안 저출산 문제를 해결하기 위한 방안으로 출산 및 육아 비용 지원, 보육 시설 확대 등의 출산 장려 정책을 시행하고, 청년들의 실업률을 낮추기 위한 일자리를 창출하며 신혼부부를 위한 주택 지원 제도 등이 마련되어야 한다.

| 채점 기준 | 배점 |
|---|---|
| 저출산 문제를 해결하기 위한 방안을 두 가지 이상 서술한 경우 | 상 |
| 저출산 문제를 해결하기 위한 방안을 한 가지만 서술한 경우 | 하 |

## 02 세계의 자원과 지속 가능한 발전 ~ 03 미래 지구촌의 모습과 내 삶의 방향

### 1단계 개념 짚어 보기

본문 121쪽

01 ㉠ 자원 ㉡ 에너지 자원 02 (1) × (2) × (3) ○ (4) ○ 03 (1) ㄴ (2) ㄱ (3) ㄷ 04 지속 가능한 발전 05 ㉠ 확대 ㉡ 초연결 ㉢ 생명 공학

### 2단계 내신 다지기

본문 122~123쪽

01 ③ 02 ⑤ 03 ② 04 ③
05 자원 민족주의 06 ① 07 ③ 08 ④
09 ④

**01** 석유의 사용량이 증가함에 따라 석유의 가채 연수가 줄어든다는 부분은 자원의 유한성과 관련 있다. 오일 샌드가 주목받기 시작한 것은 오일 샌드에서 원유를 추출하는 기술이 발달하면서부터이다. 이를 통해 자원의 가변성을 파악할 수 있다.

**극비 노트** 자원의 특성

| | |
|---|---|
| 유한성 | 대부분의 자원은 매장량에 한계가 있으므로 가채 연수에 도달하면 고갈됨 |
| 편재성 | 특정 자원은 지구상에 고르게 분포하지 않고 일부 지역에 편중되어 분포함 |
| 가변성 | 자원의 가치는 과학 기술의 발달과 사회적·문화적 배경에 따라 변화함 |

**02** 그래프에서 A는 신·재생 에너지, B는 천연가스 C는 석유, D는 석탄이다. ⑤ 석유는 서남아시아의 페르시아만에 집중적으로 매장되어 있는 반면, 석탄은 비교적 넓은 범위에 고르게 분포하는 편이다. 따라서 석유는 석탄보다 편재성이 커서 국제 이동량이 많다.
**바로 알기** ① 석탄은 화력 발전과 제철 공업의 연료로 주로 사용된다. ② 석탄은 연소 시 대기 오염 물질이 많이 배출되는 반면, 천연가스는 대기 오염 물질이 적게 배출되어 청정에너지라고도 불린다. ③ 석유는 사용할수록 고갈되는 자원이며 풍력, 태양광, 지열 등과 같은 신·재생 에너지는 무한대로 재생하여 사용할 수 있는 자원이다. ④ 석유는 주로 신생대 제3기 배사 구조 지층에 매장되어 있다. 석탄은 주로 고생대 지층 주변에 매장되어 있다.

**03** 석유(나)는 석탄(가)에 비해 상대적으로 자원의 편재성이 크기 때문에 특정 수출 국가의 정치적·경제적 불안 요인이 가격 변동에 미치는 영향이 매우 크다. 또한 석유는 석탄에 비해 자동차, 항공기, 선박 등 운송 수단의 연료로 이용되는 비중이 높다.

**04** 오늘날 에너지 자원의 소비량이 크게 증가하면서 자원 고갈 및 부족 등의 문제가 발생하고 있다. 또한 에너지 자원의 편재성과 채굴 조건의 악화, 불안정한 가격 등으로 인해 자원을 둘러싼 갈등이 발생하고 있다. 이 밖에도 자원 개발에 따른 환경 오염 문제가 심각하다. 자원의 채굴 과정에서 생태계가 파괴되어 생물종이 감소하고, 화석 연료의 사용에 따라 온실가스 배출량이 증가하여 지구 온난화 현상이 발생하고 있다.
**바로 알기** ③ 우리나라와 같이 에너지 자원의 해외 의존도가 높은 국가들은 자원 수출국의 정치적·경제적 상황에 따라 자원의 가격에 큰 변동이 나타난다.

**05** 자원 민족주의는 자원을 보유한 특정 국가들이 자원의 생산과 공급을 통제하여 자국의 이익을 극대화하려는 움직임을 말한다. 자원 민족주의가 확산될 경우 자원 갈등의 원인이 된다.

**06** 지속 가능한 발전의 개념이 등장하게 된 계기는 20세기 중반 이후 산업화와 도시화로 경제 개발이 빠르게 이루어지고, 자원의 무분별한 개발과 사용으로 인해 대규모 환경 오염 문제가 발생하면서 사람들이 환경 보전의 필요성을 인식하게 되었기 때문이다.
**바로 알기** ㄷ, ㄹ. 지속 가능한 발전을 위한 노력 방안에 해당한다.

**07** ③ 기후 변화 협약은 지구 온난화 현상을 완화하기 위해 온실가스 배출을 규제하고자 체결한 국제 환경 협약이다.
**바로 알기** ① 바젤 협약은 유해 폐기물의 국제 이동을 규제하는 협약이다. ② 람사르 협약은 습지 보호를 위한 협약이다. ④ 몬트리올 의정서는 오존층을 파괴하는 프레온 가스의 배출을 억제하고자 하는 협약이다. ⑤ 생물 다양성 협약은 생태계 보전을 통해 지구상의 다양한 생물종을 보전하려는 노력이다.

**극비 노트** 국제 환경 협약

| | |
|---|---|
| 람사르 협약 | 생태·사회·경제·문화적으로 큰 가치를 지니고 있는 습지의 보호와 지속 가능한 이용을 위한 노력 |
| 몬트리올 의정서 | 염화플루오린화탄소(CFCs) 등 오존층 파괴 물질의 생산 및 사용 규제 |
| 바젤 협약 | 유해 폐기물의 국가 간 이동 및 처리 통제 |
| 기후 변화 협약 | 지구 온난화 방지를 위해 온실가스의 배출량 규제 |
| 생물 다양성 협약 | 생물종 다양성의 보호를 위한 국제적 대책과 관련 국가 간의 권리·의무 관계를 규정하기 위해 체결 |
| 사막화 방지 협약 | 심각한 가뭄 및 사막화, 토지 황폐화 현상을 겪고 있는 개발 도상국을 재정적·기술적으로 지원 |

**08** 제시문은 이산화 탄소를 저장하는 기술을 나타내고 있다. 이산화 탄소는 지구 온난화를 일으키는 온실가스 중에서 가장 큰 비중을 차지하고 있다. 따라서 이 기술을 통해 이산화 탄소 배출량을 줄이면 지구 온난화 현상을 완화할 수 있게 되어 생태 환경의 안정성도 향상될 것이다.
**바로 알기** ①, ② 생태계가 안정되어 환경 오염 문제가 감소하고, 생물종 개체 수가 증가한다. ③, ⑤ 대기 중 온실가스 농도가 감소하여 지구 온난화 현상이 완화된다.

**09** 미래 사회를 준비하기 위해서는 과학 기술의 발달로 인해 부정적 영향이 있더라도 이를 최소화하면서 바람직한 방향으로 이끌어 나가야 한다. 과거의 생활 방식으로 돌아가는 것은 과학 기술의 부정적 측면을 극복하기 위한 방안으로 보기 어렵다.

## 3단계 등급 올리기

본문 124쪽

01 ② 02 ③ 03 ④ 04 해설 참조

**01** B는 러시아에서 많이 소비되므로 천연가스, C는 중국에서 많이 소비되므로 석탄에 해당한다. A는 세 국가에서 비교적 고르게 소비되고 있으므로 석유에 해당한다. ② 기체 상태인 천연가스(B)는 상온에서 보관과 이동이 어려웠으나, 냉동 액화 기술의 발달과 파이프라인 건설의 확대로 국제 이동량이 증가하였다.

**바로 알기** ① 석탄에 대한 설명이다. ③ 석유에 대한 설명이다. ④ 천연가스는 석탄이나 석유에 비해 대기 오염 물질을 적게 배출하는 청정에너지이다. ⑤ 석탄은 석유보다 편재성이 작아 국제 이동량이 적은 편이다.

**극비 노트** 주요 에너지 자원의 특징

| | |
|---|---|
| 석탄 | • 가장 먼저 상용화된 에너지 자원, 산업 혁명 이후의 주요 동력원<br>• 주로 공업용 및 화력 발전의 연료로 사용 |
| 석유 | • 19세기 이후 자동차 등 운송 수단의 발달로 수요 급증<br>• 수송용 및 화학 공업의 원료로 이용 |
| 천연가스 | • 석탄, 석유보다 연소 시 대기 오염 물질 배출량이 적음<br>• 가정용과 상업용으로 사용되는 비중이 높음 |

**02** 북극해에 접해 있는 미국, 캐나다, 러시아, 덴마크, 노르웨이는 서로 북극해의 영유권을 주장하며 갈등을 빚고 있다. 이 국가들이 북극해의 영유권 확보에 열을 올리는 것은 이 지역에 석유와 천연가스가 매장되어 있기 때문이다. 최근 지구 온난화로 북극의 빙하가 녹으면서 막대한 양의 자원 개발 가능성이 커지고 있다. 북극해를 둘러싼 주변 국가들이 속한 지역은 지도의 (가), (라)에 해당한다.

**03** 제시된 내용은 지속 가능한 발전을 위한 소비의 필요성에 관한 것이다. ①, ⑤는 윤리적 소비, ②는 로컬 푸드, ③은 공정 무역 제품에 대한 설명이다.

**바로 알기** ④ 유전자 변형 농산물은 유전자 결합을 통해 유전자 일부를 변형시켜 만든 농산물로, 세계의 식량난을 해소하는 데 기여할 것으로 기대된다. 그러나 유전자 변형 농산물은 인위적인 방법으로 새로운 식물 구조를 만들어 내기 때문에 인체 내에서 부작용을 일으킬 가능성을 배제할 수 없다. 따라서 안전성이 아직 검증되지 않은 작물을 식량으로 사용하는 것은 인류의 지속 가능한 발전을 저해할 수도 있다.

## 서술형 문제

**04** **예시 답안** ㉠ – 전 세계의 부가 증대되어 생활 수준이 전반적으로 향상될 수 있다. ㉡ – 경쟁이 치열해짐에 따라 국가 간 빈부 격차가 확대될 수 있다.

| 채점 기준 | 배점 |
|---|---|
| 경제적 교류를 통한 긍정적 측면(㉠)과 치열한 경쟁에 따른 부정적 측면(㉡)을 각각 서술한 경우 | 상 |
| 경제적 교류를 통한 긍정적 측면(㉠) 또는 치열한 경쟁에 따른 부정적 측면(㉡) 중 한 가지만 서술한 경우 | 하 |

# 내공 점검

## Ⅰ 인간, 사회, 환경과 행복 126~127쪽

01 ③ 02 ④ 03 ③ 04 ③ 05 ④
06 ② 07 ④ 08 ② 09 정신적 만족감
10 (1) 의회 제도, 복수 정당 제도, 권력 분립 제도 등 (2) 해설 참조

**01** 제시된 글에서는 오늘날 '레알 마드리드'와 'FC 바르셀로나'의 격렬한 축구 라이벌전이 있기까지의 시대적 맥락과 배경을 살펴보고 있다. 이처럼 과거의 사실이나 사건을 통해 현재 일어나고 있는 사회 현상을 이해하는 것은 시간적 관점이다.

**02** ① 우리나라 장례 문화의 변천 과정을 조사하는 것은 시간적 관점의 탐구 과제가 될 수 있다. ② (나)는 공간적 관점이다. ⑤ 다양한 관점을 통합적으로 고려할 때 복잡한 사회 현상을 정확히 이해할 수 있다.
바로 알기 ④는 사회적 관점의 탐구 과제이다. 사회적 관점에서는 화장장 건설에 따른 사회 문제 해결을 위해 필요한 법과 제도는 무엇이며, 어떤 방식으로 사회적 합의를 이루어야 할지를 살펴본다.

**03** 청소년의 은어 사용이 심화되는 현상을 정보화에 따른 사회 구조의 변화, 입시 위주의 교육 제도, 또래 집단에 대한 소속감 등 사회적 관계를 고려하여 이해하는 것은 사회적 관점이다.
바로 알기 ③ 사회 현상의 분포 양상을 장소와 영역 등의 공간적 맥락에서 살펴보는 관점이다.

**04** 제시된 글은 경제적 이익의 정당한 배분과 인권을 고려하고 있으므로 윤리적 관점에서 생각하는 것으로 볼 수 있다. 윤리적 관점은 사실의 문제뿐만 아니라 가치의 문제 역시 주목하여 바람직한 사회로 나아갈 방향성을 모색하는 데 도움을 준다.
바로 알기 ④는 시간적 관점, ⑤는 사회적 관점에 해당한다.

**05** 제시된 내용은 모두 행복의 의미에 대해 설명하고 있다.

**06** 인간은 자신과 타인의 행복을 함께 추구하며 공동체의 행복을 실현하기 위해 노력해야 한다. 따라서 한 사회의 구성원으로서 타인의 삶에 관심을 가지려는 노력이 필요하다.
바로 알기 행복한 삶을 실현하기 위한 조건으로 ①은 경제적 성장, ③은 질 높은 정주 환경, ④는 민주주의의 실현에 대한 내용이다.

**07** '더 나은 삶' 지수는 주거, 소득, 직업, 교육, 건강 등의 객관적 지표를 통해 물질적 행복을 평가하는 요소와 공동체, 시민 참여, 삶의 만족도, 안전, 삶과 일의 균형 등 주관적 만족감을 평가하는 요소를 두루 포함하고 있다.
바로 알기 ④ 우리나라는 조사 대상국 36개국 중 25위를 차지하고 있으므로 다른 조사 대상국들에 비해 국민의 행복 수준이 높다고 보기 어렵다.

**08** 사회 현상을 통합적 관점으로 살펴본다는 것은 인간, 사회, 지구 공동체 및 환경을 개별 학문의 경계를 넘어 종합적으로 이해한다는 뜻이다.

### 주관식+서술형 문제

**09** 인간이 행복하기 위해서는 물질적 조건과 정신적 만족감이 모두 필요하므로, 이 두 가지가 조화를 이루는 것이 중요하다.

**10** (2) 예시 답안 선거, 정당이나 이익 집단 및 시민단체의 활동 참여, 집회나 시위 참여 등이 있다.

| 채점 기준 | 배점 |
|---|---|
| 정치 참여 방법을 세 가지 이상 모두 정확하게 서술한 경우 | 상 |
| 정치 참여 방법을 두 가지만 정확하게 서술한 경우 | 중 |
| 정치 참여 방법을 한 가지만 정확하게 서술한 경우 | 하 |

## Ⅱ 자연환경과 인간 128~129쪽

01 ⑤ 02 ④ 03 ⑤ 04 ⑤ 05 ③
06 ② 07 ④ 08 (1) 환경 문제 (2) 해설 참조

**01** A는 열대 기후, B는 건조 기후, C는 온대 기후, D는 냉대 기후, E는 한대 기후가 나타난다. ㄷ. 건조 기후는 연 강수량이 부족해 농업에 불리하며, 한대 기후는 연중 기온이 낮아 농업에 불리하다. 건조 기후 지역에서는 주로 양, 낙타, 말을 유목하며, 한대 기후 지역에서는 순록을 유목한다. ㄹ. 온대 기후 지역은 기후가 온화하고 강수량이 풍부해 농업에 유리하며 인구가 밀집해 있다. 반면 한대 기후 지역은 기온이 매우 낮아 농업에 불리하며 인구가 희박하다.
바로 알기 ㄱ. 열대 기후 지역에서는 창문을 크게 내는 등 가옥 구조가 개방적인 반면, 건조 기후 지역에서는 가옥 구조가 폐쇄적이다. ㄴ. 냉대 기후 지역에서는 침엽수를 이용하여 만든 통나무집을 많이 볼 수 있다.

**02** 석회암의 주성분인 탄산 칼슘이 이산화 탄소를 포함한 빗물이나 지하수에 의해 용식 작용을 받아 형성된 지형을 카르스트 지형이라고 한다. 화산 지대에서는 땅속의 열기를 이용한 지열 발전이 이루어지며 온천을 이용한 관광 산업이 발달해 있다.
바로 알기 수력 발전은 하천 유량이 풍부하고 낙차가 큰 산지 지역에서 많이 이루어진다.

**03** (1) 지진 해일은 해저에서 발생하는 지진이나 화산 폭발 등의 급격한 지각 변동에 의해 발생한다. (2) 열대 저기압에 해당하는 태풍은 강풍과 집중 호우를 동반하여 큰 피해를 발생시키기도 한다. (3) 폭설은 단시간에 많은 눈이 내리는 자연재해로 주로 겨울철에 발생하며 시설물 붕괴 피해를 일으킨다. (4) 지진은 지각판과 지각판이 부딪치거나 갈라지는 판의 경계부에서 주로 발생한다. 일본은 환태평양 조산대에 위치하고 있어 지진과 화산 활동이 활발하다.

**04** ㄴ. (가)의 헌법 내용에 보면 환경권 보장을 위해 국가와 국민 모두 노력해야 한다고 규정되어 있다. ㄷ. (나)의 재난 및 안전관리

기본법은 모든 유형의 자연재해와 재난에 대해서 피해 보상을 규정하고 있다. ㄹ. (가), (나)는 모두 국민이 안전하고 쾌적한 환경에서 살아갈 권리를 보장하고, 국민의 생명과 재산의 보호를 법으로 보호하기 위해 만들어졌다.
바로 알기 ㄱ. 재난 및 안전관리기본법은 상위법에 해당하는 헌법 제34조와 제35조를 바탕으로 하고 있다.

**05** 인간 중심주의 자연관(가)에 따르면 인간의 이익을 위해 자연을 이용하고 개발할 수 있으며 자연을 이용함으로써 인간의 삶이 윤택해 질 수 있다고 본다. 생태 중심주의 자연관(나)에 따르면 자연은 그 자체로서 가치를 지니고 인간과 상호 의존하는 공동체이므로 인간의 이익에 급급해 자연의 가치를 파괴해서는 안 된다고 본다.

**06** 제시문은 생태 중심주의 자연관을 나타내고 있다. 최근에는 이처럼 생태계의 한 구성원으로서 환경친화적 가치를 추구하며 살아가기 위해 인간과 자연이 공존하려는 노력이 이루어지고 있다.
바로 알기 ㄴ, ㄹ. 인간 중심주의 자연관에 따라 자연을 인간의 욕구를 충족하는 도구로 이용한 사례에 해당한다.

**07** 교토 의정서는 개발 도상국이 아닌 선진국의 온실가스 감축 목표치를 규정하였다.

## 주관식+서술형 문제

**08** (2) 예시 답안 자연은 그 자체로 본래의 가치를 지니고 있기 때문에 인간과 자연의 관계에서 인간의 이익보다는 인간을 포함한 자연 전체의 균형과 안정을 먼저 고려해야 한다. 모든 생명체는 자연의 일부이며, 인간도 자연을 구성하는 일부이기 때문에 인간은 자연과 독립적으로 존재할 수 없다.

| 채점 기준 | 배점 |
|---|---|
| 인간과 자연의 관계 및 자연의 가치에 대한 내용을 모두 정확히 서술한 경우 | 상 |
| 인간과 자연의 관계 및 자연의 가치에 대한 내용 중 한 가지만 서술한 경우 | 중 |
| 인간과 자연의 관계를 추상적으로 서술한 경우 | 하 |

## Ⅲ 생활 공간과 사회

130~131쪽

01 ④ 02 ⑤ 03 ① 04 ③ 05 ⑤
06 ① 07 ④ 08 위성 위치 확인 시스템(GPS)
09 해설 참조

**01** (1) 교통 발달에 따라 도시 내부가 분화되고 대도시권이 확대되면서 주거지와 직장의 거리가 멀어졌다. (2) 대도시 주변의 근교 촌락은 농경지가 주거 및 공업 지역으로 변화하는 등 도시적 경관이 확대된다. (4) 도시의 영향력이 커지면 대도시의 인구나 기능이 주변 지역으로 확대되는 교외화 현상이 나타난다. (5) 도시에서는 제한된 공간을 효율적으로 활용하기 위해 고층 빌딩과 공동 주택(아파트)이 밀집해 있는 등 집약적인 토지 이용이 이루어진다.
바로 알기 (3) 도심은 외곽 지역보다 접근성이 높고 교통이 편리하며 상업 및 업무 기능이 발달해 있다. 반면 외곽 지역은 도심보다 주거 기능이 발달해 있다.

**02** 방 1개당 평균 거주 인구가 감소하고 있는 것은 핵가족화와 1인 가구의 증가로 혼자만의 시간을 즐기는 문화가 확산되고, 개인주의적 가치관이 확대되고 있기 때문이다.
바로 알기 ⑤ 산업화·도시화로 가족과 함께 보내는 시간이 감소하고 있으며, 인간적인 유대감과 공동체 의식이 약화되고 있다.

**03** 도시 농업이 활성화할 경우 도시 내 녹지 공간이 늘어나 공기 정화 효과가 나타나며, 도시의 열섬 현상이 완화되어 열대야 발생 일수가 줄어든다. 또한 빗물의 흡수와 순환을 촉진하여 도시 홍수의 발생 위험이 감소한다.

**04** ① 서울에서 호남 지역을 이동할 때 고속 철도를 이용하는 승객이 증가하면서 항공기를 이용하는 승객의 비중이 감소하게 된다. ② 고속 철도가 정차하는 지역은 다른 지역과의 접근성이 향상되어 지역의 상권이 확대된다. ④ 농림 어업과 같은 1차 산업이 섬 지역 주민들의 소득원에서 차지하는 비중은 낮아지게 된다. ⑤ 교통의 발달로 전라남도를 찾는 관광객이 증가하면 숙박업 및 음식업 등의 서비스업이 발달하여 지역 경제가 활성화될 수 있다.
바로 알기 ③ 섬과 육지를 오고갈 때 도로를 통해 이동이 가능하게 되면서 섬과 육지를 연결하는 선박의 운행 횟수와 이용객은 감소하게 된다.

**05** 사례 1은 정보 통신 기술을 이용해 시간과 장소에 얽매이지 않고 언제 어디서나 업무를 수행하는 원격 근무에 관한 내용이다. 사례 2는 정보 통신의 기술의 발달로 원하는 정보를 쉽고 빠르게 주고받을 수 있게 된 내용이다. 따라서 두 사례는 공통적으로 정보 통신 기술의 발달에 따른 생활 양식의 변화를 주제로 하고 있다.

**06** (가)는 개인 정보 유출로 인한 사생활 침해 문제를 나타낸 것이다. 이를 해결하기 위해서는 「개인정보보호법」과 같은 관련 법률을 정비하고, 개인 정보 보호 수칙을 지켜야 한다. (나)는 정보 격차 문제를 나타낸 것이다. 이를 해결하기 위해서는 소외 계층에 대한 정보 기기의 보급과 정보 교육의 실시가 필요하다.

**07** ①, ② 도시 인구가 증가하면 교통량이 늘어나고 도로와 주차 공간이 부족해져 교통 혼잡 문제가 발생한다. 이를 해결하기 위해서는 대중교통 수단 확충, 자전거 이용 활성화 등의 정책이 시행되어야 한다. ③ 인터넷을 이용하면 통계청이나 지방 자치 단체 누리집에서 지역의 인구 관련 통계 자료를 얻을 수 있다. ⑤ 지역 조사 과정에서 지역 정보의 수집 이후에는 수집한 지역 정보를 정리·분석하여 그래프나 통계 지도로 표현한다.
바로 알기 ④ 지역 정보를 수집하기 위해서는 먼저 실내 조사를 진행한 다음에 야외 조사를 실시한다.

## 주관식+서술형 문제

**08** 일상생활에서 위성 위치 확인 시스템(GPS)이 가장 많이 활용되는 분야는 자동차의 내비게이션이다. 이는 도착지까지의 경로와 예상 소요 시간뿐만 아니라, 혼잡한 교통 상황에서 목적지까지 가장 빠르게 갈 수 있는 경로를 알려 준다. 최근에는 위성 위치 확인 시스템(GPS)을 활용한 스마트폰의 인터넷 지도나 지도 응용 프로그램을 통해서 자신의 위치를 쉽게 파악할 수 있게 되었다.

**09** 예시 답안 고속 철도망이 구축되면 시공간의 제약이 줄어들어 사람들의 일상생활 범위와 경제 활동 범위가 확대된다. 또한 다른 지역과의 접근성이 향상되면서 여가 공간이 확대되고 지역 간 교류가 활발해진다.

| 채점 기준 | 배점 |
|---|---|
| 교통의 발달로 시공간의 제약이 감소하고, 지역 간 접근성이 향상되면서 나타나는 변화를 두 가지 이상 서술한 경우 | 상 |
| 교통의 발달로 시공간의 제약이 감소하고, 지역 간 접근성이 향상되면서 나타나는 변화를 한 가지만 서술한 경우 | 하 |

## Ⅳ 인권 보장과 헌법 132~133쪽

01 ③ 02 ② 03 ② 04 ⑤ 05 ③
06 ④ 07 ③ 08 ② 09 ①
10 (1) 준법 의식 (2) 해설 참조

**01** 인권은 인종·성별·종교·사회적 신분 등과 관계없이 인류 구성원 모두가 가지는 권리라는 점에서 보편성을 가진다.
바로 알기 병. 인권은 국가의 존재와는 관계없이 인간이라면 당연히 갖는 권리이다.

**02** 제3조에서 국민 주권주의를 명시함으로써 국가 권력은 국민의 동의에 의해 형성된다고 본다.
바로 알기 ① 제16조에서 국가 권력의 분립을 강조하고 있다. ③ 제2조에서 압제에의 저항이 소멸될 수 없는 시민의 권리임을 명시하고 있다. ④ 사회적 약자에 대한 적극적인 배려는 제시되어 있지 않다. ⑤ 제2조에서 정치적 결사가 소멸될 수 없는 천부 인권임을 명시하여 시민의 정치 참여를 강조하고 있다

**03** ① 근대 시민 혁명 시기에는 국가로부터의 간섭에서 벗어나려는 욕구가 강했으므로 자유권이 강조되었다. ③ 산업 혁명으로 인한 노동 환경의 악화를 경험하고서 사회 구성원의 인간다운 생활 보장을 국가에 요구하는 사회권이 강조되었다. ④ 제2차 세계 대전 이후 국제 연합(UN) 총회는 세계 인권 선언을 채택하였다. ⑤ 유럽 난민의 인권 문제는 어느 한 국가만의 힘으로 해결할 수 없기 때문에 많은 나라가 연대하여 해결책을 모색해야 한다는 주장이 강조되고 있다.

바로 알기 ② 차티스트 운동은 노동자의 참정권 요구 운동이다. 노동자의 적극적인 참정권 투쟁으로 노동자에게 일부 선거권이 주어졌으나 모든 사람의 참정권이 보장된 것은 20세기 이후이다.

**04** 갑은 회사를 그만두고 식당 영업을 시작했으므로 직업 선택의 자유라는 자유권을 행사했다. 자유권은 자유롭게 생활하기 위해 국가로부터의 불간섭을 요구하는 권리이다.
바로 알기 ②는 사회권, ③은 평등권, ④는 연대권에 해당한다.

**05** 주민 참여 예산은 주민이 지방 자치 단체의 예산 편성과 집행 과정에 관여하는 제도이다. 이러한 제도를 통해 주민 스스로 행정 결정 과정에 참여하므로 주민의 자치 역량이 강화되고, 지역 실정에 적합한 정책을 추진할 수 있을 것이다.
바로 알기 ③ 주민 스스로 어떤 정책이 지역 실정에 적합한지를 검토하여 행정에 적극 반영하게 되므로 정책 결정에서 중앙 정부의 영향력은 줄어들 것이다.

**06** 간디의 소금법 거부 운동은 시민 불복종의 사례에 해당한다. 시민 불복종이 정당화되려면 그 목적이 정당해야 하며, 위법 행위에 대한 처벌을 감수해야 하고, 최후의 수단으로 행사해야 하며, 비폭력적이어야 한다.
바로 알기 ④ 시민 불복종은 제재와 불이익을 감수하면서도 사회 정의를 실현하려는 양심적인 행동이어야 한다.

**07** 제시된 사례에서 보험 담당자가 별다른 근거 없이 장애인의 보험 가입을 거절한 것은 장애인과 같은 사회적 소수자에 대해 편견을 갖고 있기 때문이다. 사회적 소수자는 상대적인 개념일 뿐이며, 누구나 소수자가 될 수 있다. 사회적 소수자에 대한 차별은 인간의 존엄성을 해치고 사회적 갈등을 유발한다.

**08** 을. 근로 기준법상 18세 미만의 연소 근로자는 하루에 7시간 근로가 원칙이고, 성인과 동일한 최저 임금을 적용받는다. 병. 연소 근로자는 부모의 동의를 받아야 취업이 가능하다.
바로 알기 갑. 미성년자라도 임금은 본인에게 지급해야 한다. 정. 근로 계약은 부모가 아니라 본인이 스스로 체결해야 한다.

**09** ㄱ. 빈곤 문제는 생존의 위협은 물론, 생활 환경, 교육, 직업 등 최소한의 인간다운 삶을 어렵게 하는 문제이다. ㄴ. 여성 차별 및 학대 문제는 대체로 종교나 관습에 의한 여성 차별 관행이 남아 있는 국가에서 주로 나타난다.
바로 알기 ㄷ. 주로 저개발국이나 개발 도상국과 같이 전통적인 종교 관습을 유지하는 국가에서 국민의 기본권 침해 문제가 심각하게 나타난다. ㄹ. ㉠~㉢은 개별 사회나 국가에서 발생하지만, 국제적인 연대를 통해 해결할 수 있다.

## 주관식+서술형 문제

**10** (2) 예시 답안 시민의 준법 의식은 구성원 간 충돌을 막고 사회 질서를 유지시키며, 개인의 자유와 권리를 보호한다. 또한 모든 사회 구성원이 평화롭고 공정한 삶을 살 수 있게 한다.

| 채점 기준 | 배점 |
|---|---|
| 준법 의식의 필요성을 두 가지 이상 정확하게 서술한 경우 | 상 |
| 준법 의식의 필요성을 한 가지만 정확하게 서술한 경우 | 하 |

## Ⅴ 시장 경제와 금융 134~135쪽

01 ④ 02 ③ 03 ④ 04 ② 05 ⑤
06 ④ 07 ④ 08 (1) ㉠ 절대 우위 ㉡ 비교 우위
(2) 해설 참조

01 (가)는 수정 자본주의, (나)는 신자유주의이다. ④ 신자유주의는 정부의 역할을 제한하고 시장의 기능과 민간의 자유로운 경제 활동을 강조하였다.
바로 알기 ①은 신자유주의, ②는 산업 자본주의, ③은 수정 자본주의에 대한 설명이다. ⑤ 신자유주의와 달리 수정 자본주의에서는 다양한 정책을 통해 정부가 시장에 적극적으로 개입하는 큰 정부를 강조하였다.

02 ①, ④ ○○ 기업이 A의 개발을 계속하기로 한 선택에 따른 편익은 50억 원, 기회비용은 30억 원(← 명시적 비용 10억 원 + 암묵적 비용 20억 원)이다. 따라서 선택에 따른 편익이 기회비용보다 크므로 ○○ 기업의 선택은 합리적이다. ② ○○ 기업은 3년 동안 A의 개발에 투자한 20억 원은 고려하지 않았다. ⑤ 만약 A가 출시되었을 때 얻을 수 있는 이익이 20억 원이라면, A의 개발을 계속할 때의 편익이 기회비용보다 작아지므로 ○○ 기업의 선택은 달라질 것이다.
바로 알기 ③ ○○ 기업의 A 개발에 따른 암묵적 비용은 기존 제품의 생산량을 늘렸을 때 얻을 수 있는 이익인 20억 원이다.

03 을. 공공재는 무임승차 문제가 나타나기 쉬워 시장에서 충분히 생산되지 못하므로 정부에서 직접 생산하고 공급한다. 정. 시장 실패를 개선하기 위한 정부의 노력은 시장에서 자원이 더 효율적으로 배분될 수 있게 한다.
바로 알기 갑. (다)의 사례에 해당한다. 병. (가)의 사례에 해당한다.

04 제시된 사례에서 소비자들이 아동 노동을 착취하는 기업에 대해 불매 운동을 한 것은 윤리적인 가치 판단에 따른 것이다.

05 제시된 뉴스에서는 국제 무역의 확대가 경쟁력을 갖추지 못한 국내 산업에 어려움을 주고 있음을 보여 준다.
바로 알기 ①~③ 국제 무역 확대의 긍정적 영향에 해당한다. ④ 국제 무역 확대의 부정적 영향에 해당한다.

06 ㄴ. 청년기는 취업, 결혼, 자녀 출산 등의 다양한 과업이 요구되는 시기이다. ㄹ. 최근 평균 수명의 연장으로 고령화가 점점 더 가속화되면서 노년기를 대비할 필요성이 더욱 높아지고 있다.
바로 알기 ㄱ. 아동기는 부모의 도움을 받아 교육을 받고 성장하므로 소비보다 소득이 적은 편이다. ㄷ. 일반적으로 중·장년기에는 수입이 지출보다 많으므로 노년기에 대비하기 위해 이 시기에 충분한 금융 자산을 확보해 두어야 한다.

07 (가)는 주식, (나)는 채권이다. ④ 채권은 만기 시에 약속한 이자를 받을 수 있고, 주식은 회사 경영을 통해 얻은 수익 가운데 일부를 투자 지분에 따라 나눠 주는 배당금을 받을 수 있다.
바로 알기 ① 예금에 대한 설명이다. ② 주식에 대한 설명이다. ③ 주식은 채권에 비해 원금의 손실 가능성이 높은 편이다. ⑤ 예금은 예금자 보호 제도의 보호를 받으므로 주식과 채권에 비해 안전성이 높은 편이다.

### 주관식+서술형 문제

08 (2) 예시 답안 국제 무역이 확대되면 다양한 상품이나 서비스를 낮은 가격에 소비할 기회가 확대되어 풍요로운 소비 생활을 할 수 있다. 그러나 무역이 확대되면 경쟁력이 낮은 국내 기업 및 산업이 위축되어 일자리와 소득이 감소할 수 있다.

| 채점 기준 | 배점 |
|---|---|
| 국제 무역의 확대가 미치는 영향을 긍정적 측면과 부정적 측면에서 각각 한 가지씩 정확하게 서술한 경우 | 상 |
| 국제 무역의 확대가 미치는 영향을 한 가지만 서술한 경우 | 하 |

## Ⅵ 사회 정의와 불평등 136~137쪽

01 ④ 02 ④ 03 ⑤ 04 ② 05 ③
06 ③ 07 ④ 08 ② 09 (1) 사회적 약자
(2) 해설 참조

01 갑은 각자 능력과 노력을 발휘하여 성취한 업적을 분배 기준으로 제시하고 있으며, 을은 구성원이 처한 상황, 즉 필요를 분배 기준으로 제시하고 있다. 그리고 병은 경력이 많은 사람이나 자격증이 있는 사람과 같이 개인이 지닌 잠재력과 재능, 즉 능력을 분배 기준으로 제시하고 있다.

02 각자가 달성한 결과를 객관화·수량화할 수 있어서 평가와 측정이 비교적 쉬운 것은 업적에 따른 분배에 해당한다. 그리고 기본적 필요를 충족하기 힘든 사회적 약자에게 자원을 우선 분배할 것을 요구하는 것은 필요에 따른 분배에 해당한다. 따라서 (가)는 업적, (나)는 필요, (다)는 능력에 따른 분배에 해당한다.
바로 알기 ④ 업적에 따른 분배는 자신이 이룬 업적만큼 보상을 받기 때문에 열심히 노력하려는 동기를 북돋울 수 있는 반면, 필요에 따른 분배는 열심히 일하려는 동기를 약화할 수 있다.

**03** 갑은 자유주의적 정의관, 을은 공동체주의적 정의관의 입장이다. ⑤ 자유주의적 정의관에서는 공동체를 개인의 자유와 권리를 실현하기 위한 수단으로 보는 반면, 공동체주의적 정의관에서는 공동체를 개인의 정체성 형성의 기반으로 본다.
바로알기 ① 갑과 을 모두 긍정의 대답을 할 질문이다. ②~④ 갑은 부정, 을은 긍정의 대답을 할 질문이다.

**04** 갑은 공동체주의적 정의관, 을은 자유주의적 정의관의 입장이다. ㄱ. 공동체주의적 정의관에서는 개인의 정체성은 공동체 속에서 형성되므로 개인의 삶의 방식에 대한 결정권이 공동체에 있다고 본다. ㄷ. 자유주의적 정의관에서는 개인의 자유와 권리를 최대한 보장하는 것이 정의롭다고 여긴다. 따라서 사회나 국가는 개인이 자신의 신념과 입장에 따라 삶을 스스로 계획하고 살아갈 수 있도록 중립적 입장에서 개인의 자유로운 선택권과 자율성을 최대한 허용해야 한다고 본다.
바로알기 ㄴ은 자유주의적 정의관, ㄹ은 공동체주의적 정의관의 입장이다.

**05** 갑국에서는 2008년에 비해 2018년에는 중간 계층이 줄어들면서 구성원들이 상층과 하층의 양 극단으로 쏠리고 있다. 이를 통해 갑국에서 사회 계층의 양극화가 나타나고 있음을 알 수 있다.

**06** ㉠은 사회적 약자에게 실질적인 평등을 보장하는 적극적 우대 조치에 해당한다. 적극적 우대 조치는 사회적 약자를 우선적으로 배려함으로써 ㉡과 같이 사회적 약자가 아닌 사람들에 대한 역차별 문제가 발생할 수 있다. 이러한 문제를 최소화하기 위해 ㉢과 같은 장치를 마련해 두기도 한다.
바로알기 ㄱ. 적극적 우대 조치는 개인의 업적이나 노력보다는 사회적 약자를 우선적으로 배려해 주는 것이다. ㄹ. 대학 입학 전형을 정원 외로 운영함으로써 다른 학생들의 입학 기회를 침해하지 않으면서 사회적 약자에게 실질적인 평등을 보장할 수 있다.

**07** 제시된 사례에서는 우리나라에서 수도권과 비수도권의 격차, 도시와 촌락의 격차 등 공간 불평등이 심화하고 있음을 보여 준다.

**08** ①, ⑤ 해당 지역의 경쟁력을 높임으로써 지역 격차를 완화할 수 있다. ③, ④ 수도권 과밀화를 해소함으로써 지역 격차를 완화할 수 있다.
바로알기 ② 수도권 규제를 완화할 경우 오히려 수도권으로 기능들이 더욱 집중되어 공간 불평등이 심화할 수 있다.

## 주관식+서술형 문제

**09** (2) 예시답안 사회적 약자에 대한 편견이나 고정 관념을 버리는 태도를 갖추어야 한다. 그리고 사회적 약자에 대한 차별은 다른 사람과 동등한 기회를 부여하는 것만으로는 해결이 어려운 경우가 많으므로, 사회적 약자에게 실질적인 평등을 보장하기 위해 직간접적인 혜택을 부여하는 적극적 우대 조치를 도입해야 한다.

| 채점 기준 | 배점 |
|---|---|
| 사회적 약자에 대한 차별을 해결하기 위한 노력을 개인적·사회적 측면으로 구분하여 두 가지 이상 서술한 경우 | 상 |
| 사회적 약자에 대한 차별을 해결하기 위한 노력을 한 가지만 서술한 경우 | 하 |

## Ⅶ 문화와 다양성 138~139쪽

01 ④ 02 ② 03 ② 04 ③ 05 ②
06 ④ 07 ② 08 ③ 09 동아시아 문화권
10 해설 참조

**01** 남아메리카의 고산 지역에서는 냉량한 기후로 인해 감자와 옥수수를 이용한 음식 문화가 발달하였다.
바로알기 ①, ③ 쌀은 강수량이 많은 고온 다습한 계절풍 기후 지역에서 재배된다. ② 밀은 재배 조건이 까다롭지 않아 건조 기후 지역과 유럽 등에서 재배된다. ⑤ 밀농사와 목축업이 이루어지는 지역에서는 빵과 고기를 주식으로 한다.

**02** 지도에 표시된 A는 인도이다. 인도는 남부 아시아 문화권에 속하며 주로 힌두교를 믿는다.
바로알기 ㄴ. 힌두교는 수많은 신을 인정하는 다신교이다. ㄹ. 인도는 대체로 열대 기후가 나타나 주민들은 가볍고 얇은 옷차림을 한다.

**03** 제시된 낱말 카드는 건조 문화권에서 뚜렷하게 나타나는 문화 요소이다. 이 지역의 주민들은 주로 이슬람교를 믿고 아랍어를 사용하며, 건조 기후의 영향으로 유목 생활을 한다.
바로알기 A는 유럽 문화권, C는 동아시아 문화권, D는 오세아니아 문화권, E는 앵글로아메리카 문화권이다.

**04** ㉠은 문화 전파, ㉡은 발견, ㉢은 발명이다.
바로알기 ③ 다른 사회와의 접촉을 통해 이루어지는 문화 변동의 요인은 문화 전파이다.

**05** 온돌 침대는 우리나라의 온돌 문화와 서양에서 전파된 침대 문화가 결합하여 형성된 문화 융합의 사례이다.
바로알기 ㄴ. 온돌은 문화 변동의 내재적 요인에 해당한다. ㄹ. 온돌 침대의 개발은 전통문화를 창조적으로 계승한 사례에 해당하므로 문화의 정체성과 고유성을 상실한 것이 아니다.

**06** ① A국은 서로 다른 문화를 가진 인종이나 민족 등이 함께 살고 있으므로 다문화 사회이다. ② B국 이민자 집단에서는 B국과 A국의 문화가 고유한 성격을 잃지 않고 함께 존재하고 있다. ③ C국의 이민자 집단은 A국의 문화에 동화되어 그들만의 문화를 상실하였다. ⑤ A국과 B국 이민자 집단 및 C국 이민자 집단 사이에는 장기간에 걸쳐 전면적인 접촉을 통한 문화 변동이 일어났다.
바로알기 ④ C국 이민자 집단은 B국 이민자 집단과는 달리 고유한 문화를 상실하였으므로 자문화에 대한 정체성이 약할 것이다.

**07** ㄱ. 용광로 정책은 소수 집단의 문화를 주류 문화에 일방적으로 동화시키고자 하는 정책이다. ㄹ. 우리나라의 다문화 정책은 과거에는 우리 사회에 대한 이주민의 적응을 중시하는 용광로 정책이 일반적이었다. 그러나 최근에는 문화의 다양성을 강조하면서 이주민의 문화를 인정하는 샐러드 볼 정책을 수용하고 있다.
바로 알기 ㄴ. '로마에 가면 로마법을 따르라'는 속담은 소수 집단에 대한 동화를 강조하는 용광로 정책과 관련이 깊다. ㄷ. 용광로 정책에 비해 샐러드 볼 정책이 문화의 다양성을 강조한다.

**08** 갑은 인간의 생명과 존엄성을 위협하는 명예 살인이라는 풍습까지도 이해하고 존중해야 한다는 극단적 문화 상대주의를 가지고 있다. 이러한 문화 이해 태도는 인류가 지향하는 보편적 가치를 파괴할 수 있으므로 경계해야 할 문화 이해 태도이다.

## 주관식+서술형 문제

**09** 우리나라, 중국, 일본은 오래전부터 정치, 경제, 사회 등의 분야에서 교류해 오면서 동아시아 문화권을 형성해 왔다.

**10** 예시 답안 갑의 주장처럼 다문화 사회로 변화하면서 우리 사회의 문화가 더욱 다양해지고 풍부해지고 있다. 그러나 을이 주장하는 내용과 같이 문화 차이로 인해 내국인과 이주민 간의 갈등이 발생할 수 있다는 문제점이 있다.

| 채점 기준 | 배점 |
|---|---|
| 다문화 사회의 영향을 긍정적 측면과 부정적 측면에서 각각 한 가지씩 바르게 서술한 경우 | 상 |
| 다문화 사회의 영향을 긍정적 또는 부정적 측면에서 한 가지만 서술한 경우 | 하 |

## Ⅷ 세계화와 평화 140~141쪽

01 ① 02 ② 03 ③ 04 ⑤ 05 ③
06 ② 07 ④ 08 ③ 09 ①
10 (1) 동북 공정 (2) 해설 참조

**01** 브라질의 지역 축제인 리우 카니발은 한 지역의 고유한 문화가 세계적으로 확산하고, 동시에 세계 속에서 정체성과 경쟁력을 갖추게 된 사례로 세계화와 지역화가 동시에 이루어진 경우이다.
바로 알기 ㄷ. 오늘날 세계화로 지역 간 경쟁이 치열해짐에 따라 지역화의 필요성은 더욱 증가하고 있다. ㄹ. 리우 카니발은 지역 고유의 전통을 살린 지역화 전략을 활용했다.

**02** ① 다국적 기업은 교통·통신의 발달에 따른 세계화로 더욱 그 영향력을 확대하고 있다. ③ 다국적 기업의 연구소는 대학 및 연구 시설이 밀집하고 전문 인력이 풍부한 선진국에 입지한다. ④ 다국적 기업은 경영의 효율성을 높이고 이윤을 극대화하기 위해 공간적 분업을 한다. ⑤ 다국적 기업은 진출한 국가에 일자리 창출 및 기술 이전을 통해 긍정적인 영향을 미친다.
바로 알기 ② 다국적 기업의 본사는 자본과 우수한 인력 확보가 용이한 본국의 대도시에 입지하는 반면, 생산 공장은 저임금 노동력이 풍부한 개발 도상국에 주로 입지한다.

**03** ① 세계화는 생활권의 범위가 개별 국가의 국경을 넘어 전 지구로 확대되고, 전 세계가 하나로 통합되어 가는 현상을 의미한다. ②, ④, ⑤ 세계 도시는 정치, 경제, 정보 등 다양한 측면에서 세계의 중심지 역할을 수행하는 도시로서 다국적 기업의 본사, 대형 금융 기관 등이 밀집해 있어 전 세계의 자본과 정보가 집중되는 도시이다. 또한 다양한 국제기구의 본부가 입지해 있어 인적·물적 교류가 활발하게 이루어진다. 이러한 세계 도시들은 기능적으로 유기적 관계를 맺고 있어 어느 한 도시에서 일어나는 변화는 연쇄적으로 다른 세계 도시뿐만 아니라 전 세계에 영향을 미친다.
바로 알기 ③ 다국적 기업의 생산 공장은 주로 저임금 노동력이 풍부한 개발 도상국에 입지한다.

**04** ㄴ. (나)에는 유네스코의 세계 문화 다양성 선언과 같이 문화의 고유성과 다양성을 보존하려는 노력이 들어갈 수 있다. ㄷ, ㄹ. (다)는 보편 윤리와 특수 윤리 간 갈등 문제이다. 이는 인구의 국제 이동과 국가 간 상호 의존성이 증대됨에 따라 증가하고 있으며, 세계 시민 의식 함양을 통해 해결할 수 있다.
바로 알기 (가)는 국가 간 빈부 격차 심화 문제이다. ㄱ. 국가 간 빈부 격차는 자유 무역의 확산으로 점차 심화되고 있다.

**05** ㉠은 국가, ㉡은 정부 간 국제기구, ㉢은 국제 비정부 기구에 해당한다.
바로 알기 ③ 오늘날 시민 사회의 영향력이 커지면서 개인과 민간단체를 회원으로 하는 국제 비정부 기구의 역할도 확대되고 있다.

**06** 소극적 평화는 전쟁, 테러, 범죄 등의 직접적·물리적 폭력이 없는 상태이다. 그러나 소극적 평화는 빈곤, 기아, 각종 억압과 불평등과 같은 구조적·문화적 폭력이 해결되지 않은 상태라는 점에서 한계가 있다.
바로 알기 ㄴ, ㄹ. 직접적 폭력은 물론 구조적·문화적 폭력까지 제거된 적극적 평화에 대한 설명이다.

**07** 1945년 우리 민족의 지속적인 독립 운동과 제2차 세계 대전에서 일본의 패전으로 우리나라는 광복을 맞이하였다. 그러나 광복 직후 북위 38도선을 경계로 미국과 소련의 군대가 남과 북에 각각 주둔하고, 냉전 체제의 심화, 신탁 통치에 대한 민족 내부의 찬반 논쟁 등으로 남북은 분단되었다. 이후 1950년 북한의 남침으로 6·25 전쟁이 발발하였고 오늘날까지 남북 분단 상태이다.
바로 알기 ④ 국제 연합(UN)은 총선거에 의한 통일 정부 구성 방안을 마련하였지만 소련과 북한 측의 거부로 남한만의 단독 총선거가 실시되고 대한민국 정부가 수립되었다.

**08** 역사 갈등 문제를 해결하기 위해 정부 차원에서는 역사 왜곡에 대해 외교적으로 대처하고 관계 법령을 정비하며, 역사 왜곡에

대응하는 연구를 지원할 수 있다. 민간 차원에서는 공동 역사 연구를 통한 역사 인식 공유, 청소년·시민 단체의 민간 교류 확대 등으로 역사 갈등 해결을 위해 노력할 수 있다.
바로 알기 ③ 자국 중심의 역사 교육은 역사 갈등을 심화할 수 있다.

**09** 개인과 민간단체는 세계 시민 의식을 가지고 빈곤, 기아 등 초국가적인 문제를 함께 해결하기 위해 노력할 수 있다. 또한 국제 비정부 기구의 반전 및 평화 운동에 참여할 수 있다.
바로 알기 ㄷ, ㄹ. 국가 차원의 노력에 해당한다.

## 주관식+서술형 문제

**10** (2) 예시 답안 중국은 동북 공정을 통해 현재 중국 영토 내에 있는 소수 민족을 통합하여 이들의 분리 독립을 막고, 국경 지역을 안정시켜 현재의 영토를 확고히 하고자 한다.

| 채점 기준 | 배점 |
|---|---|
| 중국이 동북 공정을 추진하는 목적을 두 가지 이상 정확하게 서술한 경우 | 상 |
| 중국이 동북 공정을 추진하는 목적을 한 가지만 서술한 경우 | 하 |

## Ⅸ 미래와 지속 가능한 삶 142~143쪽

01 ① 02 ③ 03 ③ 04 ① 05 ④
06 ② 07 ④ 08 ① 09 ②
10 ㉠ 저출산 ㉡ 고령화 11 해설 참조

**01** 세계 인구가 급증하게 된 것은 산업 혁명 이후 의료 기술의 발달과 생활 수준의 향상으로 사망률이 낮아졌으며, 식량이 증산되어 인구를 부양할 수 있는 능력이 높아졌기 때문이다.
바로 알기 ① 출산 장려 정책은 최근에 저출산 현상이 심화되면서 나타나게 된 정책이다.

**02** 로힝야족은 미얀마 내 소수 민족으로, 독립을 요구하는 과정에서 미얀마 군에게 탄압을 받았다. 제시된 내용은 정치적 탄압을 피하기 위한 난민의 이동 사례이다.
바로 알기 ① 경제적 요인에 의한 이동은 일자리를 찾기 위한 것이며, ② 최근 세계화로 인해 인구 이동은 더욱 활발해지고 있다. ④ 지구 온난화에 따른 해수면 상승으로 국토 면적이 줄어들고 있는 투발루의 환경 난민이 이에 해당한다. ⑤ 로힝야족은 이슬람교도이고, 미얀마는 불교 국가이지만 종교의 교리 해석이 갈등의 원인이 된 것은 아니다.

**03** (가) 국가는 출산 억제 정책을 실시하고 있으므로 개발 도상국, (나) 국가는 출산 장려 정책을 시행하고 있으므로 선진국으로 볼 수 있다. ③ 선진국은 개발 도상국에 비해 중위 연령이 높고, 평균 기대 수명이 길다.
바로 알기 ①, ② (가)는 (나)보다 출생률과 사망률이 높다. ④, ⑤ (나)는 (가)보다 경제 발전 수준과 유소년 인구 비중이 높다.

**04** 석유는 정제 기술이 발전하여 다양한 용도로 사용하게 되면서 소비량이 빠르게 증가하였다. 석유는 세계에서 가장 많이 소비하는 에너지 자원이다.

**05** 제시된 지역들은 에너지 자원의 개발과 확보를 둘러싸고 국가 간 갈등이 발생하는 지역이다. 특히 석유와 천연가스가 풍부하게 매장되어 있는 카스피해, 남중국해, 북극해 등의 지역에서는 주변국들의 영역 분쟁이 나타나고 있다.

**06** 그래프는 석탄의 생산 및 수출입을 나타낸 것이다. ㄱ. 석탄은 주로 산업용 연료로 많이 사용되고 있어 공업이 발달한 국가에서 주로 수입한다. ㄷ. 중국은 석탄 생산량이 가장 많은 국가이지만, 중국 내에서의 소비가 매우 많아 석탄 소비량도 가장 많다.
바로 알기 ㄴ, ㄹ. 석유에 대한 설명이다.

**07** 지속 가능한 발전은 현세대의 필요를 충족시키기 위하여 미래 세대가 사용할 경제, 사회, 환경 등의 자원을 낭비하거나 여건을 저하시키지 않는 범위 내에서 발전을 추구한다.

**08** 지속 가능한 발전을 위한 노력 중 경제적 측면에서의 노력으로는 공적 개발 원조 실시, 신·재생 에너지 개발 및 보급 확대 등이 있다. 그리고 환경적 측면에서의 노력으로는 국제 환경 협약 체결, 온실가스 배출권 거래제 시행 등이 있다.
바로 알기 ㄷ. 개인적 측면에서의 노력으로 볼 수 있다. ㄹ. 사회적 측면에서의 노력으로 볼 수 있다.

**09** 제시된 자료는 온실가스 배출권 거래제를 나타낸 것이다. 이 제도는 정부가 기업에게 배출할 수 있는 온실가스 양을 정해 주고, 기업은 그 범위 내에서 온실가스를 감축하도록 한다. 기업이 감축을 많이 해서 배출권이 남거나, 감축을 적게 해서 배출권이 부족할 경우 기업 간에 온실가스 배출 허용분을 사고팔 수 있도록 한다.
바로 알기 ①, ⑤ 온실가스 배출권 거래제는 기후 변화 협약에 따라 선진국을 중심으로 시행되고 있다. ③ 지속 가능한 발전을 위한 국제적·국가적 차원의 노력이다. ④ 공적 개발 원조에 대한 설명이다.

## 주관식+서술형 문제

**10** 저출산·고령화 현상에 따라 노동력 부족, 소비 감소, 경기 침체, 세대 간 일자리 경쟁, 노년 부양비와 노인 복지 비용 증가 등의 문제가 나타나고 있다.

**11** 예시 답안 다른 문화를 이해하고 문화의 다양성을 존중한다. 지구 온난화 문제의 해결을 위해 환경친화적 생활을 실천한다.

| 채점 기준 | 배점 |
|---|---|
| 지구촌 문제의 해결 방안을 두 가지 이상 서술한 경우 | 상 |
| 지구촌 문제의 해결 방안을 한 가지만 서술한 경우 | 하 |